KB109725

진화의 배신

TOO MUCH OF A GOOD THING

진화의 배신

착한 유전자는
어째서 살인 기계로
변했는가

리 골드먼 지음
김희정 옮김

부·키

지은이 **리 골드먼**Lee Goldman 박사는 세계적으로 저명한 심장병 전문의로, 현재 컬럼비아대학교 의학건강과학대학원 학장, 컬럼비아대학병원 원장 겸 교수로 재직 중이다.
예일대학교에서 의학 및 철학 박사학위를 받고 캘리포니아대학교샌프란시스코병원, 매사추세츠종합병원, 예일뉴헤이븐병원에서 수련의 과정을 밟았다. 하버드의학대학원 의학 교수와 하버드공중보건대학원 전염병학 교수를 거쳐 캘리포니아대학교 샌프란시스코캠퍼스 의학대학원 의학부 부학장과 임상학 학장을 지냈다. 미국의학원 회원이며 미국일반내과의사협회, 미국의사회, 미국의대교수협회가 수여하는 최고상을 수상했다. 흉부 통증 환자의 입원 여부 결정 기준으로 높이 평가받는 골드먼 표준Goldman Criteria, 골드먼 지수Goldman Index로 대표되는 비심장 수술이 심장에 미치는 위험 예측에 관한 연구로 유명하다. 미국에서 가장 오래된 의학 교과서인 《골드먼-세실 의학 교과서Goldman-Cecil Medicine》의 수석 편집인이며, 지금까지 450편이 넘는 논문을 발표했다.

옮긴이 **김희정**은 서울대학교 영문학과와 한국외국어대학교 통번역대학원을 졸업했다. 현재 가족과 함께 영국에 살면서 전문 번역가로 활동하고 있다. 옮긴 책으로 《장하준의 경제학 강의》《어떻게 죽을 것인가》《인간의 품격》《채식의 배신》《그들이 말하지 않는 23가지》《견인 도시 연대기》(전 4권) 《랩걸》《코드북》《두 얼굴의 과학》《우주에 남은 마지막 책》《영장류의 평화 만들기》 등이 있다.

진화의 배신

2019년 1월 25일 초판 1쇄 발행 | 2022년 6월 2일 초판 8쇄 발행

지은이 리 골드먼 | **옮긴이** 김희정 | **펴낸곳** 부키(주) | **펴낸이** 박윤우
등록일 2012년 9월 27일 | **등록번호** 제312-2012-000045호
주소 03785 서울 서대문구 신촌로3길 15 산성빌딩 6층
전화 02)325-0846 | 팩스 02)3141-4066 | **홈페이지** www.bookie.co.kr
이메일 webmaster@bookie.co.kr | **제작대행** 올인피앤비 bobys1@nate.com
ISBN 978-89-6051-691-5 03100

책값은 뒤표지에 있습니다. 잘못된 책은 구입하신 서점에서 바꿔 드립니다.

이 도서의 국립중앙도서관 출판예정도서목록(CIP)은 서지정보유통지원시스템 홈페이지(http://seoji.nl.go.kr)와 국가자료공동목록시스템(http://www.nl.go.kr/kolisnet)에서 이용하실 수 있습니다.(CIP제어번호: CIP2019000417)

나의 아내이자 가장 좋은 친구
질에게 이 책을 바친다

차례

머리말 9

1부 인류를 생존시킨 네 가지 형질의 비밀

| 1장 | 우리 몸은 어떻게 지금처럼 프로그래밍되었을까

만일 에이즈가 더 일찍 출현했다면 20 | 인간은 어디서 어떻게 여기까지 왔을까 24 | 자연 선택의 진화 메커니즘과 '적자' 생존의 원리 30 | 자연 선택의 실제 사례 하나, 튼튼한 뼈 37 | 자연 선택의 실제 사례 둘, 유당 소화력 46 | 전염병에서 살아남기 53 | 수십만 년의 느린 변화와 산업 혁명 이후의 극적인 변화 61 | 좋은 것도 지나치면 독이 된다 66

| 2장 | 굶주림, 음식 그리고 비만과 당뇨라는 현대병

인체는 음식이 넘쳐나는 상황을 모른다 70 | 사람은 얼마나 많은 열량이 필요한가 73 | 구석기 시대의 음식과 열량 77 | 열량을 넘어서: 우리 몸에 필요한 다른 영양소들 85 | 우리 몸의 생존 장치 하나, 허기와 포만감 90 | 우리 몸의 생존 장치 둘, 입맛 92 | 우리 몸의 생존 장치 셋, 소화와 흡수 101 | 아사 방지 생존 형질이 부적절할 때 105 | 문명과 영양 공급 109 | 식사 시간, 열량, 운동의 관계 114 | 영양 상태의 시금석, 평균 신장 117 | 비만의 역사 123 | 체중은 왜 늘어날까 128 | 왜 비만에 신경 써야 할까 138 | 왜 당뇨병에 유의해야 할까 141 | 피마족의 교훈에서 배우기 145 | 현대인의 딜레마 154

| 3장 | 물, 소금 그리고 고혈압이라는 현대병

프랭클린 루스벨트의 죽음 162 | 탈수에서 살아남기 165 | 구석기 시대의 물과 끈기 또는 지구력 168 | 우리 몸의 생존 상지 하나, 땀과 체온 171 | 우리 몸의 생존 장치 둘, 물과 소금 175 | 탈수 방지 생존 형질이 부적절할 때 182 | 문명 그리고 물과 소금 공급 192 | 조상들과 현대인의 나트륨 섭취 195 | 고혈압이란 무엇인가 198 | 무엇이 고혈압을 부르는가 202 | 고혈압이 끼치는 폐해 208 | 루스벨트의 고혈압 213 | 현대인의 딜레마 217

| 4장 | 위험, 기억, 두려움 그리고 불안과 우울증이라는 현대병

제이슨 펨버턴의 역설 222 | 경쟁과 위험에서 살아남기 225 | 구석기 시대의 폭력과 비명횡사 227 | 살인과 진화의 메커니즘 232 | 우리 몸의 생존 장치, 기억과 두려움 238 | 공격과 위험에 어떻게 대처할 것인가 243 | 위협에 너무 과하게 반응하기 248 | 비명횡사 방지 생존 형질이 부적절할 때 259 | 문명과 폭력의 감소 264 | 과거와 현재의 살인율 270 | 현대 사회를 뒤덮은 불안과 우울증 274 | 외상 후 스트레스 장애: 다시 제이슨 펨버턴 이야기로 277 | 자살의 이유 281

| 5장 | 출혈, 응고 그리고 심장 질환과 뇌졸중이라는 현대병

로지 오도널과 '과부 제조기' 292 | 출혈에서 살아남기 295 | 구석기 시대의 출혈 위험 299 | 우리 몸의 생존 장치, 혈액 순환 301 | 순조로운 피의 흐름과 응고 306 | 출산 시 출혈과 응고 사이의 균형 잡기 309 | 출혈 방지 체계가 고장 났을 때 316 | 출혈 방지 생존 형질이 부적절할 때 319 | 문명과 의학의 발전 328 | 심장 마비와 뇌졸중의 역사 332 | 출혈 문제의 과거와 현재 336 | 심장 마비: 다시 로지 오도널 이야기로 340 | 뇌졸중에서 살아남기 345 | 정맥 혈전과 폐색전에서 살아남기 349

2부 현대 사회에서 우리 몸 보호하기

| 6장 | 유전자는 문제를 해결할 만큼 빨리 진화할 수 있을까

우리 조상들의 자손 증식과 수명 356 | 현대인의 수명 연장과 창궐하는 현대병 361 | 현대병의 미래 366 | 유전자로 전세가 뒤집힐까: 비생산적 형질 제거하기 368 | 유전자로 전세가 뒤집힐까: 새 돌연변이 유전자 퍼뜨리기 372 | 환경은 우리를 더 빨리 변화시킬 수 있을까 386

| 7장 | 우리 행동 바꾸기

우리 의지가 행동을 바꿀 수 있을까 398 | 다이어트로 먹는 본능 이기기 405 | 다시 오프라 윈프리와 요요 다이어트로 412 | 우리는 왜 살빼기에 실패할까 415 | 가끔 있는 대성공 사례와 좋은 소식 422 | 운동으로 과잉 보호 본능 상쇄하기 426 | 소금 섭취 줄이기 433 | 불안과 우울증 대처법 438 | 빅 브라더가 우리를 구할 수 있을까 443 | 슬픈 진실 449

| 8장 | 우리 체질 변화시키기

현대 과학이라는 선택지 454 | 현대인이 할 수 있는 일, 약과 수술 457 | 과체중과 비만 치료법 461 | 운동 촉진제 476 | 고혈압 치료법 478 | 불안과 우울증 치료법 482 | 혈전 치료제 489 | 최첨단 기술들 502 | 미래의 전망 508

감사의 말 514

주 516 | **참고문헌** 557

머리말

내가 의사가 된 후로 가족과 친구들은 늘 내게 건강 문제를 상담하곤 한다. 그중에는 진짜 병도 있고 그냥 느낌만 그런 경우도 있다. 제일 흔히 듣는 질문은 이런 것이다. "왜 살빼기가 이렇게 힘들까?" "내가 느끼기에는 아무렇지도 않은데 고혈압약을 꼭 먹어야 할까?" "심혈관 질환이나 심장 마비를 예방하기 위해 아스피린을 날마다 먹어야 할까?"

나는 이런 질문들의 밑바탕에 특정한 난제가 도사리고 있음을 깨달았다. 몇 만 년 동안 인류의 생존을 보장하기 위해 우리 몸이 사용해 왔던 핵심 보호 전략들 중 일부가 현대 산업 사회에 만연한 주요 질병의 원인이 되고 있다는 사실 말이다.

이 책의 첫 번째 목표는 인류가 역사적으로 너무나 연약한 존재라는 사실, 그리고 배고픔, 갈증, 두려움, 혈액 응고 능력 같은 생존에 근본적으로 필요한 방어 기제가 없었으면 현재 우리는 세상을 지배하기는커녕 존재하지조차 못했으리라는 사실을 강조하는 것이다. 두 번째 목표는 끌 수 있는 스위치도 없이 우리 몸의 근간이 되어 버린 이 생존 전략들이 왜 이제는 '과유불급'이 되고 말았는지 설명하는 것이다. 이 생존 전략들은 현대 사회에서 살아남는 데 필요한 선을 넘어섰을 뿐 아니라 너무 강력해져서 오히려 질병과 죽음의 주원인이 되어 버린 역설적인 상황을 연출하고 있다. 이 책을 쓰는 세 번째 목표이자 가장 중요한 목표는 미래가 어떤 식으로 펼쳐질지, 그리고 우리가 뇌를 사용해 그 미래의 전개 방향에 어떻게 영향력을 행사할 수 있는지를 설명하는 것이다.

이 책은 인류 생존 전략에서 가장 중요한 네 가지 형질에 초점을 맞춘다. 이 네 가지가 없었다면 우리는 현재 지구상에 존재하지 않을 것이다.

식욕과 열량 축적의 본능

초기 인류는 음식이 생길 때마다 지나치다 싶을 정도로 배불리 먹는 것으로 굶주림에 대비했다. 오늘날 미국인의 35퍼센트가 비만이며 그와 동시에 당뇨병, 심장 질환, 심지어 암에 걸릴 확률이 높은 것은, 몸에 필요한 것보다 더 먹는 이 타고난 성향 때문이다.

물과 소금에 대한 욕구

우리 조상들은 치명적인 탈수의 위협에 끊임없이 시달려야 했다. 특히 몸을 움직이고 땀을 흘리면 탈수 위험이 커지므로 몸은 물과 소금을 보존하고, 이 두 가지를 항상 더 원하도록 프로그래밍되어 있었다. 이제 대다수 미국인이 필요한 양보다 많은 소금을 소비하고 있으며, 이처럼 과도하게 섭취한 소금은 조상으로부터 물려받은 물과 소금 보존 호르몬과 상승 작용을 일으켜서 심장 질환, 뇌졸중, 신장 질환의 위험을 눈에 띄게 증가시키는 요인으로 작용한다.

싸울 때, 도망칠 때, 복종할 때를 판단하는 본능

선사 시대 사회에서는 많게는 사망자의 25퍼센트가 폭력에 의해 죽음을 맞았다. 따라서 늘 살해당할 가능성을 염려하며 극도로 조심해야 했다. 그러나 세상이 점점 안전해지면서 폭력 사태는 줄어들었다. 현대 미국에서는 살인이나 동물의 공격보다 자살로 목숨을 잃는 경우가 훨씬 흔하다. 왜일까? 지나치게 조심하고 두려워하고 걱정하는 우리의 오래된 성향이 불안증, 우울증, 외상 후 스트레스 장애 그리고 자살까지 불러일으키기 때문이다.

출혈로 죽지 않도록 피를 응고시키는 능력

외상과 출산으로 인한 출혈의 위험도가 높았던 초기 인류는 피를 재빨리 그리고 효과적으로 응고시킬 필요가 있었다. 현대에는 반창고부터 수혈에 이르기까지 각종 기술이 발달하면서 과다 출혈로 목숨을 잃을 확률보다 오히려 혈액 응고로 사망할 확률이 더 커졌다. 대부분의 심장 마비와 뇌졸중—현대 사회의 주요 사망 원인—은 심장과 뇌의 동맥을 따라 흐르는 피를 혈전(응고된 혈액 덩어리)이 막아서 생기는 증상이다. 거기에 더해 옛 조상들은 경험하지 못했던 긴 자동차 여행과 비행기 여행 또한 사망을 초래할 수 있는 위험한 혈전을 만들어 낸다.

19세기까지만 해도 우리 조상들은 이 네 가지 유전 형질의 도움으로 인류 역사를 관통하는 가장 큰 사망 요인인 굶주림, 탈수, 폭력, 출혈의 위험을 피하고 생존 확률을 높일 수 있었다. 그러나 현대에 들어와서는 놀랍게도 바로 이 네 형질이 미국 내 사망자 40퍼센트의 목숨을 앗아가는 요인으로 자리 잡았으며, 주요 사망 원인[1] 여덟 가지 중 네 가지에 이름을 올렸다. 그 결과 이 유전 형질로 인해 죽음을 피할 수 있는 사람의 숫자보다 죽는 사람의 숫자가 무려 여섯 배나 많아졌다. 인류의 생존을 도왔을 뿐 아니라 지구 생태계를 장악하는 근원이 된 바로 그 특징들이 왜 이제는 이토록 비생산적이 되었을까?

이러한 역설이야말로 이 책의 뼈대를 이룬다. 약 1만 세대가 넘는 20만 년의 긴 세월 동안 우리 조상들이 살아온 세상은 매우 서서히 변해 왔다. 우리가 누구인지를 규정하는 유전자 또한 그와 비슷한 속도로 변화했으므로, 우리 조상들은 환경에 적응하고 번창할 수 있었다. 그러다가 채 200년 전도 안 되는 시점부터 인류는 뇌를 써서 세상을 극적으로 변화시키기 시작했다. 산업 혁명과 더불어 교통, 전기, 슈퍼마켓, 의학 등 완전히 새로운 시대에 들어선 것이다. 좋은 소식은 1800년대를 기점으로 그 이전에는 수만 년 동안 별로 변화를 보이지 않던 평균 수명이 두 배로 늘었고, 1990년부터 지금까지만 봐도 6년이나 추가로 늘었다는 사실이다.[2] 그러나 나쁜 소식은 우리 몸이 이 새로운 세상에 적응하도록 주어진 기간이 10세대 정도에 불과하다는 사실이다. 우리 유전자는 그렇게 빨리 변화할 수가 없기 때문에 급변한 환경을 따라잡지 못하고 있다. 현대를 사는 우리는 조상들의 목숨을 위협했던 도전들로 인해 목숨을 잃는 대신 오히려 그런 도전들로부터 몸을 보호하려는 기제들 때문에 목숨을 잃는 사태가 벌어지고 있다.

그렇다면 앞으로 어떤 일이 벌어질까? 세 가지 주요 가능성을 상상할 수 있다. 첫 번째는 모든 것이 나빠질 가능성이다. 비만, 당뇨병, 고혈압, 불안증, 우울증, 자살, 심장 마비, 뇌졸중이 더 심각해져서 이런 질병을 가진 사람들이 아이를 가지기 전에 죽어 버리는 단계까지 악화된다는 시나리오다. 이 가능성은 터무니없어 보이지만 벌써 비만 아동이 청소년기에 당뇨병을 얻는 경우가 많다. 이들은 당뇨병이 없는 또래들에 비해 건강한 아이를 낳을 가능성은커

넝 아이를 낳을 확률 자체가 더 적다. 그럼에도 불구하고 이런 최악의 시나리오를 피하려면 인류는 그냥 영리하게 꾀를 내는 것 이상의 조치를 취해야 할 것이다.

두 번째는 우리 모두 건강해지기 위해 더 많은 시간과 노력을 기울인다는 시나리오다. 다들 더 좋은 음식을 먹고, 운동을 더 하고, 생활 태도를 더 바람직하게 바꾸는 것이다. 불행하게도 이런 자기 개발식 접근법은 일부 개인의 경우 성공하기도 하지만 인구 전체로는 효과가 없기로 악명이 높다. 체중을 줄였던 사람들 대부분이 다시 예전 몸무게로 급격히 돌아가는 현상인 '요요 다이어트'는 단기적 성공이 장기적 실패로 상쇄되어 버리는 많은 예 중 하나일 뿐이다.

세 번째는 현대 과학을 활용하는 시나리오다. 오로지 과학에만 의존하자는 것이 아니라 생활 습관을 향상시키려는 꾸준한 노력을 보완하는 주요 수단으로 과학을 활용하자는 것이다. 고혈압에는 약이 필요하고, 고도 비만에는 수술이 가장 효과적이며, 우울증을 야기하는 주원인 중 하나인 화학적 불균형에는 항우울증제가 잘 듣고, 일부 사람들에게는 아스피린을 하루에 한 알씩 복용하는 것이 심혈관 질환이나 심장 마비에 효과가 있다. 또 현재 진행 중인 과학 발전 덕에 미래에는 음식과 소금에 대한 우리의 입맛을 제어하고, 혈액 응고 기능을 재설정할 수 있을지도 모른다. 그리고 인간 게놈(지놈, 유전체. 한 생물 종의 모든 유전 정보) 해독으로 유전자 지도가 완성되면서 우리는 현대병을 일으키는 유전자만을 표적으로 하는 의약품을 사용할 수도 있는 시대에 들어서고 있다. 이런 발전은 개인에 맞춘 정밀 의학의 새 시대 도래를 알리는 서막이다. 이처럼 약이나 심지어 수술에 의존하는 것을 도덕적 나약성으로 무시하기보다는 우리가 스스로 할 수 없는 일을 해내는 데 필요한 도움으로 인식해야 한다. 우리 유전자는 그런 식으로 만들어지지 않았고, 현대 사회의 변화 속도에 발맞춰 빨리 변할 수도 없기 때문이다.

이 책에서는 이러한 모든 가능성을 탐색해 보고, 현재 우리가 겪고 있는 문제를 해결할 수 있는 방법을 모색할 것이다. 1장부터 5장까지는 먼저 현대 사회의 상황을 대표하는 이야기로 시작한 다음, 우리의 현재 건강 문제가 지구를 정복하고 번창하는 데 큰 기여를 한 인류의 유전적 특성으로 말미암아 벌어진 일임을 설명한다. 나머지 6, 7, 8장에서는 우리의 유전자와 몸이 우리가 만들어 낸 환경과 다시 조화를 이루도록 하기 위해 어떻게 뇌를 쓸 수 있고 계속 써야 하는지 청사진을 제시한다.

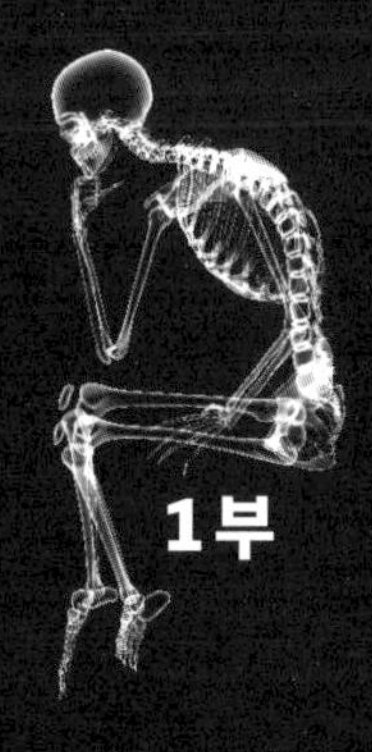

1부

인류를 생존시킨
네 가지 형질의 비밀

1장

우리 몸은 어떻게 지금처럼 프로그래밍되었을까

만일 에이즈가 더 일찍 출현했다면

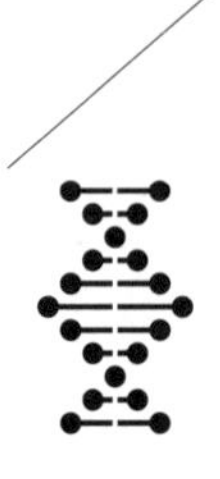

'베를린 환자' 티머시 브라운의 기적

신원을 보호하기 위해 의사들이 애초에 '베를린 환자Berlin patient'라고 불렀던 티머시 레이 브라운은 1990년대에 20대의 나이로 에이즈(후천 면역 결핍 증후군)를 일으키는 HIV(인간 면역 결핍 바이러스)에 감염되었다. 의사들은 당시 나와 있던 HIV 약을 써서 그의 건강이 악화되는 것을 막는 데 성공하는 듯했고 브라운도 상태가 괜찮았으나 결국 급성 백혈병에 걸리고 말았다. 처음에는 공격적인 화학 요법으로 백혈병에 대처했지만 그 부작용으로 HIV 약을 한동안 끊어야 하는 상황이 벌어졌다. 약을 끊자 혈중 HIV 수치가 높아졌다. 지속적 감염이 있다는 증거인 동시에 에이즈가 본격 진행될 확률이 높아진다는 의미였다. 의사들은 화학 요법의 강도를 낮추고

HIV 약을 다시 처방하는 것 외에 다른 수가 없었다. 남아 있는 유일한 방법은 치료 확률이 50퍼센트[1] 정도인 골수 이식뿐이었다. 다행히 의사들은 적합한 골수 기증자를 찾는 데 성공했고, 브라운은 확률과의 전쟁에서 승리해 골수 이식 수술로 백혈병이 완치되었다. 그리고 5년이 넘게 지난 뒤에도 그의 백혈병은 재발하지 않았다.

하지만 이야기는 여기서 끝나지 않는다. 브라운을 치료한 의사들은 HIV에 감염되었지만 심각한 감염이나 본격적인 에이즈로 진행되지 않은 흔치 않은 사람들에 대한 연구를 통해, 유전자 한 개에 생긴 단 하나의 돌연변이를 부모 양쪽으로부터 모두 물려받으면 HIV가 세포에 침투하는 것이 불가능해진다는 사실을 알아냈다. 그렇지 않을 경우에는 예외 없이 감염된다. 불행하게도 북유럽 인구의 1퍼센트 이하, 그리고 나머지 인구에서는 그보다 더 적은 수만이 이 온전히 보호받을 수 있는 돌연변이 유전자를 가지고 있다. 놀랍게도 브라운을 치료한 의사들은 그에게 골수를 기증할 수 있는 체질인 동시에 이 돌연변이 유전자를 가진 사람을 찾아냈다. 골수 이식 성공으로 브라운은 백혈병만 완치된 것이 아니라 상당히 진행된 HIV 감염에서 완전히 회복된 세계 최초의 환자가 되었다.

아직 어떤 재앙도 인류를 멸종시키지 못했다

에이즈 환자는 1980년 샌프란시스코에서 처음 보고되었다. 그 후 놀라운 과학적 성과가 뒤따랐다. 1984년 HIV가 에이즈의 원인

임이 확인되었고, 1985년부터는 이 바이러스에 대한 검사를 할 수 있게 되었으며, 1987년에는 이 바이러스를 치료하는 약이 처음으로 나왔다. 1990년대 중반부터는 여러 가지 약을 섞어 쓰는 효과적인 치료법이 개발되어 HIV 감염은 완치는 아니지만 흔히 치료할 수 있는 만성 질환[2]이 되었다.

과학자들은 과거로 거슬러 올라가 1959년부터 인간 혈액에 HIV가 존재했고, 처음 에이즈 환자가 보고되기 전 몇 십 년 동안에도 에이즈라는 진단을 받지 않았지만 비슷한 증상으로 목숨을 잃은 환자들이 소수 있었음을 확인했다. 바이러스 자체에 대한 유전자 연구에 기초해 과학자들은 현재 우리가 HIV라고 부르는 것이 중앙아프리카에 사는 원숭이들 사이에서 감염되는 약간 다른 형태의 바이러스에서 유래했으며, 1920년대 어느 시점엔가 인간에게 감염되었을 것이라고 추측한다.[3]

그런데 이와는 다른 시나리오로 사태가 진행되었다고 한번 상상해 보자. HIV가 20세기 말 바이러스학과 약학이 발달하기 전에 원숭이에게서 인간으로 감염되었다면 어땠을까? HIV는 서서히 그러나 꾸준히 전 세계로 퍼져 나갔을 것이다. 특히 전염성이 강한데도 증상을 보이기까지 몇 달 또는 몇 년이나 걸리는 특징 때문에 더 널리 확산되었을 것이다. 물론 현대적 교통 수단이 나오기 전 시대에는 처음엔 느리게 퍼졌겠지만 사람들이 긴밀하게 접촉하는 곳이라면 어디에서든 이 바이러스가 확산되었으리라 추측할 수 있다. HIV

에 감염된 사람들이 결국 모두 에이즈에 걸려 사망한다면, 에이즈 발병을 막는 돌연변이 유전자를 가진 사람들 또는 완전히 고립되어 살거나 중앙아프리카에서 충분히 멀리 떨어져서 HIV에 노출되지 않은 사람들만 살아남았을 것이다.

그렇지만 지금까지 어떤 재앙도—기아, 전염병 또는 환경 재앙 등 아무것도—인류를 완전히 멸망시키는 데 성공하지 못했다. 우리가 어떻게 살아남았는지를 이해하기 위해서는 우리가 어디에서 왔는지 그리고 어떻게 여기까지 왔는지를 이해할 필요가 있다. 시간을 거슬러 올라가 우리의 조상들을 살펴보는 것에서부터 시작해 보자.

인간은 어디서 어떻게 여기까지 왔을까

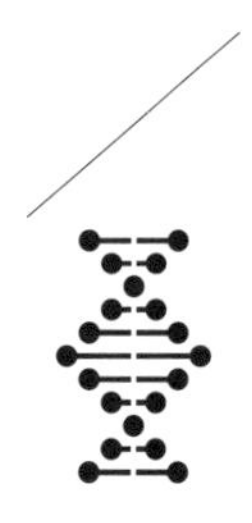

앤세스트리닷컴이 알려 준 진실

우리 부모님은 내 이름이 외증조할아버지 루이스 크레이머Louis Cramer에게 물려받은 것이라고 늘 말씀했다. 그런데 아내가 자기 가족과 내 가족의 내력을 더 자세히 알아보려고 그런 서비스를 해 주는 앤세스트리닷컴Ancestry.com을 통해 거슬러 올라가 보았더니 외증조할아버지의 진짜 이름은 리브 크레이모이Leib Chramoi였다. 내가 사는 동안 인간이 발명한 것 중 가장 큰 변화를 가져온 인터넷 덕분에 조상들에 대한 새로운 사실을 알아냈고, 세대가 세 번 바뀌는 사이에 세상이 얼마나 많이 바뀌었는지 실감했다.

그렇다면 수천 세대에 걸친 인류의 집단적 계보는 어떨까? 현대 의학이 발달하기 훨씬 전 그리고 HIV가 출현하기 전, 인구의 99퍼센트 또는 그 이상의 목숨을 쉽게 앗아갈 수 있었던 수많은 위협들을 인류는 어떻게 이겨냈을까? 그보다 한참 더 거슬러 올라가서 왜 인류는 멸종을 면치 못한 다른 대부분의 종들과 달리 생존할 수 있었을까?

우리가 해부학적으로 첫 현생 인류로 치는 호모 사피엔스—우리가 호모 속, 사피엔스 종에 속한다는 것에 근거해 붙인 이름—에서부터 리브 크레이모이 외증조할아버지까지 어떻게 혈통이 이어졌는지를 진정으로 이해하려면 우리 유전자가 어떻게 우리를 규정하는지를 이해해야 한다. 그리고 그 이야기를 하는 중에 거론되는 유전 형질들이 어떻게 이제는 은총이자 저주가 되었는지를 알게 될 것이다. 이 형질들은 여전히 가끔은 우리 생명을 구하기도 하지만 갈수록 심각한 현대병의 원인이 되고 있다.

'호모'들의 전쟁: 네안데르탈인, 데니소바인 그리고 호모 사피엔스

호모 사피엔스에 관한 최초의 고고학적 증거는 20만 년 전 아프리카로 거슬러 올라간다. 일부 모험심이 강한 호모 사피엔스들이 약 9만 년 전 아프리카를 떠나 아라비아반도로 이주한 것으로 보이지만 결국 그들은 빙하기의 추운 기후와 빙하의 남하로 인해 아프리카로 되돌아갔다. 그러다 또 다른 호모 사피엔스 무리가 6만 년 전 아프리카 탈출을 재시도해 처음에는 유라시아대륙으로, 그 후 5만 년 전쯤 오스트레일리아로, 1만 5000년 전쯤 아메리카대륙으

로 넘어갔다.[4]

고고학 유물로 봐서 우리는 지구상에 존재했던 '호모' 속에 속하는 유일한 종이 아니었다. 고생물학자들은 화석 연대 측정법에 기초해 호모 속에 속하는 최초의 종은 230만 년 전으로 거슬러 올라갈 수 있는 호모 하빌리스라고 추정한다. 180만 년 전 무렵에는 아프리카에 호모 에르가스테르가 살았고, 그다음에 출현해 아프리카와 유라시아에 퍼져 살았던 호모 에렉투스는 현생 인류만큼 키가 컸지만 뇌 크기는 작았다. 80만 년에서 50만 년 전 사이에 아프리카, 유럽, 중국 등지에 살았던 다른 호모 종들은 우리와 비슷한 크기의 두개골을 가졌고 아마 뇌 크기도 비슷했으리라 추정된다. 그들의 후손 중에서 네안데르탈인과 데니소바인을 포함한 일부가 35만 년 전에 출현했고 그로부터 15만 년 후 최초의 현생 인류인 호모 사피엔스가 등장했다.[5]

처음에 고생물학자들은 호모 속에 속하는 새로운 종이 출현할 때마다 그 전의 종을 대체했다고, 즉 더 현대적인 종이 '덜 인간다운' 이전의 종으로부터 지구를 물려받았다고 생각했다. 하지만 현실은 그렇게 단순하지 않다. 예를 들어 네안데르탈인과 현생 인류는 아마 15만 년 넘게 공존했을 것이다. 프랑스와 스페인에 동굴벽화를 남긴 호모 사피엔스인 크로마뇽인의 경우, 약 5만 년 전부터 네안데르탈인과 가까운 곳에서 또는 같이 살기 시작해 그런 공존을 약 1만 년 동안 이어 간 것으로 보이는 화석 유물을 남겼다.

유전학적 증거로 볼 때 적어도 이 두 종 사이에 부분적으로 피가 섞이는 현상이 상당히 일찍 일어났고, 그 결과 현대 유럽인과 아시아인 DNA의 2퍼센트가 네안데르탈인에게서 물려받은 것으로 밝혀졌다. 그리고 우리가 가진 네안데르탈인의 DNA가 모두 같지 않다는 점으로 미루어 보아 이 혼혈 현상이 한 번만 벌어지고 중단된 일이 아님을 알 수 있다. 네안데르탈인 유전자들이 어떤 기능을 하는지는 대부분 아직 모르지만, 그것들이 아프리카에서 나온 후 접하게 된 새로운 환경에 우리 조상들이 적응하는 데 도움이 되었으리라 추측하고 있다. 이 사실은 2장에서 더 자세히 살펴보겠다.

데니소바인은 아마 상당히 최근이라 할 수 있는 5만 년 전에 시베리아에서 살았을 것이다. 데니소바인 소녀의 조그마한 새끼손가락 뼈에서 검출한 DNA를 분석한 후 과학자들은 데니소바인이 현생 인류뿐 아니라 네안데르탈인과도 결혼했다고 결론지었다. 예를 들어 현대의 티베트인, 오스트레일리아 원주민, 멜라네시아인은 데니소바인의 유전자를 일부 가지고 있다. 이와 대조적으로 아프리카인은 네안데르탈인의 DNA를 훨씬 적게 가지고 있으며 데니소바인의 DNA는 거의 가지고 있지 않은 반면, 아프리카에서 3만 5000년 전에 살았던 아직 알려지지 않은 선사 시대의 호모 속에 속하는 어떤 종의 DNA를 2퍼센트 정도 가지고 있다.[6]

과학자들은 유럽과 아시아에 퍼져 살던 네안데르탈인의 수가 절대 7만 명은 넘지 않았으며 2만 5000명 정도가 가장 많은 수준이었을 가능성이 더 크다고 추정한다. 데니소바인 인구도 그보다 많지는 않았을 것이다. 빙하가 후퇴하고 지구가 따뜻해지기 시작하면서 현생 인류는 결국 데니소바인뿐 아니라 힘은 더 세지만 동작은 비교적 느린 네안데르탈인과 벌인 생존 경쟁에서 승리해 약 4만 년 전부터는 지구상에 유일하게 생존하는 호모 속의 종이 되었다.[7]

생존은 언제나 우리 뇌보다는 몸에 달려 있었다

한편으로는 인간이 다른 모든 동물들보다 영리했기 때문에 살아남았으리라고 쉽게 결론 내릴 수도 있다. 그러나 다른 한편으로는 그렇게 살아남았다는 것 자체가 대단히 놀라운 일이었다. 우리의 뇌가 크다는 것은 사실이지만 비율 면에서 작은 뇌를 가진 공룡들도 한때 지구를 장악했다. 이 문제를 더 큰 그림 안에서 살펴보자. 지구상에 출현했던 생물 종 중 몇 퍼센트나 현재까지 살아남았을까? 답은 500종당 1종, 그러니까 0.2퍼센트에 불과하다.

그렇다. 우리가 오늘날 여기 있는 것은 우리 뇌력의 궁극적인 승리 덕분이지만 우리의 생존은 언제나 우리 몸에 달려 있었다. 우리 조상들이 생존하고 심지어 번성했던 것은 근육의 힘보다 생존을 가능케 한 타고난 형질들 덕분이라는 의미다. 예술, 과학, 철학, 테크놀로지 등을 창조해 낼 수 있는 뇌의 힘은 우리 몸이 힘든 환경, 때로는 적대적인 환경을 버텨낼 만큼 강하지 않았으면 갖추지 못했을 것이다. 우리 조상들은 견과류와 과일을 채집하고, 흔히 자신들보다 더 크고 더 빠른 동물을 사냥하고 죽일 수 있었기에, 가뭄과 전염병은 물론이고 빙하기까지 이겨냈다.

디지털 시대에는 시력이 나쁘고 만성 천식을 앓고 운동을 잘 못하는 반사회적 샌님들이 억만장자가 될 수 있다. 그러나 인간이 지구상에 존재해 온 대부분의 기간 동안에는 자기 유전자를 미래 세대에 물려주기 위한 짝 구하기 경쟁에서는 두말할 나위 없고, 단지 살아남는 데만도 강인한 육체적 형질이 요구되었다.

인간 종이 가진 고유의 형질과 회복력 덕분에, 20만 년이라는 시간과 1만 번이라는 세대 교체를 하는 동안 잘 진화하고 적응해 온 지금과 같은 몸 덕분에, 우리는 그 버거운 역경에도 불구하고 살아남았다. 선사 시대의 포식자, 기후 재난 또는 HIV와 같은 전염병에 우리 조상들이 전멸당하지 않았기에 우리가 현재 여기 있는 것이다.

자연 선택의 진화 메커니즘과 '적자' 생존의 원리

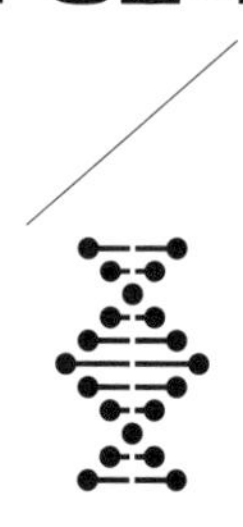

'가장 적합한 유전 형질'이 살아남는다

모든 남성과 여성은 짝을 찾기 위해 끊임없이 경쟁해 왔다. 그 경쟁은 대개 고등학교 졸업 댄스 파티의 프롬 킹과 프롬 퀸 또는 미식축구팀의 주장과 치어리더 대표를 뽑을 때와 다르지 않은, 육체적 형질이라는 기준에 따라 이루어졌다. 그러나 적자 생존은 항상 가장 크고, 가장 빠르고, 가장 예쁜 사람이 살아남는다는 뜻이 아니다. 이런 종류의 육체적 형질들도 도움이 되기는 하지만 그것은 이야기의 시작에 불과하다.

지구를 정복하고 살아남은 쪽은 네안데르탈인이나 데니소바인, 또는 우리 조상들보다 덜 '적합해서' 자손 번식에 실패한 사람들의 태어나지 못한 자손들이 아니라, 바로 우리다. 더 '적합했던' 우리 조상들은 지구 환경의 도전에 대처할 수단이 있었고, 식량과 물과 짝을 놓고 다른 성원들과 벌인 경쟁에서 이길 능력이 있었다. 적자 생존의 원리는 자연 선택이 어떻게 이루어지는지 그 과정을 설명해 준다. 여러 세대를 거치는 동안 '가장 적합한 유전 형질'을 가진 사람들이 가장 오래 살면서 가장 많은 아이들을 낳고, 그 아이들 또한 살아남아 더 많은 아이들을 가지는 일이 반복된다. 간단히 말해 나와 내 후손이 살아남아 번식을 하면 내 DNA(유전 정보 저장 물질, 유전자의 본체)는 계속 이어질 것이다. 그렇지 않으면 내 DNA는 나의 성family name과 함께 끊기고 말 것이다.

우리 DNA는 23쌍의 염색체에 들어 있다(염색체는 주로 세포핵에 들어 있다). 부모에게서 각각 하나씩 받은 염색체가 쌍을 이루는 것이다. 그중 22개 쌍의 두 염색체는 완전히 똑같지는 않지만 비슷한 DNA를 가지고 있다. 성별을 결정하는 23번째 쌍의 경우, 여자는 부모 양쪽에게서 X 염색체를 물려받는다. 반면에 남자는 어머니로부터 X 염색체를, 아버지로부터 Y 염색체를 물려받는데, Y 염색체는 X 염색체보다 크기가 더 작고 많은 점에서 다르다.

DNA의 양은 각 염색체에 따라 다르지만, 어머니와 아버지로부터 각각 32억 쌍씩 받아 모두 합치면 64억 쌍의 뉴클레오티드(DNA를 구성하는 단위 분자)가 포개어 합쳐져 이중 나선 구조를 이루고 있다. 이 64억 쌍은 보통 '염기쌍'이라고 부르는데, 우리가 누군지를 규정하는 단어(유전자, 즉 유전 형질을 발현시키는 인자)를 이루는 글자들이라고 이해하면 된다.

우리의 염색체 DNA에는 거기에 호응하는 RNA를 위한 암호를 가진 약 2만 1000개의 유전자가 들어 있다. 또 RNA에는 우리 몸이 정상적으로 기능하는 데 꼭 필요한 특정 단백질을 만드는 암호가 들어 있다. 놀랍게도 이 2만 1000개의 유전자는 우리가 가진 염색체 DNA의 2퍼센트밖에 되지 않는다. 또 다른 75퍼센트 DNA에는 일반적으로 크기가 더 큰 약 1만 8000개의 유전자가 들어 있는데, 이것들은 단백질을 합성하는 데 필요한 암호를 쓰라고 RNA에 지시하는 대신 단백질 암호화 유전자protein-coding gene를 활성화 또는 억제하거나 단백질 기능 자체를 제어하는 신호를 보내는 기능을 한다. 나머지 20퍼센트 정도의 DNA는 아마 그 역할을 미래의 과학자들이 밝혀내겠지만, 현재로서는 우리가 알고 있는 단백질을 제조하는 암호를 만들지도 않고 어떤 신호를 보내지도 않아서 정크 DNA라고 부른다.[8]

위대한 돌연변이

우리는 보통 부모 양쪽으로부터 염색체를 하나씩 물려받으므로 어머니, 아버지와 각각 동일한 2만 1000개 유전자 버전을 두 가지 가지고 있을 것이라 생각한다. 다시 말해 아이의 유전자와 DNA는 그것들을 물려받은 부모와 반반씩 동일해야 한다. 하지만 가장 잘 프로그래밍된 컴퓨터라도 드물게 오타가 나듯 실수가 생기기 마련이다. DNA가 복제될 때 약 1억 번에 한 번씩은 실수 또는 돌연변이가 일어난다. 그 결과 한 아이의 DNA 전체에는 부모의 DNA와 다른 염기쌍이 보통 65개 정도 있다. 시간이 흐르면서 이 돌연변이 염기쌍 수는 더 많아진다. 모든 인간은 다른 사람과 약 99.6~99.9퍼센트 동일하다. 그렇다 해도 서로 다른 염기쌍 수가 적어도 600만 개나 된다. 따라서 돌연변이 현상 덕분에 우리는 자기만의 독특한 개성을 지닌 정체성을 가질 수 있고, 인류는 수많은 세대를 거치면서 진화할 수 있었다.

돌연변이 현상 자체는 무작위로 벌어지는 사건이다. 돌연변이 유전자의 운명, 즉 미래 세대에 그 유전자가 확산되고 지속될지 아니면 사라져 버릴지는 그것이 좋은 변화(유익한 돌연변이)인지 나쁜 변화(불리한 돌연변이)인지 또는 상관없는 변화(중립적 돌연변이)인지에 달려 있다. 무작위로 시작된 유전자 돌연변이는 자연 선택/도태 과정에서 당사자와 당사자의 후손에게 충분히 유익하면 영구화된다. 이와 반대로 불리한 돌연변이는 그 유전자를 가진 아이가 살아남더라도 확산되지 않고 금방 사라지고 만다. 인류가 생존해 온 1만 세대라는 기간 동안 우리의 게놈은 천천히 그러나 확고한 걸음으로 상당히 큰 변화를 겪었다. 무작위로 시작된 돌연변이지만 그중 유익한 것들은 선택적으로 보존되었기 때문이다.

중립적 돌연변이는 유익한 돌연변이에 비해 그다지 널리 확산되지는 않지만, 없어지지 않고 시간이 흐르면서 축적될 수 있다. 어떤 중립적 돌연변이는 전혀 중요하지 않고 눈에 띄지도 않는다. DNA 암호가 변화하지만 완전히 동일한 단백질을 만들어 내는 경우인데, 같은 단어를 두 가지 다른 철자로 쓰는 것과 비슷한 원리다. 회색이라는 영어 단어를 gray와 grey, 원반이라는 영어 단어를 disc와 disk로 달리 써도 의미에 영향을 주지 않는 경우가 그런 예다. 어떤 중립적 돌연변이, 예를 들어 턱 가운데에 보조개가 생길지 아닐지를 결정하는 돌연변이 같은 것은 우리를 변화시키기는 하지만 생존에는 아무런 영향을 끼치지 않는다. 그러나 지금은 중립적인 돌연변이가 이론상으로는 시간이 흐른 후 유익한 변화나 불리한 변화로 판명 날 수도 있다. 예컨대 높은 방사선량 노출에 더 예민하거나 덜 예민하도록 만드는 돌연변이 유전자가 생겼다고 가정해 보자. 그 돌연변이는 현재로서는 별 상관이 없지만 만일 핵전쟁이 난다면 생존에 중요한 영향을 끼칠 것이다.

가끔은 목숨을 위협하는 도전—예를 들어 전염병이 창궐하는 환경—을 이겨내고 생존하는 데 핵심 역할을 하는 돌연변이가 나타나 거의 즉시 새로운 정상 상태의 기준이 되는 상황도 벌어질 수 있다. 그 돌연변이 유전자를 지니지 않은 사람은 모두 죽어 사라질 것이기 때문이다. 그러나 대부분의 유익한 돌연변이는 특정 지역 또는 특정 상황에서 '상대적으로' 유리한 상황을 제공할 뿐이다.[9]

'유익한' 돌연변이가 확산된다

따라서 당연히 어떤 유전적 돌연변이가 확산되는 비율은 그 변화가 가져오는 장점이 얼마나 큰지와 밀접한 관련이 있다. 처음에는 느리게 확산하다가 폐쇄된 인구 안에서 더 넓게 퍼져 나가면서 속도가 붙는다. 칩 하나를 걸고 내기를 했다가 이기면 두 개가 되고, 두 개가 다시 네 개가 되는 식으로 기하급수적으로 늘어나는 것이다. 한번 '입소문이 나면' 급물살을 탄다. 전염병이 되었든 유익한 돌연변이가 되었든 그것을 가지고 있는 모든 숙주가 전달자가 되기 때문이다.[10]

예를 들어 부모 양쪽에서 모두 물려받으면 생존 확률이 25퍼센트 높아지고, 한쪽에서 물려받으면 그 절반만큼 생존 확률이 높아지는 돌연변이 유전자가 있다고 해 보자. 이 유전자는 50세대(약 1000년)를 거쳐 내려가는 동안 인구의 5퍼센트도 안 되는 수에게 퍼질 것이다. 그러나 100세대(약 2000년)가 지나면 인구의 90퍼센트, 150세대(약 3000년)가 지나면 인구의 거의 전부가 이 유전자를 보유할 것이다. 이에 비해 1퍼센트의 유익한 변화를 일으키는 새로운 돌연변이 유전자라면 확산 속도는 훨씬 느리겠지만, 인구가 100만 명일 경우 3000세대(약 6만 년)에 걸쳐 결국 거의 전체에 확산되기는 할 것이다. 흥미롭게도 이 계산 결과는 인구 규모에 따라 많이 달라지지 않는다. 인구 100만 명에게 퍼지는 기간은 1만 명에게 퍼지는 기간의 1.5배밖에 되지 않는다. 이처럼 자연 선택은 느리지만 꾸준하고 거침없이 어떤 유전자가—그리고 거기에 따라 어떤 사람들이—지구상에 살아남을지를 결정해 왔다.

만일 우리 모두가 특정 유전자를 가지고 있다면 그 유전자가 대체한 불리한 유전자가 있었는지, 그랬다면 그것은 원래 무엇이었는지 알기는 힘들다. 그런데 일부 지역에서는 몹시 유익한 것으로 추정되어 많은 사람들에게서 발견되지만, 그런 장점이 없거나 단점으로 작용하는 환경을 가진 다른 지역에서는 거의 발견되지 않는 유전자를 보면 자연 선택이 벌어졌다는 사실을 알 수 있다. 그중 대표적인 예가 두 가지 있는데, 세계 여러 지역에 따라 다른 피부색과 튼튼한 뼈 사이의 연관성, 그리고 유당(젖당)을 잘 소화시키는 유당 소화력lactose tolerance(유당 내성耐性)과 가축 사육 사이의 연관성이 바로 그것이다.

자연 선택의 실제 사례 하나, 튼튼한 뼈

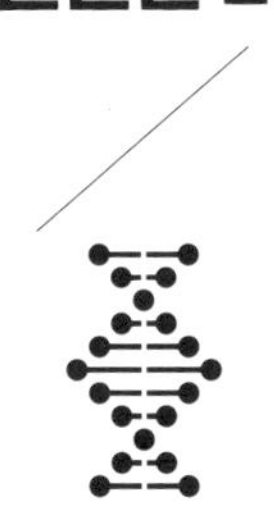

뼈 발달에 중요한 칼슘과 비타민 D 그리고 피부색의 관계

다 자란 인간은 206개의 뼈를 가지고 있다. 성장하면서 일부 뼈가 서로 붙기 때문에 어릴 때보다 뼈의 개수는 오히려 줄어든다. 다 합치면 뼈는 우리 체중의 13퍼센트를 차지한다. 건강한 뼈를 가지기 위해서는 식품에서 뼈를 이루는 핵심 구성 요소인 칼슘을 섭취해야 한다. 또한 장에서 칼슘이 흡수되는 것을 돕고 칼슘이 뼈로 통합되는 과정을 제어하는 역할을 하는 활성 비타민 D도 필요하다.[11]

우리는 튼튼한 뼈가 없으면 성장하지 못한다. 비타민 D가 부족한 어린이는 구루병을 앓는다. 뼈가 약해지고 성장이 저하되며 건강이 나빠지고 아동기에 사망할 확률이 높아지는 이 치명적인 질병에 걸리면 자손 증식이 어렵거나 불가능하다.[12] 활성 비타민 D는 참치, 연어, 고등어 같은 등 푸른 생선과 동물의 간이나 콩팥, 계란 노른자 따위에 들어 있는데, 과거에는 음식을 통해 이것을 충분히 섭취하기가 굉장히 힘들었다. 이제는 비타민 D를 첨가한 우유, 오렌지 주스, 시리얼 등으로 섭취할 수 있지만 지난날 우리 조상들은 필요한 비타민 D의 대부분을 항상 몸 안에서 합성해 냈다. 간에서 분비된 비활성 상태의 비타민 D 전구체(물질 대사에서 어떤 물질의 원료가 되는 이전 단계 물질—옮긴이)는 피부로 흡수된 자외선에 의해 활성화된 뒤 간으로 되돌아갔다가 다시 콩팥으로 보내져 더욱 활동성이 강화된 다음 몸에 필요한 비타민 D 수요를 충족시킨다.

2장에서 다시 살펴보겠지만, 구석기 시대 수렵·채집인들은 대개 칼슘 필요량을 충족시킬 만큼 동물의 고기와 뼈를 먹었고, 비타민 D 전구체를 활성화하고 남을 정도로 충분히 햇빛에 노출된 생활을 했다. 아프리카에서 이주해 나가기 전 우리 조상들은 자외선을 부분적으로 차단하는 멜라민 색소가 많아 모두 피부색이 짙었다. 그러나 옷으로 몸을 가리지 않고 따뜻한 태양 아래서 넉넉히 시간을 보냈기에 자외선 흡수량은 부족하지 않았다. 그리고 아프리카에서 나와 태양이 덜 내리쬐는 지역으로 이주하기 시작했을 때만 해도, 간에서 만들어진 비타민 D 전구체를 활성화하기에 충분할 만큼 햇빛을 쬐거나 수렵·채집으로 충분한 양의 등 푸른 생선이나 동물의 간과 콩팥 등을 섭취할 수 있었으므로 짙은 피부색이 문제가 되지 않았을 것이다.

유럽인과 아시아인은 왜 피부색이 옅어졌을까

그런데 두 가지 조건이 변화했다. 첫째, 아프리카에서 나와 더 추운 지역으로 이주한 우리 조상들은 옷을 더 입어야 했고, 따라서 햇빛에 노출되는 피부 면적이 극적으로 줄어 간에서 만들어진 비타민 D 전구체를 활성화하는 데 문제가 생겼다. 둘째, 1만 년 전쯤 농경 생활을 시작하면서 조상들의 식사에서 탄수화물 비율이 높아지고 비타민 D 섭취가 줄어들어, 이미 노출 수준이 훨씬 줄어든 햇빛에 비타민 D 제조를 더 많이 의존하게 되었다.[13] 그들은 이 사태에 어떻게 적응했을까? 무작위로 일어난 돌연변이 중, 피부에서 만들어지는 멜라닌의 양을 줄여 피부색이 더 옅어지게 하는 유전자가 급격히 확산되었다.[14] 이 돌연변이 유전자 덕분에 같은 양의 햇빛에 노출되어도 더 많은 자외선을 받아들일 수 있었고, 이로써 간에서 만들어진 비타민 D 전구체를 더 잘 활성화할 수 있게 되었다.[15]

비타민 D와 뼈의 발달이 그토록 넓은 지역에서 피부색을 바꿀 정도로 생존에 중요했을까? 지난 몇 세기 동안의 사례를 보면서 이 문제를 이해해 보자. 1600년대 중반 영국에 새로이 도시화가 진행되면서 안개가 낀 도시에 사는 주민들 사이에서 구루병은 흔한 질환이었다—상황이 너무 좋지 않아 걷지도 못하는 어린이들이 많았다. 여성들의 경우 골반 기형이 생겨 아이를 정상적으로 분만하는 데 어려움을 겪었다. 그러다가 1822년 예드르제이 시니아데츠키가 폴란드 시골에 사는 어린이들보다 바르샤바시에 사는 도시 어린이들 사이에 구루병이 훨씬 더 흔하다는 사실을 발견한 다음에야 구루병을 예방하고 치료하는 데 햇빛을 이용하는 방법이 고려되기 시작했다. 1890년에는 시어벌드 팜이 유럽 도시의 가난한 어린이들은 구루병에 잘 걸리는 데 반해 중국, 일본, 인도에서는 그와 비슷하게 빈곤하거나 더 빈곤한 어린이들도 이 병에 잘 걸리지 않는다고 보고했다. 그러나 그의 의견은 시니아데츠키 때와 마찬가지로 당시 과학계에서 완전히 무시되거나 거부당했다. 결국 1921년 앨프리드 헤스와 레스터 웅거가 뉴욕시에 사는 7명의 백인 어린이들을 햇빛에 더 많이 노출시키는 방법으로 구루병 증상을 완화한 후에야 의학계는 햇빛의 효과에 대해 확신하게 되었다.

현대에도 일생 동안 체내 비타민 D 수준을 약간 낮게 유지하는 돌연변이 유전자를 가진 사람들은 그렇지 않은 사람들보다 평균 수명이 짧다. 비타민 D를 충분히 확보하는 것이 생존율에 주는 엄청난 혜택은 우리가 우유, 오렌지 주스, 시리얼 등에 비타민 D를 첨가해 도시인들이 이 중요한 영양소가 부족하지 않게 하기 위해 들이는 노력을 생각해 보면 짐작이 간다. 햇빛 노출과 피부색의 중요성은 현대 미국인 중 비타민 D 결핍증을 보이는 인구의 분포를 살펴보면 더 명확해진다. 젊은이에 비해 햇빛 노출 시간이 짧은 노인의 6퍼센트, 그리고 흑인의 30퍼센트가 상대적으로 비타민 D 부족 상태를 보인다.

지속적으로 피부색을 옅게 하는 돌연변이가 처음으로 나타난 것은 인간이 아프리카에서 떠나온 후, 현대 유럽인과 아시아인이 갈라지기 전이다. 여기서 흥미로운 점은 피부색이 옅어지는 것이 단일한 돌연변이 때문도, 또는 단 하나의 유전자에 생긴 여러 가지 돌연변이 때문도 아니라는 사실이다. 어떤 돌연변이는 유럽인에게서만 발견되고, 어떤 것은 아시아인에게서만 발견된다. 서로 다른 유전자에 생긴 아주 다양한 돌연변이로 인해 피부색이 옅어진 결과 북유럽과 남유럽, 그리고 아시아와 아메리카의 여러 지역 사람들의 피부색이 다양하게 나타났다.

아프리카에서는 왜 짙은 피부색이 유리했을까

이제 유럽인과 아시아인의 피부색이 왜 더 옅어졌는지 이해했으니 또 다른 질문을 던져 보자. 아프리카에서는 짙은 피부색이 왜 그토록 중요했을까? 그리고 현대인 중 피부색이 짙은 사람들은 멜라네시아 흑인, 오스트레일리아 원주민, 아프리카인 할 것 없이 피부색을 짙게 만드는 유전자 암호가 기본적으로 동일한 이유는 무엇일까? 이렇게 동일한 유전자 암호를 공유한다는 것은 그들의 조상이 아프리카에서 새로운 땅으로 이주했을 때 아무런 돌연변이도 필요하지 않았다는 의미다. 사하라 이남 아프리카, 멜라네시아, 오스트레일리아에서도 가끔은 무작위로 피부색이 옅어지는 돌연변이가 출현했음이 틀림없다. 왜 이 돌연변이 유전자는 확산되지 않았을까? 아니 적어도 피부색이 옅은 사람 일부가 살아남아 사회에서 외면을 받을지언정 작은 공동체를 만들어 살 수 있었을 텐데 왜 그러지 못했을까?

어쩌면 짙은 피부색은 몸이 너무 과열되는 현상, 또는 활성 비타민 D가 몸에 너무 많이 생기는 현상으로부터 보호하는 역할을 하는지도 모른다. 첫 번째 가정은 말이 되지 않는다. 짙은 색은 열을 흡수하는 데 반해 옅은 색은 열을 반사하기 때문이다. 자동차를 생각해 보자. 안팎이 모두 검은색인 차는 여름에 극도로 더워지지만 겉이 하얀색에 안도 옅은 색인 차는 상대적으로 시원하다. 두 번째 경우, 간혹 비타민 D를 강화한 우유를 너무 많이 마신 사람들 중에서 비타민 D 과다증을 보여 신장 결석처럼 체내의 필요 없는 곳에 칼슘이 축적되는 일이 생기기는 한다. 그러나 비타민 D 과다 방지를 위해 짙은 색 피부가 필요하지는 않다. 햇빛에 아무리 오래, 아무리 많이 노출되더라도 자외선으로 활성화되는 비타민 D는 10~15퍼센트에 불과하기 때문이다.

햇빛으로 인한 화상을 방지해야 할 필요 때문일까? 햇빛으로 화상을 입은 피부는 땀샘의 활동을 저하시켜 열 발산을 더 어렵게 하는 것도 사실이고, 3장에서 설명하겠지만 이것이 생존에 중요한 형질인 것도 사실이다. 그러나 피부가 극도로 옅은 사람을 제외한 대부분의 사람들은 피부가 햇빛에 그을려 짙어질 수 있고, 그 덕분에 햇빛으로 인한 화상을 방지할 수 있다.[16]

피부암 때문일까? 피부색이 짙은 사람들은 피부색이 옅은 사람들에 비해 심각한 피부암에 걸릴 확률이 훨씬 낮다. 피부암은 대개 장년층에서 발병하기 때문에 우리 조상들이 자손을 낳고 난 이후에 주로 벌어지는 일이었다. 물론 6장에서 살펴보겠지만 일부 구석기 시대 남성들은 중년이 될 때까지 생산하는 역할—경험 있는 사냥꾼으로, 그리고 아이를 가질 수 있는 아버지로—을 계속 수행했고, 여성들 또한 할머니로서 손주들의 생존 확률을 높이는 역할을 했다.[17] 그러나 피부암은 피부색 진화를 설명하는 주요 요인으로 꼽을 만큼 흔하지도 중요하지도 않다.

햇빛에 많이 노출되는 환경에서 짙은 색의 피부가 왜 유리한지는 인체에 엽산이 필요하다는 사실로 가장 잘 설명된다. 엽산은 신체 발달과 건강에 핵심적인 비타민 B군 영양소다. 태아기에 엽산이 결핍되면 심각한 신경 이상이 생길 수 있다. 그래서 미국에서는 임산부에게 엽산 보충제를 처방하고, 미국을 비롯한 많은 나라에서 빵에 엽산을 첨가한다.

피부를 통해 흡수된 자외선은 엽산을 활성 상태에서 비활성 상태로 만들어 기능성 엽산 결핍증을 일으킨다. 햇빛에 많이 노출되는 환경에서는 짙은 피부색이 활성 엽산을 보호하고, 자손의 생존을 보장하는 데 더 유리하다.[18]

비타민 D를 활성화해야 할 필요와 엽산을 비활성화하지 말아야 하는 필요 사이의 균형을 맞추기 위해, 햇빛 노출 시간이 많고 노출 정도가 강한 지역 사람들은 짙은 피부색, 자외선 노출 시간이 전반적으로 낮은 지역 사람들은 옅은 피부색을 가지는 것이 이상적이다. 놀랍게도—자연 선택 과정을 고려한다면 '놀랍지 않게도'라고 말하고 싶지만—이것이 바로 현실에서 관찰되는 현상이다. 간혹 예외가 있기는 하지만 한 지역에서 오랫동안 살아온 원주민의 평균적인 피부 색소량과 피부가 햇빛에 그을리는 정도는 자외선에 자연스럽게 노출되는 양과 비례 관계에 있고, 그 집단이 사는 지역이 적도에서 얼마나 떨어져 있는지와 대체로 비례 관계에 있다. 같은 위도라면 북반구보다 남반구 쪽이 더 짙다. 남반구에서 감지되는 자외선 양이 같은 위도의 북반구에서보다 더 많기 때문이다.[19]

이누이트의 짙은 피부색은 진화에 모순되지 않는다

생존에 중요하기 때문에 인류가 유럽과 아시아로 이주하면서 피부색이 옅어졌지만, 이 과정은 한 방향으로만 진행되지 않았다. 피부색은 다시 짙어지기도 했다. 피부색이 옅은 인도 북부 사람들이 인도반도 남부 쪽으로 이주하면서 다시 짙어진 것이 좋은 예다.[20]

이누이트는 이 규칙에서 예외적인 경우다. 그러나 나는 이 예외야말로 오히려 일반적인 법칙을 반증한다고 주장하고 싶다. 이누이트는 피부색이 짙어서 비타민 D 가설에 모순되는 듯 보인다. 그러나 전통적으로 이누이트는 엄청난 양의 등 푸른 생선을 먹고, 거기에 간혹 동물의 간도 먹기 때문에 필요한 비타민 D를 얻는 데 햇빛은 중요하지 않았다. 그리고 극지방에서 자외선에 많이 노출되는 것은 그다지 해롭지 않지만, 얼음에 반사된 햇빛에도 노출된다(자외선 노출 수준이 90퍼센트까지도 증가한다)는 사실은 약간 짙은 피부색이 자연 선택되도록 하기에 충분한 자극이었던 듯하다.[21]

일조량이 많은 곳에서는 짙은 색 피부가, 일소량이 적고 온도가 낮은 지역에서는 옅은 색 피부가 더 유리하게 작용하는 것은 호모 사피엔스에게만 적용되는 현상이 아니다. 위도가 피부색에 미치는 강력한 영향은 네안데르탈인에게서도 관찰된다. 유럽에 살던 네안데르탈인의 게놈 연구로 그들 또한 더 옅은 색 피부를 지녔음이 밝혀졌다. 특히 어두운 동굴 속에서 긴 시간을 보내야 했던 종에게 옅은 피부색은 확실히 유익한 돌연변이였다. 그런데 흥미롭게도 유럽 지역 네안데르탈인의 피부색을 옅게 만든 돌연변이 유전자는 현대 유럽인의 피부색을 옅게 만든 어떤 돌연변이와도 다르다. 그리고 유럽 남부 지역의 동굴에서 살던 네안데르탈인은 피부색이 옅었지만, 중동 지역처럼 해가 많이 나는 곳에 살던 네안데르탈인은 피부색이 짙었다.[22] 색소는 피부에만 영향을 끼칠지 모르지만 그런 색소의 변화를 촉발한 돌연변이는 인간의—심지어 네안데르탈인의—생존에 핵심적인 역할을 했다.

자연 선택의 실제 사례 둘, 유당 소화력

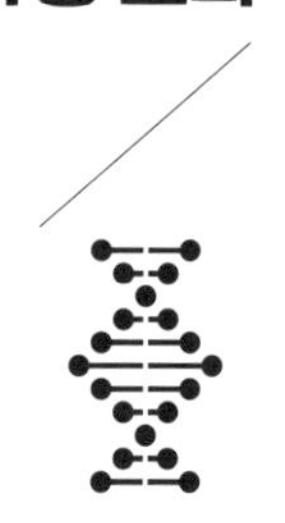

유당 소화력 상실과 포유류의 생존 원리

자연 선택의 또 다른 뚜렷한 예는 우리가 유당 소화 능력을 갖게 된 데서 찾아볼 수 있다. 포유류는 자손의 생존에 필요한 젖을 만드는 유선(젖샘)을 가진 것이 특징이다. 모든 포유류 유아는 처음에는 영양소와 수분을 전적으로 어미의 젖에서만 얻기 때문에 젖을 소화할 수 있는 능력은 생존에 절대적으로 필요한 요소다. 하지만 이 능력은 포유류 유아가 다른 음식을 먹을 수 있을 때까지만 유지되면 된다.

젖은 물과 지방, 단백질, 칼슘, 소금, 당을 함유한 영양이 풍부한 액체다. 젖에 든 당은 '유당'이라고 부르는데 소장에서 기본 구성 요소로 분해된 다음에야 소화가 가능하다. 포도당 분자 하나와 갈락토오스 분자 하나로 이루어진 이 기본 구성 요소는 혈액에 쉽게 흡수되는데 이렇게 분해되려면 '락타아제'라는 효소가 필요하다. 따라서 락타아제는 포유류 유아의 생존에 핵심적인 요소다. 인체의 모든 효소와 마찬가지로 락다아제도 단백질인데 인간의 경우 2번 염색체에 속한 한 유전자에 든 암호의 지시로 만들어진다. 이 유전자와 긴밀한 또 하나의 유전자가 있는데, 이것은 락타아제 유전자의 작동을 촉발하는 단백질을 만드는 암호를 가지고 있다.[23]

우리가 가장 사랑하는 두 반려 동물—개와 고양이—의 예를 봐도 그렇듯 모든 포유류는 성장하면서 락타아제가 자연스럽게 없어지고 그 결과 유당을 소화할 수 있는 능력 역시 잃는다. 젖을 뗀 개에게는 더 이상 우유를 줘서는 안 되며, 많은 양을 먹었을 경우 심하게 아플 수 있다. 아기 고양이가 우유를 먹는 귀여운 사진을 자주 보지만, 사실 대부분의 다 자란 고양이는 유당 소화력이 없어서 우유를 많이 먹을 경우 유당을 소화하지 못하는 사람과 같은 증상을 보인다. 인류 역사 대부분의 기간 동안 우리 조상들은 5~7세 즈음부터 락타아제의 활동이 없어져 유당 소화력을 잃었다.[24]

왜 포유류는 유당 소화력을 잃는 것일까? 한 가지는 어미가 젖을 분비하는 동안에는 배란이 억제되어 임신이 되지 않기 때문이다. 특히 영양 상태가 좋지 않을 때는 더욱 그렇다. 어미가 계속 젖을 먹일 경우 가질 수 있는 자녀의 수가 훨씬 적어진다. 그리고 다음번에 태어난 새끼가 젖을 먹어야 할 때, 제한된 양의 젖을 두고 더 큰 동기와 경쟁하면 더 어린 새끼의 생존은 크게 위협받는다. 따라서 어린 포유류가 성장함에 따라 락타아제의 활동이 점점 줄어들고 다른 음식을 먹을 수 있게 되는 것은 전적으로 타당하다.

락타아제가 없으면 유당은 소장에서 소화되지 않고 지나가 대장에 이르고, 대장은 투과성이 있는 장의 점막 양쪽 수분 농도가 동일하게 유지되어야 하므로 스펀지처럼 물을 흡수한다. 이렇게 대장에 여분의 물이 들어가면서 배가 아프고 설사가 나는 유당 분해 효소 결핍증lactose intolerance(유당 불내증不耐症)이 나타난다. 그러나 부작용은 거기서 그치지 않는다. 분해되지 않고 대장까지 간 유당은 박테리아에게 아주 좋은 식량이다. 박테리아는 유당을 포도당과 갈락토오스로 분해하는 데 아무런 어려움이 없어 그렇게 분해해 얻은 당을 섭취한다. 그 과정에서 수소 가스, 메탄, 이산화탄소가 만들어져 그중 많은 양이 배 속의 가스로 분출된다. 소화되지 않은(설사를 유발하는) 유당에서 박테리아가 소화한(가스를 만들어 내는) 유당이 차지하는 비율은 유당 분해 효소 결핍증을 가진 사람에 따라 다르지만 어떤 경우든 바람직하지 않다. 물론 증상의 정도는 그 사람의 유당 소화 능력치뿐 아니라 마신 우유 양에 따라서도 다르다.

확실한 사실은 유당 분해 효소 결핍증은 비정상이 아니며, 이 증상을 가진 사람들은 결함 있는 돌연변이 유전자를 가진 것이 아니라는 점이다. 오히려 그 반대다!

7000년 전 유당 소화력 유전자에 극적인 변화가 일어났다

인류가 지구상에 출현한 후 19만 년, 즉 9500세대 동안 모든 인간 성인은 유당 분해 효소 결핍증을 가지고 있었다. 그러다가 소를 가축으로 길들이고 이어서 염소, 낙타 등을 가축으로 기르기 시작하면서 상황이 변했다. 이집트에서 가축을 기르기 시작한 것은 9000년 전이고, 중동에서는 8000년 전, 사하라 이남 아프리카에서는 약 4500년 전부터다. 그리고 이렇게 동물을 가축으로 기르면서부터 고기뿐 아니라 젖도 인간의 영양 공급원으로 사용할 기회가 생겼다.

따라서 약 7000년 전, 그러니까 소를 처음 가축으로 기르기 시작한 지 약 2000년 이내에 극적인 사건이 일어난 것은 새삼스럽지 않다. 바로 락타아제를 활성화하는 유전자의 염기쌍 하나에서 무작위 변화가 일어난 것이다. 이 돌연변이 하나만으로 락타아제 유전자를 영구히 '활성' 상태로 남아 있도록 하기에 충분했다.

지난 몇 천 년 동안 생우유에 든 유당을 소화할 수 있는 능력을 가진 사람은 유당을 소화하지 못하는 사람에 비해 생존에서 4~10퍼센트 정도 더 유리했다. 우유가 '자연에서 찾을 수 있는 가장 완벽한 음식'이 아닐 수도 있고, 유아기 이후 '우유를 먹을 필요를 전혀 느끼지 않는' 사람들 중 매우 건강한 이들도 많다. 하지만 우유와 유제품이 뼈의 성장과 키에 유익하다는 것, 특히 다른 음식이 풍부하지 않을 때 큰 도움이 된다는 것을 증명하는 상당한 자료가 나와 있다. 소젖은 우리에게 필요한 물, 소금, 칼슘을 공급하므로 위에서 언급한 혜택은 납득할 만한 일이다. 우유는 또 효율적으로 영양을 공급할 수 있는 수단이다. 1에이커(약 4047제곱미터)에서 생산되는 풀을 먹였을 때 소의 젖은 고기의 다섯 배, 치즈의 두 배에 해당하는 열량을 공급할 수 있다.[25]

유당 소화력으로 생존에 더 유리한 고지를 차지하게 된 새로운 돌연변이 인간들은 가축과 함께 이주하며 많은 지역에서 수렵·채집인들을 쫓아내고 정착했다. 현대에는 북유럽인의 95퍼센트, 중유럽인과 미국인의 70~85퍼센트, 사하라 이남 아프리카에서 가축을 기르는 사람들의 80퍼센트 이상, 그리고 북부 인도 지역 주민의 70퍼센트가 평생 락타아제가 활동하는 체질을 가지고 있다. 이에 반해 사하라 이남 지역 아프리카에서 가축을 기르지 않는 사람들은 10~20퍼센트만이 유당 소화력을 지니고 있으며, 동아시아와 동남아시아에서는 극히 드물고, 전 세계 다른 지역에서도 30~40퍼센트를 넘지 않는다.

락타아제 활성화 유전자 돌연변이가 알려 주는 진화의 원칙

그런데 특히 주목할 만한 사실은, 소를 비롯해 젖을 생산하는 가축 사육이 널리 보급된 세계 여러 지역에서 동일한 유전자, 즉 락타아제를 활성화하는 유전자의 서로 다른 돌연변이가 생겨났다는 것이다. 중유럽과 북유럽에서는 하나의 돌연변이로 락타아제의 활동이 평생 계속되는 현상을 설명할 수 있지만, 남유럽과 북아프리카에서는 서로 전혀 상관이 없는 몇 가지 돌연변이가 일어났고, 중국 북부 지역에서는 또 하나의 다른 돌연변이가, 그리고 유당 소화력을 갖춘 티베트인 사이에서는 세 가지 서로 다른 돌연변이가 발견되었다.[26] 전문가들은 이 돌연변이들 중 어떤 것이 먼저 출현했는지 정확히 모르지만, 전 세계 인구의 약 25퍼센트에 확산된 이 유당 소화력은 다음 세 가지 진화 원칙을 설명하는 고전적인 예라고 할 수 있다.

첫째, 락타아제를 활성화하는 유전자에 나타나는 무작위 돌연변이는 성인의 식생활에 동물 젖이 포함되는지 여부와 상관없이 세상 어디에 사는 어느 개인에게든 일어날 수 있다. 그러나 신선한 동물 젖을 구할 수 있는 곳에 사는 자손들 사이에서 이 돌연변이가 고착되고 확산된 것은 무작위가 아니다. 이 현상은 '틈새 이익'[27]이라는 개념의 좋은 예였다. 이 돌연변이가 유리하게 작용하는 생태계의 틈새(적합한 장소)에서는 영구히 이어지지만, 그렇지 않은 곳에서는 사라져 버릴 가능성이 크다.

둘째, 현재 락타아제가 평생 계속 분비되는 사람이 많은 지역이 꼭 이 유전적 돌연변이가 처음 시작된 곳이 아닐 수도 있다. 예를 들어 유당 소화력은 스칸디나비아 국가들에서 특히 두드러지는데 이 지역에서 우유를 마시기 시작한 것은 상대적으로 최근 일이다. 스칸디나비아인에게서 발견되는 유전적 돌연변이는 원래 발칸반도와 중유럽에서 시작된 것으로, 인도의 소 치는 사람들 사이에서 발견되는 돌연변이도 같은 지역에서 기원했다.[28]

셋째, 서로 다른 틈새 생태계에서 여섯 가지 이상의 락타아제 지속 돌연변이가 발견되었다는 사실은 피부의 색소 변이와 마찬가지로, 수렴 적응convergent adaptation 또는 수렴 진화convergent evolution를 증명하는 예다. 우리 DNA 속에서 일어나는 서로 다른 무작위 돌연변이들이 생리학적으로 동일한 적응 결과를 낳는다는 것이다(수렴 진화는 서로 계통이 다른 생물의 기관이 적응 결과 유사한 기능과 형태로 진화하는 현상을 뜻한다. 껍질의 일부가 변한 것인 곤충의 날개와 앞다리가 변한 것인 새의 날개 사이의 상사성이 그런 예다—옮긴이). 락타아제 활성화 유전자의 어느 염기쌍에 돌연변이가 일어났는지는 중요하지 않다. 그것이 락타아제 활성화 유전자가 평생 활동을 지속하게 만들어 성인이 되어서도 유당 분해 능력을 유지할 수 있게만 하면 되는 것이다.

전염병에서 살아남기

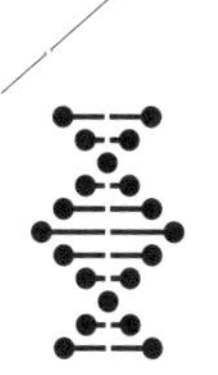

가장 심각했던 새로운 전염병 에이즈

인간은 살아남기 위해 튼튼한 뼈와 적절한 영양 공급이 절실하게 필요한 만큼이나 광범위한 전염병을 물리칠 수 있는 능력 또한 필요했다. 최근 두 세대에 걸쳐 인류가 직면한 가장 심각한 새로운 전염병은 HIV로 인한 에이즈였다.

HIV는 인간의 세포 내로 침투해서 그 안에 있는 자원을 이용해 빠른 속도로 자기 복제를 한다. 간혹 치료를 받지 않고도 아무런 증상 없이 20년 이상을 보내는 환자가 있지만, HIV에 감염된 사람 대부분은 감염 후 몇 년 사이에 혈중 바이러스 양이 1밀리리터(또는 1세제곱센티미터)당 1만 개 이상으로 치솟는다. 이 바이러스들은 환자의 체내를 휩쓸면서 여러 형태의 세포를 감염시키고 손상시킨다.

가장 중요한 현상은 HIV가 감염으로부터 우리 몸을 보호하는 T 림프구에 침투해 파괴해 버린다는 사실이다. 효과적인 처방이 없으면 HIV 혈중 농도가 높은 사람은 T 림프구 대부분을 잃고 에이즈, 즉 후천 면역 결핍 증후군에 걸려 죽는다. 이 바이러스 자체가 일으키는 증상 때문에 목숨을 잃기도 하지만 몸이 더 이상 싸워 낼 수 없는 다른 감염으로 목숨을 잃는 경우가 더 많다.[29]

인류의 유전적 다양성을 생각할 때 현재 HIV에 감염된 것으로 추정되는 3300만 명의 환자가 에이즈로 진행되는 속도가 저마다 다르다는 것은 놀라운 사실이 아니다. 효과적인 처방을 할 수 있기 전에도 HIV에 감염된 사람 500명 중 1명은 '장기 비진행자'[30]로 분류되었다. 이 환자들은 HIV로 인한 직접적인 증상이나 HIV가 면역 체계를 무너뜨려 다른 질병에 걸린 증상을 보이지 않았다. 일부 장기 비진행자들은 HIV 혈중 농도가 상대적으로 높지만 몸이 버텨 냈고, 또 다른 사람들은 HIV 혈중 농도가 낮거나 심지어 없어지기도 했다.

에이즈를 물리치는 델타32 돌연변이

장기 비진행자 중 일부는 덜 공격적인 HIV에 감염된 경우도 있었지만, 어떤 사람들은 HIV에 선천적으로 저항력이 강한 드문 유전적 돌연변이를 가지고 있었다. 그중에서 가장 흔하고 가장 연구가 잘 된 사례는 CCR5 유전자의 델타32 돌연변이다. 이 CCR5 유전자는 T 림프구(백혈구의 한 종류로 면역 기능을 가진다)의 표면에 있는 CCR5 단백질을 만드는 암호를 가지고 있다. HIV가 우리 세포를 감염시키려면 먼저 세포의 표면에 붙어야 한다. 정상적인 CCR5 단백질은 HIV의 수용체 역할을 하는데 감염율이 85~90퍼센트에 이른다. 림프구 표면의 CCR5 단백질에 붙은 HIV는 세포에 침투해 세포 기능을 마비시키고 결국 세포를 파괴한다. 그런데 델타32 돌연변이로 인해 HIV가 T 림프구의 표면에 붙지 못하면 세포 내로 침투하지 못하므로 세포를 파괴하지도 못한다. 흥미롭게도 CCR5에 생긴 또 다른 종류의 돌연변이인 델타24는 칼라맹거베이(긴꼬리원숭이 과)에게서 CCR5의 활동을 98퍼센트나 감소시켜 이 돌연변이 유전자를 가진 칼라맹거베이는 원숭이 HIV에 면역성을 가진다.

북유럽인의 10퍼센트, 남유럽인의 5퍼센트, 그리고 나머지 유럽 지역과 인도에 사는 사람의 5퍼센트 정도가 델타32 돌연변이를 부모 한쪽으로부터 물려받지만 아프리카와 다른 아시아 지역에서는 이 유전자를 가진 사람이 거의 없다. 이 유전자를 하나만 가진 사람은 HIV가 에이즈로 발전할 확률이 25퍼센트 낮다. 그런데 진짜로 운이 좋아서 이 돌연변이를 부모 양쪽에게서 물려받아 한 쌍을 가진 사람들이 있다. 이 사람들은 가장 흔한 형태의 HIV가 T 세포에 전혀 침투하지 못한다. 따라서 에이즈로 진행되지 않고, 결국 몸이 거의 모든 HIV를 없애고 만다. 북유럽인의 후손 중 10퍼센트가량이 이 돌연변이 유전자 하나를 가지고 있어서, 이 인구 집단의 1퍼센트가 부모 양쪽으로부터 이 유전자를 물려받을 확률이 있다는 결론을 내릴 수 있다(한 부모로부터 이 유전자를 물려받을 확률 10퍼센트×다른 부모로부터 이 유전자를 물려받을 확률 10퍼센트). 이렇게 2개의 유전자를 가진 사람들은 대부분의 HIV 감염에 면역력을 가지게 된다.[31]

티머시 레이 브라운을 담당한 의사들은 그의 백혈병을 치료하기 위한 골수 기증자를 구하는 과정에서 큰 어려움을 겪었다. 첫째, 브라운의 혈액과 가장 잘 맞는 혈액을 지닌 기증자를 찾아야 했다. 그래야만 화학 치료 요법으로 백혈병뿐 아니라 정상적인 골수를 다 죽인 후 이식된 골수가 그의 몸에서 거부 반응을 일으키지 않고 제 기능을 할 수 있을 것이기 때문이었다. 또한 의료진은 CCR5 델타 32 돌연변이 유전자를 2개 가진 기증자를 찾아 헤맸다. 기증자의 골수 세포가 티머시 레이 브라운에게 HIV에 대한 면역력이 생기게 해 줄 수 있지 않을까 하는 희망에서였다.

놀랍게도 그 희망은 모두 실현되었다. 브라운은 복용하던 HIV 약을 끊고 5년 이상 백혈병과 에이즈 둘 다 재발하지 않았다. 백혈병은 5년 이상 재발하지 않고 생존하면 완치 판정을 받는다. 티머시 레이 브라운과 비슷한 형태의 백혈병을 가진 경우 골수 이식을 받은 환자의 50퍼센트 정도가 완치된다는 것은 이미 알려진 사실이었다. 그러나 에이즈의 경우에는 의학계도 전혀 경험이 없는 최초 사례였다. 티머시 레이 브라운은 완전히 진행된 HIV 감염에서

완치된 최초이자 적어도 지금까지는 유일한 환자다.[32]

CCR5 델타32 돌연변이 유전자 2개면 대부분의 HIV에 대해 완벽한 면역이, 하나면 부분적인 면역이 생긴다는 것을 안 과학자들이 정상 CCR5 수용체의 활동을 봉쇄하는 약을 개발하려고 노력하는 것은 당연한 일이다. 그런 약이 돌연변이 유전자가 제공하는 자연적인 면역을 흉내 내어 HIV와 에이즈를 치료하는 데 효과를 거둘 수 있도록 하는 것이 희망 사항이다. 실제로 그런 약들이 이미 개발되어 환자의 몸이 잘 견뎌 내면서 HIV에 의해 파괴되는 T 세포의 수가 줄어드는 효과가 관찰되고 있다. 그러나 감염된 사람의 약 50퍼센트에서 HIV가 자체 변이를 거쳐 세포 표면에 붙는 또 다른 방법을 찾아내어 감염이 확산되는 경우가 관찰되고 있다. 이 환자들 중 15~20퍼센트는 애초부터 흔하지 않은 형태의 HIV에 감염된 경우여서 돌연변이를 겪지 않은 CCR5 수용체를 봉쇄하는 것으로는 감염을 치유할 수 없었다. 따라서 유익한 CCR5 돌연변이를 2개 모두 가졌지만 HIV에 만성적으로 감염되는 사람도 있다.[33]

델타32 돌연변이는 왜 생겨났을까

CCR5 델타32 돌연변이 유전자를 부모 양쪽에게서 물려받으면 HIV 감염에서 자유로울 확률이 높다는 사실을 알았으니, 당연히 다음 질문은 왜 일부 사람들이 이런 돌연변이 유전자를 갖게 되었는가 하는 것이다. 한쪽 부모(유전자 한 쌍의 절반)에게서라도 이 돌연변이를 물려받은 10퍼센트 북유럽인의 조상들은 이를 통해 어떤 혜택을 보았을까? 무슨 이유였든 간에 인구의 10퍼센트가 갖게 되었다면 그 유전자가 뭔가 유익한 기능을 하기 때문일 것이다. 신기하게 이 돌연변이는 청동기 시대인 7000년 전 유럽인의 10퍼센트 정도에서도 발견된다.[34]

과학자들은 처음에는 CCR5 돌연변이 유전자가 가래톳 흑사병(가래톳 페스트)이나 천연두와 같은 잘 알려진 전염병에서 우리 조상들을 보호하지 않았을까 생각했다. 그러나 연구 결과 이 돌연변이는 가래톳 흑사병에 전혀 효력이 없고, 천연두에 효력이 있을지는 아직까지 추측에 그친다[35]는 결론이 나왔다.

어쩌면 이 돌연변이 유전자는 청동기 시대 전 유럽에 돌았지만 이제는 존재하지 않는 또 다른 전염병에 대한 면역력을 제공했을지도 모른다. 과학자들은 현재 각종 포유류 동물을 괴롭히는 바이러스는 30만 종 정도라고 추정한다. 예를 들어 최근에 빠른 속도로 인간의 목숨을 빼앗았던 에볼라바이러스의 확산은 박쥐가 최초의 숙주였을 것이라는 이야기가 나오고 있다. 10년 전 돌았던 사스(중증 급성 호흡기 증후군)만큼이나 치명적인 최근의 메르스(중동 호흡기 증후군) 또한 박쥐가 첫 매개체였다는 설이 있다. 단시간 내에 목숨을 앗아가기도 하는 라사열과 한타바이러스 감염은 설치류가 원인이라고 추측된다. 그리고 HIV/에이즈는 인간에게 퍼지기 전 침팬지 사이에 존재하던 병이었다.

이 바이러스들을 비롯한 모든 전염성을 지닌 유기체의 공통적 특징은, 너무 빨리 죽어 버리지 않고 그 안에서 살 수 있는 숙주가 필요하다는 점이다. 바이러스와 박테리아도 자연 선택의 법칙을 따라야 하는 것은 변함없는 진리다. 단기적인 측면에서만 생각하면 감염원은 다수의 동물을 감염시켜 숙주가 죽든 말든 상관없이 가능한 한 가장 빨리 자기 복제를 하는 것이 최선의 시나리오다. 그러나 장기적으로 생각해 보면 숙주가 죽은 다음 살아남은 바이러스와 박테리아는 어딘가 살 곳이 있어야 하는데 그것을 찾지 못하면 그들 자신도 존재할 수 없다. 바로 이런 이유에서 사스를 일으키는 바이러스가 종적을 감춘 듯하다. 사스 바이러스에 감염된 숙주는 모두 바이러스 때문에 죽어 버렸거나 감염된 동물을 제거하기 위한 공공 의료 정책에 따라 도살되었기 때문이다.[36]

델타32 돌연변이의 아이러니

현재로서는 CCR5 델타32 돌연변이가 최초에 왜 생겼는지, 어째서 300세대 이상 동안 북유럽 인구 중 이 돌연변이를 가진 사람이 비슷한 비율로 계속 유지되는지 알지 못한다. 그러나 이 돌연변이가 아프리카에서는 왜 정착을 못 했는지는 어느 정도 밝혀졌다. CCR5 돌연변이는 웨스트나일바이러스[37]의 피해를 더 크게 만들 수 있는 듯하다. 그런데 웨스트나일바이러스는 전통적으로 아프리카에서는 흔하지만 유럽에서는 아주 드문 질병이다. 아마 델타32

돌연변이는 북유럽인에게는 중립적이거나 약간 유익한 유전자인 반면, 아프리카에서는 웨스트나일바이러스 때문에 불리한 정도가 다른 잠재적인 유익한 점을 모두 상쇄하고 남았던 듯하다.

아무튼 델타32가 유럽에서 유익한 돌연변이로 선택되어 자리 잡은 것은 청동기 시대 이전이다. 그러다가 300세대를 내려온 후 전혀 예상치 못했던 운명으로 델타32는 새로운 전염병인 에이즈에 대한 면역력을 제공하면서 뜻밖의 유익한 돌연변이로 각광받게 되었다. 아이러니한 점은 이 전염병이 처음 시작된 아프리카 중부 지역에서는 거의 아무도 이 돌연변이 유전자를 가지고 있지 않다는 것이다.

수십만 년의 느린 변화와 산업 혁명 이후의 극적인 변화

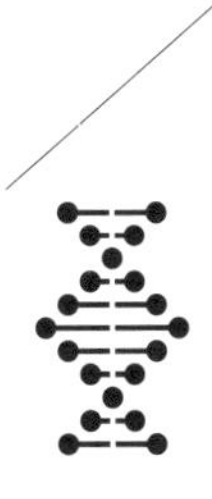

우리 유전자는 아주 느리게 변화해 왔다

열대 기후가 아닌 곳에서 옅은 피부색이 더 많은 것, 그리고 적도에서 멀어질수록 피부색이 옅어지는 것은 '유전적 싹쓸이genetic sweep'의 고전적인 예다. 이 말은 어떤 형질이 가진 유익한 점이 너무나 명백해 인구 집단의 모든 사람에게서 그 형질이 발견되는 현상을 가리킨다. 피부 색소는 유전적 싹쓸이 중 가장 눈으로 확인하기 쉬운 예지만, 우리는 그것을 독특한 경우라기보다는 일반적인 원칙을 증명하는 예로 받아들여야 한다. 피부색에 관한 돌연변이가 자외선에 대한 노출과 거의 완벽하게 비례하도록 조절되는 일이 4만 년 이내에 일어났다면 그 전 또는 심지어 그 이후에 인류 전체를 휩쓴 다른 돌연변이들은 어땠을까 생각해 볼 수 있다. 우리의

DNA는 인류 생존에 똑같이 중요한 역할을 해 온 돌연변이 유전자들로 가득하다. 그중 많은 수는 위도에 따라 또는 태양에 대한 노출 정도에 따라 피부색을 조절하는 돌연변이보다 훨씬 오래된 것들이다.

그런 유익한 돌연변이라도 피부색 유전자만큼 큰 혜택을 주지 못하는 유전자들은 그보다 더 느린 속도로 확산된다. 그 결과 호모 에렉투스 이후 9만 세대, 호모 사피엔스가 처음 출현한 후 1만 세대, 약 1만 2000년 전 농경이 시작된 후 600세대, 카자흐스탄에서 5600년 전 사람의 교통 수단[38]으로 말을 최초로 길들인 후 280세대, 1801년 최초의 증기 기관차가 출현해 현대의 기계적 운송 수단이 도입된 후 10여 세대를 거쳐 오는 동안 우리의 유전적 구성은 대체로 상당히 느리게 변화해 왔다.

속도가 느리다는 것 말고도 자연 선택을 크게 제한하는 또 한 가지 요소는 당장 유익한 것만 선택된다는 사실이다. 몇 년 후, 몇 세대 후 어떤 형질이 유리할지 미래를 내다보고 판단할 방법이 없기 때문이다. 한 세대 또는 단 몇 세대 사이에 세상이 급속도로 변화한다면 이전의 자연 선택에서 '그 당시 쟁취한' 유익함은 새로 닥치는 도전에 대처하는 데 아무 쓸모가 없을 것이다.

20만 년 동안 호모 사피엔스가 전반적으로 융성했던 것은 무작위로 벌어지는 유전적 변화와 당장 유익한 것을 고착시키는 자연 선택의 조합이, 그와 비슷한 속도로 느리게 일어나는 환경 변화와 부합했기 때문이다. 물론 간혹 아주 극적인 변화가 일어나기도 한다. 예를 들어 빙하기에 추운 날씨가 시작되면서 인류는 따뜻한 지역으로 이주해야만 했다. 그리고 때때로 인류의 생존을 위협하는 전쟁, 기아 또는 진염병이 발생해 거기에 더 잘 적응해 내거나 그것을 피해 이주할 수 있었던 소수의 무리만 살아남아 자신들의 유리한 적응 내용을 후세대에 물려줄 수 있었다.

지난 200년 사이에 급변한 세상

그러나 산업 혁명이 시작되어 세상을 극적으로 바꾸기 시작한 19세기 초 이후의 급격한 변화와 그 이전 수천 년에 걸친 느린 변화를 한번 비교해 보자. 새로운 기계, 전기, 가솔린 엔진 운송 수단, 현대식 가전 제품 그리고 컴퓨터는 10세대도 안 되는 기간에 세상을 완전히 바꿔 놓았다. 비록 가뭄과 기아가 지구 곳곳에서 여전히 발생하고 있지만, 우리는 캘리포니아의 새크라멘토벨리 같은 사막을 정원처럼 아름다운 지역으로 변화시켰다. 식량 공급이 점점 늘어나 1800년에 10억 명이던 전 세계 인구가 1950년 25억 명, 2000년 60억 명, 2011년에는 70억 명이 되었다. 영양과 위생 상태가 좋아지면서 역사상 내내 50퍼센트(말리의 일부 외딴 곳에서는 2000년까지 이 비율이 지속되었다) 근처를 맴돌던 높은 아동 사망률이 1990년에는 세계 평균 9퍼센트로 떨어졌고, 2013년에는 5퍼센트 미만이 되었다. 가난하고 에이즈가 만연한 사하라 이남 아프리카에서도 아동 사망률은 이전 세계 평균의 4분의 1로 떨어졌다. 이처럼 낮아진 아동 사망률은 평균 수명을 높이는 가장 큰 요인이 되어, 19세기 말까지 30세를 넘지 못하던 세계 평균 수명이 이제는 71세가 넘고, 80세 이상을 자랑하는 나라도 약 30개국에 달한다. 이런 추세라면 2024년 세계 인구는 80억 명을 넘을 전망이다.[39]

이제는 모든 연령층이 식량과 식수를 더 쉽게 구할 수 있고, 맹수로부터 사망과 부상의 위협을 덜 받게 되었으며, 위생 시설과 항생제와 백신을 비롯한 현대 의학의 혜택을 더 많이 누릴 수 있게 되었다. 그 결과 우리는 점점 더 노령화되어 가는 사회에 살고 있다. 전 세계의 중위 연령median age(총인구를 연령순으로 나열할 때 정중앙에 있는 사람의 연령)은 1950년 24세에서 2010년 30세로 증가했다. 같은 기간 동안 유럽의 중위 연령은 30세에서 40세로 늘었다.

사실 인류의 환경이 향상된 것은 우리가 모든 시간을 식량의 사냥과 채집 또는 농장과 가축을 돌보는 데 바치지 않게 되었기 때문이다. 단순히 생존을 위한 활동에 바치던 시간을 이제 과학, 기술, 예술을 비롯한 현대 문명을 규정하는 다른 발전적인 활동에 투자할 수 있게 되었다. 하나의 생물 종으로서 인류는 서서히 평균 연령이 높아지고, 실내에서 생활하고, 차와 엘리베이터를 타고 이동하며, 가끔 운동을 하거나 전혀 하지 않는 사람들도 있는 비활동적인 존재로 변화하고 있다. 이 모든 변화가 지난 200년 사이에 벌어졌다. 호모 사피엔스의 20만 년 역사와 호모 속의 200만 년 역사에 비하면 눈 깜짝할 사이의 시간밖에 되지 않는다.

우리 유전자가 현대 사회를 못 따라가고 있다

이제 현대 사회의 난제에 대해 생각해 보자. 우리는 뇌를 사용해 환경에 대단한 변화를, 그것도 이전에는 예측조차 할 수 없었던 속도와 방향의 변화를 가져오는 데 성공했다. 반면에 세대가 흘러도 이전 세대의 DNA를 '복사기로 복사하듯' 완벽하게 반복하도록 만들어진 우리 신체는 계속해서 느린 속도로 진화하고 있다. 우리의 유전자가 현대의 변화 속도에 발맞추지 못하고 있는 것이다.

왜 그럴까? 계산은 간단하다. 1000명 중 1명이 가지고 있는 유전적 돌연변이가 10세대(약 200년), 즉 산업 혁명이 시작된 뒤부터 지금까지 기간 만에 인구 전체에 퍼지려면 생존에 엄청나게 유익한 돌연변이여야 한다. 어느 정도냐 하면 그 유전자를 지니지 않은 사람보다 지닌 사람이 자손을 가질 확률이 30배 이상이어야 가능한 일이다. 그러나 미국인의 98퍼센트 이상이 이미 자녀를 낳을 연령까지 살고, 그 자녀도 자신의 자녀를 가질 때까지 살기 때문에 어떤 상대적 우위를 가진 유전적 돌연변이도 현대에는 그렇게 신속하고 널리 퍼질 수가 없다. 단 한 가지 예외가 있다면 우리 모두가 전례 없는 생존의 위협을 받는 상황뿐이다. 예를 들어 인류 전체가 HIV에 감염되었는데 치료할 방법이 전혀 없는 그런 시나리오 같은 것 말이다.

좋은 것도
지나치면 독이 된다

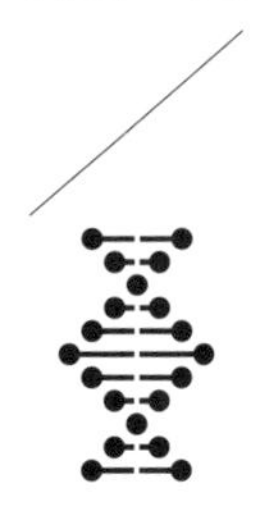

생존 전쟁에서는 이겼지만 적응이라는 전투에서는 지고 있다

식량 부족을 견디고, 가뭄을 이겨 내고, 위험한 상황을 인식해 피하고, 상처를 입었을 때 피가 응고되는 형질은 우리 조상들이 어려운 환경에서 살아남는 데 큰 공헌을 했다. 그러나 우리가 일으켜 온 급속한 환경 변화와 우리 유전자가 변화해 가는 느린 속도 사이의 불균형은, 산업화 이전 오랜 세월 동안 생존을 보장했던 유전 형질에 우리가 오히려 발목을 잡혀 버린 이유를 설명해 준다.

우리 유전자는 현대 사회의 급속한 변화 속도와 발맞춰 돌연변이를 할 수 없다. 그리고 현대 사회의 가장 큰 사망 원인이 되어 버린 병들이 우리가 자손을 퍼뜨린 다음에 우리 몸을 공격하고 그 아이들도 다시 똑같은 일을 겪게 되는 한, 자연 선택 과정은 그런 환경 변화에 유리한 유전자를 선택할 기회를 갖지 못한다. 그 결과 인류라는 생물 종을 그토록 효과적으로 잘 보호했던 생존 형질들은 이제 많은 경우 과잉 보호적이고 때로는 명백히 해롭기까지 한 요인이 되고 말았다. 현대 사회에서는 음식과 소금과 물이 너무 흔하고, 폭력 사태는 과거 어느 때보다 줄고, 피를 너무 흘려 죽는 일 또한 거의 없어졌기 때문이다.

잘 알려진 경구를 뒤집어 말하자면, 우리는 인류 생존이라는 전쟁에서는 이겼지만 적응이라는 전투에서는 지고 있다. 나이가 들면서 우리는 일련의 만성 질환을 앓게 된다. 어떤 병은 단순히 너무 오래 살아서 생기고, 어떤 병은 한때 우리 조상들의 생존에 중요했던 형질들의 부작용으로 생긴다. 이 해결하기 힘든 문제가 일상에 미치는 결과를 이해하기 위해 먼저 식량과 굶주림에 관해 살펴보고, 이어서 소금과 물, 기억과 두려움, 출혈과 혈액 응고에 관해 살펴보도록 하자.

2장

굶주림, 음식 그리고 비만과 당뇨라는 현대병

인체는
음식이 넘쳐나는 상황을 모른다

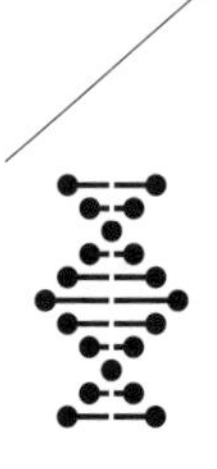

피마족에게 내린 저주

1908년 의사이자 인류학자인 에일스 허들리치카는 미국 남서부를 돌면서 원주민의 건강에 관한 최초의 상세한 기록을 남겼다. 거기에는 애리조나주 힐러강 유역에 사는 피마족도 포함되어 있었다. 그가 조사한 4000명의 피마족 중 당뇨병을 가진 사람은 단 1명뿐이었다. 그리고 그가 공식 보고서에 포함시킨 가장 흔한 열한 가지 질병, 가끔 관찰되는 열한 가지 질병, 그리고 드물게 관찰되는 여섯 가지 질병 중에도 당뇨병은 언급되지 않았다. 유명한 당뇨병 학자이자 보스턴에 조슬린당뇨병센터를 설립한 엘리엇 조슬린은 1937년, 허들리치카가 방문했던 곳을 다시 방문해 조사한 후 21명의 피마족이 당뇨병을 앓고 있다고 보고했다. 이것은 미국 전체 당뇨병 환자 비율과 비슷한 숫자였다. 그런데 1954년에는 피마족 당뇨병 환자의 비율이 열 곱절로 늘어났다. 그리고 1971년 조사에서는 애리조나 피마족 성인의 50퍼센트가 당뇨병을 가진 것으로 나타나 세계 최고의 당뇨병 발병률을 기록했다.

이렇게 당뇨병 환자가 급증한 것은 피마족이 겪은 또 다른 기록적인 변화와 직결된 현상이었다. 놀랍게도 인구의 70퍼센트가 비만이 된 것이다. 세계 기록이었다.

피마족은 처음에는 인류학적 호기심의 대상으로만 여겨졌다. 그들은 수 세기에 걸쳐 불안정한 식량 공급 환경에 적응하느라 독특한 유전적 능력을 갖추게 되어 다른 종족들보다 열량을 덜 소비하는 체질이 되었을지 모른다는 추측이 나왔다. 그런 독특한 체질 때문에 식량이 풍부해지면 쉽게 비만해지는 저주를 받았다는 것이다.[1]

굶주림의 위험과 과식, 그리고 피마족의 경고

그러나 예전의 추측과는 달리 이제 우리는 피마족이 우리와 체질이 그다지 다르지 않다는 사실을 안다. 비만과 당뇨 환자 비율은 전 세계적으로 치솟고 있다. 특히 식생활이 서구화되는 개발도상국에서 이 현상은 두드러진다. 미국인의 3분의 1 이상이 임상적 비만(적정 체중 상한성보다 20퍼센트 더 무겁다는 의미), 또 다른 3분의 1은 임상적 비만은 아니지만 과체중 상태며, 인구의 10퍼센트나 되는 수가 당뇨병을 앓고 있다. 피마족의 비만율 기록에 근접한 지역이 몇 군데 있고, 태평양에 위치한 나우루의 경우에는 피마족 수준과 비슷하거나 심지어 넘어서기까지 했다. 거기에 전 세계 당뇨병 환자 비율은 계속 급증하고 있다.[2]

피마족은 어떻게 곧 세계적으로 창궐할 이 증상에 대한 경고와 같은 현상을 미리 겪게 된 것일까? 유감스럽게도 그 이유는 화가 날 정도로 단순하다. 지구상에 첫발을 내딛었을 때부터 인간은 몸에 필요한 열량을 제공하는 음식을 간절히 원했다. 우리는 많은 양의 음식을 섭취할 능력이 있어서, 음식이 풍부할 때 과식을 해서라도 남은 열량을 지방으로 축적해 다음에 찾아올 기근을 이겨낼 수 있다. 또 다양한 음식을 우리에게 필요한 에너지로 바꿀 능력도 갖추고 있다. 굶주림은 개인뿐 아니라 생물 종 전체의 목숨을 앗아갈 수 있기에 우리의 본능과 인체 내 조절 장치는 전부 과식을 해서라도 당장 필요한 것보다 더 많은 양을 흡수하는 쪽으로 지나치다 싶을 정도로 기울어 있다.

인체는 손에 넣을 수 있는 음식이 늘 넘쳐나는 상황을 예상해 프로그래밍되어 있지 않다. 특히 사냥이나 채집을 하면서 엄청난 열량을 소비하지 않고 얻을 수 있는 음식은 아예 계산에 들어 있지도 않다. 그 결과 꾸준한 식량 공급이 확산되면서 비만과 당뇨병 같은 문제도 함께 확산되기 시작했다.

사람은 얼마나 많은 열량이 필요한가

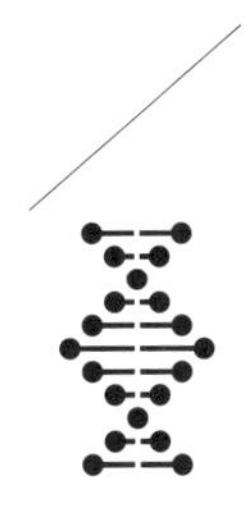

기초 대사량을 계산해 보자

인체가 요구하는 모든 일을 하기 위해서는 에너지가 필요하다. 에너지는 칼로리 단위로 측정된다. 1칼로리는 물 1킬로그램의 온도를 섭씨 1도 올리는 데 필요한 에너지의 양이다. 우리가 소비하는 열량(열에너지의 양)은 대부분 지방, 탄수화물, 단백질에서 얻는다. 지방은 1그램당 9칼로리의 열량을 낼 수 있고, 탄수화물과 단백질은 1그램당 각각 4칼로리 정도를 낸다. 또 순수한 알코올 1그램에서는 7칼로리를 얻을 수 있고, 감귤류에 들어 있는 유기산에서는 1그램당 3칼로리가 나오고, 인공 감미료나 식이 섬유에는 그보다 더 적은 양이 들어 있다. 따라서 그냥 열량만 생각하면 지방을 먹는 편이 가장 효율적이다.

완전 휴식 상태에서 몸에 필요한 열량, 즉 손가락 하나 까딱하지 않는 상태에서 생명을 유지하는 데 필요한 에너지양을 '기초 대사량basal metabolic rate, BMR' 또는 '기초 대사율'이라고 부른다. 기초 대사량은 사람에 따라 많이 다르지만 일반적으로 모든 조건이 비슷하다면 나이가 들수록 줄어들고, 키가 크고 체중이 무거울수록 올라가는데 특히 체중에 영향을 많이 받는다. 그리고 같은 체중이라면 근육질일수록 약간 더 높고 지방이 많으면 낮다. 그러나 이렇게 알려진 요인들을 모두 고려한다 해도 기초 대사량은 다른 조건이 비슷한 사람들 사이에서도 20~25퍼센트 정도까지 차이가 난다. 이런 경향은 유전적인 경우가 많은데 이유는 아직 밝혀지지 않고 있다.

여성의 경우 대략적인 기초 대사량은 다음 식으로 계산할 수 있다.

(4.5×파운드 단위 몸무게)+(16×인치 단위 키)−(5×나이)−161

(10×킬로그램 단위 몸무게)+(6.25×센티미터 단위 키)−(5×나이)−161

남성의 기초 대사량 공식은 다음과 같다.

(4.5×파운드 단위 몸무게)+(16×인치 단위 키)−(5×나이)+5

(10×킬로그램 단위 몸무게)+(6.25×센티미터 단위 키)−(5×나이)+5

설명을 간단하게 하기 위해 40세에 평균 키 그리고 그 키에 해당하는 정상 체중의 상한선 부근 체중을 가진 사람이 있다고 가정해보자. 기초 대사량은 여성이라면 1300칼로리, 남성이라면 1700칼로리 정도가 된다. 이 열량의 대부분은 신체 각 기관의 기능을 유지하는 데 들어가는데, 제일 열량을 많이 소비하는 기관은 뇌와 간이다. 그리고 10퍼센트 정도는 벽난로에 장작을 때듯 우리 체온을 일정하게 유지하는 데 들어간다. 이 기본 수치에다 활동량이 적은 현대인이 하루 일과를 수행하는 데 최소한으로 들어가는 열량으로 기초 대사량의 약 40퍼센트를 추가하면 여성은 1800칼로리, 남성은 2400칼로리가 매일 필요하다는 계산이 나온다.

현대인에게 실제로 필요한 열량은?

흥미롭게도 현대 생활을 하는 사람의 활동량은 우리가 생각하는 것만큼 일일 열량 필요량에 큰 영향을 끼치지 않는다. 일정한 체중을 유지하기 위해 우리가 섭취해야 하는 열량은 주로 앉아 일하는 사람은 1.4×기초 대사량, 약간 활동적인 사람은 1.6×기초 대사량, 보통 정도의 활동량을 가진 사람은 1.8×기초 대사량, 매우 활동적인 사람은 2.0×기초 대사량, 전시 활동 중인 군인과 훈련 중인 운동 선수는 2.5×기초 대사량이다. 그리고 이 단계들을 나누는 활동량은 우리 생각보다 그다지 차이가 많지 않다. 예를 들어 8시간 자고(0.95×기초 대사량), 4시간 앉아 있고(1.2×기초 대사량), 12시간 동안 힘들지 않은 일상적인 활동을 하는(1.5×기초 대사량) 사람은 보통 정도의 활동량을 가진 사람으로 분류되어 일일 권장 열량이 1.8×기초 대사량이다.

이런 계산법을 사용하면, 보통 정도의 활동량에 정상 체중을 유지하는 키 5피트 10인치(약 178센티미터)의 미국인 남성은 하루에 3100칼로리 이상이 필요하지 않다. 소파에 누워 텔레비전만 보는 사람에 비해 더 필요한 열량은 700칼로리에 지나지 않는다! 그리고 40세에 5피트 4인치(약 163센티미터), 145파운드(약 66킬로그램)의 매우 활동적인 미국인 여성이라면 평균적으로 하루에 2600칼로리 정도를 태운다. 그러나 우리가 기초 대사량과 평균 열량 소비를 계산하기 위해 사용하는 숫자는 모두 대략적으로 잡은 것이며, 적어도 몇 백 칼로리가 더 많거나 더 적을 수 있다는 사실을 잊어서는 안 된다.[3]

구석기 시대의 음식과 열량

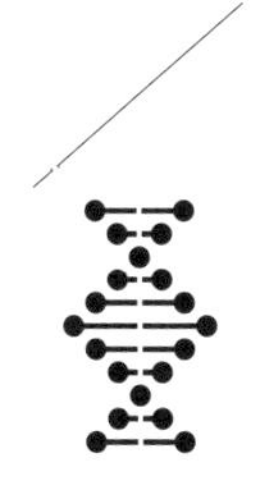

우리 조상들에게 필요했던 열량은 얼마였을까

거의 움직이지 않는 상태로 살 때 하루에 열량이 1800칼로리에서 2400칼로리밖에 필요하지 않다면, 수렵·채집 생활을 했던 우리 조상들은 열량이 얼마나 필요했을까? 과거를 엿보는 단서를 찾기 위해 현대에 존재하는 수렵·채집 사회를 들여다보자. 한쪽 극단에 자리한 사람들은 멕시코 북부 산악 지방에 사는 타라우마라족으로 끈기 또는 지구력이 뛰어나기로 이름난 집단이다. 그들은 고도 7000피트(약 2100미터)가 넘는 고지대에서 75마일(약 120킬로미터)이 넘는 거리를 나무 공을 차며 달리는 경주를 한다. 15~17시간을 뛰어야 하는 경기를 한 날에는 1만 1000칼로리까지 태우기도 해서 지금까지 보고된 하루 소비 열량 중 최고치를 기록한다. 그러나 물론 타라우마라족 모두가 이 경주에 참가하는 것도, 날마다 경주를 하는 것도 아니다. 현존하는 수렵·채집인 중 가장 높은 '평균' 일일 열량 필요량을 기록한 사람들은 파라과이의 아체이족으로 하루에 평균 3600~3800칼로리다.

좀 더 일반적인 예를 보고 싶다면 탄자니아 북부에 사는 수렵·채집인인 하드자족을 들여다봐야 할 것이다. 이들은 사바나 숲에서 전통적인 생활 방식을 유지하며 살고 있다. 여자들은 식물을 채집하며 남자들은 걸어서 돌아다니며 꿀을 따고 사냥을 한다. 하드자족은 산업 사회에 사는 서구인보다 훨씬 더 활동량이 많지만 몸집은 훨씬 작아서 평균 체중이 남성은 112파운드(약 50킬로그램), 여성은 95파운드(약 43킬로그램)밖에 되지 않는다. 체중을 감안해 일일 평균 열량을 계산하면 하드자족 남성은 2600칼로리, 여성은 1900칼로리가 나온다.[4]

이 계산에 기초하면 수렵·채집을 하던 우리 조상들은 몸집에 따라 차이가 나겠지만 하루 평균 남성은 약 3000칼로리, 여성은 약 2300칼로리를 소비했으리라 짐작할 수 있다.

우리 조상들은 얼마나 더 많이 먹을 수 있었을까

그러나 정확한 열량 필요량과 상관없이 조상들은 음식을 손에 넣지 못했을 때를 대비해 음식이 있을 때 많이 먹을 수 있는 능력이 필요했을 것이다. 얼마나 먹어야 많이 먹는 것일까? 가장 타당성 있는 추정치 한 가지는 메리웨더 루이스와 윌리엄 클라크가 놀라울 정도로 꼼꼼하게 기록한 식생활 일지에서 얻을 수 있다. 1800년대 초 토머스 제퍼슨 대통령은 이 두 사람에게 프랑스로부터 매입한 루이지애나 영토를 둘러보라는 임무를 맡겼다. 당시 미국 서부에 살던 아메리카 원주민들은 주로 수렵·채집 생활에 기초한 공동체로서는 세계에서 가장 마지막이자 가장 성공적인 사회를 이루어 살고 있었다. 루이스와 클라크 일행은 이 원주민들의 식생활을 본떠 식사를 했고, 사냥감이 풍부하게 잡힌 날은 한 사람당 고기를 9파운드(약 4킬로그램)나 먹는 등 하루에 1만 2000칼로리가 넘는 열량을 섭취했다.[5]

물론 루이스와 클라크는 날마다 그렇게 많은 열량을 소비하지 않았다. 현대적 의미의 장시간에 걸친 몹시 힘든 신체 운동을 예로 들어 보자. 만일 하루 6시간 동안, 그중 절반의 시간을 무거운 가방을 맨 채 하이킹—사냥꾼이 사냥감을 매거나 채집자가 자신이 모은 것을 지고 가는 행동에 맞먹는 현대의 신체 운동—을 한다면 아마 1시간에 450칼로리, 하루 동안 대략 6000칼로리를 소비할 것이다. 하루에 45마일(약 72킬로미터)을 달리는 격한 운동을 하는 선수는 6300칼로리를 소비할 것이다. 사이클 선수는 치열한 경주를 벌이는 동안 1시간에 1000칼로리, 하루에 8000칼로리까지 소비하기도 하지만 타라우마라족의 1만 1000칼로리에는 여전히 못 미친다.[6] 루이스와 클라크 일행에게 1만 2000칼로리나 되는 열량이 필요한 날은 하루도 없었다. 하지만 그들은 인류가 지구상에 출현한 이후 항상 해 온 행동을 했다. 음식이 풍부할 때 엄청나게 과식을 해서 음식을 손에 넣기 힘들 때를 잘 넘기는 것 말이다. 그리고 그들의 여정에는 그런 일이 흔히 일어났다.

구석기 시대 식단을 살펴보자

1985년 애틀랜타에 위치한 에머리대학교의 보이드 이턴과 멜빈 코너는 구석기 시대의 영양 공급이 현대식 식단과 어떻게 다른지를 설명했다. 구석기 식생활은 사냥감에서 얻은 육류와 어류, 견과류, 뿌리, 야채 그리고 꿀 등으로 이루어졌다. 물론 농장에서 기른 육류와 곡식, 우유 그리고 가축에서 얻은 젖으로 만든 유제품, 정제 설탕, 가공된 기름, 알코올 등은 포함되지 않았다. 이턴과 코너는 평균적으로 우리 조상들은 우리보다 더 많은 단백질과 칼슘과 섬유소를 섭취하고, 포화 지방과 소금은 훨씬 덜 먹고, 콜레스테롤 섭취량은 우리와 비슷했을 것이라 추측했다.

그러나 작은 규모의 잡식성 수렵·채집인 집단을 이루어 살던 조상들에게 딱 정해진 '단일한 구석기 식단'이라는 것은 없었다. 육식만 하는 사자, 풀만 먹는 초식 동물, 또는 음식을 심하게 가려 유칼립투스 잎과 고무나무 잎만 먹는 코알라 등과는 달리, 인간은 상하거나 독이 들어 있지 않으면 거의 모든 것을 먹을 수 있고 또 먹어왔다. 그 덕분에 우리는 특정한 형태의 음식을 제공하는 생태계의 틈새에만 의존하지 않아도 되었다. 한 가지 예외는 우리가 대부분의 풀과 잎을 소화시키지 못한다는 사실이다. 풀과 잎의 녹말은 소화되지 않는 섬유소인 셀룰로오스여서 장을 그냥 통과해 버린다.

물론 우리는 인류 초기의 조상들이 날마다 무엇을 먹었는지 정확히 알지 못한다. 우리가 가진 정보의 대부분은 음식이 풍부한 곳에 고립되어 현재까지 살아남은 수렵·채집 사회에서 얻은 것이다. 이렇게 고립된 공동체의 식생활이 선사 시대 조상들의 식생활을 대변한다고 추측하기는 아마 무리가 있을 것이다. 조상들은 살던 지역의 음식이 고갈되거나 구성원의 숫자가 너무 많아져 그 지역에서 구할 수 있는 음식으로 공동체가 지탱되지 않으면 지구 다른 곳으로 흩어지는 쪽을 선택했기 때문이다. 거기에 더해 초원을 찾아 이동하는 들소 떼처럼 식량 자체가 이주할 경우 수렵·채집인도 식량을 따라 이주했다.[7]

현존하는 모든 수렵·채집 사회에서는 동물을 음식 공급원의 일부로 사용한다. 콜로라도주립대학교의 로런 코데인 연구팀이 오늘날 존재하는 230여 개 수렵·채집 사회를 연구한 결과 평균적으로 섭취하는 열량의 60퍼센트는 동물에서, 40퍼센트는 식물에서 얻는 것으로 드러났다. 그중 어느 곳도 식물에서 85퍼센트 이상의 열량을 섭취하는 경우는 없는 반면, 20퍼센트의 열량은 거의 전적으로 낚시나 사냥으로 잡은 동물에 의존했다.

채식주의에 가장 가까운 식생활을 하는 공동체는 칼라하리사막에 사는 부시먼 !쿵족으로 열량 중 3분의 1가량만 고기에서 얻고 나머지는 식물, 특히 지방이 풍부하고 단백질도 상당량 함유된 몽공고 열매에서 얻는다. 탄자니아의 하드자족은 식물과 고기뿐 아니라 꿀에서도 많은 열량을 섭취한다. 캘리포니아 지역의 일부 수렵·채집인들은 도토리에 크게 의존했다. 파푸아뉴기니의 열대 우림 지역에 사는 사람들은 야생 사고야자에서 탄수화물을 얻지만, 남자들이 약 100종에 이르는 다양한 동물을 사냥과 낚시로 잡아 하루에 2파운드(약 0.9킬로그램)가 넘는 음식을 확보할 때도 있다.[8]

육식에 더 많이 의존한 사람들은 콜럼버스가 도착하기 전 북아메리카대륙 중서부 대평원에 살던 원주민으로, 이들은 인류 역사상 가장 성공적인 수렵·채집 유목 사회를 이루고 살았다. 들소 떼—글자 그대로 발이 달린 단백질 덩어리—가 풍부했기 때문이다. 그럼에도 고기가 딸릴 때면 그들은 열매와 다른 식물로 부족한 식사를 보충했다.

그러나 가장 극단적인 육식 편향 식생활의 예는 알래스카 이누이트에게서 찾아볼 수 있다. 이들은 하루에 3000칼로리에 가까운 열량 전체를 생선을 포함한 동물에서 섭취한다. 그리고 그들이 동물을 먹는다는 것은 정말로 동물 전체를 먹는다는 의미다![9] 알래스카 이누이트는 식사의 절반이 지방, 3분의 1이 단백질, 그리고 나머지가 탄수화물이다. 그나마 탄수화물도 식물이 아니라 그들이 먹는 동물의 근육과 간에 저장된 글리코겐에서 얻는다. 글리코겐은 핵심이 되는 단백질을 3만 개나 되는 포도당이 둘러싸고 있는 녹말로, 동물에서 얻을 수 있는 고열량의 거의 순수한 당, 가장 단순한 형태의 탄수화물이다.

우리가 먹는 음식이 바로 우리 자신이다

가장 널리 받아들여지는 추측은 평균 잡아서 수렵·채집인의 식사 중 약 20~35퍼센트가 지방이고, 그 대부분은 견과류와 풀을 먹고 자란 근육질의 사냥감에서 얻는 불포화 지방이라는 것이다. 이는 오늘날 우리가 사료를 과다하게 먹여 기르는 가축에서 얻는 포화 지방과는 다르다. 따라서 우리 조상들의 콜레스테롤 수치는 현존하는 수렵·채집 사회의 구성원들과 마찬가지로 굉장히 낮았으리라는 것은 의심할 여지가 없다.[10] 동물 단백질에 크게 의존하는 유명한 현대의 '앳킨스 다이어트'(한국에서는 '황제 다이어트'로 알려져 있다—옮긴이)는, 마블링이 들어간 스테이크나 베이컨 대신 사냥으로 잡은 야생 동물의 고기나 바다표범 지방을 먹지 않는 한 조상들이 섭취했던 불포화 지방보다 훨씬 바람직하지 못한 포화 지방을 섭취하기 십상이다.

수렵·채집인의 탄수화물 섭취율은 전체 열량 섭취의 35퍼센트에서 65퍼센트까지 다양하다. 어디에서 탄수화물을 섭취하는지도 많이 달라서 과일과 장과류(포도, 토마토, 호박, 가지, 바나나 등—옮긴이), 탄수화물이 풍부한 덩이줄기(감자, 돼지감자, 토란 등—옮긴이)

또는 채집한 곡물과 야채에서 얻거나, 심지어 전적으로 동물의 글리코겐에서 얻기도 한다. "우리가 먹는 음식이 바로 우리 자신이다"라는 말을 증명이라도 하듯 조상들의 치아 에나멜 층에 들어 있는 탄소 동위 원소[11]를 분석하면 생전에 어떤 음식을 많이 먹었는지 알 수 있다.

열량을 넘어서:
우리 몸에 필요한 다른 영양소들

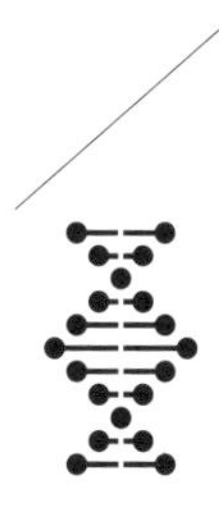

18세기에 영국이 배에 라임을 실었던 이유

우리는 음식에서 에너지 외에도 몸에서 스스로 만들어 낼 수 없는 최소 13가지의 비타민과 17가지의 무기질(무기 염류, 미네랄), 그리고 9가지의 아미노산(단백질의 기본 구성 단위 물질)을 섭취해야만 한다. 이 영양소 중 한 가지라도 음식에서 충분히 섭취하지 못하면 그 특정 영양소의 결핍으로 인한 질병을 얻는다.[12] 예를 들어 1장에서도 언급했듯이 뼈를 만들기 위해서는 칼슘과 비타민 D가 필요하다. 또 다른 중요한 예는 비타민 C다. 아스코르브산이라고도 부르는 비타민 C는 피부, 뼈, 연골 등을 만드는 콜라겐을 건강하게 유지하는 데 필수적이다.

대부분의 신선한 과일, 특히 감귤류와 열매, 감자에 많이 들어 있는 비타민 C를 충분히 섭취하지 못하면 괴혈병에 걸린다. 괴혈병은 18세기 유럽 각국이 해양 진출에 힘을 쏟던 시대에 해전보다 더 많이 선원들의 목숨을 앗아간 질병이었다. 수십 년에 걸친 논란 끝에 영국에서는 마침내 괴혈병을 방지하기 위해 배에 라임을 선적하기로 결정했고(이 일로 영국 선원들에게는 '라이미limey'라는 그다지 좋지 않은 인상의 별명이 붙었다), 영국 선원들은 긴 항해 중에도 건강을 유지할 수 있었다.

인체가 만들 수 없는 영양소 섭취법

흥미롭게도 인간이 속한 영장류를 제외하고 모든 포유류는 몸에서 비타민 C를 만들어 낼 수 있다. 바로 이 때문에 사자는 평생 과일 샐러드를 먹지 않아도 된다. 우리 조상들은 오늘날의 이누이트처럼 동물 전체를 충분히 먹어야 건강했다. 동물의 신선한 고기뿐 아니라 각 기관, 지방, 피, 골수 따위를 모두 먹으면 비타민 C, 비타민 A, 엽산을 비롯한 필요한 모든 영양소를 섭취할 수 있었다. 아이들의 두뇌 발달[13]에 꼭 필요한 다가 불포화 지방산도 동물의 뇌를 먹는 방법으로 충당했다.

한편 어떤 육식 동물도 순전히 단백질만 먹고는 살 수 없다. 실제로 우리는 섭취 열량의 40퍼센트 이상을 단백질에서 얻을 경우 생존할 수 없다. 간에서 지방과 단백질(지방보다는 적게)을 우리 몸에 필요한 당(탄수화물)으로 전환할 수 있지만 그렇게 하는 데는 한계가 있다.

섭취하는 음식 중에 탄수화물이 없는 이누이트는 생선과 극지방에 사는 사냥감에서 얻는 지방을 당으로 전환하기 위해 평균보다 큰 간을 가지고 있다. 그렇지만 지방이 거의 없는 사냥감만 먹는 사냥꾼들은 건강이 나빠질 것이다. 그들의 간이 단백질을 인체에서 필요한 다른 모든 영양소로 전환할 수가 없기 때문이다.

동물 전체를 먹는 육식은 건강하다

온전히 동물만 먹되 동물 전체를 다 먹는 식사의 안전성과 심지어 건강성까지 증명한 가장 유명한 예는 극지방 탐험가 빌잘머 스테펀슨(아이슬란드계 캐나다인으로 아이슬란드어로는 '빌햐울뮈르 스테파운손'이라고 한다—옮긴이)에 의해 알려졌다. 그는 이누이트가 9개월 동안 생선을 포함한 동물만 먹으며 살 수 있다는 사실을 목격했다. 1928년 스테펀슨과 그의 동료 카스튼 앤더슨은 실험을 하기로 결심했다.

병원에서 엄격한 통제 아래 두 사람은 소, 양, 돼지, 송아지, 닭의 고기만을(근육, 간, 콩팥, 뇌, 골수, 베이컨, 지방을 모두 포함하여) 먹었다. 약 한 달 동안 병원에서 이런 식생활을 한 후, 두 사람은 평소와 같은 일과를 다시 시작했지만 식사는 똑같이 계속 유지하면서 다양한 생화학적 테스트를 1년간 해 나갔다. 단 한 가지 예외는 스테펀슨이 간혹 여행길에 나서 고기를 구할 수 없을 때 달걀 몇 개와 약간의 버터를 먹은 일뿐이었다. 그들이 식사 때 섭취한 유일한 탄수화물은 동물의 몸속에 저장된 글리코겐으로 하루에 먹는 음식의 열량 2000~3100칼로리 중 2퍼센트를 넘지 않았다.

두 사람 모두 몇 킬로그램씩 체중이 줄었지만 놀라울 정도로 건강했고, 비타민이나 무기질 결핍증도 보이지 않았으며, 당시 의학 지식으로 찾을 수 있는 어떠한 이상도 발견되지 않았다. 스테펀슨이 지적했듯 재료를 아주 살짝만 조리해 먹은 것이 아마 필요한 비타민 C를 섭취하는 데 중요했지 싶다. 비타민 C는 고온에 노출되면 부분적으로 산화되어(쇠에 녹이 스는 현상을 떠올려 보라) 비활성화하기 때문이다.[14]

비건 식사와 영양소 섭취 문제

비건 식사('비건vegan'은 유제품이나 동물의 알까지 포함한 모든 동물성 식품을 먹지 않는 엄격하고 완전한 채식, 또는 그런 식생활을 하는 사람을 가리킨다—옮긴이)는 이보다 훨씬 더 힘들다. 어떤 과일, 채소 또는 녹말도 인체에 필요한 영양소 전부를 가지고 있지 않기 때문이다. 여러 가지 다양한 대책을 세울 수 있는 현대 사회의 비건들에게는 이런 식사가 별로 문제되지 않지만 동물의 고기, 젖, 알이나 생선 등을 쉽게 구할 수 없었던 선사 시대 수렵·채집인들에게는 큰 도전이었다. 이제 우리는 농경이 시작된 뒤로 빠르게 퍼져 나간 콩이나 일부 곡물에서 단백질을 충분히 얻을 수 있지만, 구석기 시대에는 이런 것들을 손에 넣기가 불가능했고 과일과 열매에는 단백질이 많이 들어 있지 않다. 바로 이 때문에 수렵·채집인들의 식생활에서는 견과류, 심지어 곤충까지도 중요한 부분을 차지했다.

영양 실조와 굶주림[15]은 인간의 생존을 끊임없이 위협해 왔다. 그러니 우리 몸이 음식—특히 몸에 꼭 필요한 핵심적인 음식—을 원하고, 오염되거나 독이 든 음식은 먹고 병들거나 죽지 않도록 알아서 거부하게 만들어졌다는 사실은 놀라운 일이 아니다. 우리 몸은 허기와 입맛, 소화를 북돋고 제어하는 다양한 호르몬과 기관에 의존한다. 결국 우리는 충분한 열량을 섭취해 소화하도록 하는 유전자와, 주기적인 식량 부족에서 살아남아 종을 보존할 수 있게 지방을 넉넉히 저장하도록 하는 유전자를 가진 사람들의 후손인 것이다.

우리 몸의 생존 장치 하나,
허기와 포만감

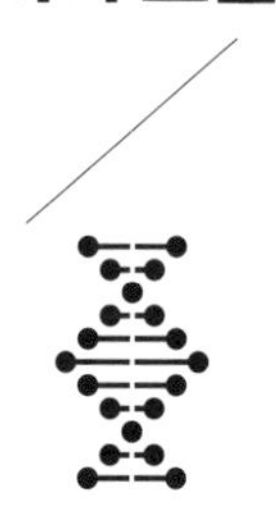

식욕을 조절하는 시상하부와 여러 호르몬들

뇌, 더 정확히 말하자면 시상하부—코 뒤편으로 뇌 중심 쪽에 위치한 아몬드 정도 크기의 뇌 부분—는 허기와 포만감을 조절하는 지휘 본부 역할을 한다. 그 일을 해내기 위해 시상하부는 들어오는 데이터를 끊임없이 해석해 음식이 더 필요한지 판단하고 그에 따라 어떨 때는 더 먹도록 권장하고, 어떨 때는 그만 먹도록 지시를 내린다. 이 복잡한 정보를 주고받으며 의사소통을 하는 일에 우리 몸이 타고난 분자와 호르몬 중 적어도 20개가 관여한다.

어떤 신호는 소화 기관에서 들어온다. 예를 들어 그렐린은 먹으라는 지시를 내리는 유일한 장 속 호르몬이다. 무슨 이유에서든 이 호르몬이 지나치게 많이 분비되면 우리는 계속 허기를 느끼고 따라서 계속 먹는다. 하지만 음식을 먹으면 위, 소장, 대장, 췌장, 쓸개 등에서 다양한 호르몬을 분비해 음식에 대한 수요가 충족되었다는 신호를 뇌로 보낸다. 위가 팽창한 것만으로도 충분히 먹었다는 메시지가 뇌로 간다.

신호는 지방 조직에서도 들어온다. 지방은 렙틴이라는 호르몬을 분비해서 음식을 덜 먹어야 한다는 신호를 보낸다.[16] 렙틴 수치가 낮으면 몸은 음식을 더 먹고 열량은 덜 소비하라는 자극을 받는다. 렙틴이 부족한 사람은 계속 허기를 느낀다. 그래서 아주 소수이긴 하지만 비만 환자 중 상당한 체중 증가를 보이다가 렙틴을 처방하면 정상을 되찾는 경우가 있다. 렙틴 수치는 정상이지만 뇌에서 렙틴의 존재를 감지하지 못하는 경우도 드물게 있는데, 그런 환자는 비만도가 아주 높고 렙틴을 처방해도 뇌에서 감지를 못 하기 때문에 효과가 없다.

우리 몸의 생존 장치 둘, 입맛

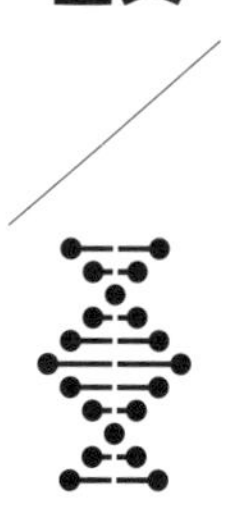

포도주 감정가가 입 전체로 포도주를 굴리는 이유

배가 고프다는 것은 시상하부가 알려 주고, 배가 부르다는 것은 장에서 보내는 피드백이 알려 준다. 그런데 우리가 실제로 음식을 먹도록 만드는 것은 시상하부도 장도 아니다. 그 일을 하는 것은 바로 미각(입맛)이다.[17] 그리고 이 미각은 혀에 있는 세포 기관인 미뢰(맛봉오리)에서 시작된다.

우리 혀 표면에는 수천 개의 미뢰가 자리 잡고 있다. 혀 뒤쪽 골진 곳, 혀 양쪽 가장자리, 그리고 입천장까지 모두 이 미뢰가 깔려 있다. 미뢰는 위치에 따라 서로 다른 맛을 감지하기 때문에, 혀끝으로만 뭔가를 핥는 것은 제대로 된 맛을 다 느끼기에 적당한 방법이 아니다. 포도주 감정가wine taster들이 포도주 한 모금을 입 전체에

굴려 혀와 입천장에 모두 닿도록 하는 것은 그저 잘난 척하려는 게 아니라 근거 있는 행동이다.

각각의 미뢰는 50~150개의 미각 세포를 가지고 있고, 이 세포들은 다섯 종류의 맛—단맛, 감칠맛, 짠맛, 쓴맛, 신맛—중 하나를 감지한다. 어떤 사람들은 기름진 맛을 느끼는 것이 여섯 번째 미감이라고 생각하지만 그 경우에도 단맛이 더 강하게 느껴지는 맛인 듯하다.

각 미뢰에 있는 미각 센서들 하나하나는 감지하도록 되어 있는 물질을 감지할 때마다 개별적으로 뇌에 신호를 보낸다. 그리고 놀랍게도 어떤 유형의 맛에 특화된 미각 센서들 각각은 그것들이 어느 곳에 위치해 있든 상관없이 모두 뇌의 정해진 부분—단맛 센터, 감칠맛 센터, 짠맛 센터, 쓴맛 센터, 신맛 센터—으로 정확히 메시지를 보낸다.

우리가 좋아하는 맛: 단맛, 감칠맛, 짠맛

단맛과 감칠맛은 한결같이 긍정적인 경험으로 간주되어, 이 맛을 지닌 음식은 좋은 맛으로 인식된다. 감칠맛을 느끼는 미각은 특정 아미노산을 풍미가 있다고 느낀다. 인간의 경우 감칠맛은, 나트륨과 결합하면 MSG(글루탐산나트륨, 글루탐산일나트륨, 글루탐산모노나트륨)가 되는 아미노산인 L-글루탐산에 가장 강하게 자극받는다.[18] 바로 이 이유에서 MSG를 조미료로 사용하는 것이다.

짠맛은 소금 함량이 아주 높을 때만 제외하면 긍정적인 경험으로 간주된다. 소금과 짠 음식을 좋아하는 우리 입맛은 몸의 탈수를 피하는 데 도움이 된다(이 문제는 3장에서 더 자세히 살펴보겠다). 그러나 소금을 좋아하는 데는 한계가 있다. 예컨대 우리는 소금 농도가 너무 높아 세포에 독이 되는 바닷물은 마시려 하지 않는다.[19] 재미난 사실은, 우리가 소금 함량이 매우 높은 음식이나 음료를 좋아하지 않는 것은 그런 음식이나 음료가 쓴맛과 신맛 수용체를 동시에 자극하기 때문이라는 것이다. 이 방어 기제 덕분에 우리는 매우 짠 음식을 먹지 않도록 설득당한다.

우리가 싫어하는 맛: 쓴맛, 신맛

쓴맛은 좋은 느낌이 아니다. 독이 든 식물은 흔히 쓰므로 쓴맛을 좋아하지 않는 것은 우리 몸이 만들어 낸 일종의 방어 기제다. 모든 미각 세포 중 쓴맛을 알아차리는 세포가 가장 예민하다. 그래서 우리는 아주 소량의 쓴 물질까지 감지할 수 있다. 아무리 적은 양의 독도 피하는 것이 언제나 중요하기 때문이지 싶다. 쓴맛 감지를 돕는 유전자는 25가지가 넘는다. 단맛과 감칠맛 감지 유전자는 둘 다 합쳐 겨우 3가지뿐이라는 사실과 대조된다.[20]

쓴맛 감지 능력은 사람마다 다르다. 1930년대 듀폰 사 소속 화학자 아서 폭스는 실수로 자신의 실험실에서 PTC(페닐사이오카바마이드) 연기를 공기 중에 퍼뜨렸다. 그는 아무런 영향을 받지 않았지만 실험실 동료가 쓴맛이 심하게 난다고 불평하는 소리를 들었다. 이후 시험에서 사람들 중 약 70퍼센트는 PTC의 맛을 감지할 수 있으나 나머지는 못 한다는 사실이 밝혀졌다. 이 비율은 인종 집단에 따라 달라지지만, PTC의 맛을 감지할 수 있는 사람들은 확실히 쓴맛을 싫어할 확률이 더 높다. 그래서 담배나 커피 또는 순무, 콜리플라워, 브로콜리, 방울다다기양배추 같은 쓴맛 나는 채소를 좋아할 확률이 낮다. 쓴맛에 대한 민감도가 서로 다르다는 사실은 왜 일부 사람들이 사카린으로 단맛을 낸 음료를 안 좋아하는지 이해하는데 도움이 된다. 사카린은 조금 들어가면 달지만 많이 들어가면 쓰다.[21]

인간은 신맛을 대체로 좋아하지 않는다. 박테리아로 오염된 상한 음식에 흔히 들어 있는 산에서 이 맛이 나기 때문이다. 신맛 나는 음식을 싫어하는 것은 동물계 전반에 걸쳐 비슷하다. 그러나 흥미로운 예외가 있는데 바로 초파리다. 초파리는 썩어 가는 과일을 먹고 살기에 신맛을 무척 좋은 맛으로 받아들인다.

신맛을 일반적으로 싫어하는 경향은 우리가 탄산 음료를 좋아하는지 여부에도 영향을 끼친다. 이산화탄소가 높은 압력에서 물에 녹았을 때 나는 탄산의 신맛에 더해, 신맛을 감지하는 세포의 표면에 있는 효소가 거품 형태의 이산화탄소와 직접 상호 작용을 한다. 이렇게 2연발로 보내는 신맛 신호 때문에 일부 사람들은 탄산 음료를 즐기지 않는다.[22]

혀는 이 다섯 가지 맛 외에도 많은 것을 감지한다. 예를 들어 청량감(차가운 감각)을 느끼는데, 여기에는 낮은 온도와 여러 종류의 박하가 주는 느낌이 모두 포함된다. 높은 온도와 고추, 고추냉이, 겨자무, 겨자의 매운맛은 뜨거운 감각을 준다. 차와 술에 든 타닌산은 떫은맛(텁텁한 느낌)을 준다.

왜 우리는 좋아하는 음식이 서로 다를까

우리가 '풍미'라고 생각하는 것은 맛, 향기, 질감 그리고 다른 감각 자극의 어우러짐이다.[23] 예를 들어 우리는 냄새가 좋은 음식을 좋아한다. 포도주 감정가가 맛을 보기 전에 향기부터 맡는 것을 봐도 알 수 있다. 우리는 또 단맛이 지방과 합쳐졌을 때 더 좋아한다. 두 가지가 어우러져 더 기분 좋은 느낌을 주기 때문이다.

맛과 풍미 외에 다른 요소도 어떤 음식을 선호하는지에 영향을 준다. 예컨대 우리는 쓴맛이나 신맛이 나는 것을 받아들이거나 좋아하는 취향을 배우기도 한다. 이것을 '후천적 기호'[24]라고 한다. 커피, 맥주, 레몬을 처음부터 좋아하는 사람은 거의 없지만 결국 그 맛을 좋아하게 되는 사람들이 많다. 기호를 후천적으로 익히는 이 과정은 미뢰에서 벌어지는 생물학적 변화와 상관없이 진행되는 듯하다. 이는 사회적 신호를 통해 우리가 먹거나 마시는 어떤 음식이 맛이 주는 첫인상과 달리 몸을 아프게 하지 않는다는 사실을 이해하거나, 커피가 주는 자극 또는 알코올이 주는 느긋함을 받아들이면서 벌어진다. 그러나 쓴맛의 다채로운 변형 말고는 아직까지 우리가 왜 서로 다른 음식을 선호하는지는 밝혀지지 않고 있다.

그럼에도 미뢰는 전 세계에 걸친 몇 가지 흥미로운 과거와 현재의 식습관을 설명해 준다. 단맛을 원하는 성향은 현대인이 설탕이 들어간 음식과 음료뿐 아니라 꿀도 좋아하는 습성을 이해하는 근거를 제공한다. 꿀은 수렵·채집 생활을 하던 우리 조상들의 중요한 식량이었고, 지금도 탄자니아의 수렵·채집 공동체 하드자족의 중요한 열량 공급원이다.

모유에 함유된 L-글루탐산[25]은 감칠맛을 느끼는 수용체를 자극하는데 바로 이 때문에 유아들은 본능적으로 젖을 빤다. 감칠맛이 풍부한 다른 음식으로는 간장, 생선 국물, 파마산 치즈, 표고버섯, 잘 익은 토마토 등이 있다. 고기를 좋아하는 사람들은 이 음식들도 좋아하는 경향이 있다.

인체는 편식하지 말고 골고루 먹도록 프로그래밍되어 있다

또 다른 흥미로운 의문은 왜 우리가 한 가지만 먹는 것에 싫증을 내는가 하는 것이다. 예를 들어 우리는 초콜릿을 좋아하지만 그것만 계속 먹지는 못한다. 이 현상에 '미각 피로'라는 용어가 붙여지기는 했지만 이것은 사실 미뢰에서 벌어지는 일이 아니다. 우리의 미뢰와 뇌의 미각 센터에서는 계속 초콜릿만 먹어도 아무 불만이 없다. 그러나 뇌의 더 영향력 있는 부위에서 "이걸로 충분해!" 하고 외치면서 골고루 먹어야 한다는 명령을 내린다.

식욕을 조절하는 뇌 부위에서는 바람직한 음식들을 이것저것 골고루 섭취하도록 우리를 자극한다.[26] 맛과 질감, 심지어 모양마저 다른 바람직한 음식을 다양하게 손에 넣을 수 있을 때 우리는 계속 음식을 바꿔 가며 속이 안 좋아질 때까지도 계속 먹도록 프로그래밍되어 있다. 이 현상은 왜 우리가 엄청나게 푸짐한 저녁을 먹고 배가 완전히 부른 후에도 거의 항상 후식 먹을 배는 남아 있다고 생각하는지를 설명해 준다. 후식은 거부하기 힘든 맛과 그때까지 먹은 음식과는 다른 변화가 있기 때문이다. 진화의 관점에서 보면 이렇게 다양한 음식을 원하는 욕구로 인해 우리 조상들은 몸에 필요한 각종 영양소를 얻을 수 있었다.

다양성이 어떻게 음식 섭취에 영향을 주는지에 관한 극단적인 예는 바버라 칸과 브라이언 완싱크가 진행한 놀라운 실험에서 볼 수 있다. 두 사람은 사람들이 맛은 단조롭더라도 음식의 모양에서 다양성을 추구한다는 것을 증명했다. 같은 양의 M&M 초콜릿을 사람들에게 나눠 주면서 한 집단은 다양한 색상을, 한 집단은 덜 다양한 색상을 주었다. 그 결과 다양한 색상을 받은 집단은 그렇지 않은 집단보다 40퍼센트를 더 먹었다.[27]

미뢰와 음식에 대한 욕구 사이의 관계는 특정 음식을 더 먹고 싶어 하는 현상도 설명해 준다. 우리가 단백질을 좋아하는 것은 체내에서 만들 수 없는 아미노산을 먹어야 하기 때문이다. 그러나 단백질만 먹어서는 건강한 몸을 유지할 수 없으므로 필요한 탄수화물을 제공해 주는 설탕을 먹고 싶어 한다. 초콜릿이나 후식을 먹고 싶어 하는 것이 좋은 예다. 우리는 또 소금도 먹고 싶어 하는데, 특히 소금이 필요할 때 짠 음식이 더 당긴다(이 현상은 3장에서 더 자세히 설명하겠다). 임신한 여성이 피클을 먹고 싶어 하는 것은 몸에 소금이 많이 필요하기 때문이다.

미뢰와 다양한 음식을 먹고 싶어 하는 욕구 덕분에 우리 조상들은 균형 잡힌 식생활을 할 수 있었다. 그러나 단맛, 짠맛, 감칠맛을 원하는 욕구 말고는, 필요한 어떤 것을 특별히 함유하고 있는 특정 음식을 선택적으로 먹고 싶어 하는 욕구에 대해서는 별다른 증거가 나와 있지 않다. 단 한 가지 알려진 예외로는 별난 음식이나 음식이 아닌 물질을 먹는 이식증異食症이 있는데, 철분이 부족한 사람들, 특히 어린이들이 진흙, 페인트, 얼음, 먼지, 모래 따위를 먹는 증상이다. 그러나 이 이식증조차 일관되게 꼭 들어맞지는 않는다. 진흙과 페인트에는 철분이 들어 있지만 얼음에는 안 들어 있기 때문이다. 그리고 비타민 C 결핍증을 앓던 18세기 영국 선원들은 괴혈병을 막을 수 있는 음식에 대한 갈망을 드러내지 않았다. 따라서 궁극적으로 단맛, 짠맛, 감칠맛을 원하고 다양한 식사를 선호하는 본능이 우리에게 필요한 중요 영양소들을 제대로 공급해 주지 않으면, 우리는 큰 어려움을 겪을 수 있다.

음식의 유혹에서 빠져나오기 힘든 현대인들

우리가 아무리 다양한 음식을 좋아한다 해도 결국은 먹기를 중단하는 시점에 이르게 된다. 음식을 더 먹고자 하는 식욕이 이제 충분히 먹었다는 신호에 의해 견제되기 때문이다. 수렵·채집 생활을 하던 우리 조상들은 현대인보다 음식에 대한 욕구를 조절하기가 훨씬 쉬웠다. 옛날에는 음식이 밍밍하고 단조로웠기 때문이다. 그러나 현대 사회에는 손쉽게 손에 넣을 수 있는 단맛과 감칠맛에 간을 딱 맞춘 다양한 음식들이 갖은 향기와 질감, 모양새를 하고 우리를 유혹한다. 그 유혹에서 빠져나오기는 결코 쉽지 않다. 그리고 안타깝게도 조상들이 견과류에서 장과류로 먹는 음식을 바꿨을 때 얻을 수 있었던 영양학적 혜택은, 오늘날 우리가 빅맥 버거에서 감자 튀김으로 음식을 바꾸는 것으로는 얻어지지 않는다.

현대 사회에서는 다양한 음식들로 인해 과식이 훨씬 쉬워졌고, 그 결과 과체중, 심지어 비만이 되는 사람이 많아졌다. 서구식 식생활을 받아들인 오스트레일리아와 하와이의 원주민이 급속도로 과체중이 되었다가 전통 식생활로 돌아가면 빠른 시일 내에 다시 살이 빠지는 것을 관찰할 수 있다. 전통 식생활로 돌아간 원주민에게는 비교적 단순한 맛의 전통 음식을 무제한 제공해도 체중이 빠진다.[28] 이 두 현상은 동일한 원리로 설명이 가능하다.

우리 몸의 생존 장치 셋, 소화와 흡수

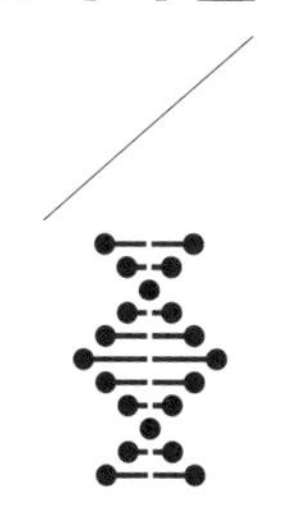

거의 모든 영양소는 소장에서 흡수된다

먹는 것은 영양소를 얻는 길에서 첫걸음을 내딛는 일이다. 다음 단계로 몸은 우리가 먹은 음식을 처리해 필요한 열량과 주요 영양소로 변화시켜야 한다. 소화 과정은 입에서 시작된다. 입에서는 음식을 씹고 침으로 촉촉하게 만드는데, 침에 섞인 효소에 의해 일부 소화가 시작된다. 식도는 입에서 위로 음식을 전달하는 파이프 역할을 한다. 위에서는 위산이 분비되어 음식을 소화시키는 한편 많은 종류의 박테리아를 죽이는 일을 한다.

우리가 먹는 음식에 들어 있는 영양소는 거의 전적으로 소장에서 흡수된다. 서로 다른 영양소는 소장의 서로 다른 부위에서 선택적으로 흡수된다. 예를 들어 철분은 소장의 첫 부분인 십이지장에서 주로 흡수되며, 거의 같은 위치에 있는 쓸개에서 지방 흡수를 돕기 위해 저장해 두었던 쓸개즙(간에서 만들어진다)을 분비하고, 췌장에서 지방과 단백질 흡수를 돕는 효소를 분비한다. 대부분의 영양분 흡수는 조금 더 아래로 내려간 공장空腸에서 일어난다. 그러나 비타민 B12와 여러 가지 지방은 소장의 마지막 부분인 회장回腸에서 흡수된다.

우리는 쓸개가 없어도 지방 흡수를 잘 할 수 있지만 췌장 효소가 없으면 단백질과 특히 지방 흡수 능력에 심각한 어려움이 생긴다. 20피트(약 6미터) 정도 길이의 소장을 서서히 조금씩 제거하면 영양 흡수에 문제가 생기지만, 소장이 6피트(약 1.8미터) 남을 때까지는 보통 그런대로 괜찮다.

평균 5피트(약 1.5미터) 정도 되는 대장은 우리가 마시는 물과 먹는 음식에 포함된 수분을 대부분 흡수한다. 소화하고 남은 음식 찌꺼기인 대변은 수분, 소화되지 않은 음식물, 소화할 수 없는 음식물, 날마다 장 내부에서 떨어져 나오는 세포들, 몸속에 들어오는 박테리아 등이 섞여 만들어진다.

췌장과 소장, 대장이 모두 정상적으로 작동하고 거기서 처리할 수 없는 음식을 먹지 않는다면—예를 들어 유당 분해 효소 결핍증이나 (밀 등에 들어 있는 물에 용해되지 않는 불용성 단백질인) 글루텐 관련 알레르기 반응 장애를 가진 사람들이 그런 음식을 먹는 경우—우리는 우리가 먹는 음식에 들어 있는 거의 모든 열량을 흡수한다. 예외가 되는 음식 중 가장 눈에 띄는 것은 셀룰로오스라 부르는 섬유소로, 몸에서 소화되지 않고 몸을 그냥 거쳐 지나가면서 대변과 함께 배출된다.

인체의 화학 처리 공장, 간

간은 흡수한 물질을 우리에게 필요한 물질로 바꾸는 화학 처리 공장과 같은 역할을 한다. 기본적으로 장에서 흡수된 영양소(단백질, 탄수화물, 지방, 비타민, 무기질 등)는 장과 간 사이의 혈관인 간문맥을 통해 일단 간으로 모두 전달되고, 간에서는 그것들을 몸의 다른 기관들이 쓸 수 있는 형태로 바꾸거나 저장한다.

일을 제대로 하기 위해 간은 우리 혈액 내에 당, 콜레스테롤을 비롯한 여러 중요한 물질이 적당량 들어 있는지를 확인하는 다양한 측정 장치들을 가지고 있다. 그 측정 장치들을 통해 들어오는 신호로 간에서 어떤 물질을 더 만들어야 할지 덜 만들어야 할지를 판단한다.

예를 들어 혈중 콜레스테롤 수치는 우리가 먹는 콜레스테롤의 양보다 간에서 만드는 콜레스테롤의 양에 훨씬 영향을 많이 받는다. 그래서 이 수치는 어느 정도는 포화 지방산을 얼마나 먹는지에 따라 결정되지만, 또 어느 정도는 간의 콜레스테롤 감지 측정 장치가 어떤 수준을 적정하다고 받아들이도록 설정되어 있는지에 따라 결정된다.

이 각각의 단계—허기, 입맛, 소화, 흡수, 화학 처리 과정—는 모두 인간의 복잡한 신진 대사에 필요한 열량과 영양소를 공급하는 데 없어서는 안 되는 요소다. 이 가운데 어느 하나만 적절히 작동하지 못해도 그런 개인, 나아가서는 종 자체의 생존이 위협받는다. 따라서 자연 선택은 항상 이 기능을 최대한 건실하게 해내는 유전자를 선호해 왔다.

아사 방지 생존 형질이 부적절할 때

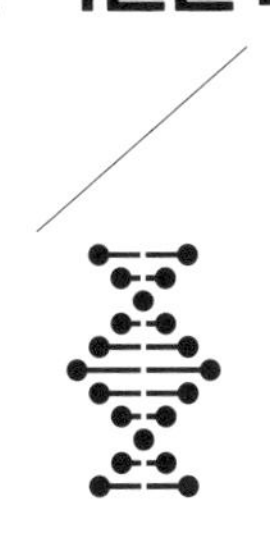

우리 몸의 아사 방지 시스템

몸에 필요한 에너지 수요를 충당할 만큼 충분한 열량을 먹지 못하면 인체는 저장해 두었던 지방이나 근육을 분해해 에너지를 공급할 수밖에 없다. 6시간 동안 아무것도 먹지 않으면—활동량이 많았으면 그 전, 움직이지 않았거나 잠들어 있었으면 그 후—우리 몸에서는 간에 글리코겐으로 저장되어 있던 당(포도당)을 모두 소진하고, 저장된 지방을 일부 태우기 시작한다. 7일 동안 먹지 않으면 보통 때는 완전히 포도당을 태워 작동하던 뇌가 대사 체계를 바꿔 약 75퍼센트의 에너지를 지방에서 가져다 쓴다.

현대 사회에서 이런 대사 변화는 거식증을 가진 환자에게서 관찰된다. 환자의 대부분이 젊은 여성인 이 증상은 음식 섭취량이 아주 적거나 인위적 구토를 통해 체중이 정상의 85퍼센트 이하로 떨어지는 극심한 섭식 장애다.

아사를 방지하기 위해 간을 제외한 우리 몸의 모든 부분이 속도를 낮추기 때문에 기초 대사량은 1주일 후면 15퍼센트, 2주일 후면 25퍼센트 줄어든다. 몸 밖에서 들어오는 침입자들로부터 몸을 보호하는 가장 중요한 면역 체계 또한 기능이 감소하므로 굶주린 사람들의 사망 원인 중 감염이 아주 큰 부분을 차지한다.

사람은 먹지 않고 얼마나 살 수 있을까

굶어 죽는 데 시간이 얼마나 걸리는지 알 수 있는 가장 신뢰성 있는 데이터는 1981년 아일랜드공화국군Irish Republican Army, IRA 출신 죄수들이 감행한 단식 투쟁[29] 기록이다. 그들은 자신들이 범죄자가 아니라 정치범이라고 주장했다(일부는 살인 미수 또는 살인으로 수감되어 있었지만). 그들의 단식 투쟁 목적은 '철의 여인'이라고 알려진 마거릿 대처 총리에게 압력을 넣어서 자신들의 특별한 지위를 인정받아 죄수복 착용과 교도소 내 노역에서 면제받는 것이었다. 이 과정에서 가장 잘 알려진 사람은 바비 샌즈로, 그는 투쟁 도중 영국 하원 의원에 선출되었다. 22명의 수감자가 그의 투쟁에 동참하면서 연쇄적으로 단식에 들어가 물 말고는 아무것도 먹지 않았다.

샌즈와 9명의 동료는 그 전까지 모두 건강한 젊은이들이었지만 단식 끝에 죽음을 맞았다. 가장 빨리 죽은 사람은 46일, 가장 오래 버틴 사람은 73일이었다. 음식을 먹지 않은 시점부터 목숨을 잃은 시점까지 평균 기간은 60일이 조금 넘는 부근에 집중되어 있다. 살아남은 13명 중, 9주 이상 단식 투쟁을 계속한 사람은 1명뿐이었는데 그도 결국 가족의 설득으로 단식을 중단했다.

애초에 날씬했던 사망자 10명은 죽을 당시 평균 55파운드(약 25킬로그램)가 빠져 원래 체중에서 35퍼센트가 감소했다. 물론 원래 체중이 더 나갈수록 더 오래 굶을 수 있다. 평균적으로 볼 때 체중의 40퍼센트가 감소하면 굶주림은 치명적이 된다. 그렇게 체중이 빠지면 보통 체내 단백질의 30~50퍼센트, 지방의 70~90퍼센트가 소실된다. 음식을 먹지 않고 생명을 잃지 않은 가장 오랜 기록은 382일이었다.[30] 450파운드(약 204킬로그램)나 나갔던 남성이 아무런 열량도 섭취하지 않고 단식을 해서 280파운드(약 127킬로그램), 즉 자기 체중의 약 60퍼센트를 뺀 사례였다. 그러나 그는 계속 액체와 비타민, 무기질을 섭취했기 때문에 진정한 의미의 기아를 경험한 것은 아니다.

우리 조상들은 얼마나 버텼을까

건강한 젊은이가 교도소 감방에서 누워 지내다가 60일 만에 목숨을 잃는다면, 먹지 못하는 동안에도 음식을 손에 넣기 위한 활동을 계속해야 했던 우리 조상들은 얼마나 버틸 수 있었을까? 간단한 계산을 몇 가지 해 보자. 하루에 필요한 열량이 전혀 활동을 하지 않는 수감자는 1800칼로리, 절박하게 음식을 찾아 헤매는 수렵·채집인은 2700칼로리라고 하자. 출발점이 같다면 수렵·채집인은 3분의 1가량 더 빠른 시점인 약 40일 만에 목숨을 잃을 것이다. 그러나 이 40일마저 그 전에 음식이 풍부했을 때 가능한 한 많이 먹어 둔 생존 형질 덕분에 가능하다.

물론 현실은 그렇게 간단하지 않다. 우리 조상들은 아일랜드공화국군 수감자들에 비해 몸에 저장된 지방이 더 적었을 것이고, 몸이 점점 약해지면서 감옥에 따로 갇혀 있는 사람들과는 비교할 수 없는 각종 위험에 맞닥뜨렸을 것이다. 그리고 3장에서 살펴보겠지만 허약해지면서 물을 구하는 일조차 힘들어지면 죽음은 훨씬 빨리 찾아올 것이다.

문명과 영양 공급

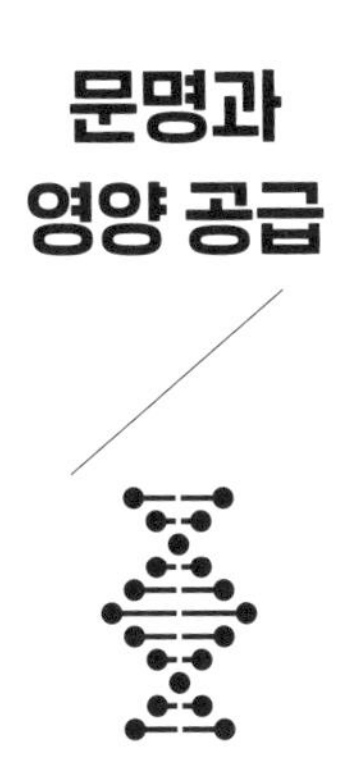

농사와 가축은 인간의 생존을 보장했을까

1만 년 전쯤 시작된 농업과 가축 사육[31] 덕분에 인간의 영양 공급 틀이 획기적으로 바뀌었고, 같은 넓이의 땅이라도 이전보다 더 많은 사람을 먹여 살릴 수 있게 되었다. 조상들은 야생에서 자라는 식물 중 경작이 가능한 종류를 발견하면 그중 열량이 풍부한 것을 선택해 집중적으로 길렀다. 주요 경작물은 밀, 보리, 수수, 옥수수, 쌀, 사탕수수 같은 곡물과 감자, 고구마, 마, 토란 같은 덩이줄기 및 뿌리 식물, 콩이나 완두콩을 포함한 콩과 식물, 그리고 호박이나 가지를 비롯한 박과 식물이었다.

가축을 기르는 사람들은 양, 소, 염소 따위 가축과 함께 이동하며 살았다. 이 동물들은 사람이 소화할 수 없는 풀을 단백질과 지방으로 변환시켜 공급하는 역할을 했다. 그리고 일부 정착지, 특히 대규모 정착지에서는 식물과 동물을 모두 기르기 시작해 다양한 종류의 식량 공급이 가능해졌고, 환경이 아주 좋은 곳에서는 위대한 문명이 일어나 융성했다.

그러나 그런 상황에서도 생존은 간단한 일이 아니었다. 현존하는 수렵·채집인들을 연구한 결과 수렵이나 채집 활동을 하는 동안 1칼로리를 소비해 10칼로리를 얻는다는 사실이 밝혀졌다. 수확량 대비 노력의 비율이 10 대 1인 것이다. 자영농의 경우 이 비율은 약간 더 커서 12 대 1 정도 되는데, 현대식 기계 영농을 하지 않더라도 관개 시설과 동물의 도움을 얻으면 50 대 1까지 이 비율을 높일 수도 있다. 그러나 흔히 농경 사회에서는 경작 활동에 직접 참여하지 않는 사람들까지 먹여 살려야 한다. 따라서 실제로 농사일을 하는 사람들은 수렵·채집인들보다 더 많은 열량을 만들어 내고 소비해야만 한다. 논밭에서 일하지 않는 사람들을 위한 음식도 생산해 내야 하기 때문이다.[32]

모든 작물을 길러 낼 수는 없었으므로, 농경민들은 열량 공급을 몇 가지 제한된 식물에 의존하게 되었고, 어떤 경우에는 단 한 가지 주요 작물에 완전히 의존하기도 했다. 가뭄, 토양의 피폐, 병충해가 단기간에 열량 공급원을 위험에 빠뜨려 엄청난 기근을 불러올 수 있었기에, 장기적으로 보면 수렵·채집 사회에 비해 식량 공급이 더 안정적이라고 할 수도 없었다. 설상가상으로 거대한 농경민 정착지들이 점점 더 늘어나면서, 여기저기 옮겨 다니던 수렵·채집인 무리에 비해 이동성이 현저히 떨어졌다.[33] 1만 년 전쯤 시작된 농경 덕분에 인구가 증가하면서 기근의 위험도 더 커졌다.

아일랜드 감자 기근

아일랜드 감자 기근을 예로 들어 보자. 1844년 아일랜드 신문들은 감자 흉작 소식을 보도했다. 1728년 이후 스물다섯 번째로 찾아오는 감자 흉작이었지만 그해의 흉작은 예년에 비해 더, 훨씬 더 심한 것으로 판명이 났다. 아일랜드 내 감자 수확 추측치는 1844년 1만 5000톤에서 1847년 2000톤으로 곤두박질쳤다. 감자역병균이라는 물곰팡이로 인한 감자역병이 덮친 때문이었다. 이 병충해는 미국에서 시작되어 유럽을 거쳐 온도가 낮고 습한 아일랜드 기후에서 기세를 떨쳤다.

이전까지 주기적으로 찾아온 흉작에도 불구하고 아일랜드 인구는 주로 감자에서 얻는 열량을 바탕으로 1800년 400~500만 명이던 데서 크게 늘어나 1841년에는 800만 명에 이르렀다. 감자는 비동물성 음식 중 인간의 영양학적 수요를 가장 완벽하게 공급하는 작물로 꼽힌다. 중간 정도 크기의 감자에는 대부분 녹말에서 나오는 열량 100칼로리 정도가 들어 있으며 이에 더해 단백질도 3그램가량 들어 있다.

하루에 감자 25개 정도를 먹는 아일랜드인의 평균 식단에는

2500칼로리의 열량뿐 아니라 인체를 건강하게 유지할 수 있는 충분한 양의 단백질, 비타민 B군, 철분 그리고 비타민 C를 비롯한 필수 영양소가 대부분 들어 있다. 감자에 들어 있지 않은 중요 영양소는 칼슘과 나트륨뿐이다. 아일랜드에서 나는 감자는 씨알이 많이 달리고 영양분도 풍부해 1에이커(약 4047제곱미터)에서 나오는 감자와 소 한 마리에서 얻는 우유(칼슘과 나트륨을 보충할 수 있는 공급원)로 그 땅을 돌보는 농부 가족 전체를 먹여 살릴 수 있었다. 일부 추산에 따르면 당시 가난으로 악명 높았던 아일랜드 농촌 인구의 40퍼센트가 유일하게 섭취한 고형 식품이 감자였다.

아일랜드의 감자 작황이 완전히 실패하자 농촌에 사는 아일랜드인은 다른 대체 식품을 전혀 구할 수 없었고, 기근은 급속도로 확산되었다. 이 기근의 정확한 영향을 파악하기는 불가능하지만, 가장 신뢰할 수 있는 추산에 따르면 약 100만 명의 아일랜드인이 굶주림 또는 굶주림과 관련된 병으로 목숨을 잃었고, 또 100만 명 이상이 이민을 떠나 주로 미국 북부 도시에 정착했다.[34]

인류 역사 속 대기근들이 알려 주는 진실

아일랜드 감자 기근은 재난에 가까운 규모의 수많은 기근 사태의 예 중 하나일 뿐이다. 가뭄, 전쟁, 정치 혼란 등으로 벌어진 기근 사태는 농업이 시작된 후 내내 끊이지 않았다. 《성경》에는 이집트가 풍년이 든 7년 동안 식량을 비축해 놓은 덕분에 7년 동안의 흉년을 견딜 수 있었다는 이야기가 나온다. 1600년대 중국 북서부에서 발생한 기근 사태는 결국 명나라가 망하는 원인이 되었다. 19세기 중국에서는 4년에 걸쳐 계속 흉년이 들어 4500만 명이 목숨을 잃었다. 또한 중국 정부 보고에 따르면 1959년부터 1961년에 걸쳐 기근이 들었을 때는 평상시보다 1500만 명이나 더 많은 사망자가 나왔다. 인도에서는 1630년대, 1700년대 초, 1780년대에 발생한 기근으로 매번 200만 명 이상이 목숨을 잃었다. 1690년대 프랑스 기근으로는 아마 200만 명 이상이 죽었을 것이다. 러시아에서도 기근으로 1921년 500만 명, 1차 세계대전 동안 100만 명, 1947년 100만 명 이상이 희생당한 것으로 추산된다.

21세기 인류는 단 두 가지 종류의 곡물—쌀과 밀—에서 필요한 열량의 40퍼센트를 얻고 있다. 아일랜드 감자 기근에서도 봤듯이 열량을 한 작물에 배타적으로 의지하면 기근과 굶주림의 위험에 더 크게 노출될 수밖에 없다. 21세기에 소말리아, 에티오피아, 케냐, 방글라데시, 아프가니스탄, 미얀마 등지에서 흉년이 들자 정치적 갈등으로 그 상황이 더 악화되어 기근 사태로 이어진 것은 놀라운 일이 아니다. 과거와 최근의 기근 사태는 우리 몸이 아사로부터 스스로를 보호하는 형질을 갖추고 있지 않았더라면 더 많은 목숨을 앗아갔을 것이다.

식사 시간, 열량, 운동의 관계

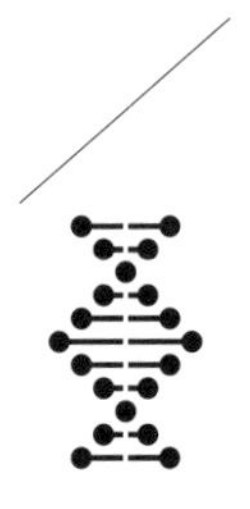

우리 조상들은 하루에 몇 끼나 먹었을까

수렵·채집인들이 하루 중 어느 시간에 주로 음식을 먹었는지는 알 길이 없다. 그러나 아마 먹이를 사냥하고 채집하는 다른 동물들처럼 음식을 찾았을 때 먹었으리라 추측된다. 농사를 짓고 가축을 기르기 시작하면서 더 안정적으로 음식을 손에 넣을 수 있게 되자 식사 시간을 예측하는 것이 가능해졌다.

고대 그리스의 부자들은 낮에 한 끼를 먹고 저녁에 한 끼를 더 먹었다. 두 끼니 중 저녁에 더 많이 먹었을 것이고, 일부는 하루에 저녁 한 끼만 먹었을 것이다. 로마의 의사들은 오전 열한 시쯤 가벼운 끼니를 한 번 먹고 오후 대여섯 시쯤 더 많은 양의 식사를 할 것을 권장했다. 중세로 접어들면서 하루에 세 끼를 먹는 습관이 정착되었는데, 가장 주가 되는 식사는 점심이었다. 저녁 식사가 하루 중 가장 푸짐한 식사로 다시 떠오른 것은, 도시가 발전하고 남자들이 집 밖에서 일하다가 저녁 시간에 귀가하는 일상이 정착하면서 벌어진 일이다. 영국에서는 애프터눈 티afternoon tea가 점심과 저녁 사이에 먹는 추가 간식으로 자리 잡았다.[35]

현대인은 하루 종일 음식을 먹을 수 있다

현대 사회에서 한 개인이 식사를 하겠다는 결정을 내리는 데는, 몸이 극심한 에너지 부족에 직면해 있을 때를 제외하고는, 직접적인 필요만큼이나 외적 요인(사회적·문화적·환경적 요인)이 많은 영향을 끼친다. 이제 음식은 하루 중 아무 때나 손에 넣을 수 있으므로, 음식을 확보할 때마다 먹었던 수렵·채집인 조상들의 생활 방식으로 돌아가기가 아주 쉬워졌다. 다시 말해 현대인은 하루 종일 음식을 먹을 수 있다는 뜻이다! 그 결과 현대인은 배부르다는 신호가 손쉽게 구할 수 있는 맛있는 음식의 유혹을 압도하지 못하면 과식하기 십상이다.

역설적이게도 음식이 더 풍부해지면서 우리 몸에 필요한 열량은 오히려 감소했다. 현대식 교통 수단이 발달하고 육체 노동을 할 필요가 줄었기 때문이다. 예를 들어 20세기에 벌어진 사회적 변화로 말미암아 날마다 노동에 들어가는 열량이 미국의 경우 남자는 140칼로리, 여자는 125칼로리 줄어들었다. 영국에서는 1956년에서 1990년 사이에 기초 대사량을 제외한 나머지 필요 열량이 65퍼센트 감소했다.[36] 사회 전체에 필요한 열량을 비교적 적은 수의 농부, 목장 주인, 노동자가 생산해 내기에 우리 대부분은 원하지 않으면 수렵하고 채집하고 농사짓고 음식 나르는 일에 열량을 소비하지 않아도 된다.

수렵·채집 사회에서는 음식을 구하는 일이 중요한 운동이었다. 이제 우리는 필요한 음식을 얻기 위해 마트나 음식점까지 가는 것 이상을 하지 않는다. 따라서 미국 인구의 25퍼센트에 달하는 사람들이 거의 육체 활동을 하지 않는 생활을 한다는 것은 별스러운 일이 아니다.

영양 상태의 시금석, 평균 신장

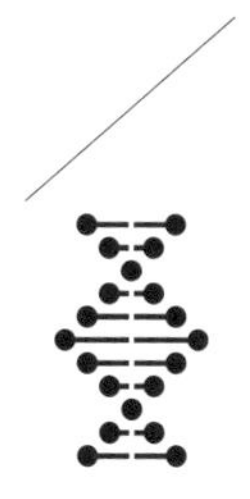

키가 작은 쪽이 생존에 더 유리하다

현대인은 오래 사는 데 도움이 되는 식생활을 이상적으로 여긴다. 하지만 과거에는 건강한 아이를 낳고, 그 아이들이 또 건강한 아이들을 낳을 수 있을 때까지 수명을 유지할 수 있는 정도의 건강을 확보해 주는 식생활이 이상적이라고 여겼다. 어떤 동물이든 영양 상태를 가장 잘 파악할 수 있는 척도는 평균 크기다. 인간의 경우에는 평균 신장이다. 신장은 약 80퍼센트가 유전자의 영향을 받지만 아동기와 사춘기의 열량 섭취, 특히 단백질 섭취와도 밀접한 관련이 있다.

몸집이 크고 강한 사람은 몸집이 더 작은 이웃보다 더 많은 사냥감을 잡고 더 많이 채집을 하고 이웃과의 싸움에서마저 더 많이 이길 수 있을지 모르지만 그만큼 열량 또한 더 많이 필요하다. 그래서 만성적이거나 반복적인 식량 부족을 겪어야 하는 상황이라면 키와 몸집이 자그마한 쪽이 더 유리하다. 영양 상태가 별로 안 좋은 인간이 작은 몸집을 가지고 있는 것은 열량과 단백질, 칼슘 등을 덜 섭취한 탓도 있지만, 미래에 식량 공급이 더 줄어들지 모르는 사태에 대비한 방어 기제가 작동한 결과이기도 하다.[37]

이런 기준을 적용하면 수렵·채집을 하던 유목민인 우리 조상들은 놀라울 정도로 영양 상태가 좋았다. 구석기 시대 유적들을 살펴보면 남성은 평균 5피트 10.5인치(약 179센티미터)에 148파운드(67킬로그램), 여성은 그보다 훨씬 작은 5피트 2인치(약 157센티미터)에 119파운드(약 54킬로그램)로 추정된다. 약 1만 년 전 신석기 시대에 농사를 짓기 시작하면서 인류의 체구는 오히려 줄어들었다. 고고학 증거에 따르면 신석기 시대 남성은 5피트 5인치(약 165센티미터)에 139파운드(약 63킬로그램), 여성은 4피트 11인치(약 149센티미터)에 99파운드(약 44킬로그램)밖에 되지 않았다.[38]

언뜻 보기에 농사를 짓고 가축을 기르면서 체구가 더 작아졌다는 것은 이해할 수 없는 현상이다. 이것이 전적으로 유전적인 선택의 결과였을까? 예를 들어 서아프리카의 피그미족은 바로 이웃에 사는 반투족에 비해 무려 7인치(약 18센티미터)나 작은 키를 가진 것으로 유명하다. 다른 주변 부족들과 비슷한 식생활을 하는데도 피그미족은 성장 호르몬을 만드는 뇌하수체에 돌연변이가 생겨서 체구가 작다.[39] 농구 선수 부부 사이에서 태어난 아이는 체조 선수 부부 사이에서 태어난 아이보다 확실히 클 것이다.

어쩌면 구석기 시대에는 체구가 더 큰 남녀만이 당시 공존하던 네안데르탈인과의 경쟁에서 살아남을 수 있는 힘을 지녔기에 유전적으로 선택되었는지 모른다. 그러다가 수천 년이 지난 후 네안데르탈인이 사라지고 식량을 수렵·채집하기보다는 경작하게 되자 몸 크기가 더 이상 중요하지 않아졌고, 따라서 작은 체구의 사람들이 살아남아 자손을 낳을 확률이 더 커진 것일지도 모른다. 그러나 빙하기 이전 시대와 농경 사회 형성기 사이에 키를 관장하는 유전자에 뭔가 극적인 변화가 있었다는 근거는 찾을 수 없다. 그러므로 왜 인류의 체구가 더 작아졌고 아주 최근까지도 그렇게 작게 유지되었는지에 관한 가장 타당한 설명은 영양학적 원인, 적어도 단백질 섭취[40]에서 찾아볼 수 있다.

구석기 시대 사람들이 키가 더 컸던 이유

구석기 시대 남성은 19세기까지 현대 유럽 남성보다 더 컸고, 현재의 유럽 남성과 맞먹는 체구를 자랑했다. 평원 지대에서 수렵·채집을 하던 북아메리카 원주민들도 북아메리카대륙으로 건너간 유럽인들보다 훨씬 컸다. 침략자들은 지구상에서 기술이 가장 발달한 나라에서 좋은 영양 공급을 받으며 살아온 사람들인데도 말이다.

왜 그랬을까? 모든 것의 원인은 영양이다. 북아메리카대륙 평원

지대에 살던 수렵·채집인들의 식생활에서 주된 음식은 풀을 먹고 자란 야생 들소의 고기로, 옥수수를 먹고 자란 현대의 가축보다 지방이 적은 육류였다. 그리고 그들은 동물 전체를 다 먹었다. 루이스와 클라크가 사냥감이 풍부할 때 먹었던 고단백질 고열량 식단과 동일한 식단이었다.

이에 비해 농경민들은 농사를 지어 거둔 작물이 에너지 필요량은 모두 충족시켜 준다 하더라도 수렵·채집인들에 비해 단백질이나 칼슘 등의 공급량은 더 적었다—해 뜰 때부터 해 질 때까지 쉼 없이 일해야 했던 농부들은 아마 수렵·채집인들과 비슷하거나 더 많은 열량을 소비했을 것이다. 견과류조차 같은 무게의 곡물, 특히 농사를 지어 거둔 곡물에 비해 단백질을 더 많이 함유하고 있다. 바로 이런 이유에서 농경민들은 현대 채식주의자들처럼 콩, 완두콩, 심지어 땅콩까지 포함한 콩류에서 단백질을 섭취하고자 노력했다. 그러나 동물이 아닌 식재료에서 충분한 양의 단백질을 얻기는 어려운 일이었다. 특히 슈퍼마켓이 생기기 전 시대에는 더욱 그랬을 것이다.

식생활의 변화와 키의 관계

오늘날에도 영양 상태는 평균 신장과 밀접한 관련이 있다. 경제학자 리처드 스테클은 키의 약 25퍼센트를 차지하는 대퇴골 길이를 재어 9세기에서 19세기까지 유럽에서 살았던 사람들의 키를 추정했다.[41] 그는 중세 시대 남성의 평균 키는 5피트 8.25인치(약 173센티미터) 정도였을 것이라고 계산했다. 그러나 17~18세기에 이르러 더 많은 사람이 도시에 살면서 비타민 D와 신선한 육류를 충분히 섭취하지 못하자 남성 평균 키는 5피트 5.75인치(약 167센티미터)로 줄어들었다. 2.5인치(약 6센티미터)나 준 것이다. 이 감소치를 더 큰 그림에 비추어 보면, 이 차이는 현대 캐나다의 젊은 남성 평균 키와 중국 도시 지역의 젊은 남성 평균 키의 차이에 맞먹는다. 21세기 초에 들어서면서 유럽의 부유한 나라들에 사는 젊은 남성의 평균 키가 5피트 10인치(약 178센티미터)까지 늘어난 것은 영양 상태가 좋아진 덕분이다.

대부분의 사회에서 여성은 남성이 얼마나 큰지와 상관없이 남성보다 평균 4~5인치(약 10~13센티미터) 정도 작다. 이 점을 고려하면 구석기 시대 남성과 여성 사이의 8.5인치(약 22센티미터)가 넘는 키 차이는 그 이후 모든 시대를 망라한 성별 간의 키 차이보다 훨씬 크다. 이는 어쩌면 단백질이 풍부한 사냥감에서 얻은 음식이 여성에게 충분히 돌아가지 않았기 때문이었을지 모른다. 또 다른 가능성은 여성이 아직 성장을 하고 있는 어린 나이에 임신을 해 몸 안에서 자라는 태아와 단백질 및 칼슘을 공유해야 해서 제대로 키가 자라지 않았을 것이라는 시나리오다.

그러나 북유럽인의 평균 키가 수 세기 동안 식생활의 변천에 따라 변화했듯, 현대 인류의 평균 키도 급속도로 변화할 수 있다. 예를 들어 2002년 중국에서는 상대적으로 잘 먹는 도시인이 영양 상태가 상대적으로 좋지 않은 시골 사람보다 1.5인치(약 4센티미터)가량 더 컸다. 세계적으로 유명한 농구 선수 야오밍의 키 7피트 6인치(약 230센티미터)는 물론 이례적인 경우지만, 영양 상태가 좋은 도시 지역 중국인의 평균 키가 늘어나는 추세를 보면 식생활이 얼마나 빨리 평균 키에 영향을 주는지 알 수 있다. 현재 가장 키가 큰 이들은 서구화된 사회에 사는 사람들 중 제일 영양 상태가 좋고 건강한 네덜란드인[42]과 키우는 소의 피, 우유, 그리고 간혹 고기를 섭취하는 서아프리카의 마사이족이다.

비만의 역사

생존에 불리한 비만이 부의 상징이 되기까지

우리 조상들 사이에서 비만은 그다지 흔한 일이 아니었고, 비만인 몸은 불리한 조건이었을 것이 확실하다. 사냥을 하든 열매를 따든 작물을 심든 가축을 돌보든 몸무게가 더 나가면 더 힘이 든다. 체중이 더 무거우면 속도를 낼 수가 없고, 이런 조건은 먹이를 쫓아갈 때나 포식자인 맹수에게 쫓길 때나 똑같이 문제가 된다!

그럼에도 석기 시대 조상들은 약 3만 5000년 전 독일 지역에서는 상아로, 2만 5000년 전 오스트리아 지역에서는 석회암으로, 극도로 비만인 여성의 모습을 정확히 묘사한 조각상을 남겼다. 그러나 우리는 이 모습이 다산을 비는 상징인지, 그저 흥미로운 예술품인지, 이상적인 여성상을 묘사한 것인지 알지 못한다. 8000년 전

즈음으로 접어들면서 만들어진 인물상들은 신체 비율이 정상에 가까운 것이 많지만 일부 조각상들, 특히 터키에서 발견된 유명한 '어머니 신Mother Goddess' 조각상들은 여전히 상당히 비만인 몸매를 가지고 있다.[43]

이집트 문명에서는 신체 비율이 좋고 늘씬한 젊은이들을 묘사한 그림이 나타나지만, 동시에 나이 들어 몸이 불어난, 일부 경우 배가 나오기까지 한 늙은 왕족들의 모습도 볼 수 있다. 메레루카의 묘에서 발견된 통통한 남자가 여윈 하인이 떠 주는 음식을 받아먹는 장면이 묘사된 석조 부조가 그런 예다. 헤로도토스에 따르면 부유한 이집트인들은 너무 살이 찌는 것을 피하기 위해 주기적으로 단식을 하거나 인위적으로 구토를 하기까지 했다고 한다. 마야, 잉카, 아즈텍, 메소포타미아의 유물에서도 비만인 인물상들이 발견된다.

2500여 년 전 그리스의 히포크라테스는 지나친 체중이 건강에 악영향을 끼칠 수 있다고 경고했다. 2500년 전 힌두교 의사들은 당뇨 환자의 소변에서 단맛이 나며, 뚱뚱할수록 당뇨에 걸리는 경향이 높다는 사실을 거론했다. 고대 로마에서는 통통한 몸매, 심지어 비만까지 부의 상징으로 받아들여졌다는 것을 우리는 알고 있다. 그러나 약 1800년 전 로마 황제 마르쿠스 아우렐리우스의 주치의이자 고대 로마 의사들 중 가장 유명했던 갈레노스는 조심스러운 식생활과 더불어 운동을 권장했다. 로마 상류층 사람들의 비만 현상은 탐닉과 나태가 원인이라는 것이 일반적인 견해인데, 여러 면에서 볼 때 결국 이것은 로마 제국의 쇠망으로 이어진 내부의 부패를 상징하는 현상이었다.

비만은 사회 규범에 의해 권장되기도 한다. 17세기 네덜란드의 부유한 상류 사회에서는 루벤스 그림풍의 풍만한 여성을 매력적으로 받아들였다. 아마 비만인 상류층 여성의 몸매가 농민의 체형과 아주 잘 대비되기 때문이었을 것이다.

"돈은 많을수록, 사람은 날씬할수록 좋다"

몸무게에 대한 사회적 영향을 가장 잘 관찰할 수 있는 비교적 최근의 예는 미국 대통령들의 체중이다.[44] 1884년부터 1912년 사이의 미국 대통령 6명—그로버 클리블랜드, 벤저민 해리슨, 다시 그로버 클리블랜드, 윌리엄 매킨리, 시어도어 루스벨트, 윌리엄 하워드 태프트—은 모두 비만했으며, 그중 태프트는 340파운드(약 154킬로그램)로 선두를 달렸다. 이 시기 미국의 부유한 도시민은 다른 사람의 손으로 길러진 음식을 이전 어느 때보다 쉽게 손에 넣을 수 있었고 기계에 의존한 교통 수단도 이용할 수 있었다. 부유한 사람들은 일반적으로 영양이 부족했던 동시대 가난한 사람들보다 수명이 길었기 때문에 비만의 부작용이 처음에는 그다지 눈에 띄지 않았다.

재커리 테일러를 제외하고는 1884년 이전 또는 1912년 이후의 다른 어떤 미국 대통령도 비만하지 않았다. 태프트의 후임인 우드로 윌슨 이후 미국의 대통령들과 미국 사회의 교육받은 엘리트 계층은 비만의 부작용을 적어도 일부나마 인식하기 시작했다. 월리스 심프슨—영국 국왕 에드워드 8세는 미국 출신 이혼녀인 심프슨과 결혼하고자 했으나 주위에서 반대가 심하자 결국 동생에게 왕위를 물려주고 그녀와 결혼했다—은 1930년대에 "돈은 많을수록, 사람은 날씬할수록 좋다"라고 말한 것으로 유명하다. 현대 미국인 중에서 비만 비율이 가장 낮은 집단은 의사들이다.[45]

이렇게 변화하는 체중에 대한 사회 규범은 아마 햇빛에 그을린 피부색에 대한 사회 규범의 변화와 전혀 다르지 않을 것이다. 미국 남북전쟁 전에는 플랜테이션을 소유한 창백한 피부색의 상류층 여성들이 인기였다. 햇빛 아래서 일하지 않아도 된다는 증거였기 때문이다. 이 현상은 현대 일본과 중국의 유행과도 일치한다. 그에 비해 21세기 미국인은 태닝 살롱에 가서 돈을 주고 피부를 그을린다. 그을린 피부가 젊음과 여유, 특히 해변에서 시간을 보낼 수 있는 여유를 의미하기 때문이다.

토머스 맬서스의 예측은 틀렸다

그러나 잠시 생각해 보자. 미국 대통령들은 대부분의 국민이 말랐을 때 뚱뚱했고, 이제 대부분의 국민이 뚱뚱해지자 정상 체중으로 돌아갔다. 20세기 초만 해도 비만은 대통령처럼 미국인 중 가장 특권을 가진 사람들만이 누릴 수 있는 혜택이었다. 현대의 개발도상국에서 새로 부유층에 진입한 사람들이 그러하듯이 말이다. 그에 비해 21세기 미국에서는 중산층과 빈곤층—특히 여성과 어린이—이 평균적으로 부자들보다 몸무게가 더 나간다.[46]

그렇다면 왜 20세기 초 미국 국민은 나쁜 모범을 보인 대통령을 따라서 비만이 되지 않았을까 하는 질문이 나올 수도 있겠다. 산업화, 도시화, 현대식 교통 수단 등의 혜택을 받아 열량 소모가 줄어든 것이 비단 대통령만은 아닐 텐데 말이다. 국제 영양학 전문가 보이드 스윈번 연구팀은 이 현상에 대해 가장 설득력 있는 설명을 제시한다. 미국인의 열량 섭취, 특히 밀을 통한 열량 섭취는 1910년부터 1960년 사이에 감소했는데 이는 아마 급격히 증가한 인구와 양차 세계대전, 그리고 대공황 때문일 것이다. 그러다가 1970년대로 접어들면서 설탕과 지방이 많이 든 값싼 음식을 쉽게 손에 넣을 수 있게 되면서 열량 섭취가 서서히 늘었다.[47]

음식은 이제 너무 많아져서 지난 30년 사이 먹는 음식 양이 늘었음에도 불구하고 버리는 음식 양 또한 50퍼센트나 늘었다. 1789년에 토머스 맬서스가 갈수록 증가하는 세계 인구를 다 먹여 살릴 수 있는 식량을 생산하지 못할 것[48]이라고 했던 예측은 빗나갔을 뿐 아니라, 미국에서 날마다 1인당 버리는 1200~1300칼로리에 해당하는 음식이면 수백만 명을 먹여 살릴 수 있다. 어릴 적 음식을 남길 때 부모들이 말했듯 아시아와 아프리카의 굶주린 아이들을 모두 먹이기에 충분한 양이다.

체중은 왜 늘어날까

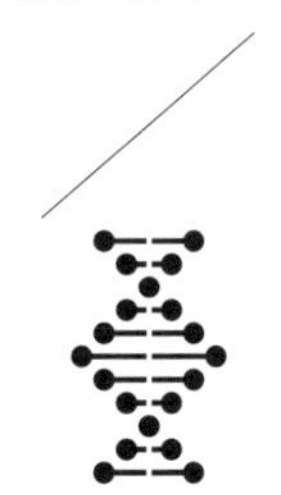

당신의 체질량 지수는?

인류 역사 대부분의 기간 동안 몇 주 사이에 굶주리는 상황이 올 가능성은 늘 가까운 곳에 도사리고 있었고, 비만은 전혀 문젯거리조차 되지 않았다. 식생활 패턴은 자연스럽게 육체 활동 수준과 밀접한 관련을 맺으면서 형성되었고, 몸의 형질—허기, 입맛, 소화, 흡수, 신진 대사—은 체중이 너무 많이 늘거나 주는 것을 방지하도록 프로그래밍되었다.

그런데 이렇게 신체적 감지 장치와 대처 기제를 마련하는 일에서 가장 중요한 전제는, 인간이라는 종의 생존에 대한 가장 큰 위협, 즉 아사를 방지하는 것이었다. 메마른 미국 남서부에 사는 피마족처럼 우리 조상들은 그런 위협에 늘상 직면해야만 했다. 이 도전을 더 잘 이겨낸 사람들은 그 일에 사용된 여러 가지 형질을 자손에게 전달할 확률이 높았다. 그 형질이란 절대 너무 적게 먹지 않고, 언제든 필요한 것보다 더 많이 먹고, 나중에 있을지 모를 기아에 대비해 섭취한 음식을 즉시 지방으로 저장하는 능력이었다.

체중이 느는 이유는 단순하다. 태우는 열량보다 더 많이 먹기 때문이다. 자신이 과체중인지 아닌지를 알아내는 가장 좋은 방법은 체질량 지수body mass index, BMI를 계산해 보는 것이다. 공식은 간단하다.[49]

$$\frac{\text{파운드 단위 몸무게}}{(\text{인치 단위 키})^2} \times 703$$

$$\frac{\text{킬로그램 단위 몸무게}}{(\text{미터 단위 키})^2}$$

정상 체질량 지수는 18.5~24.9다. 체질량 지수가 25~29.9면 과체중, 30 이상이면 비만, 35 이상이면 고도 비만이다. 따라서 키가 5피트 9.25인치(약 176센티미터)인 나는 대략 125~168파운드(약 57~76킬로그램)면 정상, 169~202파운드(약 77~91킬로그램)면 과체중, 203파운드(약 92킬로그램) 이상이면 비만이다. 이 공식에서는 배가 나온 사람과 초콜릿 복근을 가진 사람 사이에 차이를 두지 않는다. 근육이 무게가 더 많이 나가기 때문에 운동을 많이 하는 사람일지라도 이 공식에 따라 계산하면 약간 비만으로 체질량 지수가 나올 수 있다. 그러나 대개는 이 공식으로 개인과 집단의 비만도를 알 수 있다.

매일 쿠키나 귤 하나만 더 먹어도 쉽게 살이 찐다

기초 대사량이 낮거나 운동을 별로 하지 않는 사람은 필요한 양 이상의 음식을 섭취하기 쉽다. 그런데 실은 체중이 늘어나면 열량이 더 필요하다. 휴식 상태에서도 커진 몸과 장기의 온도를 유지하는 데 더 많은 열량이 들어가고, 큰 체구를 움직이는 데도 더 많은 열량이 필요하기 때문이다. 그 결과 몸무게가 더 나가는 사람은 음식 섭취를 더 많이 한다고 해서 우리가 생각하는 것만큼 체중이 더 느는 것은 아니라고 콜로라도대학교의 비만 전문가 제임스 힐과 그의 연구팀은 말한다. 한 가지 알기 쉬운 예를 들어 보자. 미국에서 지난 40여 년간 늘어난 성인의 일일 평균 열량 섭취량을 감안하면 같은 기간 체중 증가량 20파운드(약 9킬로그램)의 30~80배 정도 증가량을 보여야 한다! 다행히 몸이 더 무거워지면서 열량도 더 태워 미국인은 과체중 또는 비만인 국민이 되긴 했지만 빵빵한 풍선처럼 되지는 않았다.

하지만 이것은 전체 인구에 관한 이야기다. 이제 개인을 살펴보자. 지방 1파운드(약 0.45킬로그램)에는 약 3500칼로리의 열량이 들어 있다. 이론상으로 볼 때 이것은 필요한 양보다 10칼로리—우리 몸에 실제로 필요한 양의 1퍼센트도 안 되는 양이다—씩을 매일 더 섭취하면 1년에 1파운드의 체중이 는다는 뜻이다. 그러나 영양생리학자 케빈 홀과 그의 연구팀은 1파운드만큼 체중이 늘고 그 수준을 유지하려면 하루에 10칼로리씩 더 먹는 일을 3년 동안 계속해야 한다고 분석했다. 그 1파운드 중 절반은 첫해에 증가하고 나머지는 그 후 2년에 걸쳐 증가할 것이다. 즉 1파운드의 체중을 불려서 계속 유지하려면 3년간 다 합쳐 약 1만 1000칼로리를 더 섭취해야 체중을 불리고, 불어난 몸을 움직이고 다니는 데 필요한 열량이 되는 것이다. 그리고 성인이 되어 죽을 때까지 매년 1파운드씩 체중을 불리려면 전해보다 매일 10칼로리를 더 먹는 식으로 꾸준히 열량 섭취를 늘려야(또는 칼로리 소비를 줄여야) 한다. 이 계산에 따르면 전년도보다 하루에 10칼로리씩 항상 더 먹는 식습관을 해마다 유지하거나 전년도보다 하루에 10칼로리씩 덜 태우는 생활습관을 유지해야 서서히 체중을 불려 나갈 수 있음을 알 수 있다.[50]

그러나 하루에 10칼로리가 아니라 50칼로리를 더 먹는다 하더라도—이 정도면 상당한 체중 증가로 이어진다—자신이 너무 많이 먹는다는 사실을 자각하기 어려울 수 있다. 50칼로리면 오레오 쿠키 하나, 허쉬 키세스 초콜릿 두 개, 작은 사과 하나, 귤 하나, 아몬드 일곱 개, 바나나 반 개, 소시지 한 토막, 빵 반 조각, 또는 꿀 한 큰술 정도를 먹는 것에 불과하기 때문이다. 이렇게 더 먹는 것이 그날그날 느끼기에는 아무것도 아닌 듯 보이지만 열량은 계속 축적되고, 그래서 미국인은 1년에 평균 1파운드 가까이 살이 찌는 것이다.

물론 체중 증가율은 사람에 따라 엄청나게 다르다는 사실을 잊어서는 안 된다. 다양한 환경의 일란성 쌍둥이 12쌍을 대상으로 한 연구에서, 필요 열량보다 1000칼로리를 더 먹이자 당연히 모두 체중이 증가하는 결과가 나왔다. 쌍둥이들은 자신의 짝과는 비슷한 정도의 체중 증가를 보였지만 어떤 쌍둥이들은 다른 쌍둥이들에 비해 거의 세 배에 가까운 체중 증가를 보였다.[51] 이 실험 결과는 개인에 따라 체중 증가율이 얼마나 다른지를, 그리고 그 원인의 많은 부분이 유전에 의한 것임을 증명했다.

실생활에서 부딪히는 또 한 가지 어려움은 증가한 1파운드가 정말로 지방인가 하는 점이다. 소금을 얼마나 먹었는지에 따라 몸속에 임시로 머무르는 물의 양이 다르고, 그 결과 2~3파운드(약 1~1.4 킬로그램) 정도는 쉽게 차이가 나곤 한다. 바로 이런 이유 때문에 끼니를 짜게 먹고 나면 체중 재기가 싫어지는 것이다. 따라서 아무리 정밀한 저울이 있다 하더라도 몇 파운드쯤 체중이 증가하기 전까지는 살이 서서히 찌고 있다는 사실을 정확히 관찰하기가 힘들다.

살빼기가 살찌기보다 더 힘든 이유

몇 년에 걸쳐 서서히 살찌기가 얼마나 쉬운지를 염두에 두면서 또 한 가지 질문을 던져 보자. 왜 똑같은 현상이 반대 방향으로 진행되어, 3년에 걸쳐 서서히 체중이 1파운드 주는 일은 그만큼 쉽지 않은 걸까? 체중 말고는 다른 건강 문제가 없는 사람이 자발적으로 해를 거듭하면서 계속 체중을 천천히 빼 가는 예는 물론 거의 찾아보기 힘들다. 해마다 그 전년도보다 매일 10칼로리씩 더 먹는 것만큼이나 10칼로리씩 덜 먹는 것이 쉬운 일일 듯한데도 말이다.

건강한 사람이 살찌기보다 살빼기가 실제로 더 어려운 데는 몇 가지 이유가 있다. 첫째, 살이 빠지면서 필요한 열량도 줄어든다. 인체는 체중의 1퍼센트가 감소할 때마다 20칼로리를 덜 소모하게 된다. 둘째, 거기에 더해 체중이 감소할 때, 얼마나 살이 쪘는지에 상관없이 입맛을 돋우는 적어도 일곱 가지의 서로 다른 호르몬과 분자의 분비가 상승한다. 이런 물질의 분비는 한번 높아지면 그 수준에서 몇 년 동안 지속된다.[52] 이는 우리 조상들이 생존하는 데는 아주 유용한 형질이었지만 살을 빼려는 현대인에게는 커다란 장애물이다. 이전보다 열량이 덜 필요한데 더 배가 고파지면 원래 체중이 얼마냐에 상관없이 살빼기는 굉장히 어려워진다. 셋째, 체중을 유지하려는 이러한 신체 내부의 요인을 생각하면, 애초에 살이 찌지 않도록 하는 쪽이 한번 쪘다 빼는 쪽보다 훨씬 쉽다는 것을 이해할 수 있다.

자, 이제 다시 한 번 복습을 해 보자. 우리 몸은 체중이 감소하는 것을 아주 적극적으로 방지하는 성질을 가지고 있으며(에너지 소비량을 줄이고 신진 대사율을 낮추는 방법으로), 동시에 체중이 증가하지도 않게 하려고 애쓴다(에너지 소비량을 늘리는 방법으로). 이 똑똑한 장치는 떨어지는 것을 막는 쪽이 증가하는 것을 막는 쪽보다 훨씬 더 효과적으로 작동하긴 하지만, 전반적으로 우리 몸이 적절한 체중을 유지하도록 하는 데 총력을 기울인다.

체중 증가에 상한선이 없는 까닭

무거운 사람이 가벼운 사람보다 더 많은 열량을 태우는 자기 교정 메커니즘 덕분에 권장 열량 섭취량보다 더 많이 먹어도 뚱뚱해진 몸이 태우는 에너지양이 늘어나므로, 결국은 모종의 균형이 생겨 체중 증가에도 상한선이 있을 것이라고 생각할 수도 있다. 그러나 많은 사람들이 계속 체중이 늘기만 하는 것은 한편으로는 점점 더 많이 먹기 때문이기도 하지만, 또 한편으로는 점점 운동을 덜 하기 때문이기도 하다. 육체 활동 수준이 낮아지면 이전의 운동 수준에 비해 열량이 덜 필요해져서 체중이 증가한다.

유명한 영양학 전문가인 진 메이어가 1950년대에 실시한 연구에서 인간은 특정 육체 활동 수준 이상의 에너지 소비량에 맞춰 열량 섭취를 더 하는 데 아주 능숙하다는 것이 증명되었다.[53] 하지만 그 수준 이하로 육체 활동이 줄어들 경우, 거기에 맞춰 균형 잡히게 열량 섭취를 줄이는 데는 능숙하지 못하다. 이런 타고난 형질은 의심할 여지 없이 선사 시대 조상들이 일시적으로 몸이 불편해 수렵·채집 활동을 하지 못할 때 체중을 유지하는 데는 유용했을 것이다. 그 덕분에 회복한 후 이전의 활동을 재개하기에 충분한 힘을 유지할 수 있었을 테니 말이다.

우리 중 많은 수가 이 특정 수준 이하의 육체 활동만 하고 있기 때문에 필요한 것보다 더 많이 먹기가 아주 쉽다. 체중이 불어나는 것을 피하고 싶다면 활동 수준을 높이거나, 음식 섭취를 제한하거나, 또는 양쪽 다 해야만 한다는 의미다. 제임스 힐 연구팀은 산업혁명과 함께 시작되어 지금까지 계속되고 있는 육체 활동량 감소 현상은 현대인에게 유행병처럼 번져 가는 비만증의 '허용' 인자[54]라고 불렀다. 또 다른 비유를 사용하자면 육체 활동의 감소가 총에 총탄을 장전하는 역할을 했고, 최근 들어 값싼 열량이 넘쳐나는 현상이 방아쇠를 당기는 역할을 했다고 할 수 있다.

이 '허용' 인자라는 개념은 인간 이외의 다른 동물들에게 벌어지는 현상과도 어긋나지 않는다. 사냥감을 쫓아 잡아먹거나 들판을 누비며 풀을 뜯는 야생 동물들은 살이 찌지 않는다. 반면 농장이나 동물원에서 사는 동물들에게 농장 주인이나 사육사가 그들의 활동량을 줄이고 영양이 풍부한 음식을 과하게 주면 금방 살이 찌곤 한다. 바로 이런 이유에서 현대인이 먹는 고기에는 수렵·채집인들이 먹었던 고기에 비해 지방이—그리고 콜레스테롤 수치를 높이는 포화 지방산을 함유한 지방이—훨씬 많이 들어 있는 것이다.

탁월한 지방 저장 능력이 현대인을 위협한다

우리가 과체중 또는 비만이 되었을 때 그 초과 에너지는 모두 어디에 보관할까? 답은 간단하다. 몸 전체에 퍼져 있는 지방 세포[55]인데, 특히 배와 허리와 둔부에 집중된다. 과학자들은 날씬한 사람은 지방 세포를 약 350억 개 가지고 있어서 다 합치면 13만 칼로리가량을 보관하며, 그 정도면 아일랜드공화국군 단식 투쟁자들이 버틴 시간만큼 생존할 수 있다고 추측한다. 그러나 비만인 사람은 많게는 약 1400억 개의 지방 세포를 가지고 있으며 각 세포의 크기도 마른 사람에 비해 두 배가량 크다. 이렇게 더 크고 더 많은 지방 세포는 최대 100만 칼로리를 저장할 수 있어서 16개월을 굶고도 살 수 있다. 그 정도면 앞에서 이야기했던 450파운드(약 204킬로그램)의 남성이 세웠던 단식 세계 기록 382일을 훨씬 능가한다.

진화의 관점에서 볼 때 지방을 저장하는 능력은 틀림없이 인류의 생존에 핵심적인 역할을 했으며, 이는 다른 포유류에게도 마찬가지였다. 야생 환경에서 사는 동물들은 많은 경우 겨울 또는 동면에 대비해 살을 찌웠으며, 이렇게 해마다 한 번에 엄청나게 먹는 습성은 생존에 유리한 형질이었다.

우리 조상들 중 적어도 추운 기후에서 산 이들은 겨울에 식량이 부족했을 것이므로(특히 소금으로 음식을 보관하는 기술이 나오기 전에는) 기온이 내려가기 시작하면 살을 찌웠을 것이다. 그리고 열량을 충분히 섭취해 그것을 지방으로 저장하는 일을 잘하는 사람들이 겨울을 성공적으로 나고 그 후에 오는 식량 부족 사태도 잘 견뎌냈으리라 추측하기는 어렵지 않다. 그러나 냉장고, 음식이 넘쳐나는 마트, 피자, 해피밀 등을 갖춘 오늘날 우리 대부분은 조상들이 겪었던 식량 부족을 평생 겪지 않을 것임에도 불구하고, 유전 형질은 마치 그런 일이 벌어질 것처럼 우리 몸을 작동시킨다.

왜 비만에 신경 써야 할까

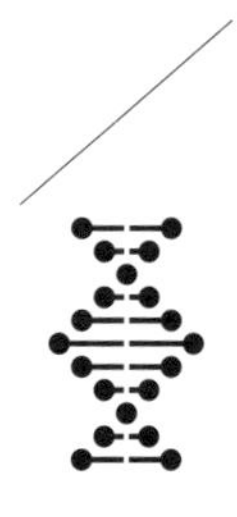

비만과 사망 위험도의 관계

비만이 미용상의 문제에 지나지 않는다면 비만에 쏟아지는 모든 관심은 공연한 소란으로 치부해 버릴 수 있다. 그러나 사실은 그렇지 않다.

미국에서 비만은 수명을 6년가량 단축한다. 체질량 지수가 30을 살짝 웃돌면 그보다 약간 덜 단축되고, 40이면 10년이 단축된다. 정상 체중인 사람과 비교했을 때 비만인 사람은 당뇨병, 높은 콜레스테롤 수치, 심장 질환을 보일 확률이 훨씬 높고, 혈당을 낮추는 역할을 하는 인슐린 수치가 높아지면 암 세포를 비롯한 모든 세포가 성장하도록 자극받아서 암 발병률까지 높아진다. 경제학자들은 미국에서 비만인 사람은 1년에 1인당 의료비가 1400달러(전체로는

1500억 달러) 더 들고, 당뇨병 환자는 거기에 추가로 8000달러(전체로는 2500억 달러) 더 든다고 계산한다.[56]

약간 과체중인 것이 우리가 흔히 생각하는 만큼 정말로 나쁜가에 대해서는 여러 가지 논란이 있지만, 모든 위험 요소를 철저하게 검토한 가장 뛰어난 분석 결과들을 통해 체중 자체가 단독으로 끼치는 영향을 확인해 볼 수 있다. 이런 분석들에서도 체중이 증가하면 사망 위험이 증가한다고 결론 내린다.

가장 좋은 체질량 지수 유지 범위는?

이런 식의 철저한 분석이 중요한 것은 건강하지 않아서 마른 사람(흡연자나 다른 병을 가진 사람)도 있고, 건강에 간접적으로 이로워서 체중이 더 나가는 사람(더 부유하거나 더 나은 의료 혜택을 누리는 사람)도 있기 때문이다. 예를 들어 암 환자나 심장 질환을 가진 사람이 약간 과체중인 경우는 그다지 해롭지 않다는 것이 정설이다. 이는 아마 과체중인 암 환자는 체중이 덜 나가는 다른 암 환자에 비

정상 체질량 지수(18.5~24.9) 대비 사망 위험도

체질량 지수		사망 위험도
25~29.9	과체중	10~15퍼센트 증가
30~34.9	비만	45퍼센트 증가
35~39.9	매우 비만	90퍼센트 증가
40~49.9	고도 비만	150퍼센트 증가

해 아직 덜 아프다는 뜻이고, 과체중인 심장 질환자는 콜레스테롤 수치와 혈압을 낮추기 위해 더 적극적으로 약물 치료를 받을 수 있기 때문일 것이다.[57] 과체중이었던 20세기 초 미국 대통령들과 개발도상국 부자들 사이에서 비만이 언뜻 보기에 그다지 나쁘거나 심각하게 보이지 않은 것도 그것이 상징하는 남다른 부[58]가 가져다주는 다른 혜택들이 있었기 때문이다. 그러나 개발도상국의 비만인 부자들은 정상 체중의 부자들에 비해 사망률이 높다. 선진국의 부유하지 않은 비만 환자가 정상 체중의 이웃들에 비해 사망률이 높은 것과 마찬가지다.

궁극적으로 우리가 명심해야 할 점은 체중을 정상 범위(체질량 지수 18.5~24.9) 안에서 유지하는 것, 그리고 가급적이면 정상 범위의 높은 쪽(체질량 지수 22~24.9) 안에 들도록 유지하는 것이 좋다는 사실이다. 특히 암에 걸릴 확률이 높은 위험군에 속하거나 이미 암에 걸린 사람이라면 더더욱 정상 범위의 높은 쪽으로 체중을 유지할 필요가 있다. 병이 심각해지면 입맛이 떨어지고 체중이 감소할 수 있기 때문이다.

왜 당뇨병에 유의해야 할까

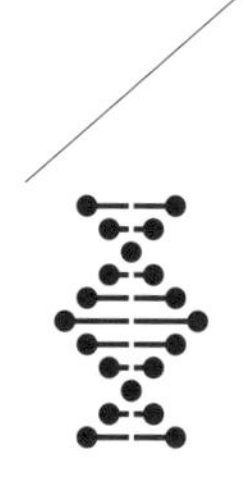

비만보다 더 무서운 당뇨병

오늘날 유행병처럼 만연하는 비만 문제의 직접적인 부작용으로 약 2000만 명의 미국인—미국 전체 인구의 약 10퍼센트, 65세 이상 인구의 약 25퍼센트—이 당뇨병을 앓고 있다. 세계 평균은 이보다 낮아서 전체 인구의 3퍼센트, 65세 이상 인구의 12퍼센트가량이 당뇨병을 가지고 있다. 하지만 이 비율은 증가 추세에 있으며 폴리네시아, 중동, 카리브해 연안 국가들은 이미 미국보다 더 높은 당뇨병 발병률을 보이고 있다.[59]

비만도 건강에 나쁘지만 비만으로 인해 생기는 당뇨병은 그보다 더 나쁘다. 이 병은 단순한 화학적 이상에 그치지 않는 심각한 문제다. 당뇨병은 평균 수명을 12년 감소시킨다고 밝혀졌는데[60] 이런 위험도는 비만으로 인한 수명 감소 위험도와 별개다. 체중과 상관없이 당뇨병 환자는 정상인에 비해 심장 마비, 뇌졸중, 신부전(콩팥 기능 상실), 시력 상실, 하지 절단, 그리고 온갖 종류의 감염에 노출될 위험이 더 크다.

당뇨병은 더 이상 어른들만의 문제가 아니다

당뇨병에는 크게 두 가지 종류가 있다. '1형 당뇨병' '2형 당뇨병'이라고 상상력 없는 누군가가 이름 붙인 바로 그 두 가지다. 1형 당뇨병은 간혹 '소아 당뇨병'이라고도 부르는데 보통 아동기나 사춘기에 증상이 나타나기 때문이다. 이 당뇨병은 또 '인슐린 의존성 당뇨병'이라고도 부른다. 인슐린(혈당량을 낮춰 일정하게 유지되도록 조정하는 호르몬)을 만들어 내는 췌장이 면역 손상을 입어 인슐린 생산이 거의 안 되거나 완전히 안 되어 생기는 병이기 때문이다. 2형 당뇨병은 보통 과체중의 중년 또는 노년에게서 발견되므로 '성인 당뇨병'이라 부르기도 하고, 정상적인 혈중 인슐린 농도 또는 더 높은 인슐린 농도를 보이므로 '인슐린 비의존성 당뇨병'이라고도 부른다. 2형 당뇨병의 문제는 인슐린의 부족이 아니라 상대적으로 인슐린의 효과에 몸이 반응을 덜 한다는 것이다.

전 세계적으로 만연하는 당뇨병 문제에 관한 논의는 주로 2형 당뇨병에 관한 것이다. 그리고 현재의 식습관 추세로 봐서 2000년에 태어난 미국인은 당뇨병에 걸릴 확률이 35퍼센트 정도 되고, 그중 대부분이 2형 당뇨병일 것이라는 추산이 나와 있다. 그러나 그보다 더 절망적인 사실은 이제 더 이상 당뇨병이 성인이 된 후에 얻는 병이 아니라는 점이다. 비만인 젊은이, 청소년, 심지어 어린이까지 당뇨병 증상을 보이는 경우가 점점 늘어나고 있다.

2형 당뇨병은 악화되면 더 이상 인슐린 비의존성이 아니게 될 수도 있다. 환자들은 몸이 인슐린에 점점 더 무뎌지면서 거기에 더 잘 반응하도록 유도하는 약에 더 이상 반응하지 않는 경우가 많다. 또는 인슐린 생산을 촉진하는 약을 먹어도 인슐린을 더 생산하는 능력이 없어질 수도 있다. 췌장이 '소진되어' 버려 더 이상 반응할 수 없어서다. 그런 환자들은 인슐린 의존성인 1형 당뇨병 환자들처럼 인슐린을 투여받아야 할 수도 있다.

치료법과 유전자 문제

약을 효과적으로 사용하면 혈당치를 낮춰 심지어 정상 수치로까지 끌어내릴 수 있다. 하지만 비만인 당뇨병 환자의 혈당치를 너무 공격적으로 제어하려 들면 혈당치가 너무 낮아지는 '저혈당증'의 위험 탓에 부작용이 줄어들기는커녕 늘어날 수 있다. 급성 저혈당증이 생기면 환자는 혼란스러워하고 심지어 혼수 상태에 빠질 수도 있다. 우리 뇌는 활동에 필요한 에너지를 포도당에 의존하기 때문인데, 이런 일이 반복되면 뇌에 손상이 갈 수 있다. 바로 이런 이유에서 어렵기는 하지만 식습관 조절과 운동이 당뇨병을 효과적으로 치료하는 초석이라 여겨지는 것이다.

체중이 늘어나거나 심지어 비만이 되더라도 모든 사람이 2형 당뇨병에 걸리는 것은 아니며, 2형 당뇨병 환자라고 모두 과체중은 아니다. 2형 당뇨병의 발병에 영향을 주는 유전자[61]가 몇 개 있다고 알려져 있는데, 우리 몸이 어떻게 당을 처리하고 인슐린에 반응하는지에 관여하는 유전자로, 항상 그런 것은 아니지만 대개 체중 증가와 연관되어 있다.

비만, 당뇨병 그리고 이것들과 관련된 질병은 매년 전 세계적으로 기아와 영양 실조보다 훨씬 더 많은 사람의 목숨을 앗아간다. 20세기의 피마족은 단지 호기심의 대상이 아니라 인류의 미래를 내다볼 수 있는 예고편으로 판명 났다. 우리 조상들이 다양한 환경에서 들쑥날쑥한 영양 섭취에도 불구하고 살아남도록 너무나 잘 적응해 온 우리 유전자는, 먹을 것이 풍부하고 몸을 많이 움직이지 않는 현대 세계에는 이제 더 이상 적합하지 않다.

피마족의 교훈에서 배우기

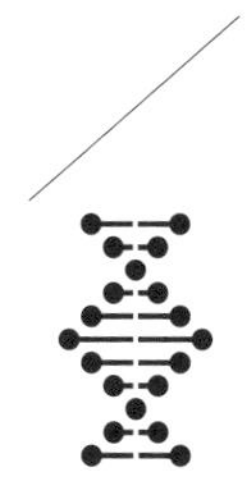

피마족의 식생활 변화가 건강에 미친 영향

피마족이 어쩌다가 유행병처럼 확산되는 비만과 당뇨병의 상징이 되었는지를 이해하기 위해서는 그들의 역사를 먼저 들여다봐야 한다. 피마족은 3만 년 전 처음으로 베링해협을 건너 북아메리카로 이주한 아시아인의 직계 후손이라고 추측된다. 그들은 애리조나주 소노라사막의 힐러강과 솔트강이 만나는 곳 근처에 정착해 정교한 관개 시설을 만들고, 귀한 물을 날라야 할 때는 물이 새지 않는 바구니를 썼다.

피마족은 농업과 강의 민물고기 잡이에 기초한 전통적인 식생활을 이어 갔으나, 19세기 말 강 상류에 사는 농부들에게 물을 대기 위해 물길이 바뀌면서 파탄이 났다. 영양 실조의 위험이 커지자 미국 정부는 밀가루, 설탕, 라드(돼지기름)를 들여왔다. 피마족은 밀가루 반죽을 라드에 튀긴 음식을 새로운 주식으로 삼았고, 식사의 지방 비율은 15퍼센트에서 40퍼센트로 높아졌다.[62]

에일스 허들리치카와 엘리엇 조슬린의 초기 연구로 볼 때 피마족의 식생활이나 그들의 건강에서 특별히 관심을 끌 만한 점은 거의 없었던 것 같다. 그러다가 1950년대에 피마족 사이에 담석증과 담낭암 비율이 놀라울 정도로 높다는 사실이 알려졌다. 아직까지도 완전히 설명되지 않은 이 묘한 편중 현상을 이해하기 위해 과학자들은 그들의 식생활을 자세히 살피기 시작했다.

이 연구 과정에서 과학자들은 1950년대 초 피마족이 하루 평균 2800칼로리를 섭취하고 있다는 사실에 주목했다. 이 정도면 당시 활동적인 미국인의 일일 권장 열량에서 크게 벗어나지 않았다. 하지만 더 이상 사냥, 채집, 농경 활동을 하지 않거나 격렬한 여가 운동의 전통이 사라진 사람들에게는 이미 너무 많은 열량이었다. 그 결과 많이 움직이지 않는 생활 습관을 새롭게 채용한 피마족의 12퍼센트가 당뇨병을 앓게 되었다. 1937년에 비해 열 배나 증가한 수치였다. 불행하게도 줄어든 육체 활동으로 인해 일일 권장 열량이 2000칼로리로 내려간 시기에 오히려 피마족의 평균 일일 열량 섭취량은 3200칼로리로 늘어났다. 당연히 피마족은 살이 많이 쪘다. 1970년이 되자 적정 체중보다 50퍼센트나 더 무거워졌고, 당뇨병 환자 비율은 이전보다 훨씬 더 높아졌다.

비만과 당뇨병의 원인: 절약 표현형 가설과 절약 유전형 가설

애리조나의 피마족과 그들의 가까운 친족인 멕시코의 피마족을 비교해 보는 것도 의미가 있다. 1990년대 중반 애리조나 피마족은 하루에 3000칼로리를 섭취해 멕시코의 친족에 비해 500칼로리를 더 먹었다. 그와 동시에 그들의 육체 활동은 멕시코 피마족에 비해 80퍼센트나 더 낮았다. 애리조나 피마족이 멕시코 피마족에 비해 평균 65파운드(약 29.5킬로그램), 즉 40퍼센트 더 무거운 것은 놀라운 일이 아니다! 그 결과 애리조나 피마족의 당뇨병 발병률은 여섯 배나 높았다.[63]

활동량이 적고 섭취 열량이 높은 애리조나 피마족이 멕시코 사촌들에 비해 비만율과 당뇨병 발병률이 훨씬 높은 것은 쉽게 이해할 수 있는 일이지만, 또 다른 질문을 하나 던져 보자. 비슷한 운동량과 식습관을 가진 사람들에 비해 왜 피마족이 유독 비만과 당뇨병에 취약한 것일까?

이 문제에 대한 답을 찾기 위해 두 가지 가설을 고려해 보자. 첫째는 '절약 유전형 가설thrifty genotype hypothesis'[64]이다. 다른 사람에 비해 더 적은 양의 열량으로 생존할 수 있는 체질을 선천적으로 가진 사람이 있다는 가설로, 이런 사람은 활동하지 않는 기관들을 유지하는 데 열량이 더 적게 필요하거나(낮은 기초 대사량), 근육이 더 효율적이어서 인체를 가동하는 데 열량이 더 적게 필요하다는 것이다. 둘째는 '절약 표현형 가설thrifty phenotype hypothesis'[65]로, 영양이 결핍 상태인 아기는 자궁에서부터 더 효율적인 신진 대사를 하도록 후천적으로 길들여져서 나중에 풍부한 서구식 식생활에 노출되면 비만과 당뇨를 앓을 확률이 특히 높아진다는 것이다.

체중 증가와 비만을 부르는 유전자 돌연변이

절약 유전형 가설은 1962년 제임스 닐이 제안한 것으로, 그는 식량 부족 사태에서 살아남을 수 있도록 했던 유익한 유전자가 식량이 풍부할 때는 비만과 당뇨병의 원인이 된다고 주장했다. 간단히 말하자면, 우리 모두가 음식을 손에 넣을 때마다 만약을 위해 약간 과식하는 성향이 있지만, 우리 중 일부는 더 극심하게 음식이 부족해 과식을 해 두는 것이 훨씬 더 중요했던 조상의 후손일 수 있다. 그리고 앞에서 살펴본 쌍둥이들을 대상으로 한 연구에서, 인간 체중의 55~85퍼센트가 유전적 요인이라는 것이 증명되기도 했다.

7000년 전 성인이 된 후에도 유당 소화력을 갖도록 하는 데나, 6만 년 전 옅은 피부색을 만들어 내는 데나 모두 다수의 유전자 돌연변이가 필요했다. 이 사실을 감안하면 호모 속이 살아온 230만 년의 세월에 걸쳐 체중을 유지하고 지방을 저장하는 능력을 더 뛰어나게 만드는 데 얼마나 많은 돌연변이가 관여했을지 상상할 수 있을 것이다. 체중과 관련된 유전자로 식별된 것이 이미 30종류가 넘는다는 사실은 놀라운 일이 아니다.

많은 연구의 대상이 된 돌연변이의 예는 FTO 유전자[66]에 나타난 돌연변이다. 이 유전자는 아드레날린과 간접적인 연관성이 있는 단백질을 만드는데, 돌연변이가 일어난 FTO 유전자는 인체가 지방을 태우는 속도를 늦춘다. 이 돌연변이를 부모 중 한쪽에게서 물려받으면 평균 3~6파운드(약 1.4~2.7킬로그램) 더 무겁고, 부모 양쪽에게서 모두 물려받으면 많게는 10파운드(약 4.5킬로그램)까지 체중이 더 나갈 수 있다. 이 돌연변이 유전자를 가진 사람이 비만이 될 확률은 3분의 2나 더 높다. 흥미로운 사실은 우울증에 걸릴 위험은 8퍼센트 감소한다는 것이다. 피마족의 15퍼센트가 이 유전자 돌연변이를 지니고 있는데, 백인 중 45퍼센트가 이 돌연변이 보유자라는 사실과 대조를 보인다.

SIM1 유전자[67]에 생기는 돌연변이 또한 피마족을 비롯한 여러 인종의 비만증과 연관이 있다고 알려져 있다. SIM1 유전자는 입맛을 제어하는 뇌 부위의 발달에 중요한 역할을 한다. 시상하부의 기능에 영향을 주는 MRAP2 유전자[68]의 돌연변이도 입맛에 영향을 줄 뿐 아니라 열량 섭취와 상관없이 몸속에 저장하는 지방 양에 영향을 끼친다.

당뇨병을 일으키는 유전자 돌연변이

체중 증가와 비만 위험을 높이는 데 더해, 어떤 유전자들은 체중 증가와 상관없이 2형 당뇨병을 유발하기도 하는데, 이 유전자들이 신진 대사에 영향을 주기 때문일 것이라고 추측한다. HNF1A 유전자[69]에 일어난 돌연변이는 2형 당뇨병에 걸릴 확률을 네 배 정도 증가시킨다. 당뇨병을 앓는 멕시코인의 2퍼센트가 이 돌연변이를 가진 것으로 조사되었지만 중남미인이 아닌 사람들에게서는 전혀 발견되지 않는다.

이보다 더 인상적인 유전자는 SLC16A11[70]로, 이 유전자에 생긴 돌연변이를 부모 한쪽에게서 물려받으면 2형 당뇨병 발병 확률이 25퍼센트, 부모 양쪽에게서 물려받으면 50퍼센트 증가한다. 이 돌연변이는 멕시코 원주민과 중남미인의 50퍼센트, 동아시아인의 10퍼센트 정도가 보유하고 있지만 유럽인이나 아프리카인에게서는 거의 보이지 않는다. 이 유전자는 체내의 지방 세포가 트리아실글리세롤이라는 농축 지방을 얼마나 효율적으로 저장하는지를 관장한다. 트리아실글리세롤은 동면하는 동물들이 겨울을 날 때, 새들이 아무것도 먹지 않고 장거리를 이동할 때 사용하는 고에너지 지방이다.

그러나 가장 흥미로운 사실은 이 유전자가 1장에서 설명했듯 우리 조상들이 아프리카를 떠난 뒤 네안데르탈인으로부터 받은 유전자 중 하나라는 점이다. 네안데르탈인이 추운 겨울을 나는 데 도움이 되었던 농축 지방 저장 유전자와 동일한 유전자가 우리 조상들이 아시아를 가로질러 동쪽으로 이동할 때, 특히 베링해협을 건너 북아메리카대륙에 이르는 데 도움이 된 듯하다.

왜 어떤 사람들은 절약 유전형 유전자가 없을까

현대 과학자들이 밝혀낸 또 한 가지 사실은 비만과 관련해 생기는 당뇨병의 발병률을 높인다고 알려진 다양한 유전자가 아프리카에서 제일 많이 발견되며, 아프리카대륙에서 멀어질수록 드물어진다는 것이다. 따라서 사하라 이남 아프리카 지역에서 유한 계급이 늘어나면서 피마족과 1884~1912년 사이 미국 대통령들이 보였던 현상이 되풀이되고 있다는 것은 유별난 일이 아니다.

최근에 나는 세계에서 가장 가난하고 HIV 감염률이 거의 세계 최고 기록에 가까운 나라의 보건성을 방문해 그 나라의 건강을 증진하는 책임을 맡은 사람들을 만났다. 내가 만난 10명 중 4명은 딱 보기에도 비만이었고, 유일하게 날씬한 사람은 몇 년 전 비만이 원인이 된 당뇨병 진단을 받고 일부러 살을 뺀 사람이었다.

절약 유전형 유전자가 생존에 유리하다면, 왜 우리 모두가 이 유전자를 가지고 있지 않은 것일까? 한 가지 추측은 유당 소화력을 가진 사람들은 유제품에서 필요한 열량을 더 쉽게 얻을 수 있어서 나머지 유전자들이 절약하는 경향이 없어도 생존 가능성이 높아진다는 것이다. 이 가설은 네안데르탈인에게서 물려받은 SLC16A11이 현대 유럽인에게는 없고, 우유를 마시는 북유럽 출신 사람들 사이에 당뇨병 발병률이 더 낮은 사실과 부합한다.[71]

절약 표현형 가설의 예와 설명하기 힘든 현상들

6장에서 더 자세히 다룰 예정인 절약 표현형 가설은 1990년대에 처음으로 나왔다. C. 니컬러스 헤일스와 데이비드 바커는 저체중으로 태어나는 영국 아기들이 정상 체중인 아기들보다 훗날 당뇨병에 걸릴 확률이 더 높다는 사실을 알아냈다. 이와 비슷한 현상이 현재 세계에서 가장 높은 당뇨병 발병률을 보이는 태평양의 섬나라 나우루 국민들과 이스라엘로 이주한 영양 결핍 상태인 에티오피아계 유대인에게서 관찰되었다.

미래 세대들은 어떨까? 나우루에서는 유아들의 영양 상태가 좋아지면서 비만과 당뇨 발병률이 최근 들어 어느 정도 줄어들었지만, 여전히 그들의 조상이나 세계 다른 지역 사람들보다는 훨씬 더 뚱뚱하다.

한편 이유는 아직 완전히 이해하지 못하지만, 부모가 영양 과다일 경우 자녀의 비만 확률이 높아진다.[72] 임신 중 체중이 많이 늘어난 어머니에게서 태어난 아이는 비만이 되는 경향이 높다. 절약 유전형 유전자를 물려받았을 수도 있고 태어난 후 처한 환경적 요인일 수도 있지만, 어쩌면 태내에서 높은 수치의 인슐린에 노출된 것이 태아의 평생 신진 대사에 영구적으로 영향을 끼쳤기 때문일 수도 있다.

비만과 당뇨병의 원인을 제공한다고 이미 지목된 수십 개의 유전자와 더불어 앞으로 발견될 유전자까지 고려하면 우리 조상들은 아사하지 않기 위해 자신을 지키는 여러 가지 절약 유전형 유전자를 개발했음을 알 수 있다.[73] 그러나 그중 어느 유전자도 왜 유당 소화력이 없는 피마족 중 어떤 사람들은 비만형 당뇨병 환자가 되지 않고, 유당 소화력을 지닌 유럽인 중 어떤 사람들은 비만형 당뇨병 환자가 되는지를 확실히 설명하는 증거를 보여 주지는 않는다.

현대인의 딜레마

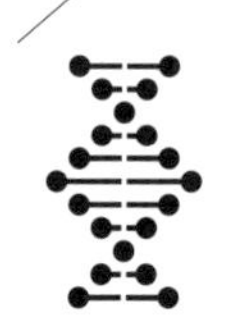

현대인은 더 많이 먹고 더 적게 운동한다

항상 불확실한 식량 공급에도 죽지 않고 살아남기 위해 인간의 몸은 반복되는 아사의 위협을 뛰어넘을 수 있도록 진화했다. 우리의 미뢰는 열량 밀도가 높은 지방, 당, 단백질을 원하도록 만들어졌다. 소장과 대장은 섭취한 음식, 특히 원래 형태에서 분해되어야 하는 음식에서 영양소를 최대한으로 흡수한다. 거기에 더해 우리는 가능할 때마다 과식을 하도록 프로그래밍되어 있어서 장래에 있을지 모르는 식량 부족에 대비해 지방을 저장한다.

그러나 우리 조상들은 너무 뚱뚱해지고 싶어 하지도 않았다. 무거운 사람은 가볍고 건강한 사람보다 같은 일을 하는 데 열량을 더 많이 소비하기 때문이다. 조상들이 모두 동일한 '구석기 식사'를 하

현대 서구인의 식단(농경 사회 이전 수렵·채집 사회에서는 구하기 어려웠던 열량 공급원)

열량 공급원	열량 섭취 비율(%)
동물 유제품	10
곡물	24
정제 설탕	18
정제 식물성 기름	17
알코올	1
합계	**70**

지는 않았지만 우리는 그들이 무엇을 먹지 않았는지는 알고 있다. 놀랍게도 현대 산업 사회에서 먹는 음식의 70퍼센트가 수렵·채집인들은 구할 수 없었던 음식이다.[74]

우리는 비만이 되기 쉬운 유전적 성향을 무시할 수 없다. 그러나 현대 사회에 유행병처럼 퍼진 비만이 전 세계 인류의 게놈에 갑자기 변화가 와서 생긴 현상이 아닌 것은 확실하다. 간단히 말해 문제는, 우리가 더 많은 열량을 섭취하는 대신 운동은 덜 한다는 것이다. 지난 단 두 세대 사이에 이런 행동 변화가 가져온 효과는 우리가 이미 논의했던 FTO 유전자에서 잘 드러난다. 한 대규모 연구에서 FTO 유전자로 1942년 이전에 태어난 사람들의 체중은 예측할 수 없지만, 그 이후에 태어난 사람들의 체중에 대해서는 상당히 의미 있는 예측을 할 수 있음이 밝혀졌다.[75] 그 연구 결과는 과거 1만 세대 동안 인간을 효과적으로 보호해 왔던 유전자가 어떻게 겨우

두 세대 만에 우리 건강에 유해한 요소가 되어 버렸는지를 잘 보여 준다.

1960년에는 미국인 중 20퍼센트만이 과체중이었고 비만은 흔치 않았다. 하지만 1970년대부터 정제된 탄수화물과 지방의 섭취가 늘어나기 시작했고, 그 결과 열량의 섭취가 극적으로 증가했다.

열량 섭취와 비만율 증가의 실제

열량 섭취가 얼마나 증가했을까? 확실히 밝혀내기는 어려운데, 우리가 보통 하루에 섭취하는 열량을 과소평가하는 경향이 있기 때문이다. 전국 규모의 식생활 조사에 따르면, 1970년대 미국 성인은 하루 평균 2100칼로리를 섭취한다고 응답한 데 반해 2010년에는 그보다 450칼로리를 더 섭취한다고 응답했다. 그러나 미국 내 식량 생산과 평균 체중에 대한 전국 데이터에 따르면, 버려지는 음식을 감안해도 열량 섭취는 아마 하루에 약 500칼로리가 증가한 것으로 추정된다. 그러니까 1970년대 2400칼로리에서 오늘날 2900칼로리로 증가한 것이다. 그리고 이 증가치의 대부분은 지방과 탄수화물을 더 많이 더 자주 섭취한 결과다.[76]

현재 미국의 어린이와 청소년 35퍼센트가량과 성인 3분의 2가 과체중이며, 그중 절반인 어린이와 청소년 17퍼센트, 성인 3분의 1 이상이 비만이다.[77] 전 세계 인구로 보면 약 5억 명의 성인, 즉 10퍼센트 이상이 비만으로 분류되어 30년 전보다 두 배가 되었고,

거기에 더해 15억 명이 과체중이다.[78] 비만율은 에티오피아 같은 빈국에서는 5퍼센트에 불과하지만 대부분의 서구 선진국에서는 20~35퍼센트며(그중 미국은 다른 어떤 고소득 국가보다 높다) 사모아, 통가, 나우루 같은 태평양 군도 국가에서는 60퍼센트 이상에 이르는 등 격차가 심하다. 사하라 이남 아프리카의 아기 엄마들 중에는 저체중(17퍼센트)인 사람보다 과체중(19퍼센트)인 사람이 많고 그중 5퍼센트는 비만이다.

이 같은 경향은 열대, 온대, 극지방 전체에 걸쳐 동일하게 관찰된다. 전통 식단이 채식 위주였든 이누이트처럼 거의 완전히 육식 위주였든 상관없이, 전통 식단에서 서구식 식단으로 가장 많이 이행한 사회에서 비만율이 가장 크게 증가한 것으로 나타났다. 왜 그럴까? 어떤 전통 식사에도 과도하게 많은 단 음식과 고농축 탄수화물이 포함되어 있지 않았기 때문이다.

꾸준히 비만율이 낮은 유일한 부자 나라는 5퍼센트 미만의 비만율을 보이는 일본이다. 일본 문화에서는, 특히 오키나와에서는 80퍼센트 정도 배가 불렀을 때 먹기를 멈춰야 한다는 '하라하치분메はらはちぶんめ, 腹八分目'의 유교 전통이 존재한다. 이러한 사회 규범은 식량 공급이 제한적일 때 더 많은 사람들에게 음식이 돌아가도록 하는 데 큰 기여를 했다. 2008년에 일본은 또 40~70세 사이의 모든 성인은 해마다 허리둘레를 재야 한다는 법을 제정했다. 이 법에 따르면 허리둘레가 남성은 33.5인치(약 85센티미터), 여성은

35.4인치(약 90센티미터) 이상이 되면 안 된다고 한다. 허리둘레가 이 수치를 넘어서거나 몸무게 관련 문제를 가지고 있는 사람은 체중을 줄이든지 아니면 의무적인 식생활 상담을 받아야 한다.[79]

이러한 관찰 결과는 육체 활동 감소가 비만이 끼어들 자리를 마련하며, 열량을 값싸고 쉽게 섭취할 수 있는 조건이 그 일을 가능하게 만든다는 가설에 설득력을 더한다. 물 공급이 끊기면서 농사를 짓는 육체 활동을 더 이상 할 수 없게 되고, 기르거나 채집한 것으로 주식을 삼던 전통이 갑자기 열량이 농축된 밀가루와 라드로 바뀐 피마족에게 일어난 일이 바로 이것이었다.

현대 세계의 넘쳐나는 음식과 우리 유전 형질의 부조화

그런데 서구 사회와 서구화되어 가는 사회에서 비만이 만연하고 개발도상국 여기저기에서도 과체중과 비만이 늘고 있지만, 그렇다고 해서 역사적으로 살아남기 위해 필요했던 먹는 습관이나 신진대사 형질을 절대 쓸데없다고 백안시해서는 안 된다. 영양 실조는 여전히 매년 300만 명에 달하는 어린이의 목숨을 앗아가 세계 아동 사망의 절반을 차지한다. 1억 5000만 명에 달하는 저체중 어린이의 70퍼센트는 단 10개국에 모여 있고 그중 절반이 남아시아 국가다. 그러나 전 세계적으로 상황은 급격히 변화하고 있다. 1990년만 해도 아동기 영양 결핍은 질병과 장애의 가장 큰 원인으로 꼽혔지만 2010년에는 과체중과 당뇨병이 그보다 더 큰 원인으로 대두

했다.[80]

현대 산업 사회에서 식량은 더 이상 부족한 자원이 아니라 오히려 너무 넘쳐나는 자원이 되었다. 그리고 지방과 설탕으로 가득 채운 맛있는 음식들의 유혹을 우리는 쉽게 물리치지 못한다. 설상가상으로 우리가 느끼는 만복감은 많은 부분 우리가 먹는 음식의 양에 따라 결정된다. 현대의 음식은 구석기 시대에 먹던 음식보다 열량 밀도가 훨씬 높고 영양이 많이 집적되어 있기 때문에, 이제 우리는 배가 부르기까지 훨씬 더 많은 열량을 섭취하게 된다.

비만은 새로운 현상이 결코 아니다. 그러나 그 빈도가 높아졌고 계속 높아진다는 사실은 새로운 현상임이 분명하다. 그리고 이 현상은 이원화된 사회의 모습을 보여 준다—개발도상국에서는 상대적 부유함의 부작용으로 비만이 증가하고, 선진국에서는 이전보다 덜 활동적인데 값싼 열량을 대량으로 구할 수 있게 되면서 덜 부유한 계층에서 비만이 증가한다. 미국의 비만증 확산, 사실상 전 세계의 비만증 확산은 우리가 갑자기 지금보다 훨씬 덜 먹고 훨씬 더 많이 운동을 하지 않는 한 금방 없어지지 않을 전망이다.

우리는 여러 가지 사회 및 행동 방식 문제와 동시에 싸우고 있다. 첫째, 세계의 많은 지역에서 과체중인 사람, 심지어 비만인 사람을 부유하고 성공한 사람으로 연상하는 사회 분위기가 존재한다. 이것은 3만 5000년, 1750세대에 걸쳐 자리 잡은 뿌리 깊은 연상 작용이다. 둘째, 대부분의 패션 잡지들이 마른 몸매를 아름다움과 동일시하지만, 미국 중산층과 빈곤층의 사회 규범은 비만을 받아들이는 쪽으로 변해 왔으며, 심지어 '풍만함'을 아름다움으로 즐기기까지 한다. 셋째, 많은 사람들의 운동량이 섭취한 열량과 활동량의 균형을 암묵적으로 맞출 수 있는 한계 이하로 줄어들었다.

그러나 가장 큰 문제는, 우리가 우리 자신의 유전자를 상대로 싸우고 있다는 사실이다. 조상들이 반복되는 식량 부족을 견디고 살아남도록 한 훌륭한 형질들은 오늘날의 마트와 패스트푸드 식당, 그리고 무제한적인 간식 문화 등과 완전히 배치된다. 피마족은 처음 생각했던 것처럼 예외적인 경우가 아니었다. 유감스럽게도 그들이 겪은 비만과 당뇨병은 우리 유전자가 따라잡을 수 없을 만큼 빠르게 변하는 세상에 만연할 유행병에 대한 심오한 경보였던 것이다.

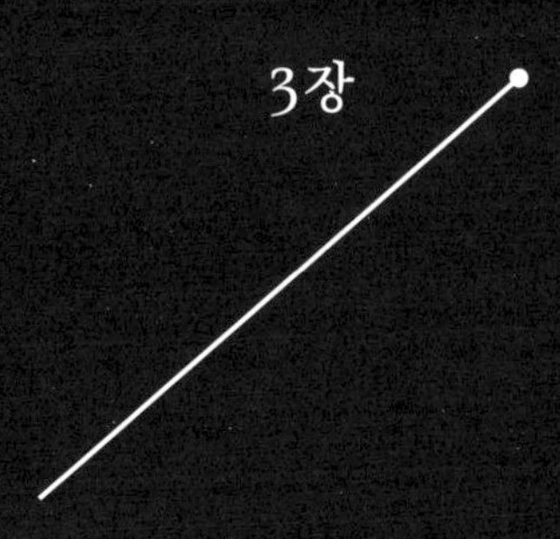

3장

물, 소금 그리고 고혈압이라는 현대병

프랭클린 루스벨트의 죽음

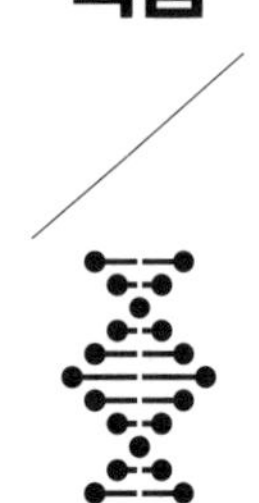

미국 대통령의 알려지지 않은 지병, 고혈압

1945년 4월 12일, 하원 의장 샘 레이번의 사무실에 막 도착한 해리 트루먼 부통령은 매일 오후에 늘 하던 습관대로 버번 위스키 한 잔을 마시려던 참에 백악관으로 전화하라는 전갈을 받았다. 전화를 걸자 대통령 관저로 즉시 와 달라는 요청이었다. 서둘러 달려간 트루먼에게 엘리너 루스벨트 여사가 말했다. “해리, 대통령이 세상을 떠났어요.” 잠시 침묵이 흐른 후 트루먼은 이렇게 물었다고 전한다. “제가 도울 수 있는 일이 있을까요?” 그러자 루스벨트 여사는 이렇게 답했다고 한다. “우리가 당신을 도울 수 있는 일이 있을까요? 이제 문제를 떠안은 사람은 바로 당신이에요.”

프랭클린 델러노 루스벨트가 1921년 39세의 나이로 소아마비에 걸렸다는 것은 잘 알려진 사실이다. 그러나 그보다 덜 알려진 사실은 루스벨트가 대통령 재임 기간 내내 당시로서는 치료가 불가능했고 예외없이 악화되고 마는 만성 질환인 고혈압을 앓고 있었다는 것이다. 소아마비 진단을 받은 지 거의 25년 후인 63세에 그가 사망한 것은 소아마비와는 상관없는 질병 때문이었다. 그의 사인은 뇌졸중으로, 극도로 높은 혈압이 뇌에 있는 작은 동맥을 글자 그대로 터뜨리면서 머리 속에 엄청난 출혈을 야기해 불과 몇 시간 만에 그의 목숨을 앗아가고 말았다.[1]

탈수 방지 과잉 보호 형질이 루스벨트의 목숨을 앗아갔다

1945년 당시만 해도 고혈압의 원인은 알려져 있지 않았다. 하지만 이제 우리는 이 증상이 우리 조상들의 건강에 큰 위협이 되고 심지어 목숨까지 앗아간 탈수 현상을 방지하기 위한 생물학적 메커니즘 때문에 벌어진다는 것을 안다. 구석기 시대 사람들은 현대인보다 더 많은 육체 활동을 해야 했으므로 우리보다 더 많은 열량이 필요했다. 거기에 더해 그들은 땀을 더 많이 흘렸다. 특히 원래 인류가 살던 아프리카라는 환경에서 활동적인 생활을 하는 데는 더 많은 양의 물과 소금이 필수적이었다.

우리 조상들은 현대인보다 안정적으로 물과 소금을 손에 넣을 기회가 보장되어 있지 않았다. 따라서 미래의 부족에 대비해 물과 소금을 찾고 소비하고 충분히 몸속에 저장하도록 몸이 적응해야만 했다. 그리고 물과 소금이 부족해지면 다양한 호르몬이 동원되어 탈수로 인해 혈압이 위험할 정도로 낮아지는 것을 막을 필요가 있었다. 요컨대 루스벨트는 인류의 생존을 20만 년 동안 보장해 온 과잉 보호 형질과 호르몬들이 작동한 결과로 뜻하지 않은 죽음을 맞이한 것이다.

탈수에서 살아남기

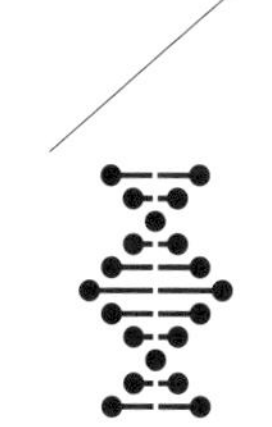

인체의 물 배출량과 필요한 섭취량

우리 몸무게의 60퍼센트는 물이다. 몸에 필요한 에너지를 공급하는 열량을 얻기 위해 음식을 먹어야 하는 것처럼, 우리는 혈액과 체내 모든 세포의 핵심 구성 요소인 물 또한 마셔야 살 수 있다. 태워서 에너지를 제공해 주는 음식과 달리 물은 네 가지 경로로 소진된다.

날마다 1쿼트(약 0.95리터) 정도의 물이 소변을 통해 배출된다. 매일 에너지 대사에서 나온 찌꺼기를 물과 함께 배출하지 않으면 혈액 내에 금방 쌓여서 목숨을 앗아간다. 물은 피부를 통해 없어지기도 한다. 피부가 완벽한 방수가 되지 않는다는 점도 있지만 땀을 흘리기 때문이기도 하다. 우리는 또 호흡을 통해 물을 잃는다. 폐에서 우리가 들이마시는 공기를 약간 촉촉하게 만들지 않으면 자극적이 되기 때문이다. 마지막으로 대변을 통해서도 물을 약간 잃는다. 눈에 띄게 땀을 흘리거나 설사를 하지 않더라도 우리는 피부, 내쉬는 숨, 대변 등을 통해 약 0.5쿼트(약 0.47리터)의 물을 날마다 배출한다. 따라서 소변으로 배출하는 물까지 합치면 매일 적어도 1.5쿼트(약 1.4리터)의 물을 몸 밖으로 내보낸다.

땀으로 잃는 물의 양은 우리 몸에서 생성되는 열과 외부 기온에 따라 달라진다. 몸을 많이 움직일수록 에너지로 더 많은 열량을 태우고, 열을 더 많이 만들어 낼수록 과열을 막기 위해 땀을 더 많이 흘려야 한다. 특히 몸을 움직이는 장소가 더우면 더욱 그렇다. 전반적으로 현대 선진국에 사는 성인은 전체 수분 배출량이 약 2~2.5쿼트(약 1.9~2.4리터)가 될 만큼 매일 땀을 흘린다. 섭취하는 음식에서 얻는 물의 양이 0.5쿼트(약 0.47리터)가 약간 못 되니 배출하는 물을 보충하기 위해 우리는 날마다 최소한 1.5~2쿼트(약 1.4~1.9리터)의 물을 마셔야 한다. 다른 날보다 땀을 더 흘릴 경우 안전을 위해 남성은 3.5~4쿼트(약 3.3~3.8리터), 여성은 2.5~3쿼트(약 2.3~2.8리터)의 물을 날마다 마시도록 권장한다.

물과 소금이 부족하면 왜 위험할까

물을 충분히 마시지 않으면 탈수 증상이 나타나고 혈압이 떨어진다.[2] 왜일까? 호스 끝에 압력이 생기는 것과 같은 원리다. 탈수가 되면 90퍼센트가 물로 이루어진 액체 성분인 혈장이 줄어들어 전체 혈액량이 감소한다. 처음에는 혈액량이 줄고 혈류 속도가 감소하는 것을 상쇄하기 위해 동맥이 좁아진다. 수도꼭지에서 물이 덜 나오면 수압을 유지하기 위해 호스 끝에 달린 노즐의 구멍을 좁히는 것과 같은 원리다. 그러나 어느 순간에 이르면 그렇게 유지하는 압력마저 떨어진다. 혈압이 떨어지면 우리는 현기증이 나거나 기절을 하며, 낮은 혈압으로 인해 뇌와 다른 중요 기관들로 충분한 양의 혈액이 공급되지 않으면 심지어 죽기까지 한다.

음식을 섭취하지 못하면 열량을 공급하기 위해 저장된 지방을 가져다 쓰고 심지어 근육에서도 에너지를 빼 쓰지만, 결국 건강한 사람도 7~10주 내에 굶어 죽는다. 이와 달리 물이 없으면 우리는 며칠 내에 목숨을 잃고 만다. 몇 주, 몇 달 동안 쓸 수 있는 여분의 물을 보관하는 커다란 물탱크를 몸에 지니고 있지 않기 때문이다.

그런데 우리는 순수한 물만으로는 목숨을 부지할 수 없다. 소변과 땀으로 소금도 잃기 때문에 염분을 섭취해야 한다.[3] 신장은 몸 안이 너무 싱겁거나 짜지 않도록 불필요한 물을 몸 밖으로 배출하는 동시에 적절한 양의 소금을 배출한다. 한편 소금은 필요한 물, 또는 소량의 여유분 물을 몸속에 비축하도록 돕는다. 날마다 몸무게를 재는 사람들은 이 현상을 자주 목격한다. 특히 짠 음식을 먹고 나면 하루 이틀 정도 체중이 불어나는데 이는 소금과 균형을 맞추려고 임시로 몸에서 물을 더 품고 있기 때문에 생기는 현상이다.

구석기 시대의 물과 끈기 또는 지구력

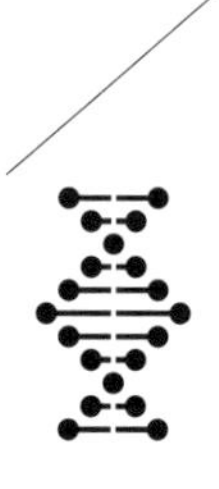

우리 조상들의 사냥 전략

역사적으로 우리에게 물이 필요한 것은 중요한 생존 형질인 끈기(지구력)와 특히 밀접한 관련을 맺고 있다. 끈기 또는 다른 동물들이 지칠 때도 계속 움직일 수 있는 능력은 인간이라는 종이 살아남는 데 핵심적인 역할을 했다. 과거에 인간들이 먹었던 야생 동물은 우리보다 더 크거나 더 빠른데(또는 둘 다인데) 어떻게 잡을 수 있었을까?

인간은 어떨 때는 다른 많은 육식 동물과 마찬가지로 약하고 어린 짐승을 잡아먹는 전략으로 살아남았다. 그러나 대부분의 다른 육식 동물은 사냥감보다 훨씬 빠르거나 훨씬 힘이 세다. 반면에 인간은 사냥감보다 더 머리를 쓰거나 더 오래 버텨야만 했다. 선사 시대의 사냥은 큰 뇌를 가진 우리 조상들이 무리를 지어 전략적으로 동물을 지치게 만들어 궁지로 몰아 죽이는 방법으로 이루어졌다. 사냥감이 지닌 속도와 크기의 우위를 그런 식으로 극복했던 것이다.

인류 생존의 열쇠, 지구력

크리스토퍼 맥두걸이 그의 책 《본 투 런*Born to Run*》에서 주목했듯 인간의 다리와 발은 장거리를 뛰는 데 최적의 조건을 두루 갖추었다. 진화생물학자 대니얼 리버먼은 맨발로 뒤꿈치보다 발가락 쪽이 먼저 착지하는 식으로 뛸 때 사람은 가장 잘 달리며, 사냥감이 지칠 때까지 쫓아갈 수 있는 지구력은 인류 생존에 꼭 필요한 열쇠였다고 강조한다.

루이스 리벤버그는 《추격의 기술*The Art of Tracking*》이라는 저서에서 보츠와나의 칼라하리사막에 사는 부시먼이 영양을 사냥하는 방법을 묘사한다. 먼저 부시먼은 물을 충분히 마신다. 그런 다음 번갈아 가며 시속 4~6마일(시속 약 6.4~9.6킬로미터) 정도 속력으로 약 22마일(약 35.4킬로미터)까지 뛰면서 영양이 멈추거나 지쳐 쓰러질 때까지 쫓는다. 생물학자 데이비드 캐리어가 말했듯이 20세기에도 아프리카, 멕시코, 오스트레일리아, 그리고 미국 남서부 지역에 사는 일부 사람들은 여전히 우리보다 더 크고 더 빠른 동물을 지칠 때까지 추격해서 창 또는 심지어 맨손으로 죽인다.[4]

왜 동물은 지칠까? 치타 두 마리를 러닝머신에서 15분간 뛰게 하면서 항문 체온계로 체온을 모니터링하는 실험을 한다고 해 보자. 야생에서 치타가 사냥감을 쫓는 거리라고 알려진 1마일(약 1.6킬로미터) 조금 넘는 거리를 빠르게 뛴 다음 치타의 체온은 섭씨 40도까지 치솟는다. 이렇게 체온이 높아지면 치타는 뛰기를 멈추고 드러누워 러닝머신에서 미끄러져 내려온다.[5] 모든 동물의 지구력은 몸을 움직이는 동안 체온이 위험 수준까지 오르는 것을 방지하는 능력에 좌우된다.

우리 몸의 생존 장치 하나,
땀과 체온

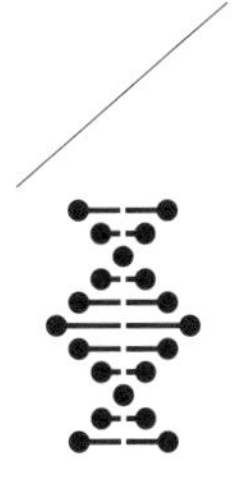

인체의 탁월한 과열 방지 능력

모든 온혈 동물은 체온을 아주 좁은 범위 내에서 유지해야 한다. 인간의 경우 그 온도는 화씨 98.6도(섭씨 37도) 정도고 다른 포유동물은 대부분 그보다 약간 더 높다.[6] 주변 온도보다 체온을 더 높게 유지하려면 우리는 열량을 태우면서 나오는 열에 의지해야 한다. 그러나 높아진 주변 온도나 신체 활동 때문에 많은 열량을 단시간에 태워 필요한 것보다 더 많은 열이 생기면 열을 식힐 수도 있어야 한다. 우리에게 고기를 공급하는 사냥감에 비해 우리가 크게 유리한 점은, 오래도록 육체 활동을 해야 할 때 과열을 피하는 능력을 가지고 있다는 사실이다. 특히 주변이 더울 때 이 능력은 더욱 빛을 발한다.

인간은 몸보다 더 시원한 대기 중의 공기를 들이쉬고 체온과 같은 온도로 데워진 따뜻한 공기를 내쉬는 방법으로 어느 정도 열을 식힐 수 있다. 그리고 주변 온도가 낮아지면 체온보다 차가운 공기 중으로 열이 수동적으로 더 많이 발산된다. 하지만 보통은 남아도는 열 대부분은 땀을 흘려서 식힌다.

우리는 아포크린과 에크린이라는 두 가지 땀샘을 가지고 있다. 겨드랑이와 사타구니에 있는 아포크린 땀샘은 진하고 반투명인 톡 쏘는 냄새가 나는 땀을 모낭에서 분비한다. 땀을 좋아하는 박테리아가 이 부위에서 서식하기 때문에 냄새가 난다. 그렇지만 아포크린 땀샘에서는 체온을 상당히 낮출 정도로 충분한 양의 땀을 분비하지 못한다.

반면에 우리는 몸 전체에 약 200만 개의 에크린 땀샘을 가지고 있다. 손바닥, 발바닥, 머리에 특히 많이 모여 있는 이 땀샘은 육체 노동자의 경우 평소 1시간에 0.5쿼트(약 0.47리터)의 묽은 땀을 분비한다. 그러나 섭씨 35도에서 마라톤이나 축구 경기 같은 격렬한 운동을 계속할 경우 1.5~2쿼트(약 1.4~1.9리터) 정도의 땀을 1시간 만에 흘리기도 한다. 그리고 열대 지방에서 완전히 그 환경에 적응해 사는 사람은 1시간에 자그마치 3.5쿼트(약 3.3리터) 정도의 땀을 분비한다.

다른 포유류는 어떨까? 대부분의 비영장류 포유류는 주둥이와 발바닥 부위에 소수의 에크린 땀샘을 가지고 있다. 이 동물들이 열을 식히는 데 가장 많이 의존하는 방법은 헐떡거리는 것이다. 더 빨리 숨을 쉼으로써 폐 속의 뜨거운 공기와 바깥의 시원한 공기를 더 많이 교환하는 것이다. 그러나 헐떡거리기는 열을 효율적으로 식히는 방법이 아니다. 특히 바깥 공기가 뜨거울 경우에는 더욱 그렇다. 바로 그래서 치타가 인간만큼 오래 뛰지 못하는 것이다. 말처럼 굽이 있는 동물들은 주로 아포크린 땀샘에 의존한다. 땀을 흘리는 말이 온 몸에 거품이 이는 것은 이 때문이다(말의 땀에는 라세닌이라는 계면 활성제가 들어 있어 비누처럼 거품이 인다—옮긴이). 하지만 운동을 하는 말은 사람보다 더 빨리 체온이 올라간다.

인체의 냉각 능력은 에어컨과 맞먹는다

견줄 데 없이 월등한 땀 흘리는 능력은 인간이 끈기를 유지하는 데 핵심적인 요소다. 격렬한 육체 활동 중에 더 정상적인 또는 정상에 가까운 체온을 유지하도록 해 주기 때문이다. 그 원리는 다음과 같다. 우리 몸이 땀을 분비하면 피부 표면에 맺힌 물을 증발시키기 위해 에너지가 필요한데, 그 에너지는 몸에서 열의 형태로 배출이 되므로 체온이 식는다. 인간이 흘릴 수 있는 거의 최대치인 1시간에 3.5쿼트(약 3.3리터)의 땀[7] 중 절반은 떨어져 내리고 나머지 절반은 피부 표면에서 증발한다고 가정하면, 땀의 증발은 1.2킬로와트의 냉각 에너지를 생산해 낸다. 1.6마력 또는 4000비티유BTU(영국 열량 단위British thermal unit)와 맞먹는다. 알기 쉽게 설명하자면, 효율에 따라 다르겠지만 평범한 침실용 에어컨을 30분간 가동시키는 정도의 에너지다.[8] 따라서 땀을 대체할 물을 충분히 섭취할 수만 있다면 우리가 몸을 식힐 수 있는 능력은 에어컨으로 방 하나를 식히는 것과 맞먹게 효율적이다! 이렇게 놀라운 냉각 능력 덕분에 목숨을 앗아갈 정도로 체온이 높아질 가능성이 있는 활동도 할 수 있는 것이다.

이 이점은 우리와 맞먹는 뇌 크기와 더 강한 몸을 지닌 네안데르탈인과 벌인 경쟁에서 인류가 승리하는 데도 큰 역할을 했다. 인간은 더 근육질이고 더 튼튼한 네안데르탈인보다 더 멀리 더 빠르게 걷고 달릴 수 있었고, 그러면서도 열량은 30퍼센트나 덜 소비해 몸이 덜 더워졌다. 그리고 털이 많은 네안데르탈인보다 상대적으로 털이 적어 열을 식히는 데 더욱 유리했다. 따라서 약 4만 년 전 빙하가 후퇴하고 서식이 가능한 마른 땅이 더 많이 드러나기 시작했을 때 인류는 네안데르탈인에 비해 생존에서 우위를 점하게 되었다. 그들보다 드넓은 땅을 더 빨리 더 효율적으로 누빌 수 있었기 때문이다.[9]

우리 몸의 생존 장치 둘, 물과 소금

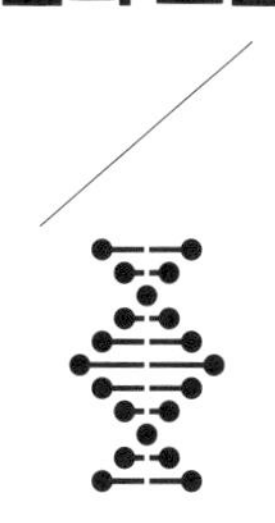

우리가 갈증을 느끼는 이유

땀을 흘리는 것이 인간에게 이토록 중요하므로 우리는 다른 포유류보다 더 많은 양의 물을 마셔야 한다. 탈수증과 저혈압은 무척 위험할 수 있어 우리 조상들은 이 문제로부터 스스로를 보호할 수 있는 방법을 마련해야만 했다. 그리고 앞으로 흘릴 땀을 대비한 커다란 물탱크가 몸 자체에 없으므로 인체는 뇌,[10] 폐, 간, 부신副腎 등에서 나오는 각종 호르몬[11]의 도움으로 약간의 잉여 수분(그리고 거기에 항상 따르는 소금)을 몸 전체에 고루 분산해 보유한다. 이 호르몬들은 갈증을 일으켜 필요한 만큼 물을 섭취하게 유도하고, 짠 음식을 먹고 싶은 욕구를 불러일으켜 소금을 섭취하게 한다. 또 신장을 제어해 소금과 물이 부족할 때는 보존하고 너무 많으면 배출하도록 한다.

우리는 몸속 수분량이 조금이라도 떨어지면 탈수 증상을 겪는다. 일반적으로 훈련받은 운동 선수는 2~3쿼트(약 4~6파운드, 약 1.9~2.8리터) 정도의 수분을 잃은 후에야 혈압이 낮아지고 온 몸의 세포에서 물이 빠져나와 소금 함량이 너무 높아져 정상 기능을 하지 못하는 증상을 보이기 시작한다.[12] 이 증상이 나타나면 육체 활동을 계속할 수 없다. 정상 체온을 유지하는 데 필요한 땀을 만들어낼 충분한 양의 물이 없기 때문이다.

체수분량 또는 소금을 비롯한 다른 물질의 혈중 농도가 1~2퍼센트만 변해도 거기에 반응하는 뇌의 특정 부분에서 보내는 신호가 바로 갈증이다.[13] 물을 마시고 싶은 욕구는 탈수가 되면 소금 농도 변화 여부에 상관없이도 생긴다. 마찬가지로 체수분 수준은 정상이지만 몸속 소금 농도가 지나치게 높아져도 갈증을 느낀다. 갈증은 너무나 주도면밀하게 제어되는 생존 장치여서 임신한 여성은 몸에 물이 충분해도 난소에서 릴랙신이라는 호르몬이 분비되어 갈증을 유발한다. 탈수증이 생기면 임신한 여성과 태아 모두에게 해롭기 때문이다.

바닷물을 마시면 왜 죽을까

나트륨, 칼륨, 칼슘, 마그네슘 같은 염기에 염화물, 요오드화물, 불화물, 황산화물 같은 산이 결합해 만들어지는 물질은 모두 소금이라고 부를 수 있다. 하지만 우리가 보통 생각하는 소금은 나트륨 원자 하나와 염화물 원자 하나가 결합해 만들어진 염화나트륨, 즉 먹는 소금이다. 우리는 날마다 소변, 땀, 대변 등으로 잃어버리는 소금량을 보충할 만큼 충분한 소금을 먹을 필요가 있어서 갈증으로 물을 원하듯 짠 음식을 먹고 싶은 욕구를 느낀다. 나트륨 원자가 염화물 원자보다 가볍기 때문에 나트륨은 소금 무게의 40퍼센트 정도를 차지한다. 간단히 계산해 보면 소금 2.5그램에 약 1그램의 나트륨이 들어 있다. 몸속에 들어 있는 약 50~80그램(체중에 따라 다르다)의 나트륨[14]은 모두 우리가 먹는 소금에서 나온다.

너무 뜨겁거나 차갑지 않고 적당한 골디락스의 죽처럼 우리는 몸속에 든 소금과 물의 양이 너무 많거나 너무 적으면 살지 못한다. 혈중 나트륨 수준이 너무 높으면 체내 세포에서 물이 빠져나와 세포 탈수 현상이 생기는데 이것은 독약을 주입하는 것과 다름이 없다. 바닷물을 마시면 죽는 것은 이 때문이다. 또 다른 극단에는 혈중 나트륨 수준이 너무 낮아 의식 혼란을 느끼거나 심지어 발작을 일으키는 경우가 있다.[15] 이때 우리 호르몬은 가능한 한 빨리 불균형을 감지하고 그것을 정확히 바로잡는 방식으로, 몸속의 물과 나트륨 수준을 미세하게 조정해야 한다.

몸에 소금이 필요 없어도 계속 짠 음식이 당긴다

몸에 소금이 필요하면 우리는 짠맛이 더 좋게 느껴지고 짠 음식이 더 먹고 싶어진다.[16] 그런데 이런 강한 식욕이 갖는 진정한 힘을 이해하려면, 1940년 의학 연구원인 로슨 윌킨스와 커트 릭터가 인용한 세 살배기 소년의 극단적인 사례[17]를 들여다볼 필요가 있다. 이 소년은 부신이 제대로 작동하지 않으면서 소변으로 많은 양의 소금을 배출하고 있었다. 아이는 한 살 무렵부터 크래커에 붙은 소금을 핥아먹었으며 늘 더 달라고 보챘다. 프리첼, 감자 칩, 베이컨, 피클을 좋아했고 평소에는 먹지 않는 채소나 곡류도 소금만 뿌려 주면 바로 먹었다. 소금 통을 손에 넣기라도 하면 접시에 소금을 부어 손가락으로 집어먹었다. 그 결과 음식에 들어간 소금에 더해 하루에 순수한 소금만 한 티스푼 이상 먹곤 했다. '소금'이 아이가 말할 줄 안 첫 단어들 중 하나였던 것도 어쩌면 당연한 일이었다. 결국 소년은 이런 습관에 대한 검사를 받기 위해 병원에 입원했고, 비극적이게도 소금 섭취량을 제한받으면서 죽고 말았다. 부신이 비정상이었기에 소년이 소금을 많이 먹고 싶어 한 것은 적절한 반응이었다. 이 슬픈 이야기는 몸에 소금이 필요할 때 우리가 얼마나 소금이 먹고 싶어지는지, 원하는 소금을 먹기 위해 얼마나 애를 쓰는지, 그리고 소금 섭취에 실패하면 어떤 치명적인 결과를 초래하는지 잘 보여 준다.

하지만 우리는 소금이 필요하지 않을 때도 입맛과 생존을 위한 과잉 보호 본능 때문에 짠 음식을 먹고 싶어 한다는 사실이 수많은 실험에서 밝혀졌다. 예를 들어 여러 연구에 따르면 유아는 생후 4개월 무렵부터 선택권이 주어지면 거의 늘 더 짠 음식을 고른다. 이유식 제조업체는 이 사실을 알아차리고 한 번 먹는 양에 0.5그램의 나트륨이 포함된 제품을 만들어 판다. 이 정도 양이면 단 한 그릇에 유아 일일 나트륨 권장량의 절반이 들어 있는 셈이다. 식당과 가공 식품 제조업체도 이 사실을 잘 안다. 식당 음식과 가공 식품에 든 소금 양은 우리에게 필요한 일일 소금 섭취량의 4분의 3에 달한다(세계보건기구 권장 일일 소금 섭취량은 5그램이며, 나트륨으로 환산하면 2그램이다—옮긴이).

우리에게 필요한 나트륨 양은 얼마일까

땀도 흘리지 않고 전혀 토하거나 설사를 하지도 않는다면 매일 필요한 소금은 미미한 양에 불과하다. 그러나 땀 1쿼트(약 0.95리터)에는 나트륨이 평균 1그램(잘 훈련된 운동 선수는 그보다 적고 일반인은 그보다 좀 많다) 정도가 들어 있는데, 이는 피와 체세포 속 정상 나트륨 농도의 3분의 1에 해당한다. 1시간에 약 0.5쿼트(약 0.47리터)의 땀을 흘리면서 힘든 육체 노동을 10시간 동안 계속하면 하루에 5그램쯤 나트륨을 배출하게 된다.[18] 우리 대부분이 하루에 1쿼트 이하의 땀을 흘린다고 가정할 경우, 나트륨 1그램만 섭취하면 땀으로 배출하는 나트륨을 대체하기에 충분할 것이다.[19]

현대 미국 성인은 하루 평균 3.6그램의 나트륨을 섭취하며, 세계 평균은 그보다 높은 5그램이다. 우리는 대부분의 나트륨을 소변으로 배출하는데, 몸이 너무 짜지는 것을 막는 역할을 맡은 기관이 신장이기 때문이다. 그러나 필요한 경우 신장은 이런 식으로 배출되는 나트륨 양을 대폭 낮추기도 한다. 예를 들어 소금을 쉽게 손에 넣을 수 없는 환경에서 사는 브라질 북부와 베네수엘라 남부 지역의 야노마미족은 일상적으로 하루 나트륨 배출량을 23밀리그램, 우리가 보통 소변으로 내보내는 나트륨 양의 0.5퍼센트(200분의 1)로 제한한다.

물과 나트륨은 부족하기보다 조금 남는 쪽이 더 유리하다

소금과 물 사이의 균형을 맞추는 일에 관여하는 기관은 여럿이지만 정밀한 균형을 잡는 일을 가장 많이 담당하는 기관은 신장이다.[20] 우리가 액체를 마시고 소금을 먹는 일을 간헐적으로 하기 때문에 신장은 소금과 물이 부족할 때는 붙잡고 있어야 하고 과할 때는 배출해야 한다. 신장은 체수분량을 아주 미세하게 조정해 보통 적정량의 몇 퍼센트 위아래 범위 안에서 유지한다.

몸에 물이 부족해지면 신장으로 들어가는 혈액의 양이 줄어들고, 그러면 신장은 체내 염도를 정상으로 유지하기 위해 적정 비율의 나트륨과 물을 몸속에 보존하는 일에 전력을 다하는데, 그 결과 신장에서 만들어지는 소변의 양이 줄어든다. 경미한 탈수 현상이 생겼을 경우 우리는 소변을 통한 수분 배출을 하루에 1쿼트(약 0.95리터) 이하로 줄여 몸속에 지니고 있으면 독이 될 폐기 물질을 배출할 수 있을 정도로만 소변을 만든다.

몸 안에 물이 부족하다는 느낌이 들면 동맥과 정맥의 근육들이 수축하는 방법으로 적절한 혈압을 유지해 혈액량이 줄어도 심장으로 돌아가는 피의 양을 증가시킨다. 한편 심장은 더 힘차고 빨리 박동을 해 줄어든 혈액이 더 빨리 몸을 순환하도록 한다.

2장에서 살펴봤듯이 내일 무슨 일이 벌어질지 예측할 수 없으면 과잉 보호를 선택하는 쪽이 더 안전하다. 나트륨과 물의 경우 과잉 보호가 주는 유리함은 간단하다. 몸에 나트륨과 물이 부족하면 탈수 현상이 일어나 몸 전체에 혈액을 충분히 보낼 수 있는 최저 수준 이하로 혈압이 낮아질 수 있다. 혈압이 너무 낮아지면 우리는 기절하거나 죽는다. 이에 반해 나트륨과 물이 몸에 조금 더 있으면 땀을 많이 흘리거나 설사를 하거나 한동안 물을 못 마시는 일이 있어도 혈압이 위험할 정도로 떨어지지 않을 것이다. 남아도는 나트륨과 물 때문에 혈압이 조금 높아져 그 상태로 몇 년 동안 지속되더라도 몸이 견뎌낼 수 있다. 따라서 몸에 물과 나트륨이 조금 남는 것을 걱정하기보다는 너무 없는 것을 걱정하는 쪽으로 몸의 미세 조정 장치가 작동하는 것이 합당하다.

수많은 세대를 거치는 동안 물과 나트륨을 더 많이 보유할 수 있는 사람들이 탈수증을 겪지 않고 생존할 확률이 더 높았을 것이고, 그 이점을 후손인 우리에게 물려주었을 것이라는 사실을 짐작할 수 있다. 그러나 만일 충분한 물과 소금을 구할 수 없다면 또는 탈수증으로 의식 혼란을 겪거나 기절을 한다면, 이러한 방어 기제는 우리 목숨을 구하기에 역부족일 것이다.

탈수 방지 생존 형질이 부적절할 때

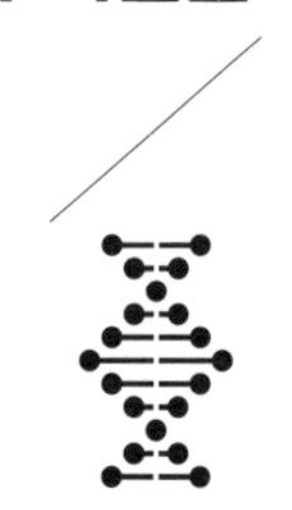

마라톤전투의 승리를 알린 전령은 정말로 지쳐서 죽었을까

기원전 490년 늦여름, 아테네군은 마라톤 근처 평야에서 페르시아군을 물리쳤다. 뜻하지 않은 압승이었다. 수적 우위를 점하고 있던 페르시아군은 군대를 나눠 일부를 배에 태워 아테네를 직접 공략하게 했다. 아테네에 내전이 벌어져 방어가 약해졌다는 잘못된 정보에 근거한 결정이었다. 아테네군은 마라톤에 남은 페르시아 육군을 대파했고, 아테네의 단합과 방어력에 아무 문제가 없음을 알아차린 페르시아 해군은 아테네를 공격할 엄두를 내지 못했다.

로마 시대의 철학자 플루타르코스가 1세기에 쓴 에세이 〈아테네의 영광De gloria Atheniensium〉에는 아테네 장군 밀티아데스로부터 아테네 시민에게 마라톤전투의 승리를 알리라는 임무를 받은 전령

페이디피데스의 이야기가 나온다. 마라톤에서 아테네까지 거리는 언덕이 많은 경로를 통하면 약 22마일(약 35.4킬로미터), 그보다 더 평탄한 경로로는 약 25마일(약 40.2킬로미터)이다. 늦여름의 더위 속에서 아테네까지 뛰어간 페이디피데스는 승전보를 알린 후 그 자리에서 쓰러져 숨을 거두었다고 전해진다.[21]

언뜻 들으면 마라톤의 원조 주자가 지쳐서 목숨을 잃었다는 사실이 별일 아닌 것처럼 들릴 수도 있다. 그러나 현실적으로 생각해보면 이 이야기에는 상당히 이상한 부분이 많다. 어쩌면 이 전설을 전하는 다른 이야기들에서처럼, 페이디피데스는 그 전에 이미 아테네에서 스파르타로 파견되어 페르시아에 대항하기 위한 동맹을 제안했다가 거절받은 전령 역할을 했을 수도 있다. 그랬다면 그는 마라톤에서 뛰어오기 몇 주 또는 며칠 전에 이미 편도 약 150마일(약 241.4킬로미터)을 왕복으로 달려야만 했을 것이다. 또는 다른 이야기에 나오듯 그는 이미 그 치열한 전투에 참가해 싸우고 난 상태였을지도 모른다. 하지만 페이디피데스가 마라톤에서 출발할 당시 아무리 지쳐 있었다 할지라도 밀티아데스는 아마 그를 선택했을 것이다. 그가 늦여름의 더위를 뚫고 첩첩산중을 홀로 달려가 이 중요한 소식을 고국에 전할 수 있는 가장 유능한 전령이었기 때문이다.

이 이야기를 이해하려면 적어도 두 가지 중요한 의문이 해결되어야만 한다. 첫째, 왜 밀티아데스는 전령을 말을 타지 않고 뛰어가게 했을까? 말이 없어서는 아니었을 것이다. 이미 그 시점보다

1500년 전에 그리스에 말이 들어갔고, 고대 올림픽에는 사람들의 경주뿐 아니라 말들의 경주도 있었다. 둘째, 그리스군 전체에서 가장 뛰어난 달리기 주자가 마라톤에서 아테네까지 뛰어간 후 정말로 쓰러져 죽었을까? 그가 뛴 거리는 현대 마라톤보다 적어도 1마일(약 1.6킬로미터) 이상 더 짧은 거리 아닌가? 현재 75세인 미국 매사추세츠주 출신 달리기 선수 딕 호이트[22]는 30회 이상의 보스턴 마라톤을 포함해 평생 70번 이상 마라톤을 완주했다. 전부 그가 37세 이후에 해낸 일이다. 그리고 그 모든 경주를 혼자서 뛴 것이 아니라 뇌성마비를 앓고 있는 아들 릭이 탄 휠체어를 밀면서 했다.

울트라 마라톤조차 우리 조상들에게는 취미 생활에 불과했다

처음 뛰기 시작할 때 인간은 거의 말만큼이나 가속을 할 수 있다. 올림픽 금메달리스트 제시 오언스는 100야드(91.44미터) 경주에서 말을 이긴 적도 있다. 그러나 1마일(약 1.6킬로미터) 정도 거리를 달릴 때 말은 2분 미만을 기록하지만 인간은 가장 빠른 달리기 선수라 해도 4분 가까이 걸린다. 그렇다면 장거리는 어떨까? 영국 웨일스 지방의 라너티드웰스에서는 1980년부터 해마다 '사람 대 말 마라톤' 경주가 벌어진다.[23] 처음 24년 동안은 매번 말이 사람을 이겼다. 하지만 그 격차는 우리 생각과 달리 그다지 크지 않았다. 그 후 자연스러운 장애물이 들어가도록 경주 코스가 변경되었고, 2004년 사람이 모든 말을 물리치고 약 2분 차이로 승리를 차지했다.

흥미로운 사실은 인간이 거둔 이 첫 승리와 2007년 두 번째 승리가 모두 더운 날씨 속에서 경주가 치러진 경우라는 것이다. 반면에 2011년 말이 모든 사람을 17분 차이로 이겼을 때는 바람이 많이 불고 비가 오는 날씨였다. 따라서 늦여름의 더운 날씨에 웨일스보다 더 험한 지형을 달려가야 하는 상황이었다면 사람을 말에 태워 보내지 않고 가장 빠른 전령을 뽑아 뛰어가도록 한 밀티아데스의 판단은 수긍이 가는 대목이다.

페이디피데스의 이야기가 올림픽 게임으로 다시 태어나기 전부터도 '마라톤'은 길고 끝날 것 같지 않은 극한의 노력을 의미하는 말로 자리 잡았다. 그러나 인류 역사 전체의 관점에서 볼 때 마라톤을 뛰는 것은 어린애 장난과도 같은 일이었다. 울트라 마라톤 선수들은 약 62마일(100킬로미터)을 뛴다. 철인 3종 경기에서는 수영 2.4마일(3.86킬로미터), 자전거 112마일(180.25킬로미터)을 주파한 다음 쉬지 않고 26.22마일(42.195킬로미터)의 마라톤을 뛴다. 사실 이런 경주마저 우리 조상들이 발굽 달린 짐승을 사냥하기 위해 뛰었던 거리에 비하면 취미 생활 정도에 지나지 않는다.

외부 온도와 운동 능력의 관계

페이디피데스에게 내려진 명령은 자살 특공 임무라기보다 아테네군에서 가장 뛰어난 주자가 한나절 조깅하듯 해낼 수 있는 일이었다. 그러나 그의 죽음은 육체 활동의 한계에 도달했을 때 인간의 몸이 얼마나 속수무책일 수 있는지를 보여 주는 증거다. 마라톤을 뛰고도 목숨을 잃지 않으려면 정상 체온을 유지할 수 있어야 하고 그러기 위해서는 땀을 흘려야 한다. 땀을 흘리기 위해서는 몸 안에 적절한 양의 물과 소금이 있어야 한다.

외부 온도가 높을 경우 우리 몸은 급속도로 뜨거워진다. 숨을 쉬거나 땀을 흘리는 방법으로는 주변 공기 중으로 몸속의 열을 빠른 속도로 퍼뜨리기가 쉽지 않으며, 그 결과 우리의 운동 능력이 떨어진다. 예를 들어 화씨 60도(섭씨 15도)일 때보다 90도(35도)일 때 최대 운동 능력은 25퍼센트 감소한다. 땀으로 증발하는 물을 더 많이 받아들일 수 있는 건조한 공기 중에서는 몸의 열이 더 빨리 식는다. 습도가 높으면 같은 온도라도 증발이 느리게 이루어져 땀이 피부 위에 더 오래 머무르며, 체온이 빨리 내려가지 않으므로 땀을 더 많이 흘린다. 따라서 습도가 높은 기후에서 몸을 움직이면 체온이 더 빨리 높아지고, 탈수 현상이 더 많이 일어나며, 우리의 지구력도 떨어진다. 상대 습도가 24퍼센트일 때보다 80퍼센트일 때 최대 운동 능력은 30퍼센트 낮다.[24]

더 격렬한 운동을 할 경우 (칼라하리사막 부시먼처럼) 미리 물을 충분히 마시면 4퍼센트, 운동 전 몸 전체를 미리 식히면 6퍼센트, 운동을 하면서 차가운 음료를 마시면 10퍼센트 정도 지구력이 늘어난다. 또 몸에 물을 부으면 땀처럼 물이 증발하기 때문에 더 오래 운동할 수 있다. 몸보다 화씨 0.5도(섭씨 0.3도) 정도 더 뜨거워지는 머리에 물을 부어 뇌를 식히면 특히 효과적이다. 가장 놀라운 점은 박하를 입에 물고 있으면 몸의 냉점을 자극해 최대 운동 능력을 약 10퍼센트 높일 수 있다는 것이다.[25]

스포츠 음료의 탄생과 나트륨 보충 기능

그렇지만 모든 적응 기제와 마찬가지로 물 마시는 것 역시 비논리적 극단으로 치달을 수 있다. 최근까지만 해도 마라톤 선수를 비롯해 열심히 운동하는 사람들은 흘릴 땀에 대비해 물을 마셔 두거나, 육체 활동을 지속하면서도 소변을 계속 볼 수 있도록 갈증 해소 이상으로 물을 마셔야 한다는 충고를 들었다. 그런데 이것은 소금과 물 사이에 심각한 불균형을 가져올 수 있으므로 좋은 충고가 아니다. 갈증이 일 때 거기 반응해 필요한 만큼만 마시는 것이 가장 현명하다.[26] 인류가 지금까지 살아남은 것도 바로 이 같은 전략에 의존해 왔기 때문이다. 잘못된 충고에 따라 격렬한 육체 활동에도 불구하고 계속 소변을 볼 수 있도록 과도한 양의 물을 마시면, 정상적인 뇌 기능을 유지하는 데 필요한 수준 이하로 혈중 나트륨 농도가 떨어질 위험이 급격히 증가한다. 활발한 육체 활동을 하는 동안 소변 양이 줄어드는 것은 비정상이 아니다. 스트레스에 대한 적절한 반응일 뿐이다.

땀 속 소금 양은 피나 신체 세포에 들어 있는 소금 양의 3분의 1에 불과하지만 땀을 많이 흘리면 나트륨이 상당량 손실될 수 있다. 따라서 격렬한 운동을 하는 사람은 나트륨 손실량을 보충해 줄 필요가 있다. 이는 극한적인 환경에서 심한 운동을 하는 운동 선수에게 특히 중요하다. 예를 들어 페이디피데스가 뛰었던 때와 비슷한 환경인 늦여름의 열기와 습도 속에서 훈련을 시작하는 플로리다대학교 미식축구 팀 선수들은 이 문제를 수시로 겪는다. 이를 해결하기 위해 그 대학교 연구팀은 스포츠 음료 중 최초로 상용화된 게토레이(미국 펩시코 사에서 만드는 게이터레이드Gatorade의 한국 상품명—옮긴이)를 개발했다.[27] 플로리다대학교 스포츠 팀들은 마스코트인 앨리게이터alligator(악어)에서 연유한 게이터스Gators라는 애칭을 가지고 있었는데 거기에 에이드ade를 붙여서 만든 상품명이다. 현대의 스포츠 음료는 땀에 든 나트륨 양의 40퍼센트 정도를 함유하고 있어서 우리가 잃어버리는 수분과 비슷한 양을 마시면 균형이 맞춰지도록 만들어져 있다.

탈수로 인한 증상들: 열 피로, 열 손상, 열사병

마라톤 경기를 끝낸 선수들의 체온은 보통 화씨 101~103도(섭씨 38.3~39.4도)까지 올랐다가 급격히 떨어진다. 평균적으로 체온이 화씨 104도(섭씨 40도)까지 오르면 더 이상 달리기를 계속할 수 없다. 치타의 한계보다 화씨 1도(섭씨 0.55도)가량 낮다. 그러나 우리는 계속 땀을 흘리기만 하면 뛰기를 멈춘 후 치타보다 훨씬 빨리 몸이 식는다. 반면에 물을 충분히 마시지 않아서 땀을 흘릴 정도로

몸에 수분이 없으면 달리기를 멈춘 뒤에도 체온은 계속 높은 상태로 머물러 있을 것이다.[28]

평균적으로, 체중의 약 2퍼센트까지는 땀으로 잃어도 큰 문제는 없다. 2~3퍼센트를 잃으면 탈수 증상이 나타나지만 몸이 아프지는 않다. 그러나 3퍼센트 이상을 잃으면 '열 피로'[29] 증상을 일으킬 확률이 높다. 경험 많은 달리기 선수들조차 자신의 체액 손실을 평균 50퍼센트 정도 과소평가하기 때문에[30] 수분 보충의 중요성은 아무리 강조해도 지나치지 않다.

열 피로는 뜨겁고 축축한 피부, 현기증, 두통, 혼란, 피로감, 무력감, 메스꺼움, 구토 등의 증상을 보인다. 혈액이 외부 공기와 가까운 곳으로 가서 혈액 자체와 몸의 온도를 낮추는 데 도움을 주려고 중요한 내장 기관에서 빠져나와 피부 쪽으로 몰리면서 피부가 빨갛게 달아오른다. 이렇게 피가 피부로 몰리면 탈수증이 심화되고 중요 내장 기관들은 더 큰 위험에 빠진다. 탈수증 때문에 현기증을 일으킬 정도로 혈압이 낮아질 경우 누워서 다리를 올린 자세를 취하는 것이 심장과 뇌로 혈액이 돌아가는 양을 늘릴 수 있다. 열 피로에 걸린 사람은 일반적으로 휴식을 취하고 액체를 경구 투입하면 빠른 회복을 보이며 부채질, 에어컨, 얼음 등으로 피부를 식히면 도움이 된다. 피부를 식히는 것 역시 몸 표면으로 몰린 피가 중요 기관으로 다시 돌아갈 수 있게 해 준다.

'열 손상'은 열 피로보다 더 심각한 증상으로 체온이 최고 화씨

104도(섭씨 40도)까지 오래 유지되었을 때 생긴다. 열 손상을 겪는 사람은 보통 피부가 뜨겁고 축축하며 탈수증과 저혈압으로 쓰러진다. 간, 신장, 장에 피가 충분히 흐르지 않아 손상이 갈 수 있고 심지어 횡문근융해증橫紋筋融解症이라고 부르는 근육 파손까지 겪을 수 있다. 열 손상 환자는 적극적으로 체온을 낮추고 탈수증을 완화하는 처치를 해야 한다.

'열사병'[31]은 체온이 화씨 104도(섭씨 40도) 이상 계속되었을 때 나타나는 증상이다. 심각한 탈수증으로 인해 땀을 계속 흘리지 못해 피부가 뜨겁고 건조해진다. 체내 온도가 높아지고 중요 기관, 특히 뇌로 흐르는 혈액량이 줄어들면서 혼란스럽고 심하면 혼수 상태에 빠진다. 열사병에 걸린 사람은 보통 간, 근육, 신장에 심각한 손상을 입는다. 몸 외부를 식히고 냉각한 정맥 주사액을 서둘러 주입하면 효과가 있다.

페이디피데스가 그리스의 산악 지대를 달린 그날은 아마 기온이 최소한 화씨 80도(섭씨 27도)는 되었을 것이다. 현대 마라톤 경주와 달리 그의 여정에는 물을 비롯한 음료를 건네며 응원하는 관중도 없었다. 만일 그가 예상대로 1시간에 2쿼트(약 1.9리터) 가까이 되는 땀을 흘렸다면 가장 큰 위험은 탈수증이었을 것이다. 탈수가 더 심해지면서 그는 땀을 계속 흘리지 못했을 것이고, 일단 땀이 멈추면 체온이 오르기 시작했을 것이다. 체온이 너무 많이 오르면 열사병 증상이 나타난다. 탈수로 인한 열사병은 특히 더운 여름에는 장거리 선수들이 겪는 가장 큰 위험이다.[32] 페이디피데스의 목숨을 앗아 간 것은 이 열사병이었음이 거의 확실하다.

적어도 자손을 낳아 기르기 전에 탈수증으로 목숨을 잃지 않기 위해 우리 조상들은 이 문제를 극복할 수 있는 생존 형질이 필요했다. 갈증, 소금을 먹고 싶은 욕구, 그리고 물과 나트륨을 몸 안에 보존할 수 있는 신장의 능력 같은 과잉 보호 기제가 작동해야만 했다. 안타깝게도 이런 형질들조차 페이디피데스를 보호하기에는 역부족이었다.

문명 그리고 물과 소금 공급

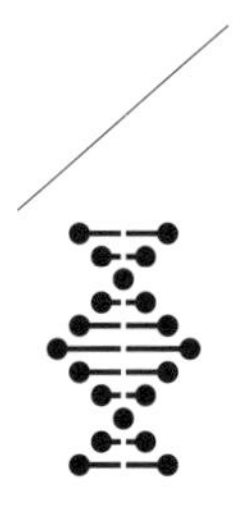

라이벌은 같은 하천을 사용하는 사람이라는 뜻

현대 사회를 사는 우리 또한 갈증을 유발하는 스트레스 상황을 수없이 만나는데, 하물며 초기 인류가 접해야 했던 상황이 어땠을지는 가히 상상이 가고도 남는다. 인류 역사 대부분의 기간 동안 물은 중요하고 핵심적인 자원이었다. 예루살렘과 여리고 같은 도시는 천연 샘이 솟는 곳에 형성되었다. 강을 따라서도 많은 도시가 생겨났다. 경쟁자라는 의미의 영어 단어 라이벌rival은 리발리스rivalis라는 라틴어에서 나왔는데 '다른 사람과 같은 하천을 사용하는 사람'이라는 뜻이다.[33]

건조한 지역에서 사는 사람들은 온갖 종류의 기발한 방법으로 물을 모으고 분배했다. 9000여 년 전 형성된 것으로 추정되는 요르

단 페트라의 시민들은 단단한 암석을 파서 홈통을 만들고 석고로 방수 처리한 다음 테라코타로 만든 파이프를 홈통에 맞춰 연결해 매일 자그마치 1200만 갤런(약 4542만 리터)이나 되는 담수를 끌어다 썼다.[34] 이스탄불의 저수 시설과 로마 제국의 정복지 전체에 물을 공급했던 용수로 망도 입이 떡 벌어지는 관개 시설이다.

금보다 더 귀했던 소금

인류 역사 내내 소금을 손에 넣는 것 또한 매우 중요한 일이었다. 선사 시대의 조상들은 아마 잡아먹은 동물의 피와 고기에서 충분한 양의 소금을 섭취했을 것이다. 그러나 농산물을 더 많이 먹게 되면서 문제가 생겼다. 채식만으로는 충분한 소금을 얻을 수가 없기 때문이다. 바로 이런 이유에서 사슴이나 말은 소금을 핥아먹을 수 있는 곳에 모이고 사자는 그런 곳이 필요 없는 것이다. 농업이 확산되면서 조상들은 동물 말고 바닷물, 식염천, 암염 등 다른 데서 얻는 소금에 더 많이 의존하게 되었다.

소금은 고기와 채소 보존에도 뛰어나 음식이 풍부할 때 저장해 두었다가 필요할 때 먹을 수 있도록 하는 효과적인 방부제 역할을 했다. 마크 쿨란스키가 역작 《소금: 세계사*Salt: A World History*》에서 언급했듯이 우리 조상들은 금보다 더 귀했던 소금을 전 세계적으로 유통하기 위해 놀라운 수준의 공공 사업과 무역로를 개발했다.[35]

이르게는 기원전 6000년부터 현재의 루마니아 지역에 살던 사람들은 염분이 함유된 샘물을 도자기 그릇에 담아 끓여서 소금만 남기는 방법으로 소금을 만들어 썼다. 기원전 2000년 즈음에는 고기와 생선을 저장하는 데 소금이 널리 사용되었다. 오스트리아의 잘츠부르크Salzburg는 글자 그대로 '소금의 도시'라는 뜻이다. 월급이라는 뜻의 영어 단어 샐러리salary도 라틴어 살라리움salarium에 뿌리를 둔 것으로 로마 병사가 소금을 사기 위해 냈던 돈에 붙은 이름이었다. 샐러드salad라는 단어 역시 라틴어로 '소금을 뿌리다'라는 의미인데, 로마인이 이파리 채소에 소금을 뿌린 데서 나온 말로 추측된다.[36] 로마인은 또 소금이 최음제라고 생각했다. 아마 남성들이 방광이 꽉 찼을 때 더 쉽게 발기하고, 소금을 많이 먹은 후 정상적인 체내 염기를 보존하기 위해 물을 많이 먹으면 방광이 꽉 차곤 했기 때문인 듯하다.

소금이 점점 더 풍부해지면서 소금으로 보존된 고기를 비롯한 음식들이 늘어났고 그에 따라 산업 사회에서는 소금 섭취량이 증가했다. 19세기에 접어들어 냉장 기술이나 통조림, 냉동 식품 그리고 신선한 채소와 육류가 널리 유통되기 전까지 유럽인의 일일 나트륨 섭취량은 평균 7그램 정도였다고 추측된다. 이 수치는 미국에서는 놀랍게도 24그램에 이르렀다![37]

조상들과 현대인의 나트륨 섭취

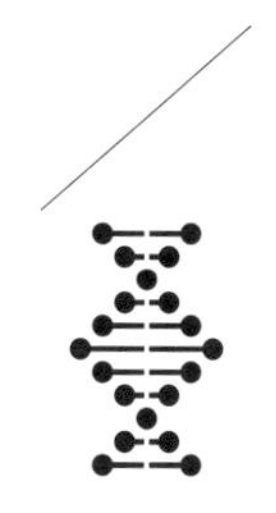

조상들은 하루 0.7그램의 나트륨으로도 잘 살았다

마라톤을 마친 페이디피데스가 열사병으로 쓰러졌을 때, 고대 그리스인은 그를 냉방이 된 방에 데려갈 수도, 얼음이나 정맥 주사를 제공할 수도 없었다. 열과 탈수증으로 인한 장기 손상으로 인해 그는 급속도로 죽음에 이르렀을 것이다.

대부분의 현대인은 마라톤을 완주하는 일이 거의 없다. 특히 그런 환경에서는 말이다. 그러나 우리 몸의 물과 소금 체계는 다른 식으로 위협받을 수 있다. 현대인에게 구토나 설사는 흔한 병이다. 무더위가 계속되면 특히 노인들이 탈수증에 빠질 위험이 높아진다. 갈증을 느끼는 감각이 상대적으로 무뎌지고, 나중에 필요할 소금과 물을 신장에서 보존하도록 호르몬으로 자극하는 능력도 젊었을 때보다 떨어지는 등 호르몬의 전반적인 협조와 조화가 잘 이루어지지 않기 때문이다. 하지만 생수를 어디서나 구할 수 있고 짠 과자가 범람하고 냉방된 방에 들어가 정맥 주사를 쉽게 맞을 수 있는 현대에 사는 우리 대부분은 페이디피데스와 석기 시대 조상들이 맞닥뜨렸던 문제를 겪지 않아도 된다.

거기에 더해 몸을 덜 움직이게 되면서 땀을 덜 흘리고 따라서 나트륨도 덜 필요해졌다. 수렵·채집 생활을 하던 조상들은 하루에 0.7그램의 나트륨으로 잘 살았고, 브라질의 야노마미족처럼 소금을 거의 손에 넣지 못했던 사람들은 하루에 0.4그램 이하의 나트륨으로 버틸 수 있었다. 그런 곳이나 하루 0.6그램 이하의 나트륨을 섭취하는 파푸아뉴기니 같은 곳에서는 사람들이 거의 정상 혈압을 가지고 있으며 나이가 들어도 좀체 오르지 않는다.[38]

이보다 훨씬 더 많은 양의 나트륨을 섭취하는 미국인은 대부분의 소금을 자기 집 식탁에 놓인 소금통이 아니라 빵, 과자, 수프, 소스를 비롯한 가공 식품과 식당에서 파는 음식을 통해 먹고 있다. 식품을 보존하는 데 주로 소금을 사용했던 19세기 미국인에 비해서는 섭취량이 줄었지만 우리가 먹는 양은 종족 보존에 필요한 양보다는 훨씬 많다.

문제는 소금 섭취에서 그치지 않는다

요컨대 엄청난 대가와 위험을 무릅쓰고야 손에 넣을 수 있던 물질이 이제는 너무나 많아져 넘쳐나고 있다. 한때 금보다 더 비쌌던 물질이 오늘날에는 식품 보존에 필요해서가 아니라 맛을 좋게 하기 위해 온갖 음식에 첨가되고 있다. 한때 충분히 먹을 수가 없어 고생했던 물질이 너무나 흔해져 너무 많이 먹지 않기 위해 애를 써야 하는 처지가 되었다.

문제는 소금 섭취에만 그치지 않는다. 기원전 490년에 페이디피데스의 생명을 보존하는 데 실패했던 그 보호 형질이 2000년이 지난 뒤 프랭클린 루스벨트를 어떻게 죽음에 이르게 했는지를 이해하기 위해서는 혈압 문제 또한 살펴봐야 한다. 혈압이 무엇인지, 소금 섭취량과 우리의 호르몬들이 혈압에 어떤 영향을 미치는지, 그리고 왜 어떻게 혈압이 높아지는지, 그렇게 높아진 혈압은 어떤 피해를 주는지를 알아야 하는 것이다.

고혈압이란 무엇인가

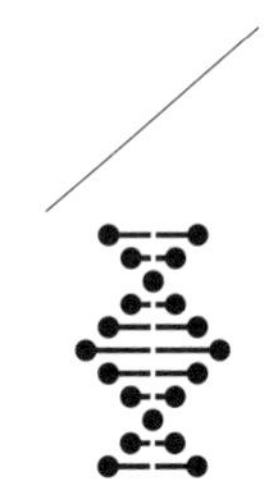

혈압은 대체로 낮을수록 좋다

수은주밀리미터mmHg 단위로 측정되는 혈압은 두 숫자로 이루어져 있다. 둘 중 항상 높은 첫 번째 숫자는 수축기 혈압이다. 수축기 혈압은 심장에서 만들어 내는 가장 높은 압력을 잰 것으로 혈액을 뇌, 신장을 비롯한 대부분의 중요 장기에 보내는 힘이다. 심장이 한 번 고동칠 때마다 뿜어내는 혈액의 양에 혈관의 저항을 곱해 얻는 값이다. 두 번째 숫자는 확장기 혈압으로, 심장 고동 사이사이에 동맥에 가해지는 압력을 잰 값이다. 확장기 혈압은 혈액의 흐름에 대한 동맥의 저항을 더 정확히 추측할 수 있는 지표다.

우리가 생명을 유지하는 데 필요한 정확한 혈압은 사람에 따라 다르다. 아주 단순하게 말하자면, 다른 모든 면에서 건강하고 혈압을 낮추는 약을 먹지 않는 사람은 (의식이 깨어 있고 정신이 맑은 한) 혈압이 낮을수록 좋다. 그러나 혈압이 너무 낮아지면 위험해질 수도 있다.

현대 의학에서는 120/80을 넘지 않는 경우를 정상 혈압으로 친다. 수축기 혈압 139, 또는 확장기 혈압 89까지는 위험 경계군으로 분류된다. 수축기 혈압 140, 또는 확장기 혈압 90 이상이면 높은 것으로 간주되어 60세 이상일 경우 치료할 필요가 있다. 그러나 60세 이상이면 수축기 혈압 150 정도까지는 약을 먹지 않고도 괜찮다는 것이 전문가들의 소견이다. 어떤 사람이 고혈압이라고 할 경우 혈압이 한두 번 잴 때 높게 나오는 것이 아니라 만성적으로 항상 높은 상태를 말한다. 혈압은 항상 양쪽 팔 모두, 앉아서, 5분간 휴식을 취한 후, 적어도 두 번은 재야 한다.[39]

고혈압은 아무런 증상이 없는 질환이다

혈압은 일상 생활을 하는 동안 매순간 달라진다. 예를 들어 운동을 해서 심장이 더 빨리 뛰고, 고동칠 때마다 더 많은 양의 혈액이 뿜어지면 수축기 혈압이 올라간다. 그러나 늘어난 혈액량에 정비례해서 올라가지는 않는데, 운동을 하는 동안, 특히 걷거나 뛰는 운동(유산소 운동)을 할 때 근육에 필요한 혈액을 원활히 공급하기 위해 다리와 팔의 큰 근육으로 가는 동맥이 확장되기 때문이다. 음식을 먹은 후 1시간 동안 수영을 하거나 운동을 하지 말라고 하는 것은 장과 근육 모두에서 혈액이 필요해 경쟁을 하면 어느 한쪽으로 피가 덜 가게 되어 장이나 근육이(또는 둘 다) 경련을 일으킬 수 있기 때문이다.[40]

유산소 운동을 하는 동안 동맥이 확장되면 보통 확장기 혈압이 약간 감소한다. 그러나 고혈압을 앓는 사람은 유산소 운동을 하는 동안 수축기 혈압과 확장기 혈압 모두 상승한다. 또 역기를 드는 웨이트트레이닝 같은 운동(등장等張 운동)을 하면 혈압이 '일시적으로' 높아지는데,[41] 이는 심장에서는 동맥으로 더 많은 피를 뿜지만 동맥이 거기 맞춰 확장되지 않아 벌어지는 현상이다.

집이나 약국 같은 곳에서 혈압을 직접 재 본 사람은 보통 5~10 정도는 혈압이 왔다 갔다 하며, 스트레스를 받아도 '일시적으로' 혈압이 높아질 수 있음을 알 것이다. 스트레스를 받았을 때 혈압이 잠시 정상치 이상으로 올라갔다가 다시 정상치로 내려오는 사람은 고혈압이 아니라 '불안정한 혈압'을 가지고 있는 사람이다. 어떤 사람은 심지어 '백의白衣 고혈압'이라고 부르는 증상을 보이기까지 한다. 사실은 정상 혈압을 가졌는데 진료실에서 의사와 간호사 앞에 앉아 있다는 사실만으로 스트레스를 받아 비정상적으로 혈압이 올라가는 증상이다.

우리는 때로 스트레스를 받으며 살지만 그렇다고 모두가 그때마다 일시적으로나마 혈압이 올라가지는 않는다. 불안정한 혈압을 가진 사람들은 반응이 빠른 동맥을 가지고 있는 경우가 많은데 다른 사람들보다 고혈압이 될 확률이 높다. 그러나 이는 그들이 만성 고혈압이 될 성향을 타고났기 때문이지 스트레스 자체가 만성적으로 계속되는 고혈압을 일으키는 것은 아니다.

사람들이 가장 많이 하는 오해 중 하나는 자신의 혈압이 높아질 때 그 느낌이 온다고 믿는 것이다. 사실 혈압이 높아진 것 자체는 아무런 증상도 불러일으키지 않는다. 고혈압은 영어로 하이퍼텐션 hypertension이라 부르지만 이 증상은 고도로hyper 긴장하는tense 것과는 아무 상관이 없다. 평균적으로 볼 때 여유 있고 차분한 사람에 비해 초조하고 긴장을 잘하는 사람의 혈압이 만성적으로 더 높은 것은 아니다.

무엇이 고혈압을 부르는가

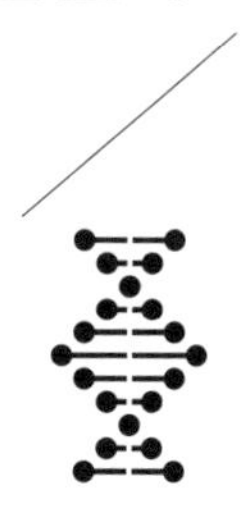

고혈압은 노화에 따른 자연스러운 현상이 아니다

스트레스가 만성 고혈압을 일으키지 않는다면 무엇이 그런 증상을 부르는 것일까? 혈압계가 널리 통용되기 시작한 1905년 무렵부터 혈압은 나이가 들면 자연스럽게 높아지며, 사람에 따라 증가 폭이 더 크거나 작을 수도 있다는 생각이 상식처럼 받아들여졌다. 우리 동맥은 시간이 흐르면 자연적으로 굳어지고 저항이 많아지므로 한 번 심장이 고동칠 때 뿜어내는 혈액량은 같더라도 혈압이 오르게 되어 있다고 믿은 것이다.

그리고 혈압이 오르는 현상은 거의 누구에게서나 관찰되는 증상이었으므로 위험하다고 여기지 않았다. 1940년대 말까지도, 가장 널리 사용되던 미국 심장학 교과서에서는 수축기 200, 확장기

100을 가벼운 고혈압 또는 양성 고혈압이라고 규정하고 있었다. 치료법으로는 약한 안정제와 필요한 경우 체중 감량 정도를 권장했을 뿐이었다.[42]

이제는 이 모든 것이 잘못되었음을 우리는 안다. 나이에 따라 정상 혈압의 범위를 바꿔서는 안 된다.

혈압 상승을 부르는 동맥 경화의 두 원인

선진국에서는 나이가 들면서 수축기 혈압이 점차 증가하는 경향이 있기는 하다. 하지만 이는 정상이라서가 아니라, 우리 중 많은 수가 시간이 흐르면서 꾸준히 진행되는 동맥 경화증을 앓게 되어 벌어지는 비정상적 현상이다. 동맥 경화증이 생기면 심장이 수축할 때 혈액이 잘 흐르도록 동맥 확장이 제대로 되지 않는다. 이에 반해 확장기 혈압은 50세에서 59세 사이에 최고점을 찍고 그다음부터 감소하는 경향이 있다. 혈관이 경화되어 탄력이 떨어지면 심장 고동이 치는 사이사이, 즉 확장기에 탄력적인 저항력을 발휘하지 못하기 때문이다.

동맥이 점점 경화되는 현상은 두 가지 원인 때문에 벌어진다. 첫 번째는 혈액이 흐르는 혈관 안쪽의 얇은 층에 주로 콜레스테롤로 이루어진 지방 플라크plaque가 엉겨 붙으면서 표면이 딱딱해지는 경우다. 이것을 죽상 동맥 경화증粥狀動脈硬化症, atherosclerosis[43]이라 부르는데, 그리스어로 '굳은'을 뜻하는 스클레로시스sclerosis와 '죽'

을 뜻하는 아테로athero가 합쳐진 말이다.

모든 동맥에는 작은 근육들이 한 겹 들어 있어서 수축과 이완 작용을 할 수 있는데, 이것이 동맥 경화의 두 번째 원인이다. 이 근육들이 수축하면 동맥은 혈액의 흐름에 더 크게 저항하고 이 때문에 혈압이 높아진다. 앞에서 살펴봤듯이 이러한 수축 작용은 탈수증이 생겼을 때 혈압을 유지하는 중요한 기능이다. 그런데 혈압이 약간이라도 높아지면 이 근육 층은 또 다른 이유로 수축한다. 늘어난 압력으로 인해 너무 많은 혈액이 중요 장기에 쏟아져 들어가 손상을 초래하는 것을 막기 위해서다. 이 과정은 악순환을 거듭해서, 동맥이 수축되면 심장은 더 큰 압력을 만들어 내고 그 결과 동맥은 더욱 더 수축된다. 따라서 일단 혈압이 높아지면 대부분 나이가 들수록 점점 더 높아진다. 이 악순환으로 인해 초래된 고혈압은 서서히 그러나 확실하게 대동맥을 경화시킬 뿐 아니라 아주 작은 가지 동맥까지 손상시킨다.

고혈압의 주요 원인

현대인의 고혈압 중 약 95퍼센트는 '본태성本態性 고혈압'으로 분류된다. 이 용어는 나트륨 조절 장치가 잘못 맞춰져서 생긴 고혈압이라는 말을 어렵게 표현한 것이다. 탈수증 방지를 위해 체내 나트륨을 보존하거나 동맥을 수축하는 일을 맡은 호르몬 중 하나 이상이 과다 분비되었을 때 이런 현상이 일어난다. 이와 같은 호르몬 수치 증가는 해당 호르몬을 제어하는 역할을 한다고 현재까지 밝혀진 40개 이상의 유전자에 일어난 돌연변이 때문일 가능성이 있다.[44] 오늘날 우리는 더 오래 살고 필요한 양보다 만성적으로 더 많은 양의 나트륨을 섭취하기에, 우리 조상들의 탈수증을 방지하는 데 도움을 줬던 조절 장치, 그 과잉 보호 조절 장치가 이제는 고혈압을 촉발하고 점점 더 심화시키는 의도치 않은 결과를 초래하는 것이다.

고혈압 환자의 나머지 5퍼센트는 정상적인 물과 소금의 균형 상태를 깨는 특정 조건들에 의해 초래된다. 그중 2퍼센트는 신장 하나 또는 둘 모두에 이르는 주 동맥이 좁아지는 경우다. 신장으로 이어지는 동맥들은 죽상 동맥 경화증이나 섬유 근육 형성 이상[45]이라 불리는 동맥 근육 조직의 과도한 형성으로 좁아진다. 왜 이것이 문제가 될까? 신장은 심장 박출량, 즉 심장이 1분간 뿜어내는 혈액의 양을 감지해서 탈수증 같은 신체 이상 여부를 판단한다. 예를 들어 신장은 심장 박출량이 줄어들면 탈수가 되었다고 감지한다. 그러나 유감스럽게도 이 방법은 단순한 만큼 불완전하다. 신장으로 혈액을 공급하는 대동맥만 선택적으로 좁아지면 신장이 몸에 필요한 소금과 물의 양을 판단하는 기준이 되는 심장 박출량에 대한 추산은 완전히 빗나가 버릴 수 있다. 실제 심장 박출량은 정상인데 신장으로 들어가는 혈액량이 줄어들면 신장은 심장 박출량이 줄어들었다고 오판할 수 있기 때문이다. 그 결과 신장은 나트륨과 물을 배출하지 않고 저장하면서 몸 전체의 동맥을 수축시키는 호르몬들을 분비한다. 탈수증이 생겼을 때 내려야 하는 조처를 취하는 것이다.

또 다른 1퍼센트는 신장 자체에 손상이 생겨 혈액의 흐름을 감지하지 못하거나 필요 없는 나트륨과 물을 제거하지 못하는 경우다. 그리고 나머지 2퍼센트의 대부분은 양쪽 신장 위쪽에 위치한 내분비샘인 부신에 생긴 종양 때문에 아드레날린을 비롯한 여러 물질을 과다 분비해 동맥을 수축시키거나 필요한 양보다 더 많은 나트륨과 물을 보존하도록 만들어 생기는 고혈압이다. 여러 가지 호르몬 분비를 조절하는 조절 장치가 잘못 맞춰진 본태성 고혈압과 달리 부신에 생긴 종양은 신체의 다른 조절 장치들의 관할을 전혀 받지 않는다. 따라서 이렇게 생긴 고혈압은 유익한 생존 형질의 뜻하지 않은 부작용으로 간주할 수 없다.

나트륨 과다 섭취의 위험성

몸속에 보존하는 물과 소금의 양을 관장하는 조절 장치 이론은 널리 관찰되는 인종적인 현상을 설명하는 데도 유용하다. 시원한 기후보다 더운 기후에 사는 사람들이 탈수증을 겪을 확률이 높기 때문에 여러 세대 동안 더운 기후에서 살아온 사람들이 나트륨과 물 보존 능력이 더 뛰어날 것이라고, 또는 탈수가 되었을 때 혈압을 정상으로 유지하는 능력이 더 뛰어날 것이라고 추측할 수 있다. 어쨌든 적절한 혈압이 유지되지 않으면 생존할 수 없으니, 스스로를 보호하기 위해 모든 수단을 동원해야 하는 것이다. 그런데 이것이 현실에서는 어떤 현상으로 나타날까?

미국 전체 성인 중 고혈압인 사람의 비율은 30퍼센트지만 아프리카계 미국인 성인만 따로 집계하면 그 비율은 40퍼센트가 된다.[46] 왜 그럴까? 같은 양의 나트륨에도 아프리카계 미국인은 백인보다 더 예민하게 반응한다. 그로 인해 소금을 과다 섭취하는 미국인의 식습관이 아프리카계 사람들의 혈압을 더 많이 올리는 결과를 낳는다. 더 적극적으로 탈수를 방지하려는 생존 장치가 뜻하지 않게 고혈압의 위험을 더 높인다는 사실은 놀라운 일이 아니다.

과도한 나트륨 섭취는 우리 몸의 과잉 보호 성향을 더욱 부추겨 필요 이상으로 혈압을 높인다. 고혈압의 원인이 무엇이든 상관없이 소금을 더 먹으면 혈압은 더 올라간다. 평균적으로 하루에 나트륨을 1그램 더 먹을 때마다 혈압은 2.1수은주밀리미터 상승하고 고혈압이 될 확률을 17퍼센트 높인다. 지나친 나트륨 섭취는 심장, 신장, 혈관에 손상을 가져오며, 하루에 나트륨을 6그램 이상 섭취하면 사망 위험을 높일 개연성이 아주 높다. 일부 전문가들은 전 세계적으로 한 해에 150만 명 이상이 나트륨 과다 섭취로 목숨을 잃는다고 추산한다.[47]

고혈압이 끼치는 폐해

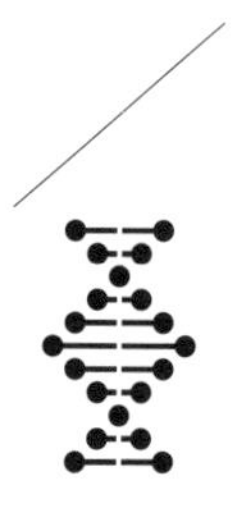

고혈압으로 동맥이 손상되어 막히면 심장과 뇌가 죽는다

혈액은 보통 동맥의 매끈한 내부를 아무 저항도 받지 않고 흐른다. 그러나 혈압이 높아지면 혈액의 흐름이 더 빠르고 거칠어진다. 호스로 물을 주다가 수도꼭지를 더 틀면 생기는 현상과 동일하다. 혈액이 빨리 흐르면서 생기는 압력과 거친 흐름은 몸 전체 동맥의 내벽과 근육 층을 손상시킨다. 특히 많은 혈액을 운반하는 대동맥에서, 그리고 그중에서도 혈액이 방향을 바꾸거나 모퉁이를 돌아야 하는 갈라지는 부분에서 피해가 크다. 이렇게 손상된 부분이 나중에 아물면서 콜레스테롤을 함유한 작은 흉터가 생기고 그에 따라 동맥이 약간 좁아질 수 있다.

6장에서 더 자세히 살펴볼 테지만, 콜레스테롤을 함유한 딱지가 거센 혈액의 흐름 때문에 손상을 입으면 금이 가거나 터질 수 있고, 그러면 혈액 응고 장치가 혈전을 만들어 치료를 하는데 그 과정에서 동맥은 더 좁아진다. 이런 식으로 동맥이 많이 좁아지면 흐를 수 있는 혈액량이 줄어들기 때문에 좁아진 부분 너머에 있는 장기들이 피해를 입는다. 그리고 좁아지다 못해 완전히 막혀 버리면 그 너머의 장기는 죽고 만다. 심장이 그런 일을 당하면 심장 마비, 뇌가 당하면 뇌졸중이 일어난다.

뇌출혈과 신장 사구체 손상을 부르는 고혈압

동맥 내벽이 서서히 손상을 받아 좁아지는 현상과 더불어 혈압이 너무 높아지면 두터워진 동맥 내벽 중 상대적으로 약한 부분에 글자 그대로 구멍이 날 수 있다. 이런 구멍은 심지어 온 몸에 혈액을 공급하는 주요 통로인 대동맥에도 생길 수 있다. 가정의학과나 안과 의사는 정기 검진을 할 때 망막 속 작은 동맥이 두꺼워졌는지 살펴보고 증상 없이 피가 새는지 여부를 확인할 수 있다. 뇌 속 동맥은 이런 파열에 특히 취약하다. 아마 두개골 내부 공간이 제한되어 있어서 높은 혈압에 반응해 위치나 모양을 재정비할 여지가 별로 없기 때문이지 싶다. 뇌동맥에서 피가 새면 '출혈성 뇌졸중' 또는 '뇌출혈'을 일으키는데, 이는 혈전으로 뇌혈관이 막혀 생기는 '허혈성虛血性 뇌졸중' 또는 '뇌경색'과 구별된다.

고혈압은 또 신장에서 혈액에 든 독성 폐기물을 걸러 내는 역할을 하는 사구체絲球體라고 부르는 섬세한 동맥 그물을 손상시킨다. 신장 하나에는 약 100만 개의 사구체가 있어서 양쪽 신장을 합치면 하루에 혈액에 든 물 200쿼트(약 190리터) 정도를 거른다. 신장의 다른 부분에서는 폐기물과 잉여 소금을 제거한다. 앞에서도 이야기했지만, 그렇게 걸러 낸 다음 하루에 1~2쿼트(약 0.95~1.9리터) 정도의 물이 폐기 물질과 함께 소변으로 배출되며, 폐기 물질이 모두 제거되고 적당한 양의 소금을 함유한 나머지 물은 혈액으로 돌려보내진다.

이 사구체가 고혈압으로 손상되어 제대로 작동하지 않으면 신장에서 걸러 내는 물(독성 물질을 포함한)의 양 또한 줄어든다. 하루에 걸러지는 양이 약 50퍼센트, 심지어 75퍼센트까지 감소해도 우리는 별 지장 없이 살아갈 수 있다. 그러나 하루 여과량이 25쿼트(약 23리터) 아래로 떨어지면 신장이 작업하는 물이 충분치 않아 독성 폐기물이 혈액에 쌓인다. 신장 투석기로 이 독성 물질을 혈액에서 빼내 주지 않으면 우리는 결국 중독되고 만다. 설상가상으로 혈액이 충분히 공급되지 않는다고 여겨지면 신장이 어떻게 반응한다고 했는지 기억하는가? 신장은 우리가 탈수증을 겪는다고 생각하고 소금을 보존하고 혈압을 높이는 호르몬들을 작동시킨다. 역설적이게도 고혈압으로 손상된 신장이 혈압을 더 높이기 위해 애를 쓰는 일이 벌어지는 것이다! 현재 미국에서는 신부전 중 4분의 1 이상이 고혈압 때문에 생긴다.

심부전의 가장 큰 원인 중 하나인 고혈압

고혈압은 또 심장이 혈액을 뿜어내는 능력에 부담을 준다. 간단히 이야기하자면, 높은 저항을 무릅쓰고 피를 내보내려면 심장 근육이 더 두껍고 강해져야 한다. 그러나 이렇게 심장 근육이 두꺼워지는 것은 근력 운동을 해서 팔 근육을 서서히 강화하는 것과는 다르다. 고혈압은 단기간에는 심장 근육을 더 강하게 만들지만 세월이 흐르면 오히려 손상을 초래한다. 혈압이 장기간 높은 상태로 계속 유지되면 결국 심장 근육을 소진시킨다. 너무 무거운 덤벨을 너무 오랫동안 들어 올리면 팔이 피곤해지는 것과 같은 원리다. 효과적인 약이 나오기 전 미국에서는 고혈압이 심부전(심장 기능 상실)의 가장 큰 원인 중 하나로 꼽혔고, 효과적인 치료가 잘 이루어지지 않는 개발도상국에서는 여전히 그렇다.[48]

의사들은 처음에는 심장 근육을 더 힘차게 수축하도록 하는 약을 쓰는 것이 심부전 치료에 가장 좋으리라 생각했다. 예를 들어 디기탈리스라는 식물에서 추출한 물질로 만든 동명의 강심제는 심장 근육의 기능을 약간 향상시켜 준다. 심장 근육에 작용하는 아드레날린과 몇몇 의약품도 비슷한 효과를 낸다. 그러나 아주 제한적인 효과를 보이는 디기탈리스를 제외한 다른 약은 혜택보다 피해가 더 많다. 왜일까? 심부전의 경우 심장 근육은 이미 몸에서 스스로 분비된 호르몬에 최대한으로 자극받은 상태여서 더 이상의 과도한 자극은 도움이 되지 않는다. 심장 근육의 기능을 향상시키는 가장 좋은 방법은 채찍질을 더 하는 것이 아니라 너무 많은 양의 소금과 물을 몸속에 잡아두는 호르몬, 즉 애초에 고혈압을 만들어 낸 호르몬의 악순환을 끊는 것이다. 놀랍게도 오늘날 우리는 고혈압 치료약으로 심부전까지 치료하고 있다!

루스벨트의 고혈압

140/100에서 260/150까지 치솟은 혈압 수치

소아마비 후유증으로 프랭클린 루스벨트는 보조기를 착용하지 않으면 설 수조차 없었다. 하지만 50세 난 뉴욕 출신의 루스벨트를 1932년 처음으로 대통령에 선출한 미국의 대중들은 그가 건강하다고 생각했다. 수영을 비롯해 마비된 다리를 상쇄하기 위한 여러 운동으로 단련된 튼튼한 어깨와 팔은 그가 강인하고 활력에 찬 사람으로 보이게 했다. 그러나 튼튼한 겉모습 안에는 눈에 보이지 않는 고혈압이 도사리고 있었다.[49]

루스벨트가 사망한 후 공개된 의료 자료에 따르면 이미 1931년에 그의 혈압 수치는 현재 경계선으로 간주되는 140/100이었다. 1937년에는 상당히 높아져서 162/98이었고, 대통령 임기 동안 계속 올라가 1944년 6월 노르망디 상륙 작전을 감행하던 즈음에는 심각한 고혈압인 200/108을 기록했다. 1944년 여름 공화당 전당대회가 열릴 무렵 루스벨트의 고혈압과 잦은 두통으로 볼 때, 그가 또 한 번의 임기를 살아서 끝낼 수 없으리란 사실이 명확했다. 네 번째 대통령 선거 운동에 나선 그에게 고문들은 해리 트루먼을 부통령으로 지명하라고 조언했다. 그들은 아마 그것이 다음번 미국 대통령을 뽑는 일임을 알았을 것이다.

선거 후 루스벨트의 혈압은 더 높아졌다. 루스벨트가 대중 앞에 마지막으로 선 것은 1945년 1월, 500단어밖에 되지 않는 짧은 대통령 취임 연설을 했을 때였다. 그해 2월 처칠, 스탈린과 함께 얄타에서 전후 평화 협정을 맺을 당시 그의 혈압은 260/150이어서 완전히 도를 넘은 상태였다.

가장 충격적이고 급성인 고혈압 증상에 쓰러지다

대통령 재임 기간 동안 루스벨트의 주치의를 맡았던 사람은 이비인후과 전문의인 해군 중장 로스 T. 매킨타이어였다. 매킨타이어는 대통령의 몸무게가 줄고 숨을 헐떡거리는 등 건강이 나빠지고 있음을 주지하고 있었지만 그 원인이 고혈압과 심장에 미치는 고혈압의 부작용보다는 독감과 기관지염이라고 진단했다. 루스벨트 딸의 요청으로 그는 마침내 심장 전문의 하워드 G. 브로인의 조언을 구했고, 브로인 박사는 루스벨트가 고혈압으로 인한 심부전이라고 진단했다.

매킨타이어는 당시 혈압을 낮추는 효과가 있다고 알려져 있던 저염 식사를 권하고, 신장의 소금과 물 보존 능력을 막기 위해 수은을 주사했다. 그는 그때 나와 있던 약 중에서 심부전 치료에 가장 효과적이던 디기탈리스도 처방했다.[50]

그렇지만 그 시대에는 가장 좋은 치료법도 실은 그다지 효과가 없을 수밖에 없었다. 현재 기준으로 보면 루스벨트의 고혈압은 거의 치료를 하지 않고 내버려 둔 것이나 다름없었고, 그의 혈압은 심지어 당시 기준으로도 '악성 고혈압'이라고 간주되던 수준까지 치솟았다. 그의 의사들은 악성 고혈압으로 진단받은 환자는 남은 수명이 1~2년뿐임을 알고 있었다, 아니, 아무리 그때가 1940년대라 하더라도 알고 있어야만 했다.

루스벨트는 아마 뇌혈관이 파열되면서 심각하고 치명적인 뇌졸중을 일으키는, 가장 충격적이고 급성인 고혈압 증상을 겪었을 것이다. 의식을 잃고 쓰러지기 전에 "뒷머리가 너무 아프다"라고 말한 것으로 미루어 짐작하건데 그는 '지주막하 출혈'을 겪은 듯하다. 척수에까지 피가 새어 들어가는 뇌출혈이다. 쓰러진 직후 그의 혈압은 300/190이었다.

네 번째 임기 도중 세상을 떠난 루스벨트를 노인으로 생각하기 쉽다. 그러나 사실 그는 당시 63세에 불과해서 19세기에 당선되고 나서 얼마 후 '자연사'한 9대 대통령 윌리엄 헨리 해리슨이나 12대

대통령 재커리 테일러보다 더 젊었다. 루스벨트는 심지어 자신이 재임 기간 동안 정비한 사회 보장 제도의 '노령' 연금 대상 연령조차 되지 않았다.

현대인의 딜레마

고혈압이 탈수증보다 훨씬 많은 사망을 초래하고 있다

미국을 비롯한 선진국에서는 나이가 들수록 혈압이 극적으로 오르는 경향이 있다. 35세 이하에서는 5퍼센트인 고혈압 환자 수가 35~44세에서는 15퍼센트, 45~54세에서는 35퍼센트, 55~64세에서는 50퍼센트, 65~74세에서는 65퍼센트가 되고, 75세 이상 인구 중에서는 70퍼센트가 고혈압을 가지고 있다.[51] 이 영향은 실로 지대하다. 고혈압이 심장 마비와 뇌졸중으로 인한 사망의 원인 중 약 50퍼센트를 차지하며, 심부전과 신부전의 주요 원인으로도 꼽힌다. 고혈압은 매년 미국 내에서만도 40만 명의 목숨을 앗아가고 있고, 전 세계적으로는 700~800만 명이 이 병으로 목숨을 잃는다.[52]

고혈압은 또 비용이 많이 들어가는 병이기도 하다. 이 병 치료에

드는 의료비와 이 병으로 인해 근무를 못 한 날의 비용을 모두 합치면 미국에서만 매년 무려 750억 달러를 웃돈다. 다행히 혈압을 낮추는 약의 비용은 가성비가 좋은 편이다. 복제 약품을 사용할 경우 뇌졸중과 심장 마비를 피해 아낀 돈이 혈압 강하제 비용을 상쇄하고도 남는다.

페이디피데스는 10만 세대 동안 인류의 종족 보존을 도와주었던 놀라운 적응 능력의 한계를 넘어섰기 때문에 죽음에 이르렀다. 프랭클린 루스벨트가 63세에 세상을 뜬 것은 위와 동일한 과잉 보호 형질들이 너무 공격적으로 활동했기 때문이다. 사실 인류라는 종의 보존을 위해서는 누구도 63세까지 살 필요가 없다. 그냥 아이를 낳고, 그 아이가 도움이 필요한 시기를 지날 때까지만 목숨을 부지하면 되는 것이다. 인류 역사 대부분의 기간을 우리는 소금과 물이 제한적인 환경에서 상당한 육체 활동을 하면서 살아야 했고, 거기에 더해 전염성 설사병이라는 유행병의 위험에 맞서야 했다. 개발도상국의 일부 지역에서는 여전히 이런 위협이 고혈압보다 더 큰 문제를 야기하고 있다.

약간 과잉 보호적인 체질을 갖는 데 대한 대가가 60대에 고혈압과 뇌졸중을 앓을 확률이 높아지는 것이라면, 인류라는 종 전체로 봐서는 기꺼이 치르고도 남을 만한 희생이었다. 그러나 이제 물과 소금을 쉽게 손에 넣을 수 있고 심지어 정맥 주사까지 쉽게 맞을 수 있으니, 탈수증을 일으키기 쉬운 활동을 하며 살던 우리 조상들을 구했던 형질들을 온전한 축복으로만 볼 수는 없게 되었다. 미국 내 사망 원인의 15퍼센트를 차지하는 고혈압이 탈수증보다 훨씬 더 많은 사람들을 희생시키고 있기 때문이다.

가장 적절한 일일 나트륨 섭취량은 얼마일까

그렇다면 현대 미국인은 나트륨을 얼마나 섭취해야 할까? 이 문제는 6장에서 더 자세히 논의하겠지만 땀, 소변, 대변 등으로 배출하는 나트륨 양을 대체하는 데 우리는 하루에 1.5그램 이상의 나트륨은 필요치 않다. 앞에서도 언급했지만 미국 평균 일일 나트륨 섭취량인 3.6그램의 절반도 되지 않고 세계 평균 5그램에는 훨씬 못 미치는 수치다.

따라서 미국심장협회가 일일 나트륨 섭취를 1.5그램으로 제한하라고 권장하고, 세계보건기구WHO에서는 2그램, 미국식품의약국FDA과 미국의학연구소에서는 2.3그램(현재 미국인 일일 평균 섭취량의 3분의 2)을 권장하는 것은 그다지 놀라운 일이 아니다.[53] 이 정도면 하루 1쿼트(0.9리터) 이상의 땀을 흘린다 해도 적절한 나트륨 수준을 지키기에 충분한 양이다.

그리고 거기서 한 걸음 더 나아가 야노마미족을 비롯한 수렵·채집 사회의 저염 식단을 흉내 낼 수 있다면 고혈압의 위협에서 완전히 자유로워질 수 있을 것이다.

4장

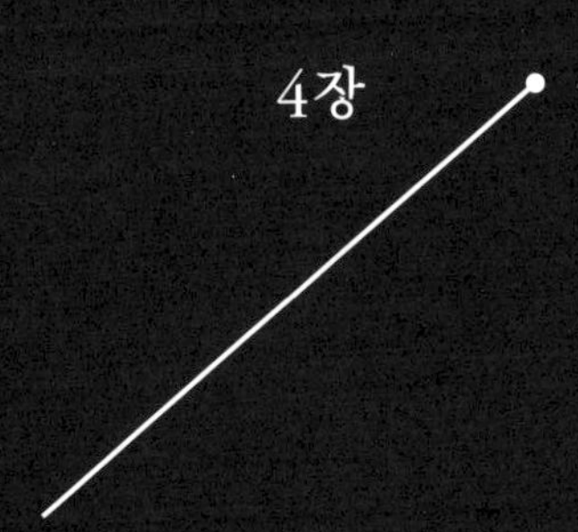

위험, 기억, 두려움
그리고 불안과 우울증이라는 현대병

제이슨 펨버턴의 역설

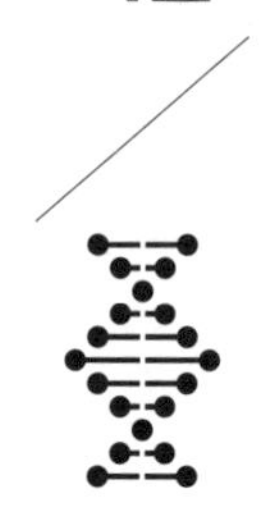

죽음을 당하지 않기 위한 조상들의 방어 전략, 두려움

2012년 밸런타인데이 딱 열흘 전, 미육군 82공수사단의 일원으로 이라크전에 참전한 후 전역한 제이슨 펨버턴[1] 하사는 플로리다의 자기 아파트에서 아내 티파니를 총으로 쏘아 살해한 다음 스스로 목숨을 끊었다. 18세에 입대한 펨버턴은 당시 28세로, 25세였던 티파니와 1년여 전에 결혼했다.

펨버턴은 그냥 보통 군인이 아니었다. 그는 최전방 정찰병 임무를 띠고 정보를 모아 후방으로 전송했으며 필요할 때는 저격수 역할까지 해냈다. 이라크에서 복무하면서 퍼플하트Purple Heart 훈장(미국에서 군사 작전 중 부상당하거나 사망한 군인에게 주는 훈장—옮긴이)을 세 번이나 받았다.

전투에서 살아남은 군인들, 많은 경우 다른 사람을 죽여야만 자신이 살아남을 수 있는 전투를 치른 군인들이 외상 후 스트레스 장애PTSD를 겪다가 갑자기 자살하는 이유는 무엇일까? 거기에 더해 사랑하는 사람의 목숨까지 앗아가는 이유는 무엇일까?

이에 대한 답은 간단하지 않다. 그러나 제이슨 펨버턴처럼 모범 군인이던 사람이 어떻게 그토록 갑작스레 돌변해 잔혹한 범죄 행위를 저지를 수 있는지를 이해하려면 우리 조상들이 구석기 시대부터 맞서야 했던 도전부터 이해해야 한다. 조상들은 다른 사람을 죽이는 일을 마다하지 않았다. 자기 방어 또는 식량, 물, 배우자를 확보하기 위해서만이 아니라 명예나 자존심을 지키기 위해서도 살인을 저지르는 경우가 종종 있었다.

그리고 반대로 죽음—살해나 다른 방법으로—을 당하지 않기 위해 인간은 두려움을 가질 필요가 있었다. 어떤 두려움은 타고나 우리의 반사적 행동 중 일부가 되고, 어떤 두려움은 경험을 통해 얻는다. 상황에 따라 우리는 어떨 때는 맞서 싸우고, 어떨 때는 위험으로부터 도피하며, 또 어떨 때는 순종적인 자세를 취하면서 폭력을 휘두르는 상대방이 너무 심한 상처를 입히지 않기를 바란다.

극도의 경계 메커니즘이 현대 사회에서 초래하는 부작용

그런데 우리 조상들이 어떻게 하면 죽음을 피할 수 있는지를 알고, 학습하고, 기억하도록 도운 바로 이 두려움에 기초한 극도의 경계 메커니즘은 상당한 부작용을 가지고 있다. 그로 인해 불안증, 공포증, 우울증, 심지어 자살에 이르기까지 하기 때문이다. 그리고 세상이 점점 더 안전해지면서 혜택과 부작용 사이의 균형이 변화했다. 현대 미국 성인 10명 중 1명은 우울증을 앓고 있으며 매년 4만 명이 스스로 목숨을 끊고 있다. 오늘날 미국에서 자살로 사망하는 사람 수는 살해당하거나 전투 중 사망하는 수의 두 배에 달한다.

구석기 시대에 우리를 보호했던 타고난 행동이 이제는 그 행동으로 대처하려 한 도전이 초래하는 죽음보다 더 많은 죽음을 낳는다는 사실은 역설이 아닐 수 없다. 그리고 세상이 도전으로 넘쳐났던 공격적 환경에서 벗어나 문명 사회로 변화하면서 이 문제는 갈수록 더 심각해질 수밖에 없었다. 좀 더 미묘해진 위협에 대해 치명적인 물리력을 행사하는 것은 더 이상 적절하지 않은 반응이 되어버린 것이다.

경쟁과 위험에서 살아남기

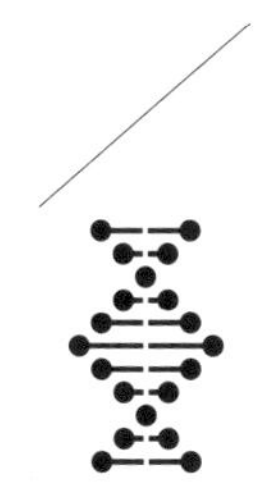

위험은 사방에 널려 있었다

선사 시대에 수렵·채집을 하면서 함께 뭉쳐 다니던 무리는 아마 서로 혈연 관계에 있는 30명 정도의 성인과 그들의 자녀들로 구성되었을 것이고, 별다른 물질적 자산은 없는 상태에서 비교적 조직화된 사회 구조를 이루고 살았을 것이다. 같은 지역에 두 개 이상의 무리가 공존했다 하더라도 다 합쳐 200명 이상이 서로 가까운 지역에 모여 있는 일은 드물었을 것이다. 이들 무리는 교역과 반려자를 만날 수 있는 기회를 제공했을 뿐 아니라 식량과 물을 놓고 경쟁도 했을 것이다.[2]

우리 조상들은 각종 물리적 위험, 그리고 잠재적 가해자들과 끊임없이 대적해야 했다. 그리고 이런 위험은 자신이 밀접한 관계를 맺고 있는 무리 안팎에 모두 존재했다. 소속된 무리에서 쫓겨나기라도 하면 혼자 살아남을 수 있는 확률은 극히 낮았다. 그리고 살아남는다 한들 누군가의 짝을 훔치거나 다시 무리에 합류하지 않는 한 후손을 통해 자신의 유전자를 퍼뜨릴 수도 없었다.

위험에 맞서 싸우거나 도망칠 수 없을 때

위험에 처하면 우리는 보통 두 가지 가능성을 생각한다—사자처럼 싸우거나 쥐처럼 도망치거나. 그러나 조상들은 그중 어느 쪽도 현실성이 없는 상황을 자주 접했다. 싸워 이길 수 있거나 도망갈 수 있는 상황 둘 다 아닐 경우 할 수 있는 또 다른 선택은 무엇일까? 온건하고 순종적인 태도를 취하는 것이다. 자동차 불빛을 받고 얼어붙은 사슴이나 꼬리를 내리고 끙끙거리는 강아지처럼 말이다.

순종적인 태도를 취하는 목적은 공격자—짐승이든 다른 인간이든—가 자신의 목숨을 앗아가지 않도록 하는 것이다. 다시 말해 이기지 못할 싸움이나 경주는 아예 하지 않는다는 뜻이다. 그보다는 공손하고 회유적인 자세를 취해 육체적 피해를 피하거나 적어도 그 위기에서 살아남아 미래에 더 나은 위치를 확보할 수 있기를 희망하는 편이 낫다.

구석기 시대의 폭력과 비명횡사

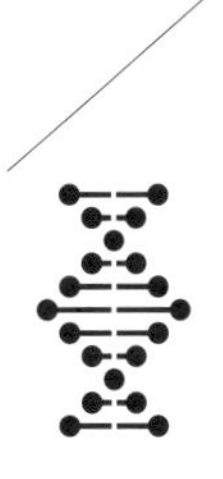

'온화한 야만인'이라는 신화의 허구성

1991년 알프스 티롤 지방의 녹아내리는 빙하 속에서 아이스맨 외치Ötzi the Iceman[3]의 시체가 발견되었다. 놀라울 정도로 보존 상태가 좋은 이 시체는 5000년 전 사람으로 도끼와 단도 그리고 화살 한 통을 몸에 지니고 있었다.

당초 과학자들은 그가 사냥을 하다가 발을 잘못 디뎠고 결국 얼어 죽었을 것이라고 추측했다. 하지만 엑스선 촬영을 해 보니 어깨에 박힌 화살촉이 발견되었다. 법의학적 분석을 더 해 본 결과 아물지 않은 상처 여러 개와 함께 그의 화살과 단도, 옷에 적어도 4명의 피가 묻어 있다는 사실이 밝혀졌다. 우리는 그가 정확히 어떻게 죽었는지 모르지만 평화롭게 죽지 않았다는 것만은 확실하다.

1996년 미국 워싱턴주 컬럼비아강 강둑에서 9400년 전에 살았던 케너윅맨Kennewick Man[4]이 발견되었다. 그의 뼈들을 분석해 보니 골반뼈에 투척형 돌 무기가 박혀 있었고 그 주변 뼈도 골절이 되어 있었다.

우리 조상들이 평화로운 수렵인, 채집인, 농민이라 생각했던 많은 고고학자들은 처음에는 이 두 유골이 예외적인 경우라고 생각했다. 그러나 '온화한 야만인'이라는 신화[5]는 다른 증거들로 인해 금방 사라지고 말았다. 로렌스 킬리의 《원시 전쟁*War Before Civilization*》에서 묘사되고 스티븐 핑커의 《우리 본성의 선한 천사*The Better Angels of Our Nature*》에서 더 자세히 설명되듯, 수렵·채집 생활을 하던 선사 시대 조상들의 15퍼센트는 비명횡사했다. 자연과 싸우고, 자원과 짝을 차지하기 위해서나 복수, 자존심 등의 이유로 다른 인간과 싸우면서 벌어진 일이다.[6] 조상들이 왜 이렇게 높은 빈도로 서로를 죽였는지 정확한 이유를 밝혀낼 수는 없지만 아메리카, 아시아, 오스트레일리아 등지에 현재까지 남아 있는 수렵·채집 공동체들을 관찰한 지식에 기대어 추측해 볼 수는 있다. 놀랍게도 그런 공동체들에서도 구석기 시대의 조상들과 동일한 비명횡사 비율을 보인다.[7]

수렵·채집 사회의 폭력과 비명횡사 비율

예를 들어 파라과이의 아체이족은 근처 무리들끼리 일상적으로 치르는 몽둥이 싸움 의례로 두개골 골절이 잦고 그로 인해 죽음에 이르는 경우가 많다. 무리 내 유아와 어린이 살해, 전투 의례, 그리고 진짜 전투로 인한 사망을 모두 합치면 아체이족 내 아동 사망의 60퍼센트, 성인 사망의 40퍼센트가 폭력이 원인이다. 파푸아뉴기니에서는 성인 남성 사망자의 20~30퍼센트가 다른 성인 남성의 살인으로 목숨을 잃는다. 거의 끊임없는 전투 상황에서 살아가는 베네수엘라의 야노마미스족 성인 남성의 25퍼센트는 같은 야노마미스족의 손에 죽거나 주변의 다른 무리와 벌이는 전투로 인해 죽는다. 이때 전투는 식량을 얻기 위해서가 아니라 대개 여자를 둘러싼 갈등이나 복수 때문에 벌어진다.

역시 베네수엘라의 수렵·채집인인 히위족도 사망자의 15퍼센트가 폭력으로 목숨을 잃는다. 한 면밀한 인류학 연구에 따르면 주변에 재규어, 피라냐, 아나콘다 등이 많이 살지만 히위족 중 누구도 이런 포식자에게 죽음을 당하지 않은 것으로 드러났다. 사망자의 절반 이상이 같은 히위족에게 살해당했고, 또 다른 25퍼센트는 다른 베네수엘라인, 그리고 나머지 25퍼센트는 사고나 환경 재난으로 죽음을 당한 경우였다. 폭력에 의한 사망 중에서도 유아 살해, 특히 여아 살해가 가장 큰 부분을 차지했다. 히위족 성인 간의 살인 사건은 보통 여자를 두고 벌이는 싸움, 질투심에 가득 찬 남편의 응징, 또는 과거의 살인에 대한 복수 등이 원인이다. 다른 베네수엘라인에 의한 살인 사건은 보통 영토 분쟁이 단초가 된다.

온화한 부족이라고 알려진 보츠와나의 !쿵족마저 살인율은 미국에서 가장 살인율이 높았던 때의 여섯 배나 된다. 현대 국가 중 이보다 살인율이 더 높은 나라는 마약 전쟁이 극성을 부리고 있는 중앙아메리카의 엘살바도르와 온두라스뿐이다.[8]

이러한 사례를 놓고 볼 때, 선사 시대의 비명횡사는 거의 대부분이 동물의 공격이나 절벽에서 떨어지는 등의 사고보다 살인에 의한 것이었다고 결론 내릴 수 있다. 이런 통계를 보고 누구나 한 가지 의문을 가지게 될 것이다—우리는 왜 1만 세대 동안 다른 인간을 살해하고 싶은 강한 욕구를 가지고 살아왔는가?

우리 모두는 살인자의 자손이다

심리학자인 데이비드 버스와 조슈아 던틀리는 살인을 저지르는 능력은 구석기 시대부터 보존되고 신장되어 온 진화의 자산이라고 주장한다. 역사적으로 살인자는 거의 대부분 남성이었는데, 살인을 통해 식량과 물, 그리고 원하는 여성과 그녀의 자손 번식 가능성을 확보할 수 있었다. 살인은 또 사회적 위상을 유지, 신장하거나 명예를 지키는 수단인 동시에 주도권을 과시함으로써 거두는 이차적 혜택을 누리는 일을 가능케 했다.[9] 우리가 지금 여기 있는 것은 조상들이 싸우지 않아서가 아니라, 싸워서 이겼기 때문이다.

다시 말해 우리는 살해당한 사람들이 아니라 살인을 저지른 사람들의 자손이다. 간혹 우리 조상들은 다른 방법에 의존해 살아남기도 했다—도주하고, 협상하고, 그리고 순종적인 태도를 취하는 방법 말이다. 그리고 이 모든 본성은 우리 DNA 어딘가에 새겨져 있다. 그러나 한 가지는 확실하다. 구석기 시대에 주도권을 잡았던 사람들은 온유한 자들이 아니었다는 사실, 그리고 적어도 아직까지는 온유한 자들의 자손이 이 땅을 물려받지 않았다는 사실이다.

그런데 문제는 살인을 저지를 수 있는 육체적 능력과 피살자가 되는 것을 피하는 데 필요한 방어 기제가, 법과 법 집행 기구가 존재하는 선진 사회에서는 중요하지 않게 된 정도가 아니라 방해 요소로까지 작용하게 되었다는 점이다. 우리는 이제 육체적 폭력을 동원한 생사를 건 싸움이 아니라 스포츠나 비즈니스에서 경쟁하는 방법으로 사회적 위상을 확보한다. 그 결과 우리가 가진 방어 기제의 많은 부분이 오늘날 우리가 직면한 현실적 도전에 대처하는 데 부적절한 것이 되어 버렸다.

살인과 진화의 메커니즘

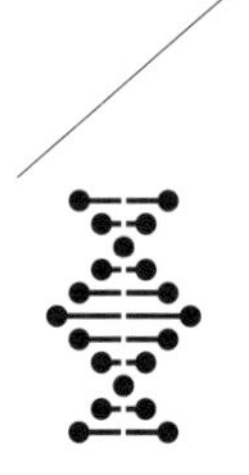

살인자와 피살자의 대부분은 남성이다

살인자가 희생자보다 자신의 유전자를 퍼뜨릴 확률이 더 높다는 사실은 명백하다. 1장에서 살펴봤듯이 생존에 10퍼센트 더 유익한 유전자 돌연변이가 인구 전체에 100퍼센트 확산되는 데 걸리는 시간은 150세대, 약 3000년 정도임을 우리는 알고 있다. '살인 유전자'라는 것을 식별하지는 못하지만 남성의 90퍼센트, 여성의 80퍼센트 이상이 추궁해 보면 누군가를 죽이고 싶다는 생각을 또렷이 한 경험이 있다고 실토한다.[10] 상황이 충분히 절박해지면 거의 모든 사람이 다른 사람을 죽일 용의가 있다—자기 방어 또는 가족을 보호하기 위해서라면 말이다.

살인자 중 적어도 85퍼센트, 그리고 피살자 중 약 80퍼센트가 남성이다.[11] 미국과 같은 선진국에서는 살인 빈도가 남성에게 편중되어 있는 현상을 문화적 영향 탓으로 돌리기도 한다. 어릴 때 장난감 총을 가지고 놀고 폭력적인 영화와 비디오 게임 등을 접하면서 자란 결과라는 것이다. 그러나 장난감, 영화, 텔레비전의 보급과 상관없이 남성이 살인을 저지르는 비율은 모든 문화권에서 비슷하다.

살인은 진화의 목적에 부합한다

진화의 관점에서 보면 남성은 자원을 확보하고, 경쟁자의 위협을 줄이고, 공격을 방어하기 위해, 또는 우월성을 입증해 예상되는 공격을 미리 차단하기 위해 다른 남성을 죽였을 확률이 높다.[12] 따라서 살인은 단순히 폭력 행위가 극단으로 치달은 것 이상의 의미가 있는데, 명백한 진화의 목적을 성취하기 때문이다. 만일 피해자가 생존해 와신상담 끝에 어느 날 다시 나타나 싸움을 걸면 살인을 시도한 사람이 축적한 여러 혜택 역시 아무 소용이 없어질 수 있다. 피살자는 목숨을 잃는 동시에 자녀를 가질 수 있는 미래 또한 사라진다. 거기에 더해 이미 태어난 희생자의 자녀들은 살인자의 자손들과 벌이는 경쟁에서 이기기가 더 힘들 것이고, 당장은 아니더라도 궁극적으로 생존할 확률이 줄어든다.

공격 행위가 성공을 거두면 가용 자원이 늘어나고 짝을 독차지할 기회가 늘어나 자신의 유전자를 퍼뜨릴 확률이 높아진다. 예를 들어 몽골족은 인류 역사상 가장 대규모로 학살을 저질렀다. 그렇게 할 가치가 있었을까? 예전에 몽골 제국이 지배했던 지역에서 사는 남성 중 칭기즈칸과 그의 아들들의 정복 시점까지 거슬러 올라갈 수 있는 동일한 Y 염색체를 가진 사람이 놀랄 정도로 높은 수치인 8퍼센트나 되었다.[13] 따라서 영토 획득뿐 아니라 후세에 행사한 유전적 영향력이라는 면에서도 칭기즈칸과 몽골족은 원하는 것을 성취했다고 할 수 있겠다.

여성 살해와 유아 살해의 이유

남성은 또 여성도 살해한다. 세계적으로 피살 여성의 3분의 1이 배우자나 애인의 손에 죽는데,[14] 특히 가임 확률이 가장 높은 나이에 살해당할 확률이 높다. 그중에서도 남성이 자기 짝인 여성을 다시는 되찾을 수 없다는 확신이 드는 시점부터 그녀가 다른 남자를 만나 그의 유전자를 가진 자손을 낳고 그의 보호를 받을 수 있는 확실하고 장기적인 관계를 형성하기 전까지 기간 동안에 벌어지는 경우가 두드러지게 많다. 이에 비해 죽음을 초래하지 않는 짝에 대한 폭력—결국은 살인으로 발전하는 전초전인 경우가 많지만—은 그 짝과 관계를 계속 유지하는 동안 외도를 예방하거나 처벌하기 위한 행위다. 요컨대 죽지 않을 정도의 폭력으로 짝의 외도를 확실히 막을 수만 있다면 죽이는 것은 비생산적인 일이다.

또 다른 살해 형태는 유아 살해다. 유아 살해는 자원이 부족한 상황에서 이미 상당한 노력을 투자한 다른 아이들에게서 자원을 빼내 약한 아이에게 돌리지 않으려는 여성이 저지르는 경우가 많다. 남성에 의한 유아 살해는 그 아이가 자기 핏줄이 아님을 알거나 아니라고 짐작되는 경우에 다른 사람의 유전자를 증식시키는 데 에너지를 투자하고 싶지 않아서 대부분 벌어진다. 이 현상은 '신데렐라 효과'[15]를 이해하는 데 도움이 된다. 어린이는 생물학적 부모보다 양부모에게 죽을 확률이 100배나 높다.

진화의 관점에서 볼 때 젊은 남성이 다른 젊은 남성과 위상과 명예를 놓고 싸우는 것은 성적 경쟁심 때문이다. 외도를 했다는 의심이 드는 짝을 상대로 폭력, 심지어 목숨을 앗아가는 폭력까지 휘두르는 것도 같은 이유에서다. 한 무리 안에서는 가임 여성 수가 제한되어 있으므로 남성은 서로 경쟁하면서 제로섬 게임을 벌인다.[16] 남성은 여성보다 살아남은 자녀를 더 많이 갖는 것이 가능하지만, 한편으로는 전혀 자손을 못 남길 가능성도 여성보다 높다.

무엇이 남성의 공격성을 부추기는 걸까

남성의 공격성은 많은 부분 남성 호르몬인 테스토스테론의 영향을 크게 받는다. 테스토스테론은 근육을 만드는 데도 관여하는데, 스트레스를 받을 때 분비되는 스테로이드 호르몬인 코르티솔과는 구별해야 한다. 여러 연구에 따르면 남성이 매력적인 여성을 보거나 육체적 경쟁 상태에 들어가면 테스토스테론 수치가 급증한다. 그 상태에서는 경쟁에서 정말 이기려 하는지, 그냥 자신의 능력을

뽐내는 데서 그치려 하는지에 상관없이 더 쉽게 위험을 감수하려는 경향이 생긴다.[17]

결혼한 남성은 테스토스테론 수치가 줄어든다. 더 이상 여성을 찾아 공격적으로 경쟁하지 않아도 되고, 약간 더 차분해지는 것이 배우자나 아버지로서 더 낫기 때문이라고 추측된다. 따라서 보스턴 지역 비행 청소년들을 대상으로 한 연구[18]에서, 그들 중 성인이 되어서도 싱글인 경우 75퍼센트가 범죄를 저지른 데 반해 결혼한 경우 3분의 1만 범죄에 가담했다는 결과가 나온 것은 새삼스러운 일이 아니다.

그러나 줄어든 테스토스테론 수치와 가정에서 책임감 있는 태도는 다른 면에서 문제를 일으킬 수 있다. 예를 들어 남성 프로 테니스 선수들은 결혼을 기점으로 그 전 1년보다 그 후 1년의 성적이 더 부진한 데 반해, 결혼하지 않은 같은 나이의 선수들은 그 기간 동안 성적이 떨어지지 않는다.[19]

혈연 관계가 되면 일반적으로 동맹을 맺는 확률이 높아지고, 그 혈족 구성원을 상대로 한 폭력의 확률은 낮아진다. 마이애미에서 이루어진 연구에 따르면, 살인 음모의 약 30퍼센트는 유전적 친족 사이에서 벌어지지만 실제로 살해되는 수의 2퍼센트만 유전적 친족이 저질렀다. 심지어 가정 내에서도 유전적 친족보다 그렇지 않은 관계에 의해 살해당하는 경우가 열 배나 되었다.[20]

선사 시대 이후 내내 살인은 전쟁 또는 심지어 집단 학살로까지 악화되곤 했다. 그런 일이 벌어지면 승자 쪽은 여성들과 아이들까지 포함해 패자 쪽에 속한 모두를 살해했으며, 시체를 훼손하고 심지어 먹기도 했다. 그러나 이런 행위가 완전히 야만적이고 부도덕하다고 생각하면 오산이다.《성경》〈민수기〉를 떠올려 보자. 이스라엘인은 미디안인과의 전쟁에서 승리한 후 남자들을 죽이고 마을을 약탈하고 여자들과 아이들을 포로로 잡아갔다. 그러나 그것만으로 충분치 않았다. 아마도 하늘로부터 내려왔을 지시에 따라 모세는 이스라엘인에게 미디안의 모든 남자 아이들과 처녀가 아닌 모든 여자들도 죽이라고 명령한다. 미디안 남성이 아닌 이스라엘 남성의 유전자를 퍼뜨리는 데 이보다 더 확실한 방법이 있었을까?

우리 몸의 생존 장치, 기억과 두려움

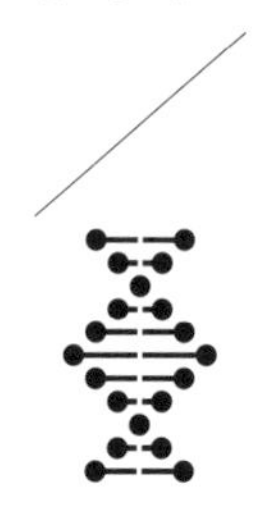

뇌 신피질의 발달이 기억과 감성 지능에 미치는 중요성

살인 능력도 생존 가능성을 높여 주지만, 살해당할 위험을 상당히 낮추는 것 역시 마찬가지 역할을 한다. 마치 서로 밀접한 관계가 있지만 반대되는 두 본능 사이의 군비 경쟁과 같다.[21] 자신과 자기 유전자의 생존율을 높일 가능성이 있을 때 살인을 저지르는 것과, 같은 목적을 이루기 위해 머리를 써서 죽음을 피하는 것 사이의 선택 말이다. 우리는 이 두 행위를 추동하는 유전자 돌연변이들을 정확히 식별하지도, 그것들의 확산 속도를 정확히 측정하지도 못한다. 하지만 이 생존 형질이 우리 조상들이 살아남기 위해 진화시킨 적절한 피부색만큼이나 중요하다는 점은 확실하다.

우리 뇌는 체중의 2퍼센트밖에 되지 않지만, 열량의 17퍼센트를 소비한다. 거기에 더해 생물학자들은 우리 유전자 중 절반이 뇌의 기능에 영향을 준다고 추정한다. 몸의 다른 어느 기관보다 높은 비율이다. 그 결과 무작위로 일어나는 유전자 돌연변이가 좋은 쪽으로든 나쁜 쪽으로든 뇌 기능에 영향을 줄 확률은 다른 신체 부위에 영향을 줄 확률보다 더 높다. 인간의 뇌는 다른 동물의 뇌에 비해 최소한 (몸 전체에 대한 비율로 따져) 세 배 정도 크다. 차이는 대부분 '신피질'이라고 부르는 곳에서 난다. 뇌의 더 기초적인 부분은 모든 동물에서 몸과 거의 비슷한 비율이 유지되지만 이 신피질 부분은 포유류, 영장류, 특히 인간으로 갈수록 한층 더 커진다.

신피질은 기억 유지에 중요할 뿐 아니라 흔히 EQ라고 하는 감성 지능에도 중요하다.[22] 기억을 동원해 곤란한 사회 상황을 헤쳐 나가는 능력이 감성 지능이다. 그중 한 가지 대표적인 예가 두려움이라는 학습된 감정을 적절히 활용해 죽음을 피하는 것이다.

학습된 두려움과 선천적 두려움

기억에 대한 우리의 이해는 아직 비교적 초보 단계지만, 노벨상 수상자이자 필자의 컬럼비아대학교 동료인 에릭 캔들[23]과 같은 사람들의 선구적인 연구 덕분에 수수께끼가 서서히 풀리고 있다. 이제 우리는 기억이 처음에는 이마 양쪽에 위치한 측두엽 깊숙한 곳에 저장된다는 사실을 안다. 그런 다음 기억은 뇌의 다른 곳들로 분산되어 저장되는데, 이 과정에서 측두엽의 해마는 문서 정리원 역할을 할 뿐 아니라 어떤 기억이 필요할 때 찾아내는 검색 엔진 역할도 한다. 기억을 부호화하는 뇌 부위를 인공적으로 자극해 거짓 기억[24]을 만들어 내는 일까지 가능하다. 1953년 헨리 몰레이슨이라는 남성의 고질적 발작을 치료하기 위해 뇌의 해마 부분을 제거하자 어떤 기억도 30초 이상 지속하지 못했다.[25] 영화 〈첫 키스만 50번째50 First Dates〉에서 드루 배리모어가 연기한 여주인공과 성별만 다르지 똑같은 증세를 보인 것이다.

저장했던 기억을 꺼내 왔을 때 그 기억은 완벽하지 않다. 같은 사건을 조금씩 달리 기억한 사람들이 정확히 어떻게 일이 벌어졌는지를 두고 말다툼을 벌이는 것은 이런 이유에서다. 기억을 회수할 때, 우리는 머릿속에서 그 기억을 강화하거나 정확성에 의문을 제기하기도 하고, 심지어 그 후 일어난 사건들의 영향을 받아 기억을 수정하기도 한다. 그러나 완벽하지 않을지는 모르지만 우리는 무섭거나 위험한 상황에 대한 기억은 잊지 못하며, 그에 따른 두려움은 우리가 미래에 그런 상황을 피하거나 처리하는 방법에 영향을 끼친다.

다른 극단에는 우리가 '학습'하지는 않았지만 본능적으로 '아는' 것들이 있다. 기어 다니기 시작할 무렵의 아기들이 분리 불안은 '알지만' 자동차를 두려워해야 한다는 것은 아직 '배우지' 못한 것이 그 예다. 우리는 진화를 통해 얻은 생존 형질들에 기초한, 뼛속 깊이 새겨진 왕성한 '두려움 모듈'을 선천적으로 타고나는데, 이것은 의식적 행동 제어 능력의 지배를 거의 받지 않는다. 어린아이들도 뱀과 거미는 무서워한다. 하지만 그보다 훨씬 더 흔하고 심각한 피해를 줄 수 있는 현대 문명의 위협인 총이나 전기 콘센트는 두려워하지 않는다. 뼈에 새겨진 선천적 두려움은 너무나 강해 뱀이나 화난 얼굴이 든 그림만 봐도 심장 박동 수가 눈에 띄게 올라간다. 심지어 그 이미지가 몇 백 분의 1초 만에 스쳐 지나가 의식적 기억을 하지 못하는 경우조차 이런 반응을 보인다.

두려움과 조건화

의식적 학습과 내재적 본능이라는 두 극단 사이에는 '조건화'라는 흥미로운 현상이 존재한다. 육체적 해를 끼치는 위협과 관련 있는 기억은 무엇이든 두려운 반응을 일으키는 현상을 말한다. 개에게 먹이를 줄 때 항상 종을 울렸더니 결국 먹이를 주지 않고 종소리만 들려주어도 개가 침을 흘리게 되었다는 것으로 잘 알려진 파블로프의 실험과 원칙은 동일하다.

다음과 같은 실험을 떠올려 보자. 우리는 전기 단자에 연결된 일련의 그림을 보게 된다. 보통 때라면 보고 기분이 좋아졌을 꽃 그림이지만 이 실험에서는 꽃 그림을 볼 때마다 전기 충격을 받는다. 꽃을 두려워하도록 학습되기까지는 오래 걸리지 않는다. 이 학습은 반대로도 작용해, 같은 꽃 그림을 반복적으로 보여 주며 전기 충격을 가하지 않으면 두려움이 없어진다. 꽃에 대한 두려움만 없어질 수 있는 것은 아니다. 실험 대상에게 다양한 그림을 보여 주면서 전기 충격을 무작위로 주면 현대 문명에서 새로 만나게 되는 총이나 전기 콘센트에 대한 두려움도 줄어들거나 완전히 없앨 수 있다.[26]

그런데 같은 형태의 충격이 뱀이나 거미의 그림과 짝지어지면 두려움 반응은 훨씬 더 강하게 나타나며, 예측 가능한 고통스러운 충격을 멈추더라도 이 두려움 반응을 없앨 수 없다. 이러한 실험은 두려운 감정 역시 어떤 것은 본능적으로 타고나고 어떤 것은 의식적으로든 무의식적으로든 학습된다는 사실을 증명한다.

어린이들은 본능적으로는 불을 무서워하지 않는다. 그런데 불꽃에 손을 대지 않는 것은, 그러지 말라고 배운 내용을 믿거나 불에 덴 경험을 통해 학습으로 습득했기 때문이다. 그렇지만 모든 두려움을 직접 경험하거나 의식적인 학습을 통해서만 습득할 수 있다면 우리 조상들은 거의 대부분 살아남지 못했을 것이다.

공격과 위험에 어떻게 대처할 것인가

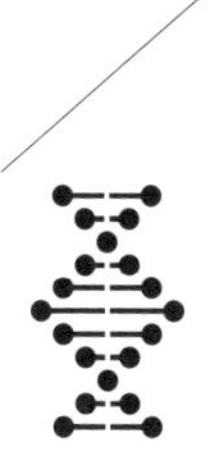

여섯 가지 자기 방어법

두려움의 큰 장점 중 하나는 위험한 상황을 피할 수 있게 해 준다는 것이다. 두려움 덕분에 공격당하는 일을 모면하는 것이 가능하다면 적어도 당분간은 안전할 것이다. 그러나 간혹 위험을 피할 수 없을 때가 있다. 두려운 마음으로 조심을 했는데도 공격적인 경쟁자의 공격을 받는 상황에 처한 조상은 본능을 총동원해 자신을 보호하는 행동을 할 것이다. 우리 조상들을 살렸던 이 방어 본능은 현대를 사는 우리의 심리 상태 중 일부로 여전히 작동하고 있다.

정신과 전문의 하임 스테판 브라카는 위험이나 돌발적인 공격으로부터 자신을 보호하는 여섯 가지 방법을 묘사한다.[27] 얼어붙기, 기절하기, 도망치기, 싸우기, 순종하기, 협상하기가 그것이다. 이 방어법은 하나같이 놀라울 정도로 유용하다.

예를 들어 높은 곳을 두려워하는 고소 공포증은 완전히 몸이 굳어 버리는 마비 현상을 촉발해 절벽 아래로 떨어지는 것을 방지한다. 피에 대한 두려움으로 기절하는 것은 피를 흘릴 때 서 있는 것보다 누운 자세가 뇌로 피를 보내기에 더 적절하기 때문이다. 말코손바닥사슴과 맞닥뜨리면 걸음아 날 살려라 하고 전속력으로 뛰어 달아나야 한다. 퓨마를 만나면 당당하게 맞서 큰 소리를 내고 돌을 던지면서 목숨을 건 싸움을 할 준비를 해야 한다. 반면에 늑대와 맞닥뜨리면 눈이 마주치는 것을 피하면서 순종하는 자세를 취하는 것이 좋다. 곰을 만나면 싸우기와 순종하기의 중간 정도 전략을 취해야 한다. 큰 소리를 내서 곰이 놀라 도망가게 하다가 그래도 안 되면 그 자리에 드러누워 죽은 척하는 것이 좋다.[28]

별로 안 복잡해 보일지 모르지만, 이는 우리 조상들이 헤쳐 나가야 했던 위협의 극히 일부분일 뿐이다. 그들은 어떤 때는 본능적으로, 어떤 때는 부모가 가르쳐 준 대로, 어떤 때는 직접 경험을 토대로 상황에 맞는 방어 전략을 취해야 했다.

도망치기의 유용성과 스트레스

대체로 위험에서 도망가는 데 따르는 불리한 면은 위험 자체에 비해 훨씬 덜 심각하다. 미시간대학교 정신과 전문의 랜돌프 네스가 주장한 것처럼, 맹수로부터 도망치는 데 200칼로리를 소비해야 하지만 그렇지 않았을 경우 부상당해 그 후 2주일 동안 2만 칼로리의 식량 채집을 하지 못한다면, 공격받을 가능성이 1퍼센트가 넘을 경우 도망가는 것이 합리적이다. 네스는 한 번의 공격을 피하기 위해 100번이라도 도망갈 가치가 있음을 '화재경보기 원리'에 비유한다. 집에 불이 나는 위험을 감수하느니 불편하고 기분 나쁜 허위 경보를 여러 번 겪는 쪽이 더 낫다는 것이다.[29] 현대인이 진짜 화재를 피하기 위해 가짜 경보를 여러 번 참는 편이 낫다고 판단한다면, 우리 조상들이 목숨을 잃는 것을 피하기 위해 우리보다 더 자주 허위 경보를 감수하는 것은 일리가 있다.

그러나 거듭되는 가짜 경보는 체력을 소진하게 만들고, 결국 반응하기를 멈추게 만들 수도 있다. 이런 현상은 모든 스트레스 상황에서 실제로 나타난다. 스트레스는 뇌하수체를 자극해 신장 가까이 위치한 부신에 아드레날린과 코르티솔을 분비하라는 메시지를 보내게 한다. 아드레날린이 대량 분비되면 맥박 수와 혈압이 증가하고 정신이 더 바짝 나서—화재경보기와 많이 다르지 않다—싸우거나 도망할 준비를 재빨리 갖출 수 있다. 생리 작용에 따라 스트레스 호르몬인 코르티솔이 자연적으로 분비되면, 우리는 정신이 더 기민해지고, 몸속에 소금을 보존하고, 감염에 맞서 싸울 능력이 더 강해진다.

우리 대다수는 이 스트레스 호르몬이 과다 분비되는 상태에 이르지 않는다. 대부분의 경보가 거짓임을 학습하면서 두려움과 스트레스가 줄어들기 때문이다. 그러나 일부 사람들은 스트레스 정도가 심해지면서 문제가 생기기도 한다. 예를 들어 쥐들은 인간과 마찬가지로 특정 소리와 전기 충격 사이의 관계를 재빨리 학습하는데, 코르티솔을 미리 투여받은 쥐들의 경우[30] 두려워하도록 훈련받은 소리뿐 아니라 비슷한 다른 소리도 두려워하며 스트레스를 받는다.

스트레스는 우리 몸과 사고, 행동에 어떤 악영향을 미칠까

코르티솔이 너무 많이 분비되면 뇌세포를 비롯한 몸 전체의 세포가 손상된다. 컬럼비아대학교 앤드루 마크스 팀의 연구에 따르면 스트레스는 우리 세포 내의 칼슘 조절 장치를 손상시킬 수 있다. 심장, 근육, 뇌 등을 이루는 세포의 칼슘 조절 장치가 손상되면 망가진 자동차 엔진에서 기름이 새듯 세포에서 칼슘이 새어 나온다.[31] 칼슘 조절 장치는 뇌가 기본적인 투쟁/도피 반응을 일으키는 일에서 중요한 역할을 하는데 스트레스로 손상이 가면 학습과 기억에 문제가 생긴다. 칼슘 누출은 우리가 잘 아는 현상의 원인을 설명해준다. 스트레스가 쌓이면 우리는 생각을 명료하게 하지 못하고 잘못된 판단을 내릴 확률이 높아진다—그로 인해 스트레스가 더욱 쌓여서 악순환에 들어간다.

스트레스가 세포에 어떻게 손상을 주는지에 대한 통찰은 노벨상을 수상한 생물학자 엘리자베스 블랙번의 연구[32]를 통해 세상에 알려졌다. 각 인체 세포 속 염색체의 DNA 끝에는 유전자 암호가 들어 있지 않은 텔로미어telomere(말단소립, 말단소체)라고 부르는 염기들이 수천 개 자리 잡고 있다. 세포가 분열하고 복제하는 과정에서 텔로미어의 길이가 짧아지다가 종국에 가서 너무 짧아지면 세포는 더 이상 분열하지 않거나 제 기능을 발휘하지 못하는 단계에 이른다. 블랙번과 그녀의 연구팀은 건강한 자녀를 둔 어머니들과 만성 질환을 가진 자녀를 돌보는 어머니들 사이의 텔로미어 길이를 비교했다. 연구 결과 놀라울 정도로 흥미진진한 상관관계가 발견되었다. 몸이 아픈 자녀의 간병인 역할을 오래 한 어머니들일수록 텔로미어의 길이가 짧았다. 가장 스트레스를 많이 받은 어머니들은 나이가 열 살 더 많은 사람들과 비슷한 텔로미어 단축 현상을 보였다. 실험실에서 그 원인을 규명하기 위해 노력하던 블랙번 연구팀은, 우리가 방금까지 이야기한 스트레스 호르몬인 코르티솔이 텔로미어의 길이를 유지하는 역할을 하는 효소의 활동을 저해한다는 사실을 밝혀냈다.

코르티솔 수치, 칼슘 조절 장치, 그리고 텔로미어는 스트레스와 두려움에 대한 우리 몸의 반응이 어떤 부작용을 초래하는지 보여준다. 얼마간의 스트레스와 두려움은 살아남는 데 중요한 역할을 하지만, 그것들이 너무 과하거나 그것들에 너무 과민하게 반응하면 상당한 신체 기능 상실을 초래하며, 결국 사고와 행동에 여러 가지 장애를 일으킨다.

위협에 너무
과하게 반응하기

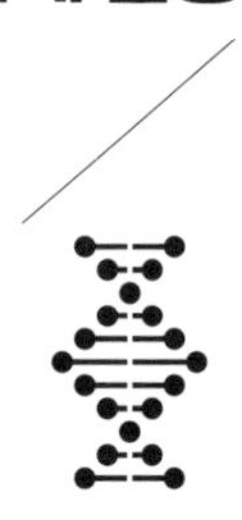

불안: 잠재 위험에 대한 과잉 반응의 부작용

금방 닥칠 또는 지금 닥친 위협에 직면했을 때, 설령 그 일이 실제로 벌어지지 않을지라도 그런 위협을 미리 예상해 느끼는 감정이 있다. 예를 들어 아프리카에서 사파리를 하던 중 야생 코끼리가 자신을 향해 돌진하면 두려움을 느낄 것이다. 또는 내일 할 사파리에서 야생 코끼리가 자신에게 달려들지 모른다는 생각에 걱정이 될 수도 있다. 이런 우려감은 공격받을 가능성을 정확하게 추정하면 아주 합당한 적응 반응일 것이다. 그러나 코끼리의 공격 위험을 실제보다 훨씬 높게 추산하고 너무 초조해진 나머지 사파리를 즐기지 못한다면 '부적응 불안감'을 보이는 것이다.

이런 맥락에서 현대인의 불안은 우리 조상들의 목숨을 구하는 데 유용했던 여러 적응 행동의 과장된 형태라고 해석할 수 있다.[33] 이제 그런 행동은 이롭기보다 더 해로울 뿐이다. 준비가 잘 되어 있고 적절한 기술을 갖추고 있을 때 약간 흥분하고 걱정하는 것은 임무를 잘 수행하는 데 도움이 된다. 그러나 불안감과 압박감을 너무 많이 느끼면 임무 수행 능력은 떨어진다. 적절한 수준의 수줍음과 조심스러운 태도는 조상들이 적을 만들어 무리에서 쫓겨나지 않는 데 큰 몫을 했을 것이다. 그런데 이러한 본능 탓에 미국인 중 7퍼센트가 '사회 불안 장애'를 안고 살아간다. 이 쑥스러움과 창피함에 대한 염려가 지나치면 대중 앞에서 이야기하거나 공연하는 것을 불안해하고, 친구를 잘 사귀지 못하며, 심지어 다른 사람과 대화조차 하기 힘들어 할 수 있다.

동물들, 맹수들, 그리고 자신을 죽일 수도 있는 힘센 다른 인간들로부터 끊임없이 위협받는 환경에서는 뚜렷한 이유 없는 과잉 경계심, 심지어 가끔 일으키는 공황조차 생존에 중요한 기능일 수 있다. 그런데 오늘날 미국인 중 3퍼센트가 '범불안 장애'—가족과 직장에 대한 책임감, 재정 문제, 건강 문제, 자신과 가족의 안전에 대한 우려 등 매일 겪어야 하는 문제에 대한 지나친 걱정으로 인한 기능 장애—를 보인다. 미국인 중 약 2퍼센트는 도를 넘어선 걱정과 불안감 때문에 '공황 발작'—심장이 두근거리고 몸이 떨리고 현기증이 나거나 가슴과 배에 통증이 생기는 등의 심리적 요인으로 인한 육체적 고통을 동반하는 극심한 공포—을 겪는다.

일반적인 '공포증'—특정 위협에 대한 도를 넘어선 불안—도 과거 조상들을 위협했던 위험들과 직접 관련이 있다. 고소 공포증을 가진 사람은 떨어지는 것을 두려워한다. 산을 넘고 절벽을 타던 조상들이 조심해야 했던 것과 맥락을 같이한다. 광장 공포증을 가진 사람은 맹수나 적으로부터 숨을 수 없는 열린 공간을 무서워했던 조상들과 마찬가지로 그런 공간에 대한 두려움을 보인다.

우울증: 심리적 생존 본능이 낳은 가장 심각한 부작용

잠재적 위험이 실제로 벌어질 가능성을 과대 평가함으로써 부적응 과민 반응과 부작용을 경험하듯, 우리는 실제로 직면하는 위험에 대해서도 과민 반응을 보일 수 있다. 예를 들어 해결 불가능한 상황이나 이길 수 없는 도전에 부닥쳤을 경우 순종하는 태도를 보이는 것이 생존에 가장 유리한 전략일 수 있다. 그렇지만 그 결과로 나타나는 부작용인 낮은 자존감은 사회적 과잉 위축과 지나친 슬픔을 초래할 수 있다.

구석기 시대에는 슬픈 감정이 더 강한 적으로부터 살해당하는 것을 방지하는 순종적인 태도의 일부를 이루는 유용한 방어 기제였다. 그러나 현대 사회에서 슬픔은 육체적 대립 상황과는 관련이 없는 다양한 상실—몇 가지만 예를 들자면 사회적 성취, 위신, 소유물, 배우자, 건강의 상실—로 인해 촉발되는 경우가 많다. 대부분의 사람들에게 슬픔은 어떤 사건에 대한 반응으로 나타나는 일시적인 감정이다. 하지만 상대적으로 약한 슬픔에서 심각한 슬픔에 이르기까지 슬픈 감정이 2주일 이상 계속되면 '우울증'으로 발전하기 시작한다. 현대 사회에서 우울증은 인류가 타고난 심리적 생존 본능이 낳은 가장 심각한 부작용이다.

불안을 불필요한 두려움 또는 필요 이상의 두려움이라 정의할 수 있듯이, 우울증은 지나치고 끈질긴 슬픔, 평범하거나 유익한 정도를 넘어선 슬픔이라고 정의할 수 있다. 선사 시대에 걱정과 일시적인 순종이 생존에 유익한 수단이었음을 이해하기는 어렵지 않다. 그러나 왜 끈질긴 슬픔이 유용한지를 헤아리기는 상당히 힘들다. 어쨌거나 미국 독립선언문에도 생명, 자유의 권리와 함께 행복 추구권을 양도할 수 없는 권리로 명시하고 있지 않은가?

정신과 전문의 폴 키드웰은 저서《슬픔의 생존법: 우울증의 진화적 기초*How Sadness Survived: The Evolutionary Basis of Depression*》에서 이 문제에 관한 한 가지 관점을 제시한다. 키드웰이 지적하듯이 다른 사람들보다 더 쉽게 우울증에 빠지는 성향을 지닌 사람들이 있다. 그렇지만 상황이 충분히 나빠지면 누구나 적어도 어느 정도는 우울해진다. 이런 맥락에서 키드웰은 대체로 지난 수천 세대 동안 슬퍼하고 우울해지는 능력은 아마 우리가 살아남는 데 도움이 되었을 것이라고, 또는 최소한 불리하게 만들지는 않았을 것이라고 주장한다.[34]

그를 비롯한 진화심리학자들은 슬픈 감정은 상실과 패배에 대한 타고난 정신적 반응이라고 강조한다. 슬퍼하기를 좋아하는 사람은 아무도 없다. 따라서 슬픔은 비록 불쾌한 방법이지만, 양도할 수 없는 권리인 행복 추구권을 다른 방법으로 찾아보라고 알려주는 신호 역할을 한다. 슬픈 사람들은 내성적이 되고, 에너지를 아끼고, 다른 사람과의 접촉을 피하며, 자기 성찰적이 된다. 슬픔은 나아가던 진로를 바꾸라는 모닝콜이다—목표는 그대로 두고 다른 전략을 찾든, 더 타당하고 성취 가능한 목표로 갈아타든 간에 말이다.

우울증은 왜 생길까

그런데 슬픈 감정이 왜 우울증으로까지 발전하는 걸까? 키드웰이 강조하듯, 우리를 행복하게 만들어 주는 목표를 오랫동안 이루지 못하거나, 더 성취 가능한 목표로 대체하지 못했기 때문이다. 진짜 우울증에 걸리면 부적응 과민 반응이 나타난다. 우울증이 심한 사람은 먹기를 중단하고 잠을 못 자며 자신을 고립시킨다. 수렵·채집 활동을 해야 하는 환경이라면 생존 능력을 떨어뜨리는 확실한 방법이다.[35] 구석기 시대에 우울감은 남에게 많이 의존해야 하는 약한 성원이 무리 전체에 부담을 주는 것을 방지하기 위한 자체 제거 메커니즘이었을 수도 있다. 예를 들어 심한 우울증은 사춘기와 노년기에 가장 흔한데, 바로 이때가 수렵·채집 생활 인생 중 획득한 것보다 더 많은 열량을 소비하는 연령대다.

성취하지 못하면 슬픔 또는 심하면 우울증까지 일으킬 수 있는 주요 목표에는 어떤 것이 있었을까? 답은 아주 간단하다. 구석기 시대부터 인간이 항상 타고나는 본능적 목표는 충분한 식량과 물을 확보하고, 육체적으로 안전한 상태를 누리면서 긍정적인 인간관계를 유지하고, 배우자를 찾는 것이다. 현대 사회에서는 이것을 좋은 집, 단란한 가족, 건강한 자녀, 경제적 성공, 사회적 지위 또는 명성을 얻는 것 정도로 해석할 수 있다. 그리고 이런 목표를 성취하려면 대개 같은 목표를 가진 다른 사람들과 경쟁할 수 있는 자신감이 필요하다.

물리적이든 다른 형태로든 해를 입는 것을 피하기 위해 우울증을 가진 사람은 의식적으로나 무의식적으로나 경쟁보다는 순종을 택하고, 싸우기보다는 실패를 받아들이고 타협하는 쪽을 택한다. 우울한 사람은 생산성이 낮은 임무를 포기하고, 불가능하거나 위험할 가능성이 있는 목표를 이루려고 노력하기를 멈추며, 스스로 초래한 좌절과 실패에 대처하려고 시도한다. 슬픔 또는 심지어 경미한 우울증마저 일시적인 증상으로 끝난다면 전환기 역할을 해서, 그 기간 동안 성공할 확률이 더 높은 현실적인 전략을 찾는 기회를 마련할 수도 있다. 죽임을 당하거나 무리에서 배척되기보다는 자신을 재정비하고 힘을 재충전해, 지금 당장이든 미래든 더 나은 조건에서 경쟁할 준비를 갖출 수 있는 것이다. 이 전환기야말로 한시적 우울 반응의 진화적 혜택이었으리라 추측된다. 상황에서 한 발짝 물러서서 심사숙고해 보고 미래에 성공을 거두기 위해 에너지를 보존할 기회를 주기 때문이다.

생화학적 관점에서 볼 때 우울증은 낮은 뇌 세로토닌 수치와 관련이 있다. 이 증상은 충분히 심각한 상황에 처하면 누구에게나 일어날 수 있는 화학적 불균형 현상이지만, 의심할 여지 없이 그런 성향을 타고난 사람에게 더 쉽게 일어날 현상이기도 하다. 예를 들어 수컷 영장류가 싸움에서 지면, 사회적 위상이 떨어지고 우두머리 수컷에게 복종해야 하면서 뇌 세로토닌 수치가 낮아진다. 물론 선택적 세로토닌 재흡수 억제제 같은 약을 쓰면 우울증을 겪는 사람의 뇌에 상대적으로 부족해진 세로토닌 문제를 해결할 수 있다. 이 약은 세로토닌 저하를 방해함으로써 더 많은 세로토닌을 뇌세포에 공급해 우울증을 막거나 되돌리는 역할을 한다.

최근 과학자들은 사회적 패배를 당한 후 피하는 반응을 뇌세포가 학습하는 데 또 다른 화학 물질인 감마-아미노낙산이 관여한다는 사실을 알아냈다.[36] 예컨대 다른 쥐들을 괴롭히도록 훈련된 쥐에게 노출된 쥐들 중 패배한 후 몸을 낮추는 쥐들은 감마-아미노낙산에 반응하는 뇌세포들이 과도하게 활발해졌다. 8장에서 살펴보겠지만 뇌에 이 화학 물질 분비를 억제하는 약을 투여하는 것이 장차 우울증을 치료하는 한 방법이 될 수도 있을 것이다.

여성이 남성보다 우울증을 앓을 확률이 두 배나 높은 이유는 무엇일까? 확실히 알 수는 없지만, 인류가 지구상에 존재해 온 이래 여성은 항상 육체적으로 더 크고 주도적인 남성에게 의존해 왔고, 외도는커녕 순종적이지 않다는 느낌만 줘도 신체에 심각한 해를 입을 가능성이 존재했다. 남성은 경쟁에서 졌을 경우에만 순종적인 태도를 취하면 되었지만, 여성은 경쟁에 이겨서 원하는 목표—우두머리 수컷을 차지한다는 목표—를 성취해도 늘 자신의 성공에 순종적인 태도를 충분히 섞어서 균형을 잡아야만 했다.

외상 후 스트레스 장애와 뇌의 관계

우리를 위험으로부터 보호하되 미치게 하지만 않는다면 기억에 기초한 두려운 감정은 적절하고 유용하다. 그러나 과도한 스트레스가 쥐의 뇌에 과민 반응을 촉발하듯, 외상 후 스트레스 장애를 가진 사람은 일상 활동만으로도 과도한 공포의 원인이 된 기억을 떠올리곤 한다. 트라우마를 준 그 사건을 머릿속에서 계속 재생시키기 때문이다. 이런 끊임없는 두려움에 대한 반응 탓에 보통 자신을 위협한다고 생각되는 사람들에게 지나치게 공격적인 태도를 취한다. 그리고 궁지에 몰려 더 이상 잃을 것이 없다고 느끼는 사람이 대개 그러하듯, 무분별하게 행동하거나 심지어 자해를 하는 경우도 많다.

외상 후 스트레스 장애는 보통 군인, 전쟁이나 집단 학살을 경험을 하고 살아남은 사람과 관련짓는 경향이 있지만, 이 증상은 또한 거의 모든 육체적·심리적 트라우마로 촉발될 수 있다. 생화학적 근거는 아직 불분명하지만 뇌의 칸나비노이드 수용체에 관한 연구에서 약간의 힌트를 얻을 수 있다. 칸나비노이드 수용체는 마리화나의 활성 물질이 뇌세포와 결합해 불안감을 줄이는 과정이 촉발되는 부위를 말한다(칸나비노이드는 대마초 또는 칸나비스cannabis라고 불리는 마리화나의 주성분이다. 따라서 이는 우리 뇌 속에 마리화나와 비슷한 물질이 존재한다는 뜻이다—옮긴이).

그런데 유럽인 중 약 20퍼센트에서 발견되고 나이지리아인의 경우 그 비율이 45퍼센트까지 올라가는 특정한 유전자 돌연변이가 아난다미드를 비활성화하는 효소의 활동을 낮춘다는 사실이 밝혀졌다. 아난다미드는 뇌 속에 자연스럽게 생기는 물질로 마리화나의 효과와 유사한 역할을 해서 행복 호르몬이라고 불리기도 한다. 쥐와 인간 모두에서 아난다미드의 활동을 증가시키는 유전자 돌연변이가 생기면 학습된 두려움과 그에 관련된 불안감이 줄어드는 것으로 나타났다. 심지어 이미 존재하는 두려움마저 없애는 데 도움이 되었다. 이 돌연변이 유전자를 가지고 태어난 사람들은 당연히 마리화나에 의존적이 될 확률이 아주 낮다.

외상 후 스트레스 장애를 가진 사람들은 두려움 반응을 주로 관장하는 물질인 가스트린 방출 펩티드의 수치도 낮은 경향이 있다. 또 이 장애를 가진 사람들은 기억을 검색해 다시 꺼내는 대뇌 측두엽의 해마를 비롯한 뇌의 특정 부분들의 크기가 작아져 있다. 이러한 뇌 구조 변화가 외상 후 스트레스 장애의 원인인지 결과인지 아직 모르지만, 이 사실은 외상 후 스트레스 장애가 뇌의 생리학적·해부학적 변화와 관련이 있다는 강력한 증거다.[37]

패배, 실패 그리고 두려움은 심리적 고통을 줄이는 데 도움이 되는 또 다른 부적응 행동으로 이어지기도 한다. "술로 슬픔을 씻어낸다"는 유명한 경구가 아마 아주 원론적인 설명을 제공해 줄 것이다. 이 원리는 초파리처럼 단순한 유기체로도 증명이 가능하다.[38] 자기를 환영하는 암컷 파리를 가진 수컷 초파리는 먹이에 알코올이 들었는지 여부에 별 관심이 없다. 그러나 자기 짝이 될 가능성이 있는 암컷 초파리에게 거부당한 수컷 초파리는 알코올이 든 먹이에 강한 선호도를 보인다. 수컷 초파리가 술로 슬픔을 씻어내지 못할지는 모르나, 초파리의 뇌에는 섹스를 굉장히 좋아하지만 그것이 좌절당할 경우 알코올을 좋은 위안이 되는 대체 수단으로 받아들이는 보상 센터 또는 쾌락 센터가 존재하는 듯하다. 우울증을 겪는 많은 사람들이 알코올을 비롯한 물질에 중독되어 문제를 더 악화시키고, 판단력을 흐리고, 자해와 자살 가능성을 높인다.

진화에서 스트레스는 일종의 자극제다

자기 보호 본능은 DNA에 새겨져 있기 때문에 과잉 보호 성향—공포증, 불안증, 우울증—이 가족력으로 나타나는 것은 새삼스러운 일이 아니다. 일란성 쌍생아 중 한쪽이 우울증을 앓을 경우 다른 한쪽도 우울증을 앓을 확률은 40퍼센트다. 이란성 쌍생아의 경우 이 확률은 20퍼센트다.[39] 그러나 자기의 쌍둥이 형제나 자매가 우울증을 앓아도 자신은 그렇지 않을 확률이 60퍼센트라는 사실은, 유전 받은 돌연변이만으로는 정확히 누가 우울증을 겪을지 예측하기가 불가능함을 시사한다. 유당 소화력을 누가 가질지 정확히 예측하게 해 주는 돌연변이와는 경우가 다르다.

데이터를 검토해 보면 스트레스를 많이 주는 사건은 후성유전학적後成遺傳學的 꼬리표를 남겨(이 문제는 6장에서 더 자세히 살펴보겠다) DNA가 변형되며, 그에 따라 장래에 닥쳐올 스트레스에 대한 뇌의 반응이 달라진다는 것을 알 수 있다.[40] 이는 다른 몇몇 정신적 증상에도 적용된다. 예를 들어 여러 정신 질환이 칼슘 조절 유전자와 관련이 있지만 특정 개인의 임상 증상은 삶의 경험에 따라 다른데, 아마 DNA에 가해진 후성유전학적 변형도 여기에 영향을 끼칠 것이다(후성유전학은 DNA 염기서열 자체는 바뀌지 않고 일어나는 유전자 발현 메커니즘의 변화를 연구하는 분야다. 이 변화는 흔히 학습과 경험 등 환경 요인에 의해 일어나며 다음 세대로 유전될 수도 있다—옮긴이).

과학자들이 불안감, 두려움, 우울을 촉발하는 정확한 유전적·환경적 요인을 밝혀내려 애쓰고 있지만, 사실 이것은 진화의 관점에서 볼 때 잘 이해된다. 불안감은 위험을 예측하는 데 도움이 되고, 두려움은 위험을 피하는 데 도움이 된다. 한편 이길 수 없는 적이나 해결 불가능한 상황을 만나면 적어도 임시로나마 순종적인 자세를 취하고, 슬퍼하고, 심지어 잠시나마 우울해지는 수단을 동원하는 방법으로 자신을 보호할 수 있다. 그리고 이전의 경험이 특히 스트레스를 많이 주었다면, 고통스러운 그 기억은 다시는 그런 상황에 처하지 않도록 하는 끊임없는 자극제가 되어 줄 것이다.[41]

비명횡사 방지 생존 형질이 부적절할 때

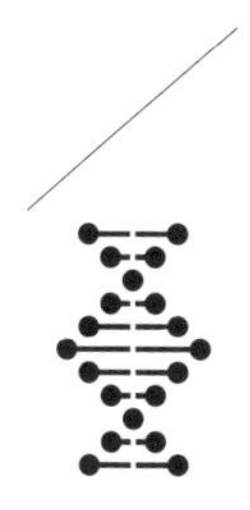

두려움과 용맹스러움 사이의 아슬아슬한 줄타기

우리 조상들 모두가 불안해하고 순종적인 태도를 취하는 사람들이었다면 인류가 미지의 세계를 탐험하고 지구 전체에 퍼져 살기는 불가능했을 것이다. 그러나 다른 극단, 즉 너무 두려움을 못 느끼는 사람들은 절벽에서 떨어지거나 맹수에게 당하거나 겁 없이 전투에 나서거나 해서 자손을 남기기 전에 죽을 확률이 높았다. 조상들은 아슬아슬한 줄타기를 해야 했다. 위험을 감수할 용의가 있으면서 동시에 목숨을 부지할 수 있도록 조심스러운 태도로 경계를 늦추지 않고 위기에 잘 반응할 수 있어야만 했다.

충분히 두려움을 느끼지 않을 때 어떤 일이 일어날 수 있는지 한 실험 사례를 통해 알아보자.[42] 완벽한 보호막 구실을 하는 가로막

뒤에 숨어 자기를 잡아먹을 수 있는 적을 호기심에 가득 차서 계속 관찰하는 구피 물고기 한 무리, 아무런 관심이 없는 구피 한 무리, 그리고 이 두 극단적 태도의 중간 정도 되는 반응을 보이는 구피 한 무리가 수족관 속에 들어 있다. 그 수족관에 농어 한 마리를 60시간 동안 풀어 놓자, 호기심 많은 구피들은 모두 잡아먹혔지만 무관심한 구피들은 60퍼센트, 중간 집단 구피들은 85퍼센트만 잡아먹혔다. 물론 우리는 용감한 이들이 필요하지만, 어떤 상황에서는 호기심 때문에 심지어 목숨이 아홉 개라는 고양이마저 목숨을 잃을 수 있다.

부적절할 정도로 두려움을 느끼지 않은 태도의 위험성은 조지 커스터 장군의 예로도 잘 알 수 있다. 웨스트포인트(미국육군사관학교)를 꼴찌로 졸업한 커스터 장군은 1876년 6월 겨우 500명가량의 기마대와 지원 부대를 이끌고 최소 일곱 배는 많은 병력을 가진 라코타족과 샤이엔족에 대한 공격을 감행했다. 그가 적절한 두려움을 느끼지 않은 탓에 그의 부대는 금방 전멸하고 말았다. 그리고 전사한 군인들 시체는 대부분 적에 의해 벌거벗겨지고 머리 가죽이 벗겨지고 온 몸이 심하게 훼손당해야 했다.

커스터의 경우는 너무 두려움이 없어 자신의 안녕을 해칠 정도였지만, 겁을 좀 덜 내면서 용맹을 과시해 전투에서 승리하는 조상들은 꼭 필요했다. 사실 우리 조상들 100퍼센트가 과도하게 두려운 감정을 가지고 살았다면, 우리 모두는 지금도 아프리카에서 채집 생활을 하고 있을 것이다. 조상들 중 일부는 위험을 기꺼이 감수하면서 성공적으로 살아남아야만 했다.

DRD4 돌연변이 보유 비율 20퍼센트가 의미하는 것

뇌 활동을 제어하는 주요 화학 물질 가운데 하나인 도파민의 존재를 감지하는 수용체가 우리 뇌에는 다섯 가지나 존재한다. 그중 네 번째 수용체의 활동을 변형하는 특정 돌연변이를 DRD4[43]라고 부르는데, 새로운 것을 추구하고 위험을 감수하고 충동적인 행동을 하는 것과 연관되어 있다. 이 돌연변이는 보통 사람들보다 더 모험심이 강한 스키나 스노보드를 즐기는 사람들 중에서도 상대적으로 더 많은 위험을 감수하는 이들의 행동을 설명하는 데 사용되기도 한다. 이 유전자의 또 다른 돌연변이는 90세 이상 사는 사람들 사이에서 많이 발견된다. 이 돌연변이가 더 활동적인 생활 습관을 유지하고, 장수를 돕는 사회적·육체적 활동에 더 많이 참여하도록 독려하기 때문일 것이다.[44]

유감스럽게도 이 유전자 돌연변이는 단점 또한 지니고 있다. 수명을 늘려 주는 이 돌연변이는 주의력 결핍 과잉 행동 장애ADHD를 가진 어린이에게서 훨씬 많이 발견된다. 특히 신생아일 때 어머니의 세심한 보살핌을 충분히 받지 못했거나 보육 시설 또는 보모와 시간을 많이 보낸 아이에게서 나타난다. 그리고 낮은 교육 성취도, 배우자 배신, 복잡한 이성 관계를 갖는 빈도가 높은 성격과도 관련이 있다.

그러나 진화의 관점에서 가장 중요한 사실은 DRD4 돌연변이가 4만 년 전, 그러니까 우리 조상들이 처음으로 본격적으로 아프리카를 떠나 세계의 다른 곳을 탐험하기 시작한 때 출현했다고 과학자들이 추정한다는 것이다. DRD4에 나타난 돌연변이는 인류 전체의 약 20퍼센트에서 발견되지만, 조상들이 아프리카에서 더 멀리 이주한 인구 집단일수록 더 많이 발견된다.

인류 가운데 일부는 위험을 감수하는 성향이 강하고, 일부는 조심스러운 성향이 강한 것은 바람직한 조합일 수 있다. 바로 이 점 때문에 과학자들은 DRD4 돌연변이의 확산이 인구 20퍼센트 선에서 균형점에 이르렀다고 추측한다. 세계를 통틀어 위험을 감수하는 성향이 강한 사람들 20퍼센트와 더 조심스러운 사람들 80퍼센트가 섞여 있는 것이 사회적으로 균형이 맞다는 것이다.

잃을 것이 별로 없을 때 더 용감해진다

DRD4 돌연변이와는 무관하게, 우리 모두는 잃을 것이 더 적다고 생각할 때 더 용감해지고 더 큰 위험을 감수하는 경향을 보인다. 외상 후 스트레스 장애를 가진 사람들이 위험을 감수하는 경향이 부적절할 정도로 커지는 것은 그래서다. 이는 또 미국에서 평균 수명이 짧은 가난한 동네 출신이 더 부유한 동네 출신보다 폭력과 살인을 저지를 확률이 더 높은 현상에 대한 설명이 되기도 한다. 희망이 별로 없는 사람은 명망이나 돈, 동네에서의 영향력을 확보하고 그리하여 자신의 유전자를 퍼뜨리기 위해 목숨을 잃거나 감옥에 갈 위험을 감수할 확률이 더 높다. 싸우지 않으면 자기 유전자를 가진 자손을 가질 확률은 제로에 가깝기 때문이다.

경쟁, 공격, 방어, 기억, 두려움, 그리고 그런 일들을 생각하면 연상되는 감정들은 항상 양날의 칼 역할을 해 왔다. 구석기 시대 우리 조상들은 너무 큰 위험을 감수하거나 너무 주저하면 생존할 수 없었다. 그러나 우리 조상들 한 사람 한 사람은 모두 전장을 피하거나 죽음을 당하지 않고 승자에게 순종하거나 해서 생존에 성공한 사람일 것이다. 그러지 않았다면 다른 사람들의 후손이 지금 여기 존재하고 있을 것이다.

문명과 폭력의 감소

공격의 문화에서 공존의 문화로

약 1만 년 전, 우리 조상들이 농경을 시작한 즈음부터 협동은 공동체 전체에서 훨씬 더 가치가 높아졌다. 가축을 돌보는 일이든 관개 시설을 만드는 일이든 협동 없이는 어려웠기 때문이다. 하지만 동시에 싸워서 쟁취해야 하는 것들도 더 많아졌다. 불평등이 심화되고, 일부다처제가 더 보편화되었으며, 자원을 둘러싼 경쟁이 더 치열해졌다. 근육질 몸과 전투에서의 승리—남성 호르몬인 테스토스테론이 하는 일을 생각해 보자—로 육체적 우월성을 증명한 남성은 다른 사람보다 더 많은 여성과 성관계를 가질 수 있었고, 칭기즈칸과 그의 아들들처럼 자손을 많이 퍼뜨렸다. 그 결과 전체 사망자 중 폭력에 의한 비명횡사 비율이 25퍼센트로 치솟았다. 농경 시

대의 도래 이전 15퍼센트 수준보다 훨씬 높은 수치다.[45]

그러나 점차 우리 조상들은 공동 방어 체계와 규칙, 그리고 심지어 평가 기준까지 갖춘 공동체를 형성하기 시작했다. 예를 들어 약 1000년 전 영국 농부들은 정착한 곳 주변에 울타리를 치고 방어용 도랑을 팠다.[46] 고고학자들은 처음에는 인간의 뼈가 발견된 이 도랑이 매장지라고 생각했지만 발굴 작업이 계속되면서 특히 문 근처를 중심으로 울타리에 수천 개의 화살촉이 박혀 있는 것이 발견되었다. 해석은 이견의 여지가 없었다. 도랑과 울타리는 정착민에게 중요한 방어 체계였고 침입자들은 거기를 넘어가려고 시도하다가 죽은 것이다.

정착촌들이 합쳐져 도시로, 국가로, 제국으로 발전하면서 폭력에 의한 죽음은 비율이 줄어들었다. 유럽에서는 복수 문화가 점점 사그라들고 명예를 존중하는 문화가 자리 잡으면서 11세기 무렵부터 폭력이 줄어들기 시작했다. 헨리 1세가 영국을 다스리던 1100년부터 1135년까지 기간 동안 살인은 희생자의 가족이 아닌 국가에 대한 범죄가 되었다.[47] 중세가 끝나면서 경제는 땅에만 의존하지 않고 갈수록 상업에 더 많이 의존하게 되었다. 땅을 두고 싸우는 것은 전형적인 제로섬 게임이다—땅은 절대로 더 늘릴 수가 없는 자원이므로 내가 갖거나 네가 갖거나 둘 중 하나다. 이에 반해 상업은 모든 사람이 혜택을 점점 더 많이 받을 수 있다.

흥미로운 점은 인류가 야생성을 서서히 잃어 가는 과정, 즉 구석기 시대에 서로 협조하는 무리로 시작해 농업 공동체로 계속 발전하는 과정에서 객관적으로 해부학적 변화가 일어났다는 사실이다. 지난 8만 년 사이에 인류는 툭 튀어나온 눈썹 부분 뼈가 줄어들고 얼굴이 더 작아졌다—특히 남성의 얼굴이 많이 작아져 이제는 구석기 시대 초기와 비교할 때 여성의 얼굴 크기와 차이가 훨씬 줄어들었다.[48] 테스토스테론 수치가 낮아져 벌어진 현상이라는 것이 현재의 추측이다. 테스토스테론 수치가 낮아 덜 공격적인 행동을 하는 남성이 자연 선택을 통해 살아남았을 뿐 아니라, 죽음을 당하지 않고 다른 인간들과 공존하는 데 더 나은 조건을 가졌기 때문이다.

현대의 대규모 전쟁과 집단 학살도 과거 살인율에 비하면 사소하다

물론 진화가 사회성을 더 중시하는 방향으로 계속되는 동안에도 문명이 붕괴하거나 사회적 압력이 변화할 경우에는 폭력과 살인이 급증할 수 있다.[49] 예를 들어 말레이시아의 세마이족은 폭력을 멀리해 왔다. 아마 이웃에 사는 더 호전적이고 숫자가 많은 말레이족에게 역사적으로 계속 패배해 온 탓일 것이다. 그런데 1950년대에 영국은 공산주의 게릴라에 대한 반격 작전을 펼치면서 세마이족을 척후병으로 사용했다. 그 와중에 세마이족 척후병 중 일부가 게릴라에게 죽자 살아남은 세마이족은 전사로 돌변해 상대방의 목숨을 노리는 복수의 화신이 되었다. 갈등이 끝난 후 귀환한 세마이족은 다시 비폭력 생활로 돌아갔다. 세마이족의 예는 가장 평화로운 사람들마저 복수심에 사로잡히거나 자신 또는 가족을 방어해야 하는 필요가 생기면 극도로 폭력적이 될 수 있음을 보여 준다.

살인율과 상관없이 전쟁과 집단 학살도 비명횡사한 사망자 통계에 한몫한다.[50] 최근 보스니아, 코소보, 인도네시아, 르완다 그리고 콩고민주공화국에서 벌어진 집단 학살은 수백만 명의 목숨을 앗아갔다. 방글라데시 한 곳에서만 파키스탄 군대에 살해당한 사람의 숫자가 300만 명에 이른다고 추측한다. 그렇지만 지난 500년 중 가장 대규모 폭력 사태가 난무했던 20세기에 벌어진 모든 전쟁과 집단 학살의 희생자—1억 8000만 명이 목숨을 잃었다고 추산된다—를 전부 합쳐도 같은 기간 사망자 수의 3퍼센트밖에 되지 않는데, 이는 문명이 시작되기 전 폭력으로 목숨을 잃은 비율보다 훨씬 낮다.

문명 국가에서 폭력이 줄어드는 현상은 항상 엘리트층에서 시작되어, 예의와 규칙 그리고 개인적 복수보다 형식을 갖춘 법 체제의 결정을 중시하는 중산층으로 전파된다. 사회경제적으로 위상이 낮은 계층 사람들은—아마 체제에 대한 신뢰가 더 낮기 때문에—자신의 복수를 정당화하는 일에서 도덕의 잣대를 들이대거나 법의 심판을 구하기보다 폭력을 사용할 가능성이 크고, 그러는 과정에서 폭력의 순환을 영구화하는 경향이 있다. 19세기 말 웨스트버지니아주의 햇필드 가문과 켄터키주의 매코이 가문 간 갈등은 상대적으로 최근에 벌어진 이 현상의 좋은 예다.[51] 사냥과 자급 영농이 생업인 이 두 가문 사이의 유명한 갈등도 오랜 기간 싸우고 수십 명이 목숨을 잃었지만 먼 옛날에 벌어지곤 했던 폭력적 갈등에 비하면 아무것도 아니다.

외도한 배우자에 대한 남성의 폭력을 규제하는 사회 규범은 다른 변화들보다 더 느리게 진행되었다. 일부 초기 사회에서는 결혼한 여성과 외간 남자 사이의 성적 관계를 범죄로 간주했다. 두 사람이 남편의 재산을 가로채기 위해 작당한 것과 비슷하게 받아들인 것이다. 많은 수렵·채집 사회에서 남편은 바람을 피운 아내와 그녀가 관계를 가진 남성을 죽일 권리가 있었는데, 동일한 원칙이 고대 그리스 사회에도 존재했고 심지어 초기 영국 관습법에서조차 이 권리를 인정했다. 미국 텍사스주는 1974년까지 이런 이유의 살인은 정당하다고 인정했다.[52]

살인과 폭력은 현저히 줄었지만 그 방어 기제는 여전히 작동한다

종 차원에서 인류는 폭력을 줄이기 위해 법과 사회적 압력에 점점 더 많이 의존해 왔다. 개인 차원에서는 비폭력적 해결책을 찾기 위해 기억과 감성 지능을 동원해 타협하고 적응한다. 토머스 제퍼슨 대통령의 명령을 받고 문명화된 사회를 떠나 역사상 가장 성공적인 수렵·채집 공동체들이 장악하고 있는 지역을 탐험하러 나선 메리웨더 루이스와 윌리엄 클라크를 예로 들어 보자. 그 과정에서 두 사람은 20곳 이상의 원주민 공동체를 만났고, 물리적 공격에서부터 겨울의 추위 그리고 그들을 도울 이유가 별로 없는 사람들에게 의존해야 할 필요에 이르기까지 다양한 위험과 도전을 극복해야만 했다. 두 사람은 위험을 피해 도망쳐야 할 때와 적과 맞서 싸워야 할 때를 구분하고 언제 어떻게 협상을 통해 어려운 상황에서 빠져나가야 하는지를 결정하는 판단력, 그리고 기억과 경계심에 의존해 살아남았다. 결국 그들은 목숨을 위협하는 싸움은 딱 한 번 경험했다.

현대 사회에서는 내가 너를 죽이지 않고 너도 나를 죽이지 않는다고 합의하면 두 사람 모두 자기 유전자를 후세에 물려줄 수 있다. 이런 사회적 진보는 폭력과 살인의 발생률을 현저하게 낮췄지만 성공과 명망 또는 배우자를 두고 벌이는 경쟁마저 없앤 것은 아니다. 그리고 뿌리 깊이 새겨진 타고난 본능은 현대 사회의 경쟁에서 졌다고 생각하는 사람들에게 두려움, 불안, 슬픔, 우울, 심지어 외상 후 스트레스 장애까지 유발하는 등 여전히 악영향을 미치고 있다.

과거와 현재의 살인율

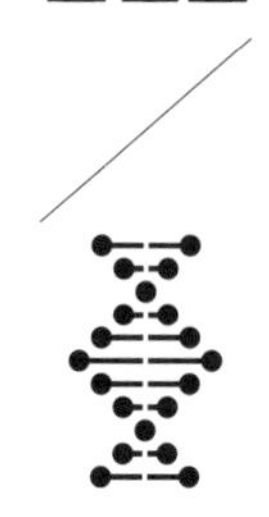

뱀이나 개보다 자동차가 더 무섭다

문명과 상업의 발달 덕분에 사람들이 서로 죽이는 일 없이 도시에서 잘 살아갈 수 있게 되면서 폭력에 의한 죽음은 점점 줄어들었다. 오늘날 영국의 살인율은 13세기의 5퍼센트 미만이고,[53] 서유럽 전체의 살인율은 문명이 생기기 전에 비하면 1퍼센트도 되지 않는다. 현재 전 세계 살인율의 중앙값은 한 해 사망자 100만 명 중 60건으로 1967년에 비해 거의 50퍼센트가 하락했다.

미국의 살인율은 1960년 100만 명당 50건에서 1980년 100건으로 증가했다가 서서히 줄어들어 다시 1960년대 초반 수준으로 내려갔다.[54] 그러나 이 비율이 가장 높았던 1980년에도 미국에서 살해당할 위험은 1450년 서유럽의 25퍼센트, 현대 온두라스—세계에서 가장 위험한 나라—의 5퍼센트, 그리고 국가가 형성되기 전 시대의 2퍼센트에 불과하다. 현재 미국에서 살인과 전쟁으로 인한 사망은 모든 사망 원인의 1퍼센트가 채 되지 않는다.

현대 미국에서 발생하는 사고 사망의 원인 역시 우리가 본능적으로 가진 두려움과 모순된다. 예컨대 1년에 벌에 쏘인 후 알레르기 반응으로 인해 사망하는 사람이 50명, 개에게 물리거나 개가 원인이 되어 목숨을 잃는 경우가 30명, 말과 관련된 사망자는 20명이다. 뱀, 거미, 전갈, 그리고 곤충도 미국인을 1년에 50명씩 죽이고 있다.[55] 이에 반해 자동차 사고로 인한 사망—안전띠, 에어백, 더 안전한 자동차와 도로로 60년 만에 최저치를 기록하고 있지만—은 연간 3만 3000명에 달한다.[56] 미국 어린이들이 뱀, 거미, 전갈보다 자동차를 더 두려워하는 본능을 타고난다면 상황은 훨씬 나아질 것이 분명하다.

강도가 아니라 친한 사람에게 죽을 확률이 훨씬 높다

강도나 차량 탈취 사건에 휘말려 전혀 모르는 타인의 손에 비명횡사할 가능성에 대해 걱정하는 사람이 많다. 하지만 미국에서 벌어지는 살인 사건 중 희생자가 범인을 전혀 몰랐던 경우는 20퍼센트고, 강도나 절도와 관련된 경우는 7퍼센트에 지나지 않는다. 미국에서 살해되는 여성 중 40퍼센트는 관계가 아주 가까운 사람—대개 가임 연령 여성이 상대방과 관계를 끝내려 할 때—에게 죽는다.[57] 살인 사건 중 대다수는 남성이 자신과 비슷한 특징을 가진 다른 남성—그리고 아마 같은 지역의 동일한 연령대의 남성—을 죽이는 경우다. 살해 이유도 법을 위반하는 것과는 전혀 상관이 없는 논쟁이나 갈등인 경우가 많다.

살인으로 이어진 갈등은 다른 사람들이 보기에는 하찮은 것일 수도 있지만 명예나 위상, 잠재적 배우자와 관련된 경우가 많다. 텔레비전 시트콤 〈해피 데이스Happy Days〉를 기억할 것이다. 거기서 이론의 여지가 없는 우두머리 수컷인 폰지에게 시비를 거는 사람은 아무도 없고, 그의 여자 친구에게 추파를 던지는 사람도 물론 없다. 작가 티머시 베너키가 지적했듯이, 다른 사람의 매력적인 여자 친구를 원하는 데 따르는 폭력이나 부상의 위험은 그 여성을 묘사하기 위해 우리가 쓰는 표현에 잘 드러나 있다[58]—죽이게 예쁜 여성bombshell, 기절할 정도로 멋진 여성knockout, 한 대 얻어맞은 느낌이 들 만큼 매력적인 여성striking, 한번 보면 그 자리에서 죽을 뻔할 정도로 아름다운 여성drop-dead gorgeous, 옷맵시가 죽여주는 여성dressed to kill, 치명적인 매력을 가진 여성femme fatale 등이 그런 예다.

통계가 알려주는 사실은 간단하다. 아는 사람, 특히 아주 잘 아는 사이면서 심각한 의견 차이를 보이는 사람 손에 살해당할 확률이 돈이나 다른 재물을 훔치려는 의도를 가진 사람 손에 살해당할 확률보다 훨씬, 아주 훨씬 더 높다.[59] 1000년에 걸친 법 전통을 이어

받아 형성된 현대의 사법 제도와 형벌 제도는 최소한 선진국에서만큼은 선사 시대의 무차별적인 살인, 노략질, 공동체 전체의 말살을 추구하도록 만드는 역학 관계를 변화시키는 데 성공했다.

현대 사회를 뒤덮은 불안과 우울증

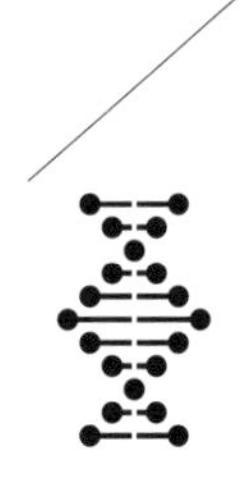

현대인의 불안과 우울증 비율

미국 성인의 18퍼센트가 지난 1년 사이에 불안을 경험하고, 일생에 한 번이라도 불안을 경험한 적이 있다고 응답하는 사람은 30퍼센트 가까이 된다. 그중 4분의 1 정도가 자신의 증상이 심각하다고 진단하며, 남성보다 여성이 불안을 경험했다고 응답한 확률이 50퍼센트나 더 많다.[60] 불안에는 분리 불안, 낯선 사람 불안, 사회 불안, 범불안, 공황 발작, 그리고 여러 공포증—고소 공포증, 광장 공포증, 폐쇄 공포증 등—이 포함되어 있다. 불안은 자가 보고 또는 가족, 친구의 증언에 따라 진단하는 경우가 일반적이다. 불안을 겪는 사람이 의사의 진료를 받는 동안 자신의 증상을 촉발하는 요인과 마주치지 않을 수도 있기 때문이다.

일반적으로 받아들이는 기준에 따르면 미국 성인 중 이전 한 해 동안 상당한 정도의 우울증을 경험하는 사람은 7퍼센트에 달하며, 평생 한 번 이상 우울증을 경험하는 사람이 17퍼센트다. 미국인만 그런 것은 아니다. 아메리카와 유럽의 7개국에서 이전 12개월 사이에 우울증을 경험한 사람의 비율은 모든 나라에서 인구의 4퍼센트를 넘어섰다. 믿기 어렵겠지만 일부 보고에 따르면 40세에서 60세 사이 미국 여성의 20퍼센트 이상이 항우울제를 복용한 경험이 있다고 한다.[61]

불안과 우울증의 증상과 위험

우울증의 기준은 매일 대부분의 시간 동안 우울하거나, 대부분의 일상 활동에 관심이 없어지거나 즐거움을 찾지 못하는 상태가 2주일 이상 지속되는 것이다. 이에 더해 다음 증상 중 적어도 세 가지 이상이 해당되어야 한다—상당한 체중 감소 또는 증가, 거의 매일 겪는 불면이나 지나친 수면, 다른 사람이 분명히 알아차릴 정도로 느려진 행동과 사고, 거의 매일 느끼는 피로나 무기력, 무가치감 또는 과도한 죄의식, 우유부단함 또는 집중력 상실, 자꾸 되풀이하는 죽음이나 자살 생각.

불안은 호전과 악화를 반복하는 경향이 있기는 하지만, 슬픈 감정과 우울증을 촉발할 정도로 충분히 일상 생활을 저해하고 사회생활을 어렵게 할 수 있다. 좋은 소식은 대부분의 슬픔과 우울은 해결되며, 심지어 약을 먹기 전에도 해소된다는 것이다. 사람들은 그런 감정에서 회복해 새로운 목표와 즐거움을 찾고 주변과 자신의 문제에 다시 관심을 갖기 시작하는데, 대개 가족과 친구의 도움 덕분이다.

그러나 불행하게도 불안을 겪는 사람이 새로운 목표를 찾아 성취하지 못하면 신경증성 우울증, 기분 부전 장애 등으로 불리는 만성 우울증으로 이어질 수 있다. 이때 새로운 목표—사회적 지위, 명예, 경제적 성공, 짝 찾기 등 무엇이든 간에—는 성취하지 못해 우울증을 촉발했던 기존의 목표와 다르고 덜 야심찬 것일 경우가 많다. 방향을 바꾸고 다시 뭔가에 초점을 맞출 수 없으면, 단기적 슬픔은 더 생산적인 활동으로 방향 전환하는 유용한 계기가 되지 못하고 만성적 에너지 부족과 우울증으로 발전하게 된다. 심각한 우울증을 앓을 때 심신을 피폐하게 하는 무력감은 거의 모든 목표를 성취 불가능하게 만들며, 가시지 않는 우울증으로 인한 끝없는 고통은 결국 자살로 몰아갈 수 있다.[62]

외상 후 스트레스 장애:
다시 제이슨 펨버턴 이야기로

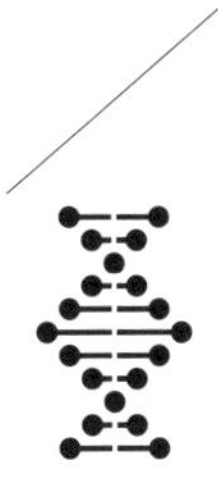

무엇이 외상 후 스트레스 장애를 낳을까

제이슨 펨버턴[63]은 낙하산 사고로 허리를 다친 후 2009년 재대했다. 그와 티퍼니는 플로리다주 데이토너비치로 이사했고, 그곳에서 제이슨은 오토바이 수리공이 되기 위한 공부를 하고 있었다. 이웃들은 제이슨 부부가 크게 다투는 소리가 자주 들렸다고 했지만 티퍼니는 남편에게 헌신적인 것처럼 보였다. 살인·자살 사건이 일어나기 6개월 전쯤 제이슨은 티퍼니가 소란을 피운다며 경찰을 불렀지만 막상 경찰이 집으로 출동하자 신고를 취소했다.

우리는 두 사람이 무슨 일로 다투었는지, 아내가 자기를 떠날 것이라는 우려를 제이슨이 했는지 여부를 알지 못한다. 그러나 한 가지 알려진 사실은 그가 재향군인회가 운영하는 그 지역 병원에서 외상 후 스트레스 장애 치료를 받고 있었다는 것이다. 티퍼니는 사건이 나기 사흘 전 제이슨에게 계속해서 항우울증 처방을 하는 것 말고는 재향군인회 병원 의사들이 할 수 있는 일은 아무것도 없다는 통고를 받았다.

한때 '전쟁 피로증'이라고도 불렸던 외상 후 스트레스 장애는 특히 스트레스가 많이 쌓이는 상황을 겪고 그 상황을 기억하는 사람을 괴롭히는 질병이다. 이 증상에 대한 공식적인 진단은 명확하게 스트레스라고 규정된 것에 노출되었던 사람의 기분, 사고, 각성, 반응에 변화가 생기고, 외상을 입은 상황을 머릿속에서 다시 경험하면서 그 결과 행동이 바뀌는 경우에 내려진다.[64] 군 인력의 약 2퍼센트가 외상 후 스트레스 장애를 경험하지만, 이라크와 아프가니스탄 전쟁 참전 병사의 경우 비율이 10퍼센트까지 올라가며, 자신이 부상당하거나 다른 병사가 죽는 광경을 목격한 경우 비율은 그보다 더 높아진다. 아프가니스탄에 파견된 미군 전투 부대에 배치된 군견 중 약 5퍼센트가 개에게 나타나는 외상 후 스트레스 장애 증상을 보였다.[65]

외상 후 스트레스 장애는 기억에 바탕을 둔 과장된 두려움으로, 불안과 우울증으로 발전하는 경우가 많다. 네팔에서 진행된 정신건강에 관한 연구[66]에 따르면 내전이 끝난 이듬해인 2007년 불안을 겪는 사례가 두 배로 증가했고, 인구의 14퍼센트가 외상 후 스트레스 장애를 보였다. 불안 증가 현상은 개인이 전쟁의 영향에 노출된 정도와 강한 상관 관계를 보였다. 소년병으로 참전했던 사람들은 전장에 나서지 않은 사람들보다 외상 후 스트레스 장애와 우울증을 앓을 확률이 더 컸다.

외상 후 스트레스 장애는 끈질기다

외상 후 스트레스 장애는 생존 형질—기억과 두려움—의 결과로 나타나지만 부적응증이라는 사실에는 변함이 없다. 외상 후 스트레스 장애에 수반되는 자기 파괴적인 요소는 자살로 이어질 수 있고, 과도한 공격성은 살인으로 이어질 수 있다. 제이슨 펨버턴의 경우 우리는 그 두 가지 현상을 모두 목격했지만, 어떤 경우는 과도한 공격성만 관찰되기도 한다.

1968년 3월 베트남의 미라이에서 미군은 350명 정도로 추산되는 민간인 집단 학살을 자행했다. 희생자 대부분은 여성, 어린이, 노인이었다. 윌리엄 케일리 중위를 비롯한 미군 병사들은 처음에는 마을 주민들이 베트콩 전투원들을 숨겨 주고 있다고 생각했을 수도 있다. 그러나 무자비하게 감행된 집단 학살의 규모는 어떤 위협을 상상했더라도 말이 되지 않았고, 나중에 적군의 무기나 징병 연령의 남자가 존재한 흔적조차 발견하지 못했다는 증언이 나왔다. 그보다 더 최근에 벌어진 아프가니스탄 전쟁에서 로버트 베일스 하사는 밤중에 마을 두 곳에 몰래 잠입해 민간인 16명을 무차별 학살했다.[67]

외상 후 스트레스 장애를 가진 사람 중 3분의 2는 증상이 저절로 해소되면서 회복한다. 그렇지 못한 사람도 대부분 시간이 흐르면서 어떻게 대처해야 하는지를 배운다. 그러나 이 증상은 끈질기게 회복되지 않는 경우도 많다. 외상 후 스트레스 장애를 보인 베트남전 참전 군인 중 10퍼센트는 40년이 지난 지금까지도 여전히 고통받고 있다.[68] 지지하고 힘을 주는 사회적 환경이 도움이 된다는 것은 확실하지만 왜 어떤 사람은 다른 사람보다 회복 가능성이 더 높은지는 확실치 않다. 그러나 외상 후 스트레스 장애가 너무나 끈질기게 괴롭혀서 견딜 수 없어지면 제이슨 펨버턴 이야기와 같은 사건이 흔해질 수밖에 없다.

자살의 이유

자살의 여러 형태

진화의 관점에서 보면 자살은 본능에 위배되는 행동이다. 간단한 논리를 적용해 봐도, 살인은 자기 유전자를 퍼뜨리는 데 도움이 되지만 자살은 생존 본능에 정면으로 배치된다. 생존에 필요한 행동을 물려받았기 때문에 우리가 살아남을 수 있었다면, 자살하는 사람이 하나도 없어야 맞지 않은가?

그렇지만 어쩌면 자살은 늙거나 장애가 생기거나 의존적이 된 사람이 자신을 돌봐 주는 사람들에게 짐이 된다고 여겼을 때 스스로를 제거하는 방법으로 늘 사용되었을 가능성도 있다. 이런 '이타적 자살'의 예로는 인도에서 남편을 여읜 여성이 스스로 목숨을 끊는 관습인 '사티Sati'[69]와 일본에서 사무라이의 미망인이 칼로 경정

맥(목정맥)을 끊는 '지가이じがい, 自害'[70]가 대표적이다.

굴종, 슬픔, 희망의 부재, 우울증으로 인한 고통—적절한 치료를 받지 못하거나, 치료받지 않거나, 나중에 돌이켜 진단이 내려진 경우—이 한 개인을 자살로 이끈다.[71] 자살을 촉발하는 가장 흔한 사건은 배우자나 짝, 경제, 직장, 건강 등에서 생긴 문제다. 모두 우울증을 초래하며, 외상 후 스트레스 장애로 고통받는 사람이 흔히 겪는 문제다.

굴종의 자세를 취하게 된 것에 대한 혐오 그리고 두려움과 관련된 견딜 수 없는 슬픔이 자살하게 만들 정도로 사람을 비참하고 절망적으로 만드는 유일한 요소는 아니다. 그러나 이 요소들은 자존감을 상실하면서 경험하는 패배감, 실망감, 사회적 소외감, 슬픔과 직접 연결된다. 아마 자존감을 지키기 위한 자살의 가장 널리 알려진 예는 '할복'일 것이다. 패배한 일본 사무라이가 모욕과 수치 그리고 고문의 가능성을 피하기 위해 스스로 배를 가르는 의식으로 이런 관행은 2차 세계대전 중 포로로 잡힌 일본 병사들에게까지 이어졌다.

자살은 또한 가족이나 친구와 사회적 접촉 상실('이기적 자살'), 원하는 목표의 달성 실패('아노미적 자살'), 체제와 싸워 사회를 개선하지 못한 데 대한 좌절('숙명론적 자살')과 관련이 있을 수 있다. 이기적, 아노미적, 숙명론적 자살은 무리에 소속되지 못한 느낌, 중요한 관계의 상실, 자신의 성취에 대한 실망, 패배와 치욕을 피하려는 시도, 그리고 달리 전혀 희망이 없는 상황을 공격적인 방법으로 제어하고자 하는 욕망이 자살의 추동력이 된다는 개념과 맞아떨어진다.[72](여기서 말하는 여러 형태의 자살은 에밀 뒤르켐이 《자살론》에서 구분한 자살 유형이다—옮긴이)

사람은 왜 자살할까

자살은 인류의 존재만큼이나 오래된 개념일지 모르지만 현대의 자살률과 선사 시대의 자살률을 비교하기는 불가능하다. 구석기 시대 자살률은 폭력적인 수렵·채집 공동체인 베네수엘라의 히위족을 대상으로 한 연구로 추정해 볼 수 있는데, 7년 동안 4건의 히위족 성인 자살이 보고되어 현대 미국의 자살률보다 2.5배 높았다.[73] 자살 전 남기는 유서의 첫 예는 4000년 전 이집트에서 나왔다.[74] 전투에서 부상당한 뒤 자살한 사울 왕, 다른 사람들을 구하고 스스로 목숨을 포기한 삼손, 수치심에 목을 매단 유다 등 《성경》 속 인물 중에도 자살한 사람이 여럿 있다. 안토니우스와 클레오파트라도 자살을 감행한 유명인이다.

자살은 마약과 알코올을 남용하는 사람들 사이에서 훨씬 빈번하게 벌어진다.[75] 마약과 알코올은 아마 자살 위험을 높이는 데 직접 관련이 있을 테지만, 부분적으로는 술과 마약에 손을 대는 동기가 되는 감정들이 자살을 유발하는 감정들과 동일하기 때문에 그 관련도가 더 높아 보이는지도 모른다.

자살은 성공이 아예 불가능하다고 생각하는 상황보다 경쟁에서 이길 수 있다고 생각하는 상황에서 성공하지 못한 경우에 더 빈번하게 벌어진다. 예를 들어 노예의 자살[76]에 대해 알려진 자료를 고려해 보자. 물론 정확한 통계 자료를 얻기는 무척 어렵지만, 알려진 정보에 따르면 노예 상인에게 잡힌 아프리카인은 아메리카대륙으로 이동하는 도중과 도착했을 때 자살하는 비율이 높았다. 반면에 노예 상태로 태어난 사람들의 자살률은 이보다 낮았다. 그렇지만 반란을 일으켰다가 실패한 후에는 자살률이 엄청나게 치솟았다. 이와 더불어 노예가 죽기를 기대하면서 의도적으로 저항한 일—요즘 우리가 '대리인을 통한 자살suicide by proxy'이라고 부르는 현상—이 얼마나 흔했는지는 알지 못한다. 가장 설득력 있는 해석은 이렇다. 노예 상인에게 잡힌 직후 자기 앞에 놓인 두려움과 굴종의 시간을 예상한 사람은 깊은 불안과 슬픔을 경험했을 것이다. 이와는 대조적으로 태어날 때부터 노예 신분인 사람은 다른 삶은 전혀 알지 못한 채 자기 삶에 깊이 새겨진 굴종의 자세를 더 잘 받아들였을 것이다—희망을 가지고 상황을 개선하려 시도하다가 실패하기 전까지는 말이다.

같은 이유로 아노미적 자살은 부유한 사회에서 더 빈번하게 일어난다고 추정된다. 이론적으로는 기회가 주어지지만 성취 의욕이 있는 사람이 무슨 이유에서든 기회를 얻어 성공하는 데 실패하면 우울증에 걸린다. 현대 사회에서 사회적 위상을 보여 주는 가장 대표적인 표지는 육체적 경쟁이 아니라 경제적 경쟁이다. 그러므로 미국에서 실업률이 1퍼센트 높아질 때마다 자살률이 1퍼센트 올라가고 경제 불황이 닥치면 자살률도 최고점을 찍는다는 사실은 놀라운 일이 아니다.[77]

이와 비슷한 맥락에서 구소련의 붕괴 이후 러시아에서도 치솟는 실업률과 알코올 중독증, 살인율과 발맞춰 자살률이 증가했다.[78] 리투아니아 같은 구소련의 일부였던 나라와 내부 갈등을 겪고 있는 부룬디 같은 아프리카 국가 역시 높은 자살률을 보인다. 부유한 국가 중 가장 높은 자살률을 보이는 나라는 한국으로 성인 자살률이 히위족의 자살률과 비슷하다.[79]

밖으로 표출할 수 없을 때 공격성은 자기 자신을 향한다

21세기 미국에서는 매년 100만 건의 자살 시도가 일어나며 15분마다 누군가 자살에 성공해 죽는다. 자살 시도는 여성이 남성보다 세 배나 높지만 자살로 죽을 확률은 오히려 남성이 여성보다 네 배 높다.[80]

지난 6년 사이 미국에서 병원에 입원한 자살 기도 환자 중 약물 과다 복용에 해당하는 사례가 50퍼센트 증가했는데,[81] 이는 높은 실업률에 비추어 예상했던 증가율을 넘어선 수치다. 미국이 지금처럼 뛰어난 응급 의료 체제를 갖추고 있지 않다면 지난 수십 년간 같은 수준으로 유지되어 온 자살 성공률은 틀림없이 계속 증가했을 것이다.

자살은 미국인의 주요 사망 원인 중 열 번째에 올라 있다. 이 장의 앞부분에서 이미 언급했지만 매년 4만 명이 자살로 세상을 뜨는 반면, 살인으로 인한 사망은 1만 6000건에 지나지 않는다. 자살이 증가하고 살인이 감소하는 이런 패턴은 총기 관련 사망 사건의 패턴에도 반영된다.[82] 미국은 어느 선진국보다 총기 관련 살인 사건 비율이 높아 평균적으로 다른 선진국의 스무 배나 된다. 그런데 사실 매년 벌어지는 총기 관련 살인 사건 1만 1000건은 연간 총기 관련 자살 사건 1만 9000건보다 적은 수치다. 더 안전한 문명 세계, 그러니까 살인자는 결국 법의 심판을 받을 것이라는 예측이 존재하는 세계에서는 타인을 향한 폭력은 점점 더 매력이 떨어지는 행동 방식이 되어 간다.[83] 그 결과 다른 사람을 향해 밖으로 표출되던 분노가 점점 더 자기 내부로 향하는 경향이 심해져서 불안증과 우울증으로 나타나고, 그 결과 표출되는 공격성도 타인이 아니라 자기 자신을 향하는 경향이 커지고 있다.

자신의 공격성을 다른 사람에게 표출할 수 있는 환경에서 그럴 수 없는 환경으로 변할 때 어떤 현상이 벌어지는지는 미군 병사들 사이에서 자살 건수가 점점 늘어나고 있다는 것만 봐도 알 수 있다. 2012년의 경우 스스로 목숨을 끊은 현역 군인이 매일 평균 1명이어서,[84] 같은 해 전장에서 부상당해 사망한 군인 수보다 더 많았다. 흥미로운 사실은 이 자살 군인 중 20퍼센트만이 실제 전투에 참여하고 있었다는 것이다. 나머지는 법적으로 타인을 총으로 쏠 수 없는 상황에서 공격성을 자신에게 돌린 경우였다.[85]

전쟁의 트라우마와 외상 후 스트레스가 자살의 요인이 된다는 사실에는 의심할 여지가 없다. 그렇지만 자살한 병사의 50퍼센트 이상이 최근에 친밀한 관계가 깨지는 경험을 했고, 25퍼센트 정도가 약물 남용 진단을 받은 상태였다.[86] 예전에는 현역 미군 병사가 민간인보다 낮은 자살률을 보였는데, 이는 아마 육체 건강뿐 아니라 정신 건강까지 확인해 걸러 냈기 때문으로 보인다. 그러나 이제는 일반인에 비해 현역 군인은 50퍼센트, 전역 군인은 두 배 이상 높은 자살률을 보인다.[87] 아마 더 많아진 약물 남용, 예전에는 목숨을 앗아갔겠지만 지금은 목숨에는 지장 없이 평생 안고 살아가야 하는 장애, 현대 전쟁의 성격, 그리고 경기 침체기에 전역한 후 취업이 힘들어진 것 등 여러 가지 이유가 있을 것이다. 군대 복무 경험이 있는 사람의 비율은 전체 미국 성인의 13퍼센트지만 전체 자살자 중 이들이 차지하는 비율은 약 20퍼센트에 이른다.

불안, 우울증, 자살은 인류 생존과 진화의 대가다

따라서 자살은 새로운 현상이 아니며 자살률이 경제적 조건과 문화에 따라 달라진다는 것은 확실하다. 예의와 공동체 규범이 무너지면서 생기는 스트레스는 폭력으로 이어지기도 하지만 같은 종류의 스트레스가 자살을 촉발하기도 한다. 제이슨 펨버턴을 비롯한 수많은 미군 병사가 그랬던 것처럼 말이다.

현대 전쟁, 심지어 집단 학살은 끔찍하지만 과거의 전투에 비하면 빈도와 야만성이 비교할 수 없을 만큼 약하다. 이와 더불어 인구 밀도가 높은 산업화된 사회에서 번창하며 살기 위해 채용된 사회 관습은 살인율을 상당히 낮추는 효과를 가져왔다. 그러나 우리는 선사 시대의 다양한 생존 본능—이길 수 없는 상황에 직면했을 때 작동하는 기억, 두려움, 불안, 공포증, 그리고 순종적인 태도, 슬픔, 심지어 우울증까지—을 여전히 가지고 있다.

현대의 미국인이 타인에게 살해—살인과 전투 중 전사까지 합쳐—당하기보다 자기 손에 죽을 확률이 더 높다는 사실을 감안하면, 구석기 시대 조상들을 보호했던 두려움과 불안, 순종적 태도가 안전한 세상에서 사는 우리에게 너무 과도하게 남아 있다는 사실은 명백하다. 현대 문명 사회의 규범에 따른 경쟁에서는 상대방은 죽이고 자신이 죽는 것은 피하는 일을 목표로 하지 않는다. 우리는 여전히 사랑, 돈, 자원, 위상을 얻기 위해 경쟁하지만 현대 사회의 이런 경쟁이 생사를 가르는 투쟁이 되는 경우는 거의 없다. 그럼에도 경쟁에서 지면 잘 살면서 짝을 찾을 가능성이 줄어들기 때문에 슬프고 우울해지고 심지어 자살까지 고려하게 된다.

거의 20만 년 동안 우리 조상들은 서로를 죽일 더 나은 방법을 개발하고 죽음을 면하는 더 나은 방어 전략을 세우는 진정한 의미의 '군비 경쟁'을 해 왔다. 좋은 소식은 방어 쪽이 이기고 있다는 것이다. 나쁜 소식은 경쟁이 방어 쪽으로 너무 유리하게 기울어 살해 당하지 않으려는 방어 기제가 불안과 우울증을 유발해 원래 피하려 했던 폭력 자체보다 더 많은 희생자를 내고 있다는 사실이다.

유감스럽게도 세상은 여전히 조심하는 편이 좋은 정도로는 위험하며, 따라서 우리가 가진 방어 기제 전체의 스위치를 몽땅 꺼 버리는 것은, 설령 그렇게 할 수 있다 하더라도 시기상조일 것이다. 바로 그런 이유에서 불안, 우울증, 외상 후 스트레스 장애, 자살 위험은 우리 조상들이 자신의 유전자를 후손에게 물려주기까지 죽지 않고 살아남은 데 대해 우리가 계속 치러야 할 대가인 것이다.

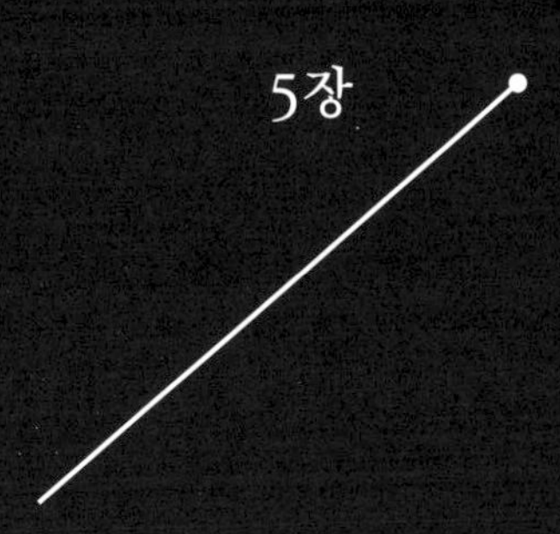

5장

출혈, 응고
그리고 심장 질환과 뇌졸중이라는 현대병

로지 오도널과 '과부 제조기'

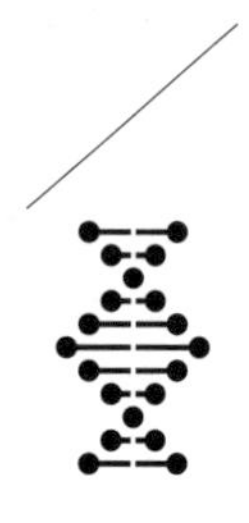

미국인의 주요 사망 원인, 관상 동맥 경화증

2012년 8월, 여배우 로지 오도널은 가슴과 양쪽 팔에 통증을 느꼈다. 50세의 오도널은 그날 몸무게가 많이 나가는 여성을 부축해 일으키는 것을 도왔던 일을 생각하며 그 와중에 근육에 무리가 갔을 것이라고만 생각했다. 그러나 시간이 흘러도 통증은 계속되었을 뿐 아니라 식은땀이 나면서 속이 메슥거리고 토하기까지 했다. 컴퓨터를 켜서 여성 심장 마비 증상을 검색해 보고 아스피린(심장 질환 예방약으로도 사용된다—옮긴이)을 먹기는 했지만 다음 날이 되어서야 병원에 갈 정도로 그다지 크게 걱정하지는 않았다. 그러나 병원에 가서 심전도 검사를 받은 결과 급성 심장 마비 증상이 확실하다는 사실이 밝혀졌다.

큰 병원으로 급히 옮겨져 염료 주입 검사를 받아 보니 몸 전체로 피를 보내는 장기인 심장 좌심실에 혈액을 공급하는 관상 동맥(심장 동맥)이 99퍼센트 막혀 있었다. 의사들은 재빨리 의료용 얇은 관인 카테터catheter를 삽입해 풍선을 불어 동맥을 막고 있던 혈전을 밀어 눌러 혈관을 다시 연 다음, 철망 모양의 관인 스텐트stent를 삽입해 동맥이 다시 막히지 않고 심장 근육에 더 이상 손상이 가지 않도록 조치를 취했다.[1]

수십 년 동안 의사들은 심장 동맥이 거의 막히는 이 증상을 '위도 메이커widow maker' 즉 '과부 제조기'라고 불러 위험성을 강조했다. 이 용어에는 또 여성보다 남성이 이 증상을 겪을 확률이 높다는 의미도 들어 있다. 그러나 관상 동맥 경화증은 미국 남성뿐 아니라 여성의 주요 사망 원인으로 꼽히고 있는 것이 현실이다. 남녀 간 유일한 차이는 심장 마비를 겪는 시기가 여성이 남성보다 평균 10년쯤 늦다는 것뿐이다.

혈액 응고 장치의 역기능, 심장 마비와 뇌졸중

1628년 영국의 의사 윌리엄 하비가 혈액 순환을 최초로 상세히 설명할 수 있게 되면서 의학은 진일보했다.[2] 모두 합치면 9만 6000킬로미터에 달하는 동맥, 정맥, 모세혈관으로 이루어진 우리의 순환계에는 5쿼트(약 4.7리터) 정도의 피가 돌고 있다. 이 폐쇄 순환 체계에 아주 조그만 구멍이라도 생겨 피가 새기 시작하면 우리 몸은 출혈로 인한 사망을 방지하기 위해 댐에 난 구멍을 막듯이 즉시 피를 응고시킨다. 하지만 원래 출혈로부터 우리를 구해 주는 이 응고 장치가 필요하지 않을 때 작동하면 혈전이 생기는데, 이 혈전—로지 오도널의 관상 동맥에 생긴 것—은 우리를 몹시 아프게 하거나 심지어 죽일 수도 있다.

구석기 시대에는 혈전의 위험이 그다지 높지 않았지만 이제는 심각하다. 식습관과 운동 부족으로 인해 심장 마비와 뇌졸중이 현대 미국인 사망 원인의 1위와 4위로 각각 등극했기 때문이다.[3] 불필요한 혈액 응고가 왜, 그리고 어떻게 이렇게 만연한 현대병의 주요인이 되었을까? 이를 이해하려면 먼저 우리가 얼마나 쉽게 출혈로 목숨을 잃을 수 있는지, 그리고 그런 일을 방지하기 위해 우리 몸이 어떤 장치를 갖추게 되었는지 살펴봐야 한다.

출혈에서 살아남기

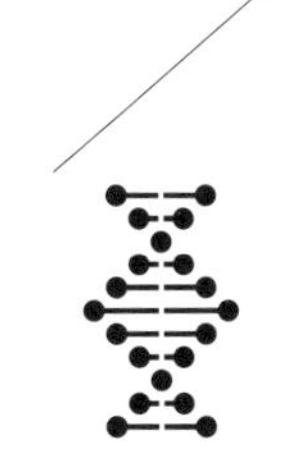

어느 정도의 출혈이면 위험할까

우리 조상들은 수천 년 동안 원시 지구의 자연을 누비며 걷고 뛰어다녔다. 미끄러지고, 넘어지고, 베이고, 부딪히고, 타박당해 생기는 일상의 다양한 부상은 정맥과 동맥 혈관에 상처를 내서 피부를 통해 눈에 보이는 출혈, 또는 겉으로는 보이지 않지만 몸속에서 생기는 출혈을 야기할 수 있다. 심지어 별다른 외상 없이 혈관이 터져 피가 흐를 수도 있다. 가끔 몸에 멍 자국이 보이지만 어디서 그런 멍을 얻었는지는 기억하지도 못하는 경험을 한 사람이 많을 것이다.

더 극단적인 예를 들어 보자. 아기가 태어날 때 태반이 자궁에서 떨어져 나오는 과정(후산後産이라고 부르기도 한다)에서 산모는 피를 너무 많이 흘려 죽을 수 있다. 우리가 출혈에 이렇게 취약하다면 우리 조상들은 가벼운 생채기에서부터 생명을 위협하는 큰 부상과 출산에 이르기까지 그 모든 출혈을 겪으면서도 어떻게 살아남았을까?

몸이 휴식 상태에 있을 때 10파인트(약 4.7리터)의 피가 우리 몸 전체를 1분마다 한 바퀴 돈다. 좋은 소식은 그중 약 15퍼센트 즉 1.5파인트(약 0.7리터) 정도의 피를 잃어도 큰 부작용은 없다는 사실이다. 그러나 그보다 많은 양을 급속히 잃는다면 문제가 심각해진다. 1.5~3파인트(약 0.7~1.4리터)의 피를 며칠 사이에 잃으면 심장은 남은 피를 몸 전체에 더 빨리 돌리려고 하기 때문에 심장 박동수가 올라갈 것이다. 몇 시간 사이에 3파인트(약 1.4리터) 이상의 피를 흘리면 혈압이 떨어지고 여러 신체 기관, 특히 뇌가 정상적으로 작동할 수 있을 만큼 충분한 산소를 공급받지 못한다. 몇 시간 안에 4파인트(약 1.9리터) 이상의 피를 급속도로 잃으면 몸이 쇼크 상태에 들어가고 심지어 사망할 수 있기 때문에 현대 의학 기술을 동원한 응급 처치를 받아야만 한다.

몸 밖 출혈만 위험한 것이 아니다. 몸 안에 피가 새어 나와 고이면 혈종血腫—우리 모두 가끔 몸에 생기는 검푸른 멍—이 생긴다. 허벅지에 생기는 혈종에는 1파인트(약 0.47리터)가 넘는 피가 들어 있는 경우도 흔하다. 혈종은 부으면 안 되는 신체 부위에 생길 때 특히 위험하다. 두개골에 외상을 입은 후 생길 수 있는 경막하 혈종—뇌 안쪽 막에 생기는 멍—을 예로 들어 보자. 경막하 혈종은 부피가 제한된 두개골 안에 공간을 차지하고 자리 잡기 때문에 뇌에 압력을 가하게 된다. 3티스푼(약 15밀리리터)이 조금 넘는 피만 고여도 뇌 기능에 이상이 오고, 반 컵(약 100밀리리터)이 넘으면 죽음에 이르는 경우가 많다.

원활한 순환과 신속한 응고 사이의 섬세한 균형 잡기

목숨을 위협하고 죽음에 이르게 하는 출혈을 방지하기 위해 피는 재빨리 응고해 구멍을 막아 더 이상 피가 새지 않도록 해야 한다. 그러나 이러한 응고 장치는 꼭 작동해야 할 때와 장소에서만 정확히 작동할 수 있도록 하는 완벽한 조절이 필요하다. 불필요할 때 불필요한 곳에서 필요 이상으로 큰 혈전이 생겨 혈액의 정상 순환을 방해하면 출혈만큼 또는 그 이상으로 나쁠 수 있다.

동맥 내 혈전은 그 너머에 있는 장기에 필요한 영양소, 특히 산소의 공급을 박탈하는데 산소가 없으면 해당 장기의 세포는 결국 괴사하고 만다. 혈전이 심장 근육으로 가는 동맥을 60분 이상 막으면 심장 마비를 일으키고, 이런 일에 굉장히 취약한 뇌로 가는 동맥을 5분 이상 막으면 뇌졸중을 일으키는 것은 바로 이 때문이다. 정맥에 생기는 혈전은 보통 동맥 혈전보다 즉각적인 손상을 야기하지는 않지만 역시 심각한 부작용을 초래한다.

혈액은 끊임없이 순탄하게 흘러야 하지만, 혈액 응고 체계도 언제나 정신을 바짝 차리고 준비 상태에 있어야 한다. 비상 사태가 발생해 구조 요청이 들어오면 소방서처럼 재빨리 단호하게 대처할 수 있어야 하기 때문이다. 이는 대단히 섬세한 균형 잡기가 필요한 일로서 자칫하면 균형을 잃기 십상이다.

구석기 시대의 출혈 위험

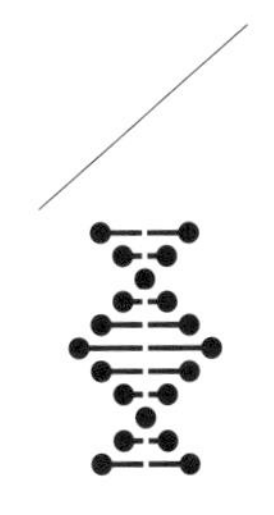

출산 시 출혈이 더 큰 문제였다

구석기 시대 조상들의 12퍼센트, 초기 농업 정착민의 25퍼센트가 살인과 치명적 부상으로 사망했다면, 죽지 않을 정도로 베이고 부딪히고 멍드는 일은 얼마나 빈번했을지 가히 상상이 간다. 조상들이 직면해야 했던 출혈의 위험을 더 실감나게 이해하기 위해 아이스맨 외치 이야기로 다시 돌아가 보자.[4] 사체에 대한 상세한 방사선 조사 결과, 외치는 어깨에 박힌 화살이 왼쪽 팔로 피를 공급하는 주혈관인 쇄골하 동맥을 관통하면서 피를 너무 많이 흘려 사망했음이 밝혀졌다. 그러나 그것만으로 충분하지 않다는 듯 외치는 넘어지면서 다쳤는지 아니면 머리에 또 다른 공격을 받아서인지 모르지만 뇌출혈도 겪었다.

선사 시대에는 부상도 큰 걱정이었지만 종족 보존이라는 목적을 위해서는 출산에 따른 출혈[5]이 더 큰 문제였을 것이다. 현대 미국에서 제왕 절개가 아닌 자연 분만으로 출산하는 여성은 아기를 낳은 다음 태반이 떨어져 나오면서 평균 1파인트(약 0.47리터) 이하의 피를 흘리며, 제대로 된 의료 서비스를 받는 경우 2파인트(약 0.9리터) 이상의 출혈을 하는 산모는 1퍼센트 정도밖에 되지 않는다. 구석기 시대의 산모가 출혈을 얼마나 했는지 정확히 알지 못하지만 최근에 나온 일부 통계 수치를 참고해 직면했던 위험을 추측해 볼 수는 있다. 1990년까지도 개발도상국 중 가장 가난한 지역에서는 임산부 100명 가운데 최소 1명은 출산 중 목숨을 잃었다. 그중 3분의 1(다시 말해 300명 중 1명)은 제어할 수 없는 출혈이 사망 원인이었다.[6] 구석기 시대 여성이 평생 평균 10명의 아이를 낳고 이와 비슷한 위험을 감수해야 했다면 출산 중 또는 그 직후 출혈로 목숨을 잃을 확률은 평생 30분의 1이었을 것이다.

현대적인 산과 의료 서비스, 수혈, 외과 수술, 봉합 같은 치료의 도움 없이 수천 세대에 걸쳐 출산을 하고 폭력 상황을 헤쳐 나가야 했던 우리 조상들은 피가 응고되어야만, 그것도 재빨리 응고되어야만 했다. 그리고 현대의 우리 몸도 조상들과 같은 방식으로 피가 응고되도록 만들어져 있다.

우리 몸의 생존 장치, 혈액 순환

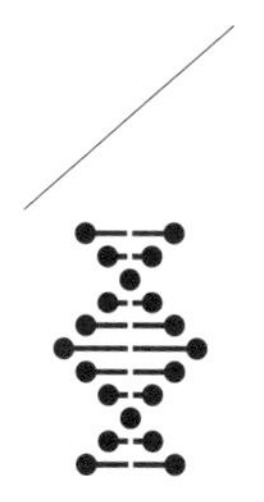

적혈구가 배달하는 산소량

혈액은 심장의 좌심실에서 뿜어져 나와 동맥을 통해 몸의 각 기관으로 배달된 다음 작은 동맥들에 연결된 모세혈관을 통해 세포에 직접 공급된다. 그런 다음 다시 모세혈관을 타고 정맥을 거쳐 심장의 오른쪽으로 돌아간다. 거기서 혈액은 폐로 가서 산소를 싣고 좌심방으로 돌아왔다가 좌심실로 가서 온 몸을 도는 순환을 또다시 시작한다. 이런 순환은 약 1분에 한 번씩 계속되어 우리가 75세 무렵이 되면 4000만 번가량 돌고 돈 셈이 된다.

우리 몸속의 10파인트(약 4.7리터)쯤 되는 피 중에서 4파인트(약 1.9리터)는 적혈구 세포고, 6파인트(약 2.8리터)는 혈장이다. 적혈구는 몸속 모든 세포에 필요한 산소를 운반하는 일을 한다.[7] 혈장에는 장을 통해 흡수된 용해 소금과 영양분, 간에서 만들어진 단백질, 여러 분비샘과 기관에서 나온 호르몬, 각 세포에서 나온 노폐물, 죽은 세포의 대사 산물, 그리고 약간의 용해 산소 등이 들어 있다. 몸을 순환하며 감염과 싸우는 역할을 하는 백혈구는 적혈구에 비해 훨씬 숫자가 적어 피의 양에는 그다지 큰 영향을 주지 않는다.

적혈구의 기능은 단순하다—폐에서 산소를 실어 몸 전체에 배달한다. 각 적혈구에 들어 있는 헤모글로빈 분자들은 세포에 산소를 배달하는 트럭 역할을 한다. 폐에서는 헤모글로빈에 가능한 한 최대로 산소를 싣기 위해 노력한다. 휴식 상태에서는 혈중 산소의 약 25퍼센트가 신체 기관과 조직에 공급되어 곧바로 사용되며, 나머지 75퍼센트는 폐로 돌아와서 다시 한 번 몸을 돈다. 1분에 한 차례씩 순환할 때마다 적혈구는 1갤런(약 3.8리터)의 산소를 몸에 전달한다. 이 양은 5갤런(약 19리터) 정도의 공기에 든 산소량이다.

운동을 할 때면 심장이 뿜어내는 혈액의 양이 1분에 약 5쿼트(약 4.7리터)에서 20쿼트(약 19리터)로까지 증가할 수 있다. 매번 심장이 뛸 때마다 뿜어내는 양과 1분당 심장이 뛰는 횟수가 늘어난 것이 복합적으로 작용한 결과다. 여기에 더해 세포들은 적혈구에 실려 있는 산소를 두 배까지 꺼내 쓸 수 있다. 대부분의 사람들은 그 결과 체내 세포에 공급되는 산소량이 다섯 배에서 열 배까지 늘어난다. 그런데 훈련을 많이 하는 운동 선수의 경우 심장은 휴식 상태보다 여섯 배나 되는 혈액을 뿜어낼 수 있고 세포들은 적혈구에 실린

산소를 세 배까지 꺼내 쓸 수 있어, 놀랍게도 체내 곳곳에 배달되는 산소량을 열여덟 배까지 늘릴 수 있다![8] 안타깝지만 이런 상태는 오래 유지할 수 없다. 그리고 근육에 충분한 산소가 공급되지 못하면 젖산이 축적되고 경련이 일어난다. 그렇기 때문에 비교적 느린 속도로는 먼 길을 달릴 수 있는 반면, 전속력으로 오랫동안 달리지는 못하는 것이다.

적혈구는 어떻게 만들어질까

4파인트(약 1.9리터)에 들어 있는 약 25조 개의 적혈구는 몸 전체 세포 수의 25퍼센트가량을 차지한다. 좀 더 큰 그림에서 설명해 보자면 피 한 방울마다 2억 5000만 개의 적혈구가 들어 있다는 뜻이다.[9] 혈액 세포는 주로 뼈 속의 빈 공간을 채우고 있는 부드러운 조직인 골수에서, 특히 긴 팔다리뼈와 골반뼈, 가슴뼈, 갈비뼈의 골수에서 만들어진다. 골수에서 적혈구가 만들어지는 데는 약 7일이 걸리지만 제조 공정의 마지막 시점이 되면 엄청나게 속도가 붙어 1초에 200만 개 이상이 생산된다.

적혈구를 만들어 내는 정상적인 과정에는 다양한 호르몬, 비타민, 무기질이 필요하다. 그중 가장 중요한 성분은 철분으로 적혈구 속 헤모글로빈의 핵심 재료다.[10] 철분이 충분치 않으면 골수에서 적혈구를 많이 만들 수 없고, 만들더라도 철분이 적고 헤모글로빈 수치가 낮은 적혈구가 만들어진다. 따라서 철분이 부족하면 산소를 운반하는 혈액의 기능에 곱절로 타격을 준다.

정상 적혈구 세포의 수명은 120일 정도다. 비정상 또는 기형 적혈구 세포는 수명이 훨씬 짧으며, 따라서 혈중 적혈구 수치를 정상 또는 정상에 가깝게 유지하기 위해 골수에 훨씬 더 큰 압박을 가하게 된다.

적혈구 부족 상태인 빈혈보다 출혈이 더 위험하다

적혈구 숫자가 점점 감소하면—적혈구의 생산이 감소하거나 수명이 줄어들어서, 또는 어떤 이유로 혈액이 서서히 손실되어서—우리 몸은 전체 혈액량을 유지하기 위해 혈장을 더 많이 만들어 모자란 혈액량을 보충한다. 이러한 불균형은 '빈혈'을 초래하는데, 보통 헤모글로빈 수치가 낮다고 말한다. 정상 상태의 전체 혈액량에 비해 적혈구의 비율이 낮아진 상태를 빈혈이라고 정의하기 때문이다.

우리 몸은 부족한 적혈구 숫자를 보충하기 위해 심장에서 뿜어 나오는 혈액량을 증가시키고 한 번 피가 순환할 때마다 세포들이 피에서 빼내 가는 산소량을 늘린다—운동할 때와 비슷한 현상이다. 이 두 가지 대처 메커니즘 덕분에 우리 몸은 서서히 피를 잃는 현상에 적응할 수 있는 상당한 여력을 가진 셈이 되어서 심지어 적혈구의 절반을 잃더라도 괜찮다. 그러나 휴식 상태에서도 이런 메커니즘을 작동해야 한다면 운동할 때 동원할 수 있는 여력은 거의 없다고 볼 수 있다. 뚜렷한 빈혈을 보이는 사람이 몸을 움직이면 피

곤해하고 숨을 헐떡이는 것은 이런 이유에서다.[11]

적혈구 숫자가 50퍼센트 이하로 떨어지기 전까지는 감소한 적혈구를 대체하는 것보다 혈액량을 유지하는 것이 우선이다. 9만 6000킬로미터에 달하는 혈관으로 혈액을 돌리는 추동력인 혈압을 유지하기 위해서는 적절한 혈액량을 보존하는 것이 대단히 중요하기 때문이다. 그래서 서서히 적혈구 숫자가 감소하는 것보다 갑작스러운 출혈이 훨씬 더 위험하다. 혈액량—적혈구 세포와 혈장 모두—이 급격히 감소하면 심장의 분당 혈액 분출량을 증가시키는 것이 불가능해지고 오히려 그 반대 현상이 일어난다. 혈액량이 감소하면 심장이 아무리 열심히 박동해도 실제 분출되는 혈액량은 줄어든다. 혈액량이 충분하지 않으면 혈압이 떨어지고 체계 전체가 무너져 우리 몸은 쇼크 상태로 돌입한다. 따라서 의사들은 적혈구 수치를 다시 높이기 위한 수혈을 못 할 경우 혈액의 액체 부분만이라도 긴급하게 보충하곤 한다.

순조로운
피의 흐름과 응고

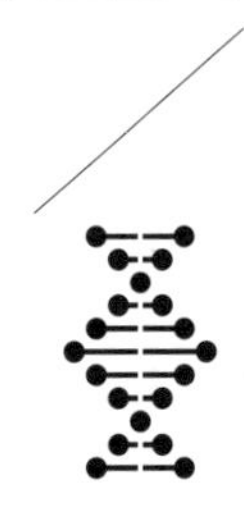

혈소판과 혈액 응고 단백질의 신속 대응 체계

혈액은 보통 수천 킬로미터에 달하는 혈관 속에서 부드럽게 흐른다. 혈관 안쪽에 자리한 한 겹으로 된 세포 층에서 다양한 인자들이 배출되어 국소적인 혈액 응고와 순환계 전체에서 생기는 혈전을 방지해 주기 때문이다.[12] 그러나 그 한 겹짜리 세포 층 바로 밑에 자리 잡은 세포들은 이런 응고 방지 속성을 가지고 있지 않다. 따라서 피를 흘리는 상황(그리고 나중에 설명하겠지만 급성 심장 마비를 일으킨 상황)처럼 이 한 겹 내벽에 손상이 가서 다음 층이 노출되면 혈액 응고 체계가 가동된다.

혈액 응고 신속 대응 체계에는 서로 독립적이지만 깊이 연관된 두 가지 경로가 있다. 하나는 혈소판에 기초한 체계다. 혈소판은 평소에는 혈액 속을 떠돌다가 혈관 안쪽 세포 방어벽에 손상이 가면 노출되는 특정 수용체에 자석처럼 재빨리 가서 붙는다. 각 혈소판은 노출된 수용체와 결합하면서 유인 물질을 분비해 다른 혈소판들에게 동맥이나 정맥에 난 구멍을 막는 전투에 신속하게 참가하도록 독려한다.

우리 피 한 방울에는 보통 1500만 개가량의 혈소판이 들어 있다. 이 정도면 큰 외상을 입은 후 피를 제대로 응고시키는 데 필요한 혈소판 숫자의 네 배, 일상 생활을 하면서 혈관에 늘 입는 손상으로 출혈이 되지 않도록 예방하는 데 필요한 숫자의 적어도 열 배는 되는 양이다. 빈혈의 가장 흔한 원인은 철분 부족인데, 영양이 부족한 식생활 때문인 경우도 간혹 있지만, 보통은 만성적으로 위장관 출혈을 일으키거나 생리량이 너무 많아서 식품을 통해 흡수한 철분으로 상쇄할 수 있는 양보다 더 많은 철분을 잃기 때문인 경우가 대부분이다. 철분 부족형 빈혈이 생기면 흔히 혈소판 수치가 정상 수준 이상으로 증가한다.[13] 이 얼마나 완벽한 보상 반응인가—헤모글로빈 수치가 낮아져 더 이상 많은 피를 잃으면 안 될 때 혈소판이 자연스럽게 증가해 출혈의 위험으로부터 우리를 보호하는 것이다.

두 번째 혈액 응고 경로는 열 가지가 넘는 혈액 응고 단백질이 도미노처럼 연쇄 반응을 일으켜 일종의 섬유 그물망을 만드는 메커니즘이다.[14] 이 그물망은 혈관 벽에 난 더 큰 상처를 때우는 동시에 혈소판들이 와서 쌓일 수 있는 기본 구조물 역할을 한다.

혈액 응고와 방지 사이 균형이 깨지면 위험하다

정상적인 상태일 때 혈관 내벽 한 겹짜리 세포층이 분비하는 혈액 응고 방지 물질들은 응고에 핵심적인 역할을 하는 섬유 그물망 조직을 형성하는 바로 그 단백질들을 파괴하거나 비활성화시킨다. 그럼으로써 혈전이 너무 커지거나 혈액 순환계 전체를 막아 버리는 것을 방지한다. 따라서 혈액 응고 방지 물질의 양이 줄거나 그런 물질이 제 기능을 못하는 일이 발생하면 불필요한 혈전, 특히 압력이 낮고 피가 도는 속도가 느린 정맥에 혈전이 생길 가능성이 당연히 높아진다. 이 현상은 우리가 활동적인 생활 방식을 유지하지 않을 때 더 두드러진다.

혈액 응고 요인과 응고 방지 요인 사이의 균형은 정밀하게 유지되어야 한다. 그래야 피가 원활하게 순환할 뿐 아니라 불필요한 응고나 출혈도 발생하지 않는다. 이 놀랍도록 섬세한 균형을 깨뜨리는 어떠한 작은 변화도 몇 분 안에 생명을 위협하는 문제를 일으킬 수 있다.

출산 시 출혈과 응고 사이의 균형 잡기

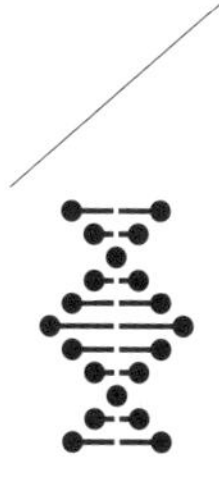

태반의 혈액 순환계가 하는 일

출혈과 응고 사이의 균형은 출산 시 특히 중요하다. 임산부의 자궁 내벽에 붙어 있는 기관인 태반은 태아의 생존과 성장에 필요한 물질 교환을 매개하는 구조물이다.[15] 무게는 보통 1파운드(약 450그램)를 조금 넘으며 자궁과 맞붙은 부위가 가로 10인치(약 25센티미터), 세로 7인치(약 18센티미터) 정도 된다. 태반은 모체와 태아에 각각 연결된 서로 독립적인 두 개의 순환계를 가지고 있다.

모체 쪽에서는 자궁 동맥에서 뻗어 나온 더 작은 동맥들이 연결망을 형성해 이를 통해 태반에 영양을 공급하고 모세혈관들에 피를 공급한다. 이 모세혈관들을 통해 산소와 영양분이, 엄마의 피와 아기의 피가 섞이는 일 없이, 임산부의 태반 혈액 순환계에서 태아의 태반 혈액 순환계로 스며들듯 전달된다. 태아 쪽에서는 탯줄이 태아와 태반을 연결한다. 탯줄에는 산소와 영양분을 태반에서 태아에게 전달하는 탯줄 정맥과, 태아의 심장에서 내보내는 혈액을 태반으로 전달해 다시 영양분과 산소를 싣도록 하는 두 개의 탯줄 동맥이 들어 있다.

자궁 동맥은 1분에 1파인트(약 0.47리터)가 넘는 혈액을 모체의 혈액 순환계에서 태반으로 전달한다. 이 양이면 아이스맨 외치의 팔로 가던 혈액량보다 약간 많고, 휴식 상태에 있는 성인의 다리로 가는 혈액량과 같다.[16] 1시간가량 사이에 대략 3파인트(약 1.4리터) 이상 혈액을 잃으면 쇼크 상태에 빠지므로 외치의 부상이 그의 목숨을 앗아갔으리라는 것은 상당히 명백하다.

출산 출혈 사망을 막아 주는 세 가지 장치

그렇다면 출산 과정에서 태반이 자연적으로 떨어지고 자궁 동맥이 절단될 때, 왜 모든 산모가 1파인트(약 0.47리터)가 훨씬 넘는 양의 피를 잃고 쇼크 상태에 빠져 몇 분 안에 죽지 않는 걸까?

첫째, 임신 기간 동안 임산부의 적혈구 숫자는 약 25퍼센트, 그리고 액체 혈장의 양은 약 두 배 증가한다. 이 추가 혈액은 태반으로 가는 혈액을 보충할 뿐 아니라 출산 시 잃어버릴 수 있는 혈액량에 대한 보험이기도 하다. 빈혈이 생기는 일 없이 태반에 영양을 잘 공급하는 이 여분의 적혈구를 만들어 내기 위해 임산부는 평소보다 더 많은 철분과 비타민을 섭취해야 하는데,[17] 이는 자연스럽게 입맛이 당겨 먹을 수 있는 것이 아니어서 요즘은 임산부에게 철분이 보강된 종합 비타민제를 처방하는 경우가 많다.

혈장에 든 잉여분 소금과 물 때문에 생길 수 있는 부작용으로는 3장에서 살펴본 고혈압 문제가 있다. 임산부의 몸은 혈압을 높이는 호르몬에 보통 때보다 덜 민감하게 반응하는 방법으로 이 위험에 대처한다. 그 결과 임신 중 정상 혈압은 평소 정상 혈압보다 실제로 조금 낮다. 그러나 이러한 보상 호르몬의 활동에도 불구하고 임산부 중 3~6퍼센트가 우려할 만한 수준의 고혈압을 보인다.[18] 사하라 이남 아프리카 중에서도 특히 서부 지역 임산부들은 산전 건강 관리 체제가 거의 부재하고 고혈압약을 잘 구할 수 없어서 구석기 시대와 비슷한 위험을 감수해야 한다. 그래서 이 지역 임산부들의 사망 원인 중 고혈압으로 인한 사망이 출혈로 인한 사망의 거의 절반에 달한다.

둘째, 임신 후기에 들어서면 임산부의 간에서 혈액을 응고시키는 단백질이 더 많이 만들어져 태반이 떨어져 나갈 때 심한 출혈을 할 가능성을 낮춘다.[19] 이렇게 응고 단백질이 추가로 만들어지는 데는 위험도 따른다—임신하지 않은 여성에 비해 불필요한 혈전이 만들어질 '상대적' 위험도가 약 열 배 증가하기 때문이다. 특히 몸을 많이 움직이지 못하는 출산 직후가 위험하다. 이 응고 단백질과 혈전의 위험성은 출산 후 4~6주 정도까지 감소하지 않고 유지된다. 출산 직후('절대적'으로 따지면 출산 1000건당 1건)와 출산 전 9개월 동안(1000건당 2건) 불필요하게 혈액이 응고해 사망에 이를 위험은 1990년 사하라 이남 아프리카 여러 곳에서 기록된 출산 후 출혈로 인한 사망 위험(1000건당 3건)과 맞먹는다.[20] 이 통계 수치는 선사시대의 임산부들이 혈액 응고와 출혈의 위험을 제어하는 데서 매우 균형이 잘 잡힌 체계를 가지고 있었음을 보여 준다. 특히 이러한 문제를 효과적으로 해결하는 의료 기술이 없는 상황에서 이 균형은 더욱 중요하다.

셋째, 태아를 밖으로 내보내기 위해 자궁을 수축하게 만들었던 호르몬들은 아기가 태어난 후에도 자궁을 수축하고 혈관을 조이는 작업을—직접 하는 한편 자궁을 둘러싼 근육을 강화하는 방식을 통해—계속한다. 물론 이렇게 더 작고 수축된 혈관 안에 혈전이 생기기가 훨씬 쉽다.

혈액 응고 인자 돌연변이와 혈색소증 돌연변이의 역할

산후 출혈과 관련된 위험 중 약 20퍼센트는 유전적 요인, 즉 혈액 응고 인자와 관계가 있다.[21] 그 가운데 하나가 '혈액 응고 5인자 라이덴 돌연변이'[22]로, 혈액 응고 단백질에서 발견되는 가장 흔한 돌연변이다. 이 돌연변이 유전자를 한 개 가진 사람의 경우 혈액 응고 단백질의 연쇄 반응 활동이 약간 증가하며, 두 개 가진 사람은 눈에 띄게 증가한다. 이 돌연변이는 약 3만 년 전 유럽에서 시작된 듯한데, 현대에 와서는 북유럽인의 5퍼센트 정도가 보유하고 있지만 다른 지역에서는 훨씬 드물게 발견된다. 의사들은 이 유전자 돌연변이로 인해 심각하고 때로 목숨을 위협하는 혈전이 생길 수 있기에 불리한 것으로 보지만, 산후 출혈량을 줄이는 장점도 있다. 이러한 장점은 조상들이 감당해야 했던 문제를 상쇄할 수 있었으므로 현재보다 산후 출혈이 더 큰 문제였던 선사 시대에 이 돌연변이가 서서히 확산되었을 것으로 보인다.

피를 너무 많이 흘려 빈혈 상태가 되는 위험으로부터 우리 몸을 보호할 수 있는 또 한 가지 보호책은 몸속에 많은 양의 철분을 여분으로 저장해 적혈구를 재빨리 보충할 수 있도록 하는 것이다. 혈색소증(철과잉증, 혈색소 침착증)[23]이라는 유전자 돌연변이가 바로 그런 기능을 하는데, 이 돌연변이를 가진 사람은 섭취하는 음식에서 철분 흡수를 더 많이 할 수 있다. 1500~4000년 전 사이에 어딘가—아마 영국이나 스칸디나비아—에서 처음 출현했을 것으로 추측되는 이 돌연변이 유전자는 바이킹에 의해 유럽 해안 지역을 따라 확산되었을 확률이 높다.

이 돌연변이 유전자를 하나만 가진 사람은 혈액과 적혈구 속 평균 철분 함량이 더 높다—피를 흘린 후 철분 부족 현상을 겪지 않을 만큼 충분한 철분을 보유하고 있다는 의미다. 두 개 가진 사람은 혈중 철분 함량이 그보다 더 높아 한층 안전하다. 종합 비타민이 나오기 전 혈액 내 철분을 여분으로 가져서 얻는 혜택을 고려할 때, 북유럽인이 조상인 사람들 중 10퍼센트가량이 혈색소증을 일으키는 유전자 돌연변이를 보유해 혜택의 일부라도 보고 있다. 그중 1000명당 약 5명은 유전자 두 쌍에 모두 이 돌연변이를 가져서 훨씬 많은 철분을 보유하고 있다. 그러나 이 돌연변이가 항상 좋은 면만 있는 것은 아니다. 이런 사람은, 특히 남성은 서서히 너무 많은 철분이 축적되어 중년에 접어들면 췌장, 간, 심장이 손상될 수 있다.

혈색소증이 중년까지 별다른 부작용 없이 출혈과 철분 부족 방지에 그토록 많은 혜택을 제공한다면, 왜 이 돌연변이가 처음 발생한 유럽을 벗어나 아프리카까지 퍼지지 않았는지 의문을 갖지 않을 수 없다. 한 가지 가능성은 넘기 힘든 장애물인 사하라사막을 경계로 유전자가 섞이기가 어려웠으리라는 점이다. 사실 북유럽에서 일어난 유전자 돌연변이와 무관하게 아프리카에서도 자체적으로 혈색소증 유전자 돌연변이가 일어나기는 했다. 그러나 아프리카에서 생긴 이 돌연변이는 유럽에서만큼 널리 확산되지 못했다.

가장 설득력 있는 설명은 많은 전염성 유기체—특히 말라리아 기생충—가 우리 몸속에서 복제를 하려면 우리가 가진 철분을 빌려 써야 한다는 이론이다.[24] 철분 보유량이 낮은 사람은 이런 전염병에 상대적으로 안전한 반면, 혈색소증을 가진 사람은 걸리기가 더 쉽다. 따라서 바이킹을 위협하는 말라리아가 없는 북유럽에서는 여분의 철분을 가진 것이 조금이나마 유익하지만 사하라 이남 아프리카에서는 별다른 이익이 되지 못한다. 이 지역에서는 오늘날에도 말라리아로 목숨을 잃는 사람이 1년에 50만 명에 달하고 특정 사망 원인 중 네 번째로 꼽혀 심장병, 뇌졸중, 암을 앞서고 있는 실정이다.[25]

역사적으로 볼 때 과다 출혈—출산처럼 예상 가능한 문제로든 예상치 못한 부상으로든—로 목숨을 잃지 않기 위한 쪽에 약간 더 무게를 두는 우리 몸의 특성은 늘 우리의 생존에 중요한 역할을 해 왔다. 사실 잠재적으로 불리할 수 있는 혈색소증이나 혈액 응고 5인자 라이덴 같은 돌연변이가 확산된 것도 출혈을 피하는 일이 얼마나 중요했는지를 보여 주는 반증이다. 이 두 돌연변이가 확산된 것과는 반대로, 혈액 응고 방지 유전자 돌연변이는 그런 규모로 확산된 예가 없다.

출혈 방지 체계가 고장 났을 때

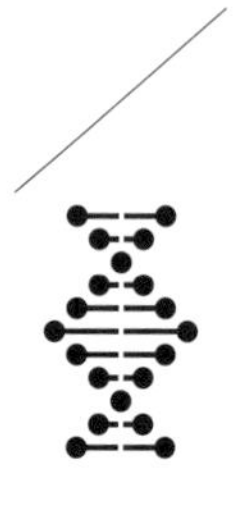

혈우병은 왜 생길까

혈소판이나 열 가지가 넘는 혈액 응고 관련 단백질 중 하나만이라도 부족하거나 제대로 기능하지 못하면 비정상적 출혈이 생길 수 있다. 이 같은 출혈성 질환 중 가장 잘 알려진 것이 혈우병으로, 대부분 혈액 응고 8인자라고 부르는 단백질의 부족 때문에 생긴다. 혈액 응고 8인자를 관장하는 유전자는 X 염색체에 들어 있다. 따라서 기본적으로 X 염색체가 하나뿐인 남성 중 돌연변이 염색체를 물려받은 사람이 이 병에 걸린다.

여성은 X 염색체가 두 개여서 정상 X 염색체를 하나만 가지고 있어도 혈액 응고가 가능하다. X 염색체 두 개 모두에 이 돌연변이 유전자를 가진 여성은 극히 드물다. 그 결과 여성은 증상 없이 이 돌연변이 유전자를 보유만 하고 있다가 자손에게 물려줄 수 있다. 그리고 그런 여성의 자녀는 평균적으로 아들 중 절반이 혈우병을 앓으며(선사 시대에는 이런 남성은 보통 자손을 낳는 데 실패하는 경우가 많았다), 딸 중 절반은 무증상 돌연변이 유전자 보유자가 되어 그 유전자를 후손에게 물려준다.

혈우병의 짧은 역사

비정상적 출혈을 하는 남성에 대한 최초의 기록은 2000년 전 쓰인 《탈무드》다. 《탈무드》 전통에 따라 할례를 받은 남자 아이가 출혈로 사망하면 그 아이의 동생들은 할례를 받지 않았다.[26]

1803년 필라델피아의 의사 존 오토는 여러 세대에 걸쳐 남성만 심한 출혈 증상을 보이고 여성은 전혀 그런 증상을 보이지 않는 한 가족의 사례를 소개했다. 그러자 곧바로 필라델피아에서부터 멀리 독일에 이르기까지 수많은 의사들이 여성에게는 나타나지 않고 남성에게만 심각하게 또는 치명적으로 나타나는 출혈 증상을 보이는 가족들의 사례를 보고했다. 논리적으로는 전혀 설명이 안 되는 이유로 이 병은 '헤모필리아hemophilia'라고 명명되었다—문자 그대로 '피에 대한 사랑'이라는 뜻이다(한자로도 '血友病'이라고 쓴다—옮긴이). 19세기 중반 무렵 의사들은 이 증상을 보이는 소년들 중 절반 이상이 7세 이전에 사망하며 21세까지 살아남는 경우는 10퍼센트 정도에 불과하다고 보고했다.

혈우병으로 가장 유명한 사람들은 아마 영국 빅토리아 여왕의 자녀들일 것이다. 다행히 유아기에 죽지 않고 성장한 아들 4명 중 1명만 혈우병에 걸렸고, 성장한 다섯 딸 중 2명만 아들들에게 혈우병을 물려주었다. 그러나 그녀의 딸들이 유럽 전역의 왕족과 결혼한 결과 프러시아, 스페인, 러시아의 귀족들 사이에 이 돌연변이 유전자가 퍼졌다. 그중에는 차르 니콜라이 2세의 아들 알렉세이 황태자도 포함되어 있었다(황태자 가족 전원은 1918년 러시아혁명 도중 살해되었다). 빅토리아 여왕의 가계도는 증상을 보이지 않는 어머니와 딸들이 남성들에게 치명적인 X 염색체 돌연변이를 어떻게 널리 확산시킬 수 있는지를 보여 주는 좋은 예다.[27]

혈액 응고 단백질이나 혈소판에 이상을 일으키는 유전병이 없더라도 살면서 생긴 혈소판 또는 단백질 부족 증상으로 과다 출혈을 겪는 사람도 있다. 예를 들어 몸에 생긴 항체가 바이러스, 기생충, 박테리아를 공격하는 데 사용하는 메커니즘을 동원해 의도치 않게 혈액 응고 단백질이나 혈소판을 파괴해 버릴 수 있다. 이와 비슷하게 골수에 손상이 가면(백혈병을 비롯한 암을 치료하기 위해 독한 화학요법을 받는 환자들에게서 보듯) 혈소판 생산이 감소할 수 있다. 보통 우리 몸속에는 필요한 양보다 더 많은 혈액 응고 단백질과 혈소판이 순환하면서 필요할 때 바로 행동 개시할 준비를 갖추고 있지만, 그 양이 너무 많이 감소하면 정상적인 혈액 응고가 일어나지 않을 수 있어서 작은 부상으로도 과다 출혈을 할 수 있다.

출혈 방지 생존 형질이 부적절할 때

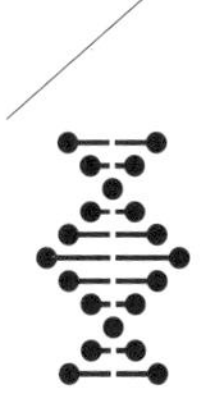

정맥에 생기는 혈전: 하지 정맥류와 폐색전

혈액 응고 단백질이나 혈소판 숫자가 너무 적으면 과다 출혈을 겪지만, 이런 물질이 너무 많으면 과다 응고를 초래할 수 있다. 과다 응고 경향은 유전인 경우가 많지만 임산부나 일부 암 환자에게서도 나타나는데 주로 정맥에 혈전이 생길 확률이 높다.

혈액은 동맥보다 정맥에서 더 느리게 흐르기 때문에 어느 정맥에서나 혈전이 생겨 문제를 일으킬 잠재적 가능성이 있다. 예컨대 신장에서 걸러 낸 노폐물을 실어 나르는 정맥이 막힐 경우 신장의 모세혈관에 압력이 가중되는데 그에 따른 손상은 심각한 신장 기능 장애를 가져올 수 있다. 뇌에서 심장으로 혈액을 나르는 주요 정맥에 혈전이 생기면 심한 두통, 뇌졸중과 유사한 증상, 발작을 일으킬 수 있다.

그렇지만 정맥 혈전이 가장 흔한 곳은 단연 다리다. 이유는 간단하다. 앉거나 서 있을 때 피를 다시 심장으로 보내기 위해 다리 정맥은 중력의 반대 방향, 즉 위쪽으로 피를 실어 날라야 한다. 또 앉아 있을 때는 정맥이 구부러진 부분을 돌아가야 한다. 예를 들어 8시간 정도 비행기를 탄 사람의 3퍼센트는 다리에 감지 가능한 혈전이 생기고 비행 시간이 길어지면 비율은 더 높아진다.[28] 다리 근육이 활동하면서 펌프 역할을 약간 하지만 그에 따른 분출력은 심장 근육 분출력의 5퍼센트에 불과하다. 다행히 다리 근육이 최소한으로나마 움직이면 그 추가 분출력만으로도 피가 순조롭게 흐르게 하기에 충분하다. 종아리 근육에 힘을 줬다 풀었다 하며 움직여 준다거나 잠시 일어나 걸어 다니기만 해도 큰 도움이 된다.

피부 가까이 있어 눈에 보이는 다리 정맥에 혈전이 생기는 것을 하지 정맥류라고 부른다.[29] 하지 정맥류는 보기에 그다지 좋지 않고 살짝 불편한 것만 빼고는 다른 부작용이 없다. 이에 비해 깊이 자리 잡은 더 큰 정맥에서 자체적으로 생겨나거나 피부 가까운 정맥에서 만들어진 것이 확장되어 생긴 혈전은 크기가 훨씬 더 커지면서 상당한 불편을 끼치고 심지어 다리가 부어오르기도 한다. 이런 큰 혈전의 일부—특히 허벅지에서 시작되었거나 거기로 확장된 혈전의 일부—가 떨어져 나와 점점 더 큰 정맥을 따라 움직이다가 심장 오른쪽 부분으로 들어가면 굉장히 위험해진다. 보통 이렇게 돌아들어온 혈전은 우심방과 우심실을 거쳐 폐동맥으로 별 문제없이 빠져나가곤 한다. 그러나 폐동맥은 갈수록 가지치기를 해서 점점 작아지기 때문에 혈전이 그중 한 곳에 자리 잡고 폐로 가는 피의 흐름을 방해할 수 있다. 이 심각하고 간혹 치명적인 결과까지 낳곤 하는 증상은 '폐색전'[30]이라고 부른다.

죽상 동맥 경화증: 콜레스테롤 양보다 나쁜 지방이 문제

정맥에 생긴 혈전이 위험하다고들 하지만, 심장에서 신체 각 기관으로 피를 전달하고 훨씬 더 빠른 속도와 큰 압력으로 피가 흐르는 동맥에 생긴 혈전은 그보다 더 위험할 수 있다. 동맥에서는 완전히 정상적인 혈류가 유지될 때조차 혈액 응고 체계가 활동에 들어가기도 한다. 혈액의 흐름이나 응고 체계에 문제가 생기거나 실제로 혈관에 구멍이 나고 찢어져서가 아니라, 혈관을 보호하는 한 겹짜리 세포층에 손상이 갔을 때다. 이런 손상을 가져오는 가장 중요한 원인은 죽상 동맥 경화증이다.

죽상 동맥 경화증은 콜레스테롤이 많이 든 지방이 동맥 안쪽 벽에 달라붙듯 축적되면서 생긴다. 미국인은 하루 평균 200~300밀리그램의 콜레스테롤을 음식을 통해 섭취하지만, 간에서는 그보다 세 배에서 다섯 배나 많은 콜레스테롤을 만들어 낸다. 콜레스테롤은 우리 건강에 아주 중요한 역할을 한다. 100조 개에 달하는 몸속 세포의 세포막 일부를 이루는 동시에 다양한 호르몬을 만들어 내는 재료고, 지방과 비타민 A, D, E, K를 흡수하는 데 필요한 쓸개즙에도 들어가기 때문이다.

흥미롭게도 우리가 먹는 순수 콜레스테롤의 양은 혈중 콜레스테롤 농도에 거의 영향을 끼치지 않는다. 2장에서 살펴봤듯이 수렵·채집 생활을 하던 우리 조상들은 적어도 현대인이 섭취하는 콜레스테롤과 맞먹는 양을 섭취했을 것이다. 한 가지 다른 점은 조상들이 먹은 야생 동물은 지방이 적고 그 지방도 더 건강한 고도 불포화 지방[31]이 더 많았다는 사실이다. 이에 반해 현대인의 식단에는 가축의 고기에 많이 함유된 포화 지방과 인공적으로 만들어진 식물성 경화유의 트랜스 지방이 잔뜩 들어 있다.[32] 문제를 일으키는 것은 우리가 먹는 콜레스테롤의 양이 아니라 이런 나쁜 지방들이다.

원리는 이렇다.[33] 우리가 섭취한 지방은 소장에서 흡수된다. 지질이라고 부르는 이 지방은 수용성이 아니기 때문에 혈장에서 바로 녹지 않고 지질 단백질이라고 부르는 수용성 물질에 실려 이동한다. 지질 단백질은 간에서 만들어지는 운반용 컨테이너와 같은 물질이다. 어떤 지방은 소장에서 바로 각 신체 기관으로 운반되어 즉각 연료로 사용되고, 어떤 지방은 굶주릴지도 모를 미래를 대비해 지방 세포에 바로 저장된다. 그러나 대부분의 지방은 피의 혈장에 들어 있는 지질 단백질에 실려 돌아다니면서 밤낮 구별 없이 식사 시간 중에도 계속 연료를 공급하는 역할을 한다.

몸속을 순환하는 이 지질 단백질에는 처음에는 지방이 많이 포함되어 있다. 지질 단백질은 중성 지방과 콜레스테롤을 운반한다. 중성 지방은 열량의 대부분을 공급하는 역할을 하고, 콜레스테롤은 필요한 세포에 조달되거나 지질 단백질의 운반 용기 자체를 이루는 요소의 일부로 사용되기도 한다. 지질 단백질은 자석처럼 작동하는 특정 수용체에 의해 몸속의 다양한 부분으로 호출되고, 그렇게 지질 단백질을 불러들인 수용체는 지질 단백질이 어디에 임시로 정박한 채 열량 공급원인 중성 지방을 하역하고, 어떤 콜레스테롤을 필요한 곳에 공급할지를 지시한다.

지질 단백질은 서서히 싣고 있던 짐, 즉 대부분의 중성 지방과 일부 콜레스테롤을 내려놓는다. 그러나 단백질과 콜레스테롤로 만들어진 운반 용기 자체는 하역하지 않고 가지고 있다. 그 결과 하역을 마친 지질 단백질은 '저밀도 지질 단백질' 즉 LDL이 된다. LDL이 싣고 다니는 콜레스테롤(LDL 콜레스테롤)은 '나쁜 콜레스테롤'이라고도 부르는데 간에서 제거되지 않는 초과분이 동맥 벽에 가서 붙는 경향이 있기 때문이다. 이 지방 침착물이 축적되면서 점점 더 큰 덩어리가 만들어진다.

서구인이 나쁜 콜레스테롤을 더 많이 가진 이유

침착된 콜레스테롤의 양은 우리가 먹는 포화 지방의 양에 달려 있다. 포화 지방을 운반하기 위해 간에서 지질 단백질을 만들 때 쓰이는 재료가 바로 LDL 콜레스테롤이기 때문이다. 그러나 콜레스테롤 수치는 혈액 내 지방량을 감지하는 기능을 하는 간에 의해 더 크게 좌우된다. 보일러를 언제 켜야 할지 아는 온도 조절 장치처럼, 간은 우리가 필요하다고 판단한 만큼의 콜레스테롤과 지질 단백질을 만들어 낸다.

이 기본적인 신진 대사는 왜 서구 사회에서 사는 사람들이 나쁜 콜레스테롤을 더 많이 가지고 있는지를 설명하는 데 도움이 된다. 서구 사회 사람들은 너무 많은 포화 지방을 먹고, 그로 인해 간은 콜레스테롤이 많이 든 지질 단백질을 더 많이 만들어 내도록 자극받는다. 설상가상으로 간은 우리에게 필요한 것보다 더 많은 양의 콜레스테롤과 지질 단백질을 만들어 내는 경향이 있다. 많은 경우 간은 위에서 언급한 물질의 생산을 우리가 원하는 시점에서 중단하지 않는다.

지질 단백질을 과잉 생산하는 경향은 아마 구석기 시대에는 중요한 기능이었을 것이다. 그때만 해도 우리 조상들은 어쩌다가 한 번씩 한꺼번에 많은 양의 식사를 해서 흡수한 지방을 저장해 핏속에서 돌리다가 먹을 것이 충분치 않을 때 바로 쓸 수 있는 연료원으로 활용하기 위해 지질 단백질 운반 용기를 많이 만들어 내야 할 필요가 있었다. 그러나 현대에는 이렇게 잘못 맞춰진 자동 온도 조절 장치 때문에 우리 몸은 필요한 양보다 너무 많은 지질 단백질과 나쁜 콜레스테롤을 만들어 내고 있다.

콜레스테롤 수치

우리는 포화 지방을 덜 먹거나 간을 속여서 콜레스테롤과 지질 단백질을 덜 만들어도 된다고 설득하는 방법으로 나쁜 콜레스테롤 수치를 낮출 수 있다. 높아진 콜레스테롤 수치를 낮추는 데 가장 흔히 쓰이는 약품인 스타틴은 콜레스테롤을 만드는 간의 능력을 방해하는 기능이 가장 크지만, 부차적으로 LDL 콜레스테롤을 혈액에서 제거하는 특정 하역 수용체의 활동을 증가시키는 역할도 한다. 더 최근에 나오는 새 약들은 장에서 콜레스테롤을 흡수하는 능력을 줄이거나 간에 있는 콜레스테롤 제거 수용체 숫자를 늘리는 작용을 한다.[34]

한편 '고밀도 지질 단백질' 즉 HDL은 대부분 단백질로 되어 있고 지방은 거의 없다. HDL이 몸속 조직과 혈액에 있는 여분의 콜레스테롤을 청소기처럼 빨아들여 간으로 되돌려 보내면, 거기 모인 콜레스테롤은 쓸개즙으로 만들어지거나 나중에 필요할 때 다시 재순환된다.

HDL을 측정하기 위한 혈액 검사에서는 HDL 자체의 양을 재는 것이 아니라 HDL이 싣고 가는 콜레스테롤 즉 '좋은 콜레스테롤'이라고 부르는 물질의 양을 잰다. 건강 검진표에 나오는 총 콜레스테롤 수치는 LDL 콜레스테롤, HDL 콜레스테롤, 그리고 지질 단백질을 이루고 있거나 거기에 실려 있는 콜레스테롤의 양을 모두 합친 것이다.

동맥 혈전이 초래하는 문제와 질환

콜레스테롤과 기타 지질이 동맥 안쪽 벽, 특히 관상 동맥(심장 동맥) 안쪽 벽에 축적되면 혈관이 좁아지기는 하지만 그것만으로 완전히 막히는 일은 드물다. 대신 이 지방질 침전물은 표면 플라크를 형성한다. 이 플라크는 쉽게 균열되거나 파열되는 경향이 있고 그 결과 세포 한 겹으로 이루어진 동맥 안쪽 보호막을 손상시켜 그 아래 동맥 조직을 노출시킨다.[35] 이런 일이 일어나면 동맥은 원래 계획에 따라 행동을 개시한다—혈소판과 응고 단백질을 불러들여 상처를 복구하라는 신호를 보내는 것이다.

그에 따라 생긴 혈전은 손상이 간 곳을 메울 뿐 아니라 피가 동맥 하류 쪽으로 흐르는 것을 부분적으로, 때로는 전적으로 막아 버린다. 그 결과 우리는 세포 한 겹짜리 동맥 보호막에 난 흠집 때문에 피를 많이 흘려 죽지는 않겠지만, 혈전 때문에 피의 흐름이 막혀 혈액 공급을 받지 못한 기관의 세포들이 죽을 수도 있는 큰 문제에 봉착하게 된다. 동맥 혈전으로 혈액의 흐름이 완전히 막히지는 않는다 하더라도(이런 경우를 비폐쇄성 혈전이라고 부른다) 여러 문제를 일으킬 수 있다. 첫째, 비폐쇄성 혈전은 혈류의 하류에 위치한 조직에 충분한 혈액이 공급되는 것을 막아 산소 부족 현상, 특히 운동시 산소 부족 현상을 일으킬 수 있다. 둘째, 혈전의 일부가 떨어져 나가 하류로 흘러 내려가다 더 작은 동맥을 막을 수 있다.

3장에서 논의했듯이 죽상 동맥 경화증과 혈전이 신장으로 가는 혈액의 흐름을 방해하면 고혈압을 야기한다. 다리로 가는 혈액이 충분히 흐르지 못하면 걸을 때 쥐가 난다. 그리고 죽상 동맥 경화증과 혈전이 많이 진행되면 장으로 향하는 혈액의 흐름을 막아 음식을 먹을 때 통증이나 경련을 일으킬 수도 있다. 그러나 가장 심각한 문제 두 가지는 죽상 동맥 경화증과 혈전이 심장 마비나 뇌졸중을 초래할 때다. 이 두 증상은 구석기 시대에는 드문 일이었지만 산업화 시대에는 너무나 만연한 증상이 되었다.

문명과 의학의 발전

봉합술에서 링거까지

약 6000년 전, 그러니까 한 300세대쯤 전 어느 시점에 인체 혈액 응고 체계의 최적 튜닝이 살짝 변화하기 시작했다. 이것은 우리 조상들이 죽음에 이를 정도로 피를 많이 흘리는 일을 피할 수 있는 새로운 기술을 개발한 때와 시기가 일치한다. 상처를 꿰매는 봉합술은 다양한 외과 치료술에 대한 기록을 남긴 메소포타미아(기원전 4000~기원전 400년)에서 최초로 사용되었을 가능성이 높다. 적어도 3500년 전 고대 이집트에서는 보푸라기 등이 들어간 물질로 상처를 덮고, 동물 기름으로 감염을 방지하고, 꿀로 소독하는 방법으로 상처를 치료했다. 고대 로마인은 심한 출혈을 막는 데 최초로 지혈대를 사용한 것으로 알려졌다. 1920년에는 '밴드에이드'라는 이름으로 특허를 낸 최초의 거즈가 붙은 반창고가 사용되기 시작했다. 밴드에이드는 존슨앤드존슨 사의 직원이던 얼 딕슨의 발명품이었다.

그러나 급격한 또는 심한 출혈이 생길 경우에는 상실한 피를 최소한 일부나마 양적으로라도 복구하는 것이 급선무고, 그다음으로 급한 것이 적혈구를 보충하는 일이다. 수혈은 아니지만 피의 양 자체를 복구하려는 최초의 영향력 있는 시도는 1830년대에 행해졌다. 당시 스코틀랜드의 의사였던 토머스 라타는 소금물을 정맥 주사로 주입해 자신이 치료한 콜레라 환자 중 3분의 1을 살릴 수 있었다고 보고했다.[36] 1876년 런던에서는 시드니 링거가 자신의 이름을 딴 용액을 개발했다. 링거액에는 혈액 내 소금 농도와 비슷한 양의 소금이 들어 있다. 1931년에는 소금과 포도당을 함유한 안전한 정맥 주사액이 제조되어 필요시에 널리 사용되었다.

수혈에 성공하기

성공적인 수혈로 기록된 최초의 사례는 영국 의사인 리처드 로어가 1665년 개를 대상으로 실시한 것이었다. 2년 뒤 로어와 적어도 1명의 동료는 양의 피 소량을 인간에게 수혈했고 별다른 장점이나 부작용이 관찰되지 않았다는 기록을 남겼다. 그러나 이후의 여러 시도에서는 심각한 부작용이 뒤따랐다. 그렇게 별다른 진척 없이 세월이 흐르다가 1818년 영국의 산과 의사 제임스 블런들이 분만 후 출혈을 심하게 보이는 산모에게 남편의 피를 4온스(약 120밀리리터)쯤 수혈하는 데 성공했다. 불행하게도 다른 환자들에 대한 시도는 모두 실패로 끝나 블런들은 한 번의 성공과 수많은 실패를 기록해야만 했다.[37]

우리는 이제 왜 이 초기의 수혈 시도들이 실패한 경우가 많았는지 이유를 안다. 헌혈한 사람의 혈액형이 수혈 받은 사람의 혈액형과 맞지 않으면 심각한, 때로는 치명적인 알레르기 반응을 일으키기 때문이다. 수혈은 서로 다른 혈액형에 대한 이해가 확립되기 전인 1900년대 초기까지도 실용적인 치료 방법으로 자리 잡지 못했지만 그 후로는 빠른 발전을 보였다. 1914년부터는 혈액을 보관했다가 혈액형이 맞는 환자에게 수혈하는 방법까지 사용되었다. 최초의 병원 혈액 은행이 1937년 설립되었고,[38] 2차 세계대전이 발발했을 때는 이미 국제적십자사가 혈액을 저장하고 배급하는 체계를 개발해 수혈로 생명을 구하는 일이 빈번해졌다.[39]

혈전은 오래도록 이해되지 못했다

수천 년에 걸쳐 피를 흘리는 문제에 대해서는 그토록 걱정하고 신경 쓴 데 반해, 동전의 다른 면인 피가 너무 과도하게 응고하는 문제에 대해서는 별다른 주의를 기울이지 않았다. 다리가 붓고 하지 정맥류가 생기는 등의 문제는 적어도 고대 그리스, 로마 시대부터 언급되어 왔지만 무엇 때문에 그런 증상이 생기는지는 아무도 정확히 알지 못했다.

깊은 곳에 위치한 정맥에 생긴 혈전이 다리가 붓는 증상과 관련이 있다는 사실을 임상적으로 최초로 인식한 것은 아마 1271년일 것이다. 그 후 수세기에 거쳐 더 많은 사례가 보고되었지만 1600년대까지도 의사들은 실제로 무슨 일이 일어나고 있는지 이해하지 못했다.

그러다가 1600년대에 윌리엄 하비가 혈액이 어떻게 동맥과 정맥을 순환하는지 밝혀내면서 이 수수께끼는 베일을 벗기 시작했다. 1700년대 말에 이르러서는 정맥혈에 생기는 혈전에 대한 개념과 그 혈전이 더 커지고 확장될 수 있다는 사실을 이해하게 되었다.[40] 치명적인 결과를 낳은 것으로 보이는 폐색전에 대한 최초의 보고는 1819년에야 나왔고,[41] 환자가 살아 있는 상태에서 폐색전을 정확히 진단할 수 있게 된 것은 1960년대 이전까지 불가능했다.

심장 마비와 뇌졸중의 역사

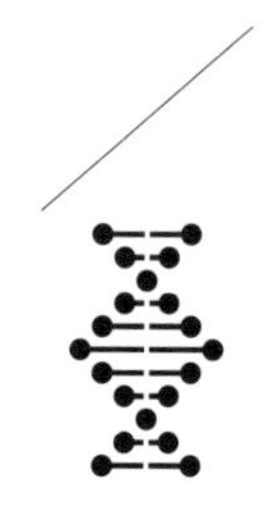

과거에는 심장 마비가 드물었다

동맥 쪽에 생기는 문제에 관해서는 1768년에 윌리엄 헤버든이 현대의 거의 모든 심장 마비의 원인인 관상 동맥 질환에 관해 묘사한 것이 최초다.[42] 그는 한 환자가 운동을 하던 중 심장 근육에 혈액 공급이 충분히 되지 않아 가슴에 통증을 느꼈다고 기록하고 그것을 '협심증'이라고 불렀다. 그 후 25년 동안 영국의 다른 의사들도 협심증 환자가 급작스럽게 사망한 경우 부검 결과 관상 동맥에 연골과 같은 감촉의 물질이 생겨 혈관이 좁아진 현상이 관찰되었다고 보고했다.

또 심장 근육이 손상되었다는 분명한 증거가 발견된 사례도 1건 이상 보여서 심장 마비로 추측할 수 있는 기록도 남았다. 비슷한 시기에 이탈리아의 해부학자 조반니 모르가니는 갑자기 사망한 비만 여성을 부검한 결과 동맥이 희끄무레해졌고 급성 심장 마비의 원인이 분명한 심장 파열이 관찰되었다고 묘사했다.[43] 그러나 의사들이 살아 있는 환자가 심장 마비를 겪고 있다고 정확히 진단한 후 부검으로 그 사실을 확인한 것은 1878년에야 가능해졌다.[44]

과거에는 심장 마비가 드문 일이었다. 1900년대 초까지만 해도 런던의 한 병원 기록에 따르면 부검 결과 사망과 가까운 시기에 심장 마비를 겪었다는 증거를 발견한 사례가 1년에 2건도 되지 않았다. 그러던 것이 1940년대 말에는 심장 마비로 인한 사망이 일곱 배가량 늘어났다.[45] 20세기 초에는 환자가 살아 있는 상태에서 심장 마비를 진단하는 것이 너무 드문 일이어서, 폴 더들리 화이트—미국의 심장 전문의로 후에 아이젠하워 대통령이 심장 마비를 겪었을 때 그를 돌본 의사다—는 자신이 1911년 의대를 졸업할 때까지 심장 마비라는 병을 들어 본 적도 없었다고 말했다.[46]

돌이켜보면 드물기는 했지만 심장 질환이 이보다 더 일찍 의학계의 주목을 받지 못했다는 것은 놀라운 일이다. 동맥의 석회화 현상[47]—만성 죽상 동맥 경화증을 일으키는 플라크는 엑스레이에서 눈으로 확인할 수 있다—은 헤버든의 보고가 나오기 무려 200년 전 이탈리아에서 1575년에 이미 기록된 적이 있다. 엑스레이 기술을 사용한 연구를 통해 고대 이집트와 콜럼버스 상륙 이전의 페루 미라 중 3분의 1이 동맥의 석회화 현상을 보였다는 사실이 밝혀졌다. 아이스맨 외치조차 동맥에 석회화가 진행되고 있었으며 관상 동맥 질환을 앓을 확률이 유전적으로 더 높았다는 것이 밝혀졌다.

심장 마비의 원인을 발견하다

죽상 동맥 경화증 자체가 심장 마비를 일으키는 것이 아니라 동맥 경화가 진행된 곳에 급성 혈전이 보태지면서 심장 마비가 일어난다는 사실을 처음으로 이해한 사람은 1912년 제임스 헤릭이었다. 심장 마비로 사망한 사람들의 부검에서 항상 혈전이 발견되지는 않기 때문에, 죄를 지은 그 혈전이 문제를 일으킨 다음 체내의 응고 방지 단백질에 의해 부분적으로 또는 전적으로 분해된다는 것을 의사들이 추측해 내기까지는 시간이 걸렸다. 다만 사망한 사람들의 경우, 이 분해 작업이 애초에 혈전으로 막힌 곳의 하류에 위치한 심장 근육을 손상시키지 못할 만큼 신속하게 진행되지 않았던 것이다. 이제 우리는 거의 모든 심장 마비가 혈전 때문에 생기고, 그 혈전은 거의 대부분 관상 동맥에 생긴 동맥 경화성 플라크의 균열 또는 파열로 촉발된다는 사실을 안다.[48]

20세기에 중증 죽상 동맥 경화증은 점점 더 흔해졌다. 한국전쟁이 일어날 무렵에는 전투 중 목숨을 잃은 젊은 병사 중 4분의 3 이상이 죽상 동맥 경화성 플라크를 이미 가지고 있었고,[49] 중년에 이른 미국인은 거의 모두 이 플라크를 가지고 있었다.

아포플렉시에서 뇌졸중으로

지금은 뇌졸중이라고 부르는 증상을 고대 그리스와 로마에서는 '아포플렉시apoplexy'라고 불렀다. 글자 그대로 그리스어로 '맞아 쓰러지다'라는 뜻이다. 하비가 혈액 순환 이론을 발표하기 훨씬 전, 유명한 고대 그리스 의사 히포크라테스는 아포플렉시가 피가 한곳에 정체되어 생기는 증상이라고 진단했다. 역사적 기록을 살펴보면 로마 황제 트라야누스는 117년에 사망하기 직전 갑작스러운 마비 증상을 보였다고 전해져 뇌졸중 증상과 일치하는 듯하며, 752년에 교황으로 선출되었으나 며칠 만에 죽은 로마 출신 스테파노의 사망 원인도 아포플렉시였다.[50]

1600년대 중반 영국 의사들은 아포플렉시가 뇌에 생긴 급성 출혈이 원인이라고 진단했다. 그러나 그로부터 200년가량이 지난 후에야 의사들은 아포플렉시가 뇌 안에서 생기는 출혈뿐 아니라 뇌로 향하는 혈액의 흐름을 막는 혈전 때문에도 생길 수 있다는 것을 깨달았다.[51]

출혈 문제의 과거와 현재

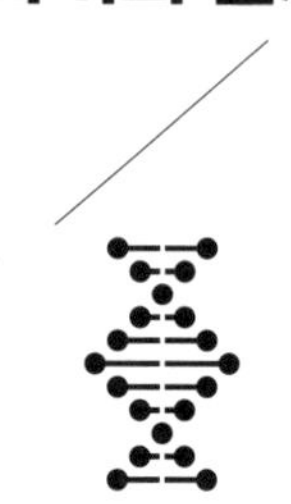

혈액 응고 체계만으로 역부족일 때

정상적인 상황에서는 순조로운 흐름을 유지하고 필요할 때는 급속하게 혈액을 응고시키도록 미세 조정된 이 체계는 수천 년에 걸쳐 발달했다. 그 기간 동안 우리 조상들은 극도로 활동적인 생활 방식을 유지했다. 정맥에 혈전이 생기지 않을 정도로 활발히 움직였고, 고동치는 동맥에 혈전이 생길 정도로 오래 살지도 못했다.

구석기 생활 방식에 맞게 발달한 혈액 응고 체계가 우리 조상들 모두의 생명을 보호하지 못한 것과 마찬가지로, 현대에도 정말 큰 부상을 당하면 여전히 이 체계는 우리를 보호하기에 불충분하다. 부상이 너무 심각해 아무리 좋은 응고 체계도 역부족일 때가 있는 것이다. 예를 들어 정맥 또는 동맥이 크게 절단이 나면 혈액 응고 체계만으로는 문제를 해결할 수 없다. 사하라 이남 아프리카에서는 부상이 주요 사망 원인 중 5위를 차지한다.[52] 이 지역에서는 매년 10명당 4건의 심각한 부상이 발생하며 그중 약 1퍼센트는 치명적이다. 의도치 않은 부상은 여전히 전 세계 사망 원인의 7퍼센트를 차지하고 개발도상국에서는 이 비율이 더 높은 곳이 많다.[53]

출혈은 현대 미국에서도 여전히 큰 문제로 남아 있다. 1981년 총상을 입은 후 정상적인 혈액 응고 체계를 가지고 있는 몸 상태였음에도 출혈로 거의 사망 지경에 이른 로널드 레이건 대통령의 예를 생각해 보자.[54] 레이건 대통령은 주 폐동맥 가까운 곳에 난 총상으로 전체 혈액량의 절반 이상을 쏟아내고 곧바로 쇼크 상태에 들어갔다. 그는 혈액량을 보충하기 위해 긴급하게 식염수를 정맥 주사로 주입하고, 신체 각 기관에 산소를 공급하도록 하기 위해 8유닛에 해당하는 적혈구—혈액 8파인트(약 3.8리터)에 들어 있는 적혈구와 같은 양—를 수혈하는 동시에, 피가 줄줄 새는 동맥을 복구하기 위한 수술을 한 덕분에 목숨을 건졌다.

흥미롭게도 레이건의 부상과 생존은 그전 30년에 걸쳐 미국에 살인율이 점점 감소한 이유와 궤를 같이 한다. 살인율 감소 이유 중 하나는 의료 기술의 발달이었다—구급차 체계가 더 잘 갖춰지고 병원 응급실에 좋은 장비를 갖춘 현대식 트라우마 대처 부서가 활성화되었기 때문이다. 그 결과 총상, 자상, 또는 기타 무기에 의한 부상을 당한 사람은 몇 십 년 전에 비해 죽을 확률이 절반 이상으로

줄어들었다.[55]

대폭 줄어든 분만 시 출혈의 위험

분만 후 출혈의 위험은 불과 20년 전 여러 개발도상국의 경우와 비교해 2퍼센트밖에 안 되지만 그렇다고 완전히 무시할 만큼 작은 위험은 아니다. 분만의 마지막 단계를 관리하는 데 동원되는 현대 의료 기술에는, 태아의 어깨 부위가 빠져나온 즈음에 자궁 근육을 강화하는 약을 주사해 분만이 끝난 후 자궁이 더 빨리 수축해 혈관을 조이고 결과적으로 출혈을 줄일 수 있게 하는 방법이 포함된다. 이와 더불어 탯줄을 부드럽게 당겨 자궁에서 태반이 떨어지는 것을 돕고, 탯줄을 집게로 집어 준 다음 60초 후 잘라 주고, 태반이 나온 후 자궁을 마사지해 주는 치료 방법도 사용된다. 이렇게 복합적인 기술을 동원한 결과 분만 후 과다 출혈 위험을 70퍼센트쯤 감소시키는 데 성공했다.[56]

이 가운데 절반 정도의 효과는 자궁 근육 강화제 주입에서 나온다. 세계보건기구는 모든 여성에게 분만 시 옥시토신(상품명 피토신) 계열의 약을 정맥 주사 또는 근육 주사로 처방할 것을 권장한다. 자궁 근육을 강화하고 출혈하는 혈관을 조여 주기 위해서다. 분만 전후 출혈이 과하다는 판단이 들 때는 다른 약들과 함께 옥시토신을 추가로 주입하는 것도 권장하고 있다.[57]

이 모든 대책에도 불구하고 미국에서 분만 여성 100명 중 약 3명은 분만 후 과다 출혈을 경험한다. 다행히 임신 중 축적해 둔 여분의 적혈구와 병원에서 관례적으로 처방하는 정맥 주사액 덕분에 산모가 4파인트(약 1.9리터) 이상 피를 잃지 않는 한 수혈이 필요한 경우는 드물다. 따라서 분만 후 출혈을 하는 여성 중 수혈이 필요한 경우는 10퍼센트에 불과하다. 이제 미국에서 산모 100만 명당 분만 후 출혈로 인한 사망자는 20명 남짓이어서 구석기 시대에 비하면 위험이 150분의 1로 줄어들었다.[58]

혈전으로 인한 사망이 출혈 사망의 네 배를 넘어서다

봉합술, 수혈, 줄어든 폭력, 그리고 향상된 산과 의료 기술 덕분에 우리는 이제 인류 역사상 어느 때보다 과다 출혈로 죽을 위험이 가장 낮은 시대에 살고 있다. 하지만 우리는 혈액 응고에 아주 능했던 사람들의 자손이므로, 그들에게서 물려받은 유전적 특징은 산업화 사회에서 가장 흔한 사망 원인들과 직접 연관된다.

오늘날 미국에서 혈전으로 인한 질병—심장 마비, 혈전성 뇌졸중, 폐색전 등—은 모든 사망 원인의 25퍼센트를 차지한다. 이는 외상, 살인, 자살, 출혈성 뇌졸중, 궤양 등 출혈 증상으로 인한 사망을 모두 합친 것보다 네 배 이상 많다.[59] 그리고 이런 불균형을 초래하는 유전자는 계속해서 후세에 전달될 것이다. 혈전으로 인한 질병이 자손을 낳기 전에 발생해 목숨을 앗아가는 일은 드물기 때문이다.

심장 마비:
다시 로지 오도널 이야기로

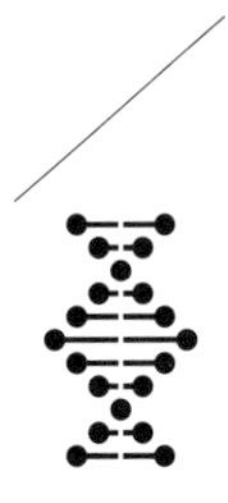

심장 마비 시 취하는 조치들

심장 마비 증상과 일치하는 증상을 느끼면 가능한 한 빨리 응급실로 가는 것이 중요하다. 응급실까지 차로 데려다 줄 누군가를 기다리기보다는 필요한 처치를 해 줄 수 있는 구급차로 가는 것이 더 낫다. 응급실에서 진단을 위해 하는 가장 중요한 검사는 심전도 검사다. 이 검사는 도착 즉시, 의사나 간호사가 맥박과 혈압을 재는 중에도 바로 실시될 것이다.

심전도 검사에서 심장 마비의 증거가 포착되면 몸속에 주입하는 의료용 관인 카테터 설치실로 신속히 옮겨져 관상 동맥이 실제로 막혀 있는지 확인하기 위해 관상 동맥에 염료가 주입될 것이다. 관상 동맥이 막혀 있으면 로지 오도널이 받은 것과 동일한 치료가 실시된다. 만일 찾아간 병원에 카테터 설치실이 없다면 혈전을 없애는 약을 처방받거나 카테터 설치실이 있는 병원으로 옮겨질 것이다. 의사들이 확실한 진단을 내릴 수 없다고 판단하면, 보통 6시간 관찰 대상으로 분류하고 심전도 검사와 혈액 검사를 반복하면서 심장 근육에 손상이 간 증거가 나오는지를 관찰한다.

심장 마비의 증상은 남녀가 다르지 않다

심장 마비를 겪는 여성은 남성과는 완전히 다른 증상을 보인다는 이야기를 들은 사람들이 많을 것이다. 그러나 사실은 성별에 상관없이 심장 마비를 겪는 모든 사람은 가슴에서 불편한 느낌이 시작되어 팔, 목, 턱으로 통증이 확산되고, 숨이 차고, 땀이 나며, 힘이 빠지고, 현기증과 구토증을 보인다. 활동이 적은 사람은 활동적인 사람보다 이런 위험 신호—예를 들어 헤버든이 묘사한 고전적인 활동성 협심증 증상 같은—를 느낄 확률이 적다. 협심증은 휴식 상태에서는 충분한 혈액 공급이 되다가도 운동 중 심장 근육에 혈액 공급이 불충분해질 때 촉발되는 증상이기 때문이다. 따라서 관상 동맥이 완전히 막히지 않고 부분적으로 막혀 생기는 증상이 활동량이 적은 사람에게서 관찰되는 확률이 더 낮다는 것은 새삼스러운 일이 아니다.

평균적으로 여성은 남성보다 약 10년쯤 늦게 심장 마비 증상을 겪는데, 이때는 활동량이 적어진 나이여서 심장 마비 전에 오는 협심증 증상을 느낄 확률이 낮다. 그리고 남녀 관계없이 나이가 더 들었을 때 심장 마비를 겪으면 젊은 환자에 비해 숨 가쁨, 혼란스러운 느낌을 비롯해 여러 비특이성 증상(특정한 질병을 가리키지 않는 증상—옮긴이)을 겪을 확률이 높다.

응급실에 실려 온 환자 1만 8000명을 대상으로 내가 실시한 연구에 따르면 여성이 겪는 증상은 남성의 증상과 크게 다르지 않았다. 더 큰 차이는 위에서 든 증상을 남성이 겪으면 모두가 심장 마비를 걱정하지만, 여성이 같은 증상을 보이면 심장 마비를 걱정하기보다는 뭔가 다른 원인—근육 경련, 역류성 식도염, 스트레스 등—이 있으리라 추측하는 경향이다.

모든 것이 괜찮다는 확신이 들면—바로 내리는 진단이든, 6시간의 관찰 후 내리는 결론이든—의사들은 환자를 집으로 돌려보내면서 즉시 또는 1주일 내에 운동 자극 검사 등을 추가로 받으라고 조언한다. 검사 결과 다른 종류의 관상 동맥 질환을 가지고 있다는 증거가 발견되면 정밀 검사를 받도록 조치가 취해질 것이다. 어떤 쪽으로 결론이 내려지든 간에 이런 에피소드는 대부분의 사람에게 개선할 수 있는 문제를 해결하기 위한 노력을 시작하라는 경고로 작용할 것이다.

심장 마비를 부르는 요인과 치료 방법

심장 마비의 주된 위험 요인은 높은 LDL 콜레스테롤(나쁜 콜레스테롤) 수치, 낮은 HDL 콜레스테롤(좋은 콜레스테롤) 수치, 흡연, 당뇨, 고혈압, 노화, 남성인 경우 등이다. 심장 마비는 몸속에 염증이 있는 사람에게서 나타날 확률이 더 높은데, 염증이 생기는 과정에서 콜레스테롤이 많이 함유된 플라크가 균열되기 쉬워서인 듯하다. 로지 오도널은 치료를 위해 체중을 줄이고 나쁜 LDL 콜레스테롤을 낮추고 좋은 HDL 콜레스테롤을 늘리는 한편, 비만과 관련된 당뇨 증상을 완화시켜야 된다는 조언을 받았을 것이 확실하다. 심장 마비를 겪고 살아남은 사람은 LDL 콜레스테롤 수치를 현대의 수렵·채집인 수준인 70데시리터당밀리그램mg/dL 이하로 낮추기 위해 스타틴을 처방받는 경우가 많다.[60]

콜레스테롤 수치를 낮추면 현재 존재하는 플라크가 안정되고 더 이상 커지지 않을 뿐 아니라 간혹 크기가 줄어드는 효과를 보기도 한다. 플라크가 더 안정적이 되면 갈라지거나 터지거나 또는 동맥 내에서 비정상적인 혈액 응고를 촉발하는 확률이 낮아진다. 그러나 생활 습관을 어떻게 바꾼다 해도 혈액이 가진 본연의 응고 성향을 변화시킬 수는 없다. 바로 이런 이유에서 로지 오도널이 심장 전문의를 만나기 전에 복용한 아스피린이 관상 동맥을 혈전이 완전히 막는 것을 방지해 그녀의 목숨을 구했을 수도 있다.

혈관 속에 주입한 철망 모양의 관인 스텐트가 계속 열려 있도록 하기 위해 그녀는 혈소판 기능을 억제하는 아스피린보다 더 강력한 약이 필요할 것이다. 혈소판과 혈액 응고 단백질을 억제하는 혈액 희석제는 비정상적인 혈액 응고를 경험했거나 고위험군인 사람에 대한 종합적 치료의 필수 요건 중 하나로 사용된다.[61] 이 약은 출혈 위험을 약간 높여 주는 반면 목숨을 위협하는 혈전이 생길 위험을 상당히 낮춰 준다.

뇌졸중에서 살아남기

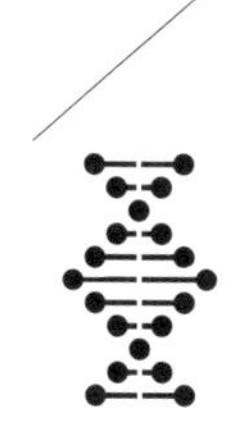

약간의 혈액 공급이 죽어 가는 조직을 구한다

남아 있는 정보를 총동원하고 최선을 다해 분석한 결과 우리는 1877년부터 1900년 사이 발생한 뇌졸중 중 4분의 3은 출혈성이었다고 추측하고 있다. 그러나 21세기에는 일본에서 발생하는 뇌졸중 중 약 3분의 2, 미국과 서유럽에서 발생하는 뇌졸중 중 80퍼센트 이상이 혈전에 의한 것이다.[62] 이유는 두 가지다. 첫째, 과거에는 출혈성 뇌졸중을 일으킨 가장 주된 원인으로 고혈압이 압도적으로 많았지만—프랭클린 루스벨트처럼—이제는 고혈압을 치료하고 조절할 수 있게 되었기 때문이다. 둘째, 죽상 동맥 경화증이 증가하면서 뇌로 혈액을 공급하는 동맥에 플라크와 혈전이 더 많이 생기고 있기 때문이다.

뇌졸중이 닥칠 가능성이 있다는 위험 신호 증상은 '일과성 뇌허혈 발작' 또는 '미니 뇌졸중'이라고 부른다. 주로 말하기 또는 신체 일부분을 움직이는 능력 등 특정 기능을 일시적으로 잃지만 환자는 겉으로는 다시 완전히 회복된 것 같은 모습을 보인다. 본격적인 뇌졸중을 겪고 나면 이런 기능 상실이 하루 이상 또는 영원히 지속된다. 현대 의료 기술 덕분에 이제는 막힌 뇌동맥을 다시 열고 뇌속 출혈 핏줄을 수선할 수 있으므로, 뇌졸중이 의심되는 환자는 심장 마비가 의심되는 환자가 따라야 하는 응급 조치를 동일하게 밟는 것이 좋다.

뇌로 통하는 동맥이 혈전으로 막혀 뇌졸중을 일으켰을 때, 의사가 혈전 너머에 있는 조직이 죽지 않을 정도로 재빨리 혈액의 흐름을 복구할 수 있으면 피해를 줄일 수 있다. 바로 이런 이유에서 의사들은 가능한 한 증상이 처음 나타난 지 90분 이내에 혈전을 녹이는 약을 투여한다. 혈액 공급이 완전히 끊긴 상태가 단 5분이라도 지속된 뇌세포는 어떤 치료로든 복구할 수 없다. 그러나 부족하나마 약간의 혈액 공급이라도 받은 주변 조직은 잠시 버틸 수 있으며 서너 시간 안에 충분한 혈액 공급이 재개되면 구할 수 있다.[63]

심장 마비와 뇌졸중의 세 가지 중요한 차이

심장 마비와 뇌졸중은 수많은 유사점이 있지만 중요한 차이점도 몇 가지 있다. 첫 번째 차이는 발병 원인이다. 뇌로 혈액을 공급하는 큰 경동맥(목동맥)에 생긴 플라크가 균열하면서 혈관이 완전히 막혀 뇌졸중이 촉발될 확률은 별로 없다. 이 경동맥은 심장의 관상 동맥보다 훨씬 더 넓기 때문이다. 뇌졸중은 그런 원인보다는 플라크가 균열된 곳에서 떨어져 나온 혈전이나 플라크 조각이 혈액을 따라 돌아다니다가 뇌의 더 작은 동맥을 막으면서 생기는 경우가 더 많다. 뇌졸중 또는 미니 뇌졸중 증세를 보인 환자 또는 경동맥이 좁아진 것이 관찰된 환자가 뇌졸중을 일으키는 것을 방지하는 데는 항혈소판제 또는 혈액 응고 단백질을 억제하는 약이 유용하다. 또 뇌졸중을 겪을 위험이 높은 환자는 혈압을 정상화하는 약과 콜레스테롤 수치를 낮추는 스타틴을 복용해야 한다. 이와 더불어 일과성 뇌허혈 발작 같은 증상이 나타날 정도로 심각한 경동맥 부분 막힘을 보이는 환자는 동맥 내막 절제술[64]로 효과를 보는 경우가 많다. 이것은 외과 의사가 글자 그대로 죽상 동맥 경화증을 일으키고 있는 플라크를 동맥 내벽에서 긁어내는 치료법이다.

심장 마비와 뇌졸중의 두 번째 중요한 차이는 응급 처치법이 다르다는 점이다. 심장 마비의 경우 혈전 제거제가 아무리 강력한 효과를 자랑해도 단순히 약에 의존하기보다 혈관 성형술(카테터를 삽입해 풍선을 불어 혈전을 밀어 누르고 동맥을 확장해 주는 시술법), 철망 모양의 스텐트를 삽입해 동맥에 혈액이 흐르도록 유지하는 처치, 혈전이 다시 생기지 않도록 하는 다양한 약 투여, 이 세 단계 치료법을 채용하는 것이 더 효과적이고 다른 곳에서 출혈을 야기할 가능성을 낮춘다고 입증되었다. 그러나 뇌로 향하는 동맥의 경우 혈관 성형술과 스텐트 삽입은 성공을 거둘 확률이 낮다. 아마 그럴 경우 작은 혈전 조각이 떨어져 나가 혈류의 하류 쪽에서 더 많은 문제를 일으킬 위험이 있기 때문일 것이다. 혈전을 신속하게 흡수하고 동맥을 다시 여는 기능을 하는 새롭고 더 효과적인 기술이 이제 막 사용되기 시작했지만[65] 대부분의 병원에서 표준적으로 사용하는 급성 뇌졸중 치료법은 여전히 카테터 삽입 시술보다는 혈전 제거 약물 투여다.

세 번째 차이는 동맥이 막혀 생긴 손상을 심장과 뇌가 상쇄하는 정도의 차이 때문에 생긴다. 우리 심장은 상당한 여력을 지닌 기관으로, 심장 근육의 20~30퍼센트가 죽는다 하더라도 목숨을 잃지 않을 정도로 박동을 계속할 수 있다. 그러나 특정 영역마다 고유 기능을 수행하도록 되어 있는 뇌는 한 군데가 기능을 상실하면 다른 영역에서 그 기능을 상쇄할 수 없는 경우가 대부분이다. 몸 오른편을 움직이는 뇌 영역이 죽으면 그쪽이 마비된다. 아무리 공격적인 재활 치료를 해도 잃어버린 기능의 일부밖에 복구할 수 없다.

정맥 혈전과 폐색전에서 살아남기

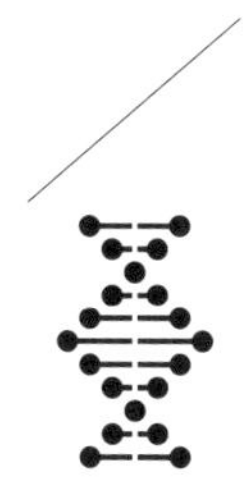

정맥 혈전의 주범은 덜 움직이는 생활 습관

현대인의 정맥이 헤쳐 나가야 하는 가장 주된 문제는, 우리 몸은 원래 계속해서 움직이도록 만들어졌는데 현대에 와서 상대적으로 몸을 덜 움직이는 생활 습관이 생겨 버렸다는 점이다. 컴퓨터 앞에서 날마다 하루에 12시간 이상을 보낸 영국의 젊은 비디오 게임광 크리스 스태니포스[66]의 예를 생각해 보자. 그는 다리에 생긴 혈전이 떨어져 나와 치명적인 폐색전을 일으켜 2010년에 사망했다. 끊임없이 흐르는 혈액이 부적절하게 출혈하거나 혈전이 생기는 것을 막기 위해 수천 년에 걸쳐 정밀 조정된 혈소판과 혈액 응고 단백질이 그의 다리에 고여 움직이지 않는 피에서 자발성 혈전을 만들어 냈다.

바로 이런 이유 때문에 비행기나 자동차, 버스, 기차로 장거리 여행을 할 때는, 규칙적으로 스트레칭을 해 주고 조금씩이라도 걸어서 혈액 순환을 자극해 자발성 혈전이 만들어지는 것을 방지해야 하는 것이다. 장거리 비행에서는 움직이고 스트레칭을 해 주는 것과 더불어 압박 스타킹도 도움이 될 수 있다.[67] 불행하게도—또는 지갑의 입장에서는 다행히도—이런 문제는 이코노미석이나 비즈니스석이나 전혀 차이 없이 일어난다. 수평으로 누우면 정맥에 흐르는 혈액이 중력과 싸우지 않아도 되므로 완전히 눕는 자세를 취할 수 있게 젖혀지는 비즈니스석이 더 나은지 여부는 아직 밝혀지지 않고 있다. 따라서 그런 편한 좌석에 앉아 여행할 때라도 앉고 눕는 자세만 번갈아 가며 취할 것이 아니라 가끔 서서 돌아다녀 주는 것이 중요하다.

다리 정맥 혈전과 폐색전에 필요한 조치들

다리 정맥에 혈전이 생겼다는 생각이 들면 신속히 병원을 찾는 것이 좋다. 응급차를 불러야 하는 비상 사태는 아니지만 괜찮겠지 하고 미뤄서는 안 된다. 종아리가 붓고 통증이 느껴지는 증상이 나타나며 어떨 때는 허벅지까지 증상이 번지기도 하는데, 다른 쪽 다리에는 전혀 증상이 없기에 대체로 식별이 쉽다. 병원에 가면 의사는 초음파 검사와 혈액 검사로 진단을 한다. 혈전이 생겼다는 증거가 포착되면 혈액 응고 단백질을 억제하는 약을 처방받아 혈액 응고 방지 단백질들이 며칠 안에 혈전을 녹일 수 있도록 한다.

반면 폐색전이 의심되면 시급한 진단이 필요한데 폐동맥을 엑스레이로 촬영하는 방법이 사용된다. 영향받은 폐 부위의 크기와 손상 정도에 따라 증상은 거의 없는 상태부터 숨이 차거나 기침을 할 때 피가 보이는 정도, 또는 생명을 위협하거나 혈액에 산소를 공급하는 폐 기능을 너무 많이 상실해 목숨을 잃는 상태까지 다양하다. 피해를 최소화하기 위해 환자에게는 보통 혈액 응고 단백질을 줄이는 약을 처방하고, 간혹 혈전을 없애는 약도 함께 투여하는 수가 있다. 드물지만 생명을 위협하는 혈전을 제거하는 수술을 받아야 할 수도 있다.

현대인에게 혈액 조절 장치는 응고 쪽에 너무 치우쳐 있다

인체의 혈액 응고를 관장하는 조절 장치가 미세 조정 끝에 고정되었던 구석기 시대에는 수천 년 후에 무슨 일이 일어날지 걱정할 필요가 없었다. 장거리 자동차, 비행기 여행으로 인해 생긴 다리 정맥의 혈전이 폐로 옮아가 목숨을 앗아갈 가능성은 너무나 먼 일이었다. 아울러 식생활과 신체 활동의 변화, 혈압 등으로 동맥이 좁아지고 혈전이 생길 확률이 높아져 심장 마비와 뇌졸중을 야기하는 문제가 생길 것이라는 예측도 할 수 없었을 것이다.

우리에게는 여전히 피의 응고 기능이 필요하다. 심각한 부상뿐 아니라 분만과 일상 생활에서 생기는 자잘한 상처로 목숨을 잃지 않으려면 없어서는 안 될 기능이기 때문이다. 그러나 출혈과 응고 사이를 미세 조정해 자연이 결정한 균형은 현대인 입장에서는 응고 쪽으로 너무 치우친 셈이 되었다. 오늘날 미국에서 출혈로 인한 모든 사망보다 과도한 응고로 인한 사망이 네 배 이상 많고 심장 마비와 뇌졸중이 4대 사망 원인에 포함된 것은 이 때문이다.[68]

구석기 시대 이후 모든 것이 얼마나 많이 변했는지는 임신과 분만에 따르는 위험의 변화만 봐도 잘 알 수 있다. 이제 미국에서는 출혈이 아니라 정맥과 동맥의 혈전이 임산부 사망의 주요 원인이다.[69] 그리고 증상을 완화할 수 있는 약을 쉽게 구할 수 있음에도 고혈압은 북아메리카의 고소득 지역 여성의 목숨을 분만 후 출혈보다 훨씬 더 많이 앗아간다.[70] 이 얼마나 큰 변화인가!

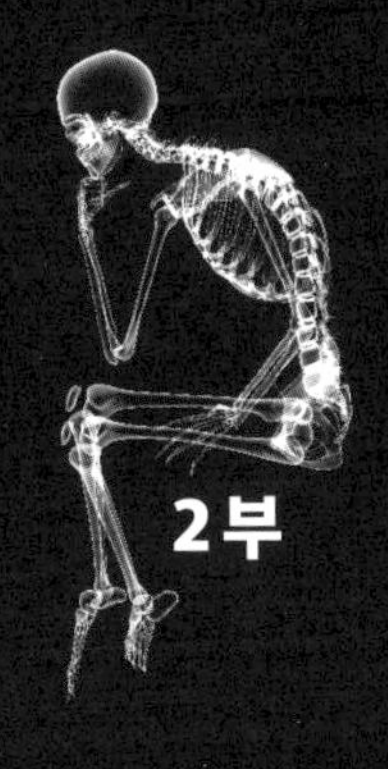

2부

현대 사회에서 우리 몸 보호하기

6장

유전자는 문제를 해결할 만큼 빨리 진화할 수 있을까

우리 조상들의 자손 증식과 수명

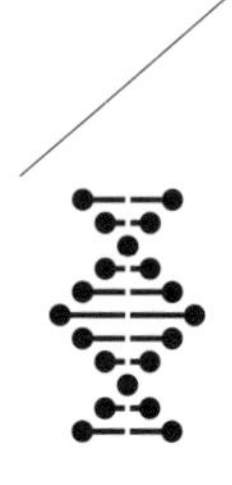

미국인의 평균 수명이 줄어들었다!

1990년 이후로 중남미계를 제외한 중졸 이하 미국 백인의 평균 수명이 4년 줄었다. 그중에서도 남성보다 여성의 평균 수명 감소 폭이 더 컸다.[1] 이 감소 현상은 소련 와해 후 러시아 남성이나 HIV/에이즈의 만연으로 큰 피해를 입은 아프리카 일부 지역 사람들의 평균 수명 감소 폭에 비하면 적은 편이기는 하다. 그러나 아주 드물고 고립된 예외를 제외하면, 산업 혁명이 시작된 초기부터 우리는 항상 세대가 흐르면서 인간 수명이 갈수록 늘어날 것이라는 전망을 당연하게 받아들여 왔다.

현대 미국에서 이렇게 수명이 줄어든 놀라운 현상을 보고 우리는 당연하지만 아주 중요한 질문을 하지 않을 수 없다. 이것이 단지 일시적이고 고립된 특이 현상인가? 아니면 생활 수준이 향상되면서 비만, 당뇨, 고혈압, 우울증, 불안, 심장 마비, 뇌졸중이 모두 증가해 역설적으로 수명이 줄어드는 것인가?

미래를 가늠하기 위해서는 먼저 과거로 돌아가 구석기 시대와 그 이후에 인류가 자손 증식과 수명을 늘리는 데 성공한 배경을 이해하는 것이 중요하다. 그런 다음 현재의 데이터를 토대로 미래를 예측해 보자.

종 유지에 필요한 조건들

인류는 자손을 낳고, 마찬가지로 자손을 낳을 자녀의 수를 최대화하는 데 가장 성공한 사람들에 의해 지속되었다. 이 과정은 본인이 오래도록 건강하게 산 것과는 별개의 문제다. 몸이 건강하고 수명이 길다는 특징은 그것이 더 많고 더 나은 짝을 만나는 데 도움이 될 때, 그리고 자손을 많이 낳고 그들을 적이나 위험으로부터 보호하는 데 사용될 때만 의미가 있다.

종을 유지하기 위해서는 사망률보다 생존율이 더 높아야 한다. 이 목표를 성취하려면 세 가지 조건이 충족되어야 한다. 연간 출생률이 충분히 높아야 하고, 충분히 많은 수의 아이들이 성인이 될 때까지 생존해 자식을 낳아야 하고, 그중 충분히 많은 수가 다시 성인이 되어 자식을 낳는 사이클을 되풀이할 수 있어야 한다. 과학자들은 종의 보존을 위해서는 연간 성인 생존율이 적어도 실제 분만 간격(생식 가능 연령까지 살아남는 자녀를 출산하는 평균 간격)의 70퍼센트는 되어야 한다고 계산했다. 다시 말해 아기를 2년에 1명씩 출산하고 그중 절반이 사춘기 이후까지 생존한다면 실제 분만 간격은 4년이다. 생식 가능 연령의 성인이 8퍼센트 이하의 연간 사망률(이는 4년 동안 70퍼센트를 약간 상회하는 생존율에 해당한다)을 보이면 그 종은 보존될 것이다.[2]

이제 우리 조상들의 생식률, 사춘기 이후까지의 생존율, 그리고 평균 수명에 대해 우리가 가지고 있는 자료를 살펴보자. 구석기 시대의 생식률에 대해서는 아무 정보도 남아 있지 않지만, 현대의 수렵·채집 사회를 통해 얼마간 추측은 해 볼 수 있다.

예를 들어 감비아의 시골 여성이나 파라과이의 아체이족 여성은 약 18세에 첫아이를 분만한다. 18세는 성숙도 및 건강 상태와 생식 가능 햇수 사이의 균형을 고려했을 때 가장 적합한 연령인 듯하다. 감비아의 여성과 말리의 외딴 곳에 사는 도곤족 여성은 보통 7명에서 13명의 자녀를 분만하고 그중 절반가량이 10세까지 살아남는다.[3] 이보다 더 임신을 많이 하거나 분만 간격이 좁아지면 아이를 먹이고 기르고 보호하는 데 어려움이 따라 효용 체감 현상이 일어난다. 여성은 여러 가지 방법으로 임신 간격을 조절하는데 그중에는 얼마나 오래 모유 수유를 하는지도 포함된다(모유 수유 기간에는 임신 가능성이 현저히 떨어진다). 이 모든 행동—언제 처음 임신을 하는지, 아이를 몇 명 낳는지, 터울을 얼마나 두는지—은 성공적으로 자식을 낳고, 자신의 유전자를 지닌 채 살아남는 자손 수를 최대화해 그 후로도 계속 자기 유전자를 퍼뜨리는 확률을 극대화하는 통계 모델과 놀라울 정도로 일치한다.

높은 성인 생존율이 호모 사피엔스를 번성하게 했다

우리 조상들이 성인으로 성장할 때까지 살아남을 확률은 얼마나 되었을까? 오래된 인간 유골을 광범위하게 연구한 결과 구석기 시대 조상들 중 50퍼센트는 10세가 되기 전에 사망했던 것으로 보인다. 그러나 일단 20세를 넘기고 나면 40세까지 살아남을 확률은 35퍼센트가량 되었다. 외부와 고립된 채 살아가는 20세기의 수렵·채집 공동체들은 이와 비슷하지만 약간 더 나은 통계 수치를 보인다. 구성원의 45퍼센트가 15세가 되기 전에 사망하지만, 15세를 넘긴 55퍼센트의 사람들 중 약 3분의 2, 즉 전체 인구의 약 35퍼센트는 45세까지 살아남는다. 그 정도면 충분히 손주를 볼 나이다. 그리고 45세까지 살아남은 35퍼센트의 사람들은 그 후로 평균 20년가량을 더 산다. 계산해 보면 태어났을 때의 평균 수명은 30~35세다.

이 계산에 기초해 60퍼센트에 가까운 아동 사망률에도 불구하고 구석기 시대의 생식률은 충분히 높고 최고 가임기 사망률은 충분히 낮아서 '호모 사피엔스' 종이 보존이 될 수 있었다는 결론을 내릴 수 있다. 이에 반해 네안데르탈인의 유골을 연구해 보면 10세 이전의 사망률이 좀 더 높고, 20세에서 40세 사이 사망률도 높게는

80퍼센트까지 이른 것으로 보인다. 즉 연간 사망률이 7퍼센트 이상이어서 종족 보존에 필요한 수치에 가까스로 턱걸이하는 수준이었다. 이 데이터는 왜 항상 네안데르탈인의 인구가 상대적으로 적고 거의 멸종 직전 상태에 놓여 있었던 반면, 호모 사피엔스는 상황이 좋을 때는 인구를 늘리고 상황이 나빠지면 멸종을 면할 만큼 여유 인구를 확보할 수 있었는지 설명해 준다.[4]

가임 연령이 지난 후에 오래 살아남는 것도 현 인류가 퍼지는 데 도움이 되었다. 자식을 낳아 기르는 임무가 끝난 사람들에게 일어나는 일은 자연 선택에 영향을 주지 않지만, 건강한 장년층이 있으면 공동체에 도움이 된다. 중년과 노년의 여성은 아이들을 키우는 데 늘 할머니로서 큰 도움이 되었다.[5] 남성의 육체적 힘이 가장 왕성할 때는 20대 중반이지만, 수렵·채집인 남성의 사냥 기술이 절정에 이르는 때—가족을 부양하기 위해 자신에게 필요로 열량을 제외한 여분의 열량을 최대한으로 확보하는 시기—는 40~45세다.[6] 이에 더해 남성은 노년에 이르도록 자손을 계속 퍼뜨릴 수 있다.

현대인의 수명 연장과 창궐하는 현대병

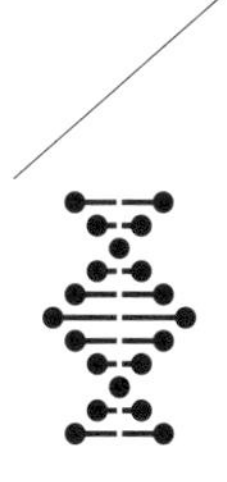

극적으로 늘어난 현대인의 평균 수명

인간의 생식력, 아동 사망률, 평균 수명은 아주 최근까지도 별다른 변화가 없었다. 예를 들어 19세기 중반 독일 바이에른주 지역의 여성은 평균 8명에서 10명의 아이를 약 18개월에서 24개월 터울로 40세가 될 때까지 낳았다—그 나이가 되도록 살아남았다면 말이다. 낳은 아이가 살아남으면 다음 아기를 낳는 터울이 조금 더 길어졌고, 아이가 죽으면 약간 더 짧아졌다.[7] 고대 그리스와 로마 시대의 평균 수명은 약 30세였는데 18세기 스웨덴의 평균 수명도 여전히 34세에 지나지 않았다. 이 수치는 1850년 미국에서 40세, 1870년 영국에서 41세로 늘어났다.[8]

그러나 생활 수준, 영양 공급, 위생과 안전 상태가 향상되면서 평균 수명은 극적으로 늘어났다. 한 가지 예로 영국의 평균 수명은 1870년 41세였던 것이 1920년에는 53세로 늘어났다. 이전 50년 동안에는 3년밖에 늘어나지 않은 것을 감안하면 무려 네 배나 증가한 것이다.[9]

1970년 이후 전 세계적으로 평균 수명이 계속 늘어나 이제는 오늘 아기가 태어난다면 그 아기는 71~72세까지 살 것이라고 예상할 수 있을 정도가 되었다. 5세가 되기 전에 사망할 확률은 1990년에만 해도 거의 25퍼센트였지만 2013년에는 그 절반으로 떨어졌다.[10] 이제 모든 사망의 25퍼센트 가까이는 80세 이상 연령대에서 일어난다.

평균 수명이 가장 긴 사람들은 아이슬란드 남성(80세)과 일본 여성(86세)이다.[11] 미국의 평균 수명은 그보다 약간 짧지만 이는 영아 사망률이 좀 더 높은 것이 주요 원인이다. 65세 이상 연령대의 평균 수명은 미국을 비롯한 선진국이 거의 비슷하다. 80세가 되어도 그때부터 평균 8년은 더 살 수 있을 것이라 기대해도 된다.

우리가 더 오래 살 뿐 아니라 더 건강해졌다는 것은 놀라운 사실이 아니다. 평균 신장이 늘어난 것이 이런 장수와 더 나은 건강 상태의 증거로 받아들여지고 있다. 서유럽의 평균 신장 증가 폭은 19세기에는 0.5인치(약 1.3센티미터)에 못 미쳤지만 20세기에는 3인치(약 7.6센티미터)가 넘는다.[12]

수명 연장과 당뇨병, 고혈압, 우울증의 증가

평균 수명이 길어지는 현상은 전 세계적으로 사망과 장애를 초래하는 원인이 변화하는 추세와 함께 나타난다. 1990년 이후만 보더라도 영양 실조는 세계 사망 원인의 11위에서 21위로 떨어졌고, 영양 부족으로 인한 장애 또한 40퍼센트가량 떨어졌다. 그와 동시에 당뇨병으로 인한 장애는 30퍼센트 증가했고, 당뇨병 또한 사망 원인 15위에서 9위로 올라갔다.

세계적으로 과체중, 당뇨병, 그리고 당뇨 전단계성 혈당치 상승은 하나씩 따로 따져도 영양 실조보다 더 많은 사망을 초래하고 있으며, 이 세 요인을 합치면 영양 실조보다 일곱 배나 많은 사람의 목숨을 앗아가고 있다.

1990년 이후 고혈압으로 인한 심장 질환이 세계적으로 약 6퍼센트 상승했는데, 이제 고혈압은 다른 어떤 위험 요인보다 더 많은 사망을 초래하고 있다. 이에 반해 목숨을 위협하는 탈수를 초래하는 가장 큰 원인인 설사병으로 인한 사망과 장애는 60퍼센트 이상 감소했다. 우리 몸이 탈수가 되지 않도록 보호하는 타고난 형질의 일부인 과도한 소금 섭취는 설사보다 두 배나 많은 사람의 목숨을 앗아가고 있다.

또 1990년 이후 전 세계에서 부상으로 인한 사망은 13퍼센트 감소한 반면 우울증으로 인한 장애는 5퍼센트 넘게 증가했다.[13]

미국의 현대병 추세는 심각하다

세계적인 추세를 알아보는 것도 유익하고 좋지만 미국의 경우는 어떨까? 미국 내 추세도 그다지 좋지는 않다. 비만, 당뇨병, 고혈압, 우울증 모두 세계 다른 지역 대부분에 비해 미국에서 이미 더 큰 문제를 야기하고 있으며 상황이 개선될 기미도 그다지 보이지 않는다. 예컨대 지난 수십 년 동안 미국 남성은 연령에 상관없이 점점 더 뚱뚱해지고 있다. 성인 여성과 여자 아이의 체중은 마침내 더 이상의 증가를 보이지 않는 듯하지만, 아주 바람직하지 않은 수준에서 머물고 있다. 1970년 이후 성인 비만율은 두 배 이상 증가했고, 아동과 사춘기 청소년 사이에서는 세 배 이상 증가했다. 당뇨병 발병률도 늘고 있어서 이로 인한 사망 역시 점점 더 증가할 수밖에 없는 실정이다.

미국에서 고혈압 환자는 지난 10~20년 사이에 약 5퍼센트 늘었는데 이는 대부분 비만으로 인한 것이었다. 실제로 죽음에 이른 자살의 비율은 거의 변화를 보이지 않지만, 이는 자살 시도 건수가 증가했음에도 불구하고 응급 치료술이 발달한 덕분이다.[14] 수명을 단축하는 요인 중 실제로 죽음에 이른 자살이 6위를 기록하고 있고, 장애를 가지고 사는 햇수를 증가시키는 요인 중 두 번째가 우울증이다.

유일하게 좋은 소식은 심장 마비나 뇌졸중으로 사망할 위험이 극적으로 낮아진 것이다. 더 나은 예방책—더 낮은 콜레스테롤 수치, 흡연의 감소, 더 나은 고혈압 관리—과 약물, 외과적 치료법의 향상으로 인한 발전이다. 그러나 심장 마비와 뇌졸중은 여전히 각각 미국인 사망 원인 중 1위와 4위를 기록하고 있어서 출혈로 인한 사망 위험을 무색케 하고 있다.

교육 수준이 낮은 미국인들의 상황은 이미 나빠지기 시작했다.[15] 2010년에 교육 수준이 높은 지역—캘리포니아주의 마린카운티나 버지니아주의 페어팩스카운티 같은 곳—에서는 세계 어느 장수 국가와도 버금가는 평균 수명을 자랑했다. 교육 수준이 낮은 지역—켄터키주의 페리카운티나 웨스트버지니아주의 맥도웰카운티 같은 곳—의 사람들은 방글라데시 사람들보다 더 오래 살지 못한다. 이는 주로 과하게 몸을 보호하는 우리의 타고난 형질이 그 원인이다.

세계의 다른 지역 사람들 상황도 이보다 별로 낫지 않다. 인도와 중국은 이미 미국보다 더 많은 당뇨병 환자를 가지고 있다. 그리고 2035년이 되면 인도의 당뇨병 환자 수는 지금의 세 배, 중국은 지금의 다섯 배가 될 전망이다.[16]

현대병의 미래

오래 산다고 삶의 질이 보장되지는 않는다

어떤 방법을 사용해 관측하더라도 2030년이 되면 세계 아동 사망률은 21세기 초의 절반으로 줄어들 것이라는 결론이 나온다. 이러한 감소는 고소득 국가의 평균 수명을 여성은 85세, 남성은 80세로 끌어올릴 전망이다. 대표적인 예외는 사하라 이남 아프리카로 그 시점이 되어도 평균 수명이 55~60세에 그칠 것 같다.

2030년에도 여전히 혈액 응고로 인한 질병인 심장 마비와 뇌졸중이 세계적으로 가장 큰 사망 요인으로 꼽힐 것이라고 과학자들은 예측한다. 비만과 크게 관련이 있는 당뇨병은 사망 원인 9위에서 7위로 올라갈 것으로 보이는데 이는 부분적으로 현재 어린이와 청소년의 비만 문제가 높은 성인 비만율로 이어질 전조라고 해석

되기 때문이다. 고혈압으로 인한 질병 또한 증가해서 혈압성 심장 질환이 사망 원인 13위에서 11위로 올라설 것이다. 고혈압과 당뇨병 모두와 관련이 있는 신장 질환 또한 17위인 것이 13위가 될 전망이다.

세계적으로 자살도 증가해 14위에서 12로 올라서서 살인과 전쟁으로 인한 사망을 합친 것보다 많아지리라 예상한다. 일찍 죽어서 살아야 할 햇수를 잃는 것과 살아 있는 동안 얼마나 즐기고 사는지를 모두 감안한 삶의 질 면에서, 우울증은 행복한 삶의 방해 요인 중 세계적으로 두 번째, 미국과 같은 고소득 국가에서는 단연 첫 번째로 꼽힐 것이다.[17]

시간이 흐르면서 더 증가할 것으로 전망되는 질병들은 대부분 나이를 먹어 가는 우리 몸이 겪는 마모 및 손상과 관련 있다. 예를 들어 2030년이 되면 고소득 국가에서 장애를 초래하는 가장 주된 원인은 알츠하이머병을 비롯한 여러 가지 치매, 골관절염, 성인형 청각 장애가 될 것이다. 장애와 사망의 원인 중 증가 추세를 보일 또 한 가지 요인은 나이가 들면서 발병률이 높아지는 암이다. 암을 초래하는 주요 근본 원인은 환경적 독소(담배 연기 등), 전염병(자궁경부암과 상당수 두경부암의 원인인 사람 유두종 바이러스, 그리고 간암을 유발하는 간염 바이러스 등), 미국에서 발생하는 암 중 17퍼센트의 원인이라고 추정되는 비만 등이다.

유전자로 전세가 뒤집힐까:
비생산적 형질 제거하기

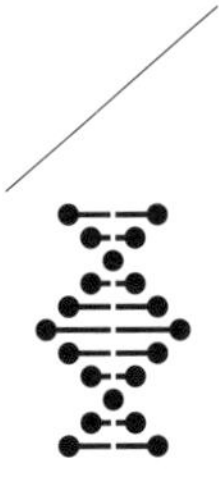

현대인에게 불리한 유전 형질은 자연 선택으로 제거될까

자연 선택을 통해 유익한 돌연변이는 확산되고 불리한 돌연변이는 제거된다면, 똑같은 원리로 현재의 과도한 보호 형질을 퍼뜨린 것과 동일한 과정을 통해 그 유전자들을 없앨 수 있을까? 또는 우리의 현재 조건에 더 맞는 새로운 돌연변이가 나와서 이제는 불리해진 유전자들을 상쇄하거나 다시 균형을 잡아 줄까? 어떤 식으로 일이 진행되든 간에 이 해로운 형질들이 사라져 버리면 얼마나 좋겠는가? 불행하게도 그런 일은 일어날 가능성은 아주 적다. 그 이유를 살펴보자.

자연 선택 과정에서는 나이가 들면 불리해질지라도 젊었을 때 자손을 증식할 가능성이 높은 형질이 일단 선택받을 확률이 높다.[18]

바로 이 때문에 다음과 같은 문제들이 생긴다. 우리가 너무 많은 음식을 먹고 너무 지나치게 소금을 섭취하고 너무 슬퍼지고 쓸데없이 혈액을 응고시키도록 만드는 과잉 보호 유전자들은, 현재로서는 우리를 젊어서 죽이지도 않고 배우자를 찾고 자식을 낳는 것을 막지도 않으며 그 자식들이 또 나이 들어 자기 자녀를 낳는 것을 막지도 않는다. 그러나 이 형질들이 끼치는 피해가 지금보다 더 심해져서 미래에는 자연 선택에 의해 제거될 가능성이 있을까?

과잉 보호 형질이 사라지기 힘든 이유

과잉 보호 형질 중 고혈압과 혈액 응고 두 가지는, 특히 현재 나와 있는 의술의 도움을 받으면 그 부작용이 성장, 발달, 생식에 거의 악영향을 끼치지 못하므로 남녀 모두의 자손 증식에 별다른 영향을 주지 못할 것이다. 그렇다면 불안과 우울증은 어떨까? 불안과 우울증을 겪는 사람, 특히 그 정도가 심한 사람은 배우자를 찾고 자손 증식을 할 확률이 떨어진다. 하지만 4장에서도 살펴봤듯이 슬픔과 우울증에 잠기는 증상은 우리가 아는 한 인류와 항상 공존해 왔다. 우울증은 적어도 일정 기간 동안은 비현실적인 야망을 포기하고 소속 집단 내의 자기 위치에 적응하는 데 도움을 주는 유익한 적응력이다. 그리고 마찬가지로 4장에서 이야기했지만, 불안 역시 우리가 가진 조기 경보 체제의 일부여서 사라질 확률은 거의 없다.[19]

비만과 당뇨병은 사정이 다를까? 당뇨병은 30~60퍼센트까지 유산 위험을 증가시킨다. 따라서 정상적인 혈당 수치를 가진 여성은 생식 성공률에서 45퍼센트 정도 우위를 점한다. 당뇨병이 없는 여성이 자식을 더 많이 낳고 그 자식들이 당뇨병을 가질 확률이 더 낮다면 당뇨병을 갖지 않은 사람의 비율이 점점 늘어날 것이다. 그러나 1장에서 살펴봤듯이 유익한 돌연변이의 확산을 계산하는 방법은 일반적으로 모든 사람—유익한 또는 불리한 돌연변이 유전자를 가진 사람과 갖지 않은 사람 모두—이 똑같은 비율로 생식한다고 가정한다. 선진국에 사는 대부분의 여성은 예전보다 더 늦게 결혼하고, 가임 여부를 스스로 조정하고, 다양한 방법을 동원해 자녀의 숫자가 일정 수 이상을 넘어가는 것을 방지한다. 가족 계획에 관한 작은 선택의 차이가 생존에 상당히 유익하거나 불리한 유전 형질이 자연 선택에 미치는 효과를 축소시킬 수 있다.

비만이 사라지기보다 마음껏 비만해질 가능성이 더 높다

또 다른 가능성은 비만과 당뇨병 문제가 너무 심각해져 비만인 당뇨병 환자가 자녀를 낳을 때까지 생존하지 못하게 되는 시나리오다. 특히 결혼이 더 늦어지는 경향이 있는 선진국에서는 결혼할 때가 되면 이미 건강이 나빠져 있을 수도 있다는 뜻이다. 비만인 미국 여성은 정상 체중의 여성과 비교했을 때 자녀를 낳을 확률이 40퍼센트 낮고 자녀를 1명 이상 낳을 확률은 절반 이하로 떨어진다. 배란이 규칙적이지 못하고 자궁에 수정란이 착상하기가 더 어려워지는 것이 일부 원인으로 작용한다. 비만인 임산부는 유산 위험은 약 30퍼센트, 조산 위험은 약 20퍼센트 더 높고, 아기가 성인이 되기 전에 죽을 확률도 30퍼센트 더 높다.[20]

그런데 최근 데이터에 따르면 갈수록 비만이 보편적인 현상으로 받아들여지고 의술이 더욱 발달하면서 더 이상 비만 여성의 자녀 수가 정상 체중 여성의 자녀 수보다 그다지 적어지지 않을 가능성이 커 보인다.[21] 모든 데이터를 고려해 볼 때, 비만인 어머니 또는 심지어 2형 당뇨병을 가진 어머니에게서 태어난 자녀도 자신의 아이를 낳을 때까지는 충분히 생존한다. 따라서 자연 선택으로 비만과 당뇨병이 제거될 확률은 낮다.

그보다 더 확률이 높은 쪽은 비만인 사람들은 마음껏 비만해지면서 자녀를 낳고, 그 자녀 역시 가임 연령이 될 때까지 살아남아 자녀를 가지는 시나리오다. 비만인 사람이 다른 비만인 사람과 자녀를 가질 경우 두 사람 사이의 생존 자녀는 그런 건강하지 못한 상태를 다시 반복하는 경향이 있다. 비만인 부모에게서 태어난 아이는 정상 체중 부모에게서 태어난 아이에 비해 비만이 될 확률이 열네 배나 높다.[22]

유전자로 전세가 뒤집힐까: 새 돌연변이 유전자 퍼뜨리기

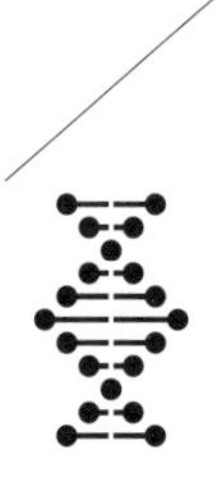

지난 8만 년 사이 1만 가지 이상의 새 돌연변이가 살아남았다

자, 이제 두 번째 선택지를 고려해 보자—새로운 돌연변이가 나와 과잉 보호 유전자를 상쇄하는 시나리오 말이다. 이 가능성을 고려할 때 잊지 말아야 할 중요한 사실은 자연 선택은 돌연변이 유전자를 후세에 전하는 세 가지 방법 중 한 가지일 뿐이라는 것이다. 다른 두 가지 과정은, 이주하는 개인이나 무리에 의해 새로운 유전자가 어떤 지역 인구에 퍼지는 '유전자 확산gene flow'과, 무작위적인 사건으로 인해 돌연변이 유전자가 확산되기도 하고 제거되기도 하는 '유전적 부동genetic drift'이다.[23]

'유전자 확산'의 가장 좋은 예는 이른바 '창시자 효과'라고 하는 것으로, 생식력이 왕성한 남성과 그의 다수 자녀가 아무도 정착하지 않은 새로운 곳으로 이주해 기본적으로 자신들의 유전자를 모두 또는 거의 모두 그곳에 퍼뜨리는 것이다. 그리고 이주할 때 가지고 온 돌연변이 유전자를 포함한 모든 유전자는 정착 인구를 전멸시킬 불리한 성질을 지니고 있지 않는 한 동종 번식을 통해 계속 자손을 통해 확산된다. 유전자는 또 외부인, 특히 남성이 공동체로 들어와 그 지역 여성과 자손을 낳는 방법으로 유입, 확산되기도 한다. 바이킹 남성들이 북유럽에 혈색소증을 들여오고, 칭기즈칸과 몽골족의 Y 염색체가 중앙아시아에 퍼지고, 멕시코시티의 Y 염색체 중 60퍼센트가 스페인계[24]인 것은 모두 이렇게 유입된 유전자가 확산된 때문이다.

남성 입장에서 보면 자신의 정자를 퍼뜨릴 수 있는 여성의 수나 가질 수 있는 자녀의 수에 이론적으로는 한계가 없다. 일부일처제는 제한된 숫자의 자녀를 보호하는 데 남성의 주의를 집중시키는 장점이 있다. 이에 반해 일부다처제는 자녀를 더 많이 갖는 데는 유리하지만 아버지의 보호를 덜 받기 때문에 자녀가 더 많은 위험에 노출될 수 있다. 물론 일부 남성들은 일부다처제를 선호하고, 어떤 남성들은 그럴 수 있는 선택의 여지가 없다. 인류 역사상 건강하고 강한 남성은 그렇지 않은 남성에 비해 훨씬 많은 여성에게 자신의 정자를 퍼뜨린 경우가 많고, 그 결과 그런 유리한 조건을 갖추는 데 도움이 된 유전자를 가진 자손을 더 많이 가질 수 있었다.

인류 인구가 늘어나면서, 1장에서 거론했던 것처럼 부모 세대와 비교했을 때 65개 이상의 새로운 돌연변이 유전자를 가진 사람들이 많아졌다. 1만 년 전 약 100만 명이던 인류가 이제는 70억 명에 육박하니, 각 세대에 무작위의 새로운 유전자 돌연변이를 65개 이상 가진 사람이 7000배나 더 많다는 의미다. 어떤 사람들은 다른 사람들과 동일한 돌연변이 유전자를 가지고 있을 수도 있지만 전 세계 규모로 생각하면 전체 돌연변이 유전자의 숫자는 폭발하는 인구만큼이나 폭발적으로 증가하고 있다.

과학자들의 추산에 따르면 지난 8만 년 사이 1만 가지 이상의 인간 유전자 돌연변이가 자연 선택으로 살아남았다고 한다. 그런데 정말 흥미로운 점은 이 돌연변이 유전자들이 아프리카인, 유럽인, 중국 한족, 일본인 사이에 약 3000가지씩 퍼져 있고 거의 중복되지 않는다는 사실이다. 우리가 사는 환경이 너무도 다양하기 때문에 어떤 지역에서 특히 유익한 돌연변이가 다른 곳에서는 아무 도움이 되지 않는 경우가 많다는 것을 생각하면 이 현상도 그다지 놀라운 일은 아니다.[25] 예를 들어 시베리아 원주민은 다른 지역 사람들과 비교할 때 지방을 태워 체온을 더 효과적으로 높이고 피부를 통한 열 손실을 줄이는 데 유익한 돌연변이 유전자를 하나도 아니고 무려 세 개나 가지고 있다.[26]

새로 생겨난 유전자 돌연변이는 처음에는 큰 도전을 마주하게 된다. 그 돌연변이 유전자를 확산시키고 보존하는 것은 그것을 가진 단 한 사람에게 달려 있고, 그나마 그 사람의 자손 중 50퍼센트만이 그 유전자를 받을 수 있기 때문이다. 이렇게 초기 단계의 돌연변이 유전자의 운명은 그 유전자를 지닌 소수의 사람들이 몇 세대에 걸쳐 얼마나 자손을 잘 번식하고 살아남느냐 하는 데 달려 있다. 돌연변이 유전자가 생존에 유익할수록 처음 그 돌연변이 유전자가 생긴 사람의 한계를 극복하고 많이 확산되어 기하급수적으로 늘어날 확률이 높아진다. 생존에 유익한 돌연변이 유전자 하나가 궁극적으로 인구 전체에 퍼져 나갈 수학적 확률은 그 유전자가 갖는 생존 우위 확률의 두 배다.[27] 다시 말해 어떤 돌연변이 유전자가 생존에 보탬이 되는 정도가 10퍼센트라면 그 유전자가 인류 전체에 퍼질 확률은 20퍼센트다.

우리 모두는 중립적 돌연변이를 300만 개씩 가지고 있다

'유전적 부동'의 과정에서는, 인간의 자손 번식이나 생존에 아무런 영향도 주지 않는다는 의미의 '중립적 돌연변이 유전자'—밝은 햇빛에 갑자기 노출되면 재채기를 하는, 인류의 25퍼센트 정도가 가진 돌연변이 유전자 같은 예—가 순전히 우연의 법칙에 따라 확산된다.[28] 중립적 돌연변이 유전자를 물려받은 사람이 우연히 자녀를 많이 가진다면 그 유전자는 확산될 것이다. 그러나 자손 수가 적으면 쉽게 사라져 버릴 수 있다. 이렇게 무작위적이고 중립적인 돌연변이 유전자들이 상당히 예측 가능한 비율로 확산되고 사라지기 때문에 일정 기간 동안 이런 유전자들이 축적된 기록은 나무의 나

이테처럼 어떤 종이 얼마나 오래되었는지를 추측할 수 있는 분자 시계 역할을 한다.

분자 시계를 이용한 가장 좋은 예는 아마 언제 미토콘드리아 이브[29]가 지구상에 살았는지를 추측해 낸 연구일 것이다. 이 연구에서는 모든 인류가 12만 년 전에서 20만 년 전 아프리카 동부 어디에선가 살았던 한 사람의 여성 조상의 후손이라고 추정했다. 우리는 이것을 어떻게 알아냈을까? 인간은 부모에게서 각각 23개의 염색체를 물려받아 46개의 염색체를 가지게 되지만, 세포 내에서 작은 발전소 역할을 하는 미토콘드리아에 들어 있는 DNA는 모두 어머니로부터 물려받는다. 미토콘드리아 DNA는 3500년마다 하나 정도의 비율로 중립적 돌연변이 유전자를 축적한다는 사실을 우리는 알고 있으므로, 거기 든 돌연변이 유전자를 세어 보면 우리 모두의 조상이 된 한 여성이 언제 살았는지 계산해 낼 수 있다.

이와 유사한 중립적 돌연변이 유전자에 기초한 접근법을 남성의 Y 염색체에 적용해 보면 우리 모두의 공통 조상이 된 남성이 그와 비슷한 시기에 살았던 것을 알 수 있다.[30] 그러나 이는 대략적인 추측에 지나지 않으므로 우리는 미토콘드리아 이브와 Y 염색체 아담이 서로를 알았는지조차 증명할 수도, 반박할 수도 없다.

무작위 중립적 돌연변이 유전자—유전적 부동—가 시간이 흐르면서 축적된 결과 우리는 이제 엄청난 숫자의 중립적 돌연변이 유전자를 보유하게 되었는데, 인류가 가진 1000만 개에서 4000만 개에 이르는 동질 이상同質異像 즉 '유전적 다형성polymorphism'은 그 좋은 예다.[31] 중립적 돌연변이 유전자로 추정되는 유전자를 인구의 1퍼센트 이상이 보유하고 있을 때 유전적 다형성 현상이 발생한다. 우리는 한 사람당 보통 300만 개에 해당하는 다형성을 지니고 있는데, 그중 1만 개 이상은 단백질 암호화에 영향을 주고, 다시 그중 1500개 정도는 형성된 단백질의 기능에 영향을 준다. 중립적 다형성이 이렇게 축적되면 미래에 상황이 변했을 때 유익할지도 모를 돌연변이 유전자의 저장고가 풍부해진다.

간혹 재채기 반응이나 턱 보조개처럼 겉보기에는 유전적 다형성인 듯한 것이 완전히 중립적이지만은 않다고 밝혀지기도 한다. 위험 감수를 더 대담하게 하는 성향에 영향을 주는 DRD4 돌연변이처럼 장점과 단점을 모두 가지고 있으면, 인구 집단 내에서 이 유전자의 출현 빈도가 혜택과 위험을 모두 반영해 안정적인 중앙값을 보이는 경우가 많다. '선택 균형balanced selection'이라고 부르는 이 상태는 적혈구를 상대적으로 말라리아 기생충에 강하게 만드는 동시에 적혈구 자체의 기능은 떨어뜨리는 여러 유전자 돌연변이들에서도 관찰된다.[32] 이런 돌연변이에 대한 호불호의 균형 상태는 가령 말라리아 감염 위험의 증가 또는 감소에 따라 급격히 변화할 수 있다.

지금은 중립적이지만 과거에는 유익했을 돌연변이도 있다

여기에 더해 현재로서는 중립적인 돌연변이 유전자가 과거에는 어떤 장점을 가지고 있어서 지금만큼 확산되었을 수도 있다. 1장에서 CCR5 단백질과 HIV를 언급하면서 이런 가능성을 언급하긴 했지만 더 확실한 예는 인간 광우병 현상에서 찾아볼 수 있다.

광우병은 과학자들이 소해면상뇌증-海綿狀腦症, Bovine Spongi-form Encephalopathy, BSE이라고 부르는 질환의 일반 명칭으로, 크로이츠펠트-야코프병CJD이라는 질병의 전염되는 변종을 가리킨다. CJD는 비정상적인 움직임, 정신 기능의 급격한 저하 증상을 보인 다음 곧바로 목숨을 잃는 퇴행성 신경증이다. 어떤 경우는 유전성이어서 집안 대대로 물려받는 경우도 있지만 아무런 이유 없이 갑자기 증상이 나타나는 경우도 있다. 또 다른 경우는 오염된 혈액이나 각막을 이식받았거나 어린이가 오염된 성장 호르몬 주사를 맞았을 때 발병하는 전염성 CJD다. 그러나 전염성 CJD라는 말을 들으면 우리는 보통 광우병에 걸린 소의 고기를 먹은 사람들 수백 명에게 발생한 인간 광우병(이 병도 CJD의 변종으로 알려져 있다)을 떠올린다.[33]

전염성 CJD로 보이는 가장 극적인 사례는 1920년대에 파푸아뉴기니의 포레이족에게서 처음으로 나타났는데, 그들은 이 병을 '쿠루kuru'[34]라고 불렀다. 포레이족은 사망한 조상을 먹는 의식을 치르는 매우 흥미로운 관습을 가지고 있었다. 식량이 부족해서가 아니라 그렇게 하는 것이 조상에 대한 존경심의 표현이라고 생각했기 때문이다. 쿠루는 여성들과 아이들, 그리고 조상의 뇌를 먹은 사람들에게서만 나타났다.

죽은 조상의 뇌가 발병의 공통 원인이었기에 과학자들은 쿠루가 전염성이 있다고 성급하게 단정 지었다. 그러나 초기 실험에서는 박테리아, 바이러스, 기생충을 비롯한 어떤 감염원도 발견되지 않았다. 내가 의대를 다닐 때만 해도 쿠루는 발견이 무척 어렵고 매우 서서히 활동하는 바이러스에 의해 전염될 것이라는 추측이 대체로 받아들여지고 있었다.

그러던 중 나의 캘리포니아대학교 샌프란시스코캠퍼스 옛 동료이자 노벨상 수상자인 스탠리 프루시너가 이 병에는 살아 있는 감염원이 전혀 없다고 주장함으로써 그때까지 받아들여지던 가설에 정면 도전했다. 그는 이 병이 완전히 독특한 메커니즘, 즉 단백질이 비정상적으로 접히고 그렇게 잘못 접힌 단백질이 다른 단백질을 도미노처럼 같은 식으로 접히도록 촉발하는 방법으로 전이된다는 것을 증명했다.

문제의 단백질은 '프리온'이라고 부르는 것으로, 뇌에 존재하는 수많은 단백질 중 하나에 불과한데 그 기능이 아직 완전히 밝혀지지 않은 상태다. 프리온은 보통 나선형의 입체 구조로 존재하는 단백질로, 정상적인 기능을 해내고 뇌의 다른 단백질들과 상호 작용을 하기 위해서는 이 구조가 필수적이다. 그런데 이 나선형 모양을 만드는 아미노산 연쇄 고리는 3차원 공간 속에서 다른 방식으로 줄을 서서 상대적으로 더 납작한 2차원에 가까운 형태를 만들어 내기도 한다. 납작한 구조를 가진 프리온 단백질은 정상적인 기능을 해

내지 못할 뿐 아니라 한데 뭉쳐 덩어리가 되어 근처 뇌 조직의 기능을 글자 그대로 망쳐 버린다.[35]

한편 M129V라고 부르는 비교적 흔한 유전적 다형성이 프리온 단백질을 변형시키면 쿠루와 광우병에 걸린 환자가 단백질이 잘못 접히는 연쇄 반응에 덜 민감해지게 만든다는 사실이 밝혀졌다.[36] 우리가 아직 이해하지 못하는 이유로 인해, 이 유전적 다형성의 분포는 세계 각지에 따라 크게 다른 양상을 보여서 낮은 경우 인구의 1퍼센트에서 높은 경우는 50퍼센트까지 이 돌연변이를 가지고 있다. 그러나 포레이족에게서 처음으로 쿠루 증상이 발견되었다고 보고된 지 90여 년밖에 지나지 않았음에도 오늘날 이 다형성을 가진 포레이족 여성은 전체의 90퍼센트에 육박한다. 아마 M129V 다형성을 보유하지 않은 여성은 모두 죽었기 때문이라고 추측된다. 흥미롭게도 이 다형성을 보유하고 있다고 해서 쿠루에서 완전히 보호받는 것은 아니며, 대신에 쿠루 증상이 나타나는 것을 몇 십 년 늦출 수 있다. 그사이 충분히 자녀를 낳고 키울 수 있는 기간이다. 적어도 지금까지는 전 세계적으로 이 다형성을 보유한 사람 중 광우병 진단을 받은 사람은 아무도 없다.

그런데 진정으로 치명적인 도전에 직면할 경우 얼마나 빨리 보호 유전자를 확산시킬 수 있는지를 보여 주는 사례가 있다. M129V 다형성 유전자를 지니지 않아 쿠루의 위험에 노출될 가능성이 있는 포레이족 여성 가운데 절반이 프리온 유전자에 G127V[37]라고 부르는 새로운 돌연변이를 가지고 있다. 이 돌연변이 역시 쿠루로부터 보호하는 역할을 하지만 세계 다른 어느 곳에서도 발견되지 않는다.

세계 각지에서 M129V 유전자의 확산 정도가 크게 다르다는 점은 또 다른 의문을 낳는다. 어쩌면 이것은 완전히 무작위로 일어난 유전적 다형성이 아니라, 동물의 뇌를 먹던 구석기 시대 우리 조상들을 선사 시대의 미친 동물 병으로부터 보호하기 위해 과거 어느 시점에서 생긴 돌연변이일지도 모른다. 이 가정은 '스크래피scrapie'라고 부르는 프리온 질병을 앓는 양으로부터 CJD를 옮은 인간이 아무도 없다는 사실과 일치한다.[38] 모든 인간은 '미친 양' 병으로부터 자신을 보호하는 유전자를 공유하고 있기 때문이다.

대단히 유익한 돌연변이는 급속도로 확산된다

인구가 늘어나면서 돌연변이 유전자의 수도 함께 늘어났다. 확률로만 따지면 구석기 시대라면 50세대 또는 그 이상에 한 번씩 나타날 법한 희귀한 돌연변이가 이제는 1세대 내에 세계 어디선가에서 나타날 수 있다. 물론 7000배로 늘어난 인구 전체에 특정 돌연변이 유전자가 확산되는 데 7000배 더 시간이 걸린다면 더 자주 나타난다 해도 인류 전체로 보면 별다른 영향이 없을 것이다.

그러나 1장에서 살펴봤듯이 상황은 그런 식으로 전개되지 않는다. 돌연변이 유전자의 확산은 처음에는 천천히 진행되지만 갈수록 가속이 붙기 때문이다. 점점 더 커지는 중립적 돌연변이 저장분이 언젠가 자연 선택이 되기를 기다리고 있다. 2030년에 그중 어떤 유전자가 갑자기 유익한 상황이 되면, 1만 2000년 전 100만 명이던 인구에 그 유전자가 모두 퍼지는 데 걸리는 시간의 약 두 배가 되지 않는 기간 안에 80억 명 인구 전체에 확산될 것이다.[39]

이런 이론적 계산은 우리 모두가 다른 공동체 사람과 접촉한다는 것을 전제한다. 대륙을 넘나드는 현대인의 여행과 교역 패턴으로 인해 전염성 강한 질병이 기하급수적으로 확산되는 것은 상당히 현실적이다. 그러나 유전적 돌연변이의 경우 두 사람이 만나 함께 자녀를 낳아야 하므로 그처럼 급속히 확산된다고 추정할 수는 없다.

새로운 유익한 돌연변이가 엄청난 강점, 예를 들어 대다수 사람들의 목숨을 앗아가는 전염병이나 환경 재앙으로부터 보호하는 돌연변이라면, 살아남은 소수의 사람들이 서로 만나 자손을 낳아 그 유전자를 급속히 확산시키는 시나리오가 가능할 것이다. 1장에서 우리는 HIV가 항바이러스 의약품이 나오기 전에 전 세계로 퍼졌으면 이론상으로는 CCRS 돌연변이 유전자 두 쌍을 가진 소수의 사람들을 제외한 인류 대부분을 전멸시켰을 가능성이 있다는 이야기를 했다.

확신할 수는 없지만, 어쩌면 과거에 인구 대다수의 목숨을 앗아간 문제가 터질 때마다 죽음을 피할 수 있는 유익한 돌연변이 유전자를 가진 사람들만 살아남았을지도 모른다. 예컨대 흑사병은 6세기에서 8세기 사이 유럽 인구를 약 50퍼센트 감소시켰고, 14세기에 다시 병이 돌았을 때는 약 3분의 1을 감소시켰다.[40] 그리고 유럽인이 북아메리카대륙을 침공했을 때 원주민 중 90퍼센트가 인플루엔자, 홍역, 천연두에 처음으로 노출되어 목숨을 잃고 말았다.[41] 흑사병, 천연두를 비롯한 여러 전염병을 이기고 살아남은 사람들 중 단순히 운이 좋았던 경우도 있겠지만, 그중 많은 수가 그 전에는 거의 혜택을 주지 않았던 돌연변이 유전자들이 갑자기 목숨을 구하는 역할을 해서 살아남았을 가능성도 크다.

현대병을 물리칠 돌연변이의 확산은 기대하기 어렵다

어떤 돌연변이 유전자는 실제로 목숨을 구하는 역할을 하기도 하지만, 많은 수는 그저 '상대적으로' 유리하게—자녀 중 둘이 아니라 셋이 살아남는 정도—만드는 역할만 할 뿐 생존에 절대적 조건이 되지는 않는 경우가 흔하다. 이런 상대적으로 유익한 돌연변이 유전자는 아주 빠르게 확산될 수 없다—그 유전자가 없는 사람들이 몽땅 죽어 없어지지는 않기 때문에 서서히 확산되면서 점점 더 흔해지는 양상을 띤다.

상대적으로 유익한 돌연변이 유전자가 얼마나 빨리 확산되는지 감을 잡기 위해 다음과 같은 가상의 시나리오를 상상해 보자. 특정 돌연변이 유전자를 부모 양쪽 모두에게서 물려받은 것이 한쪽에게서만 물려받은 것보다 더 유리하고, 하나만 가진 것이 전혀 갖지 않은 것보다는 더 유리하다고 가정하자. 그런 다음 그 특정 유전자가 전혀 없는 사람보다 두 개를 가진 사람이 두 배 유리하고, 한 개를 가진 사람은 그 중간 정도 유리하다고 해 보자. 그 돌연변이 유전자가 평범한 다형성이어서 인구의 약 10퍼센트에서 발견된다고 할지라도 5세대가 지나면 인구의 40퍼센트가 이 유전자를 지니게 된다.[42] 5세대는 20만 년이라는 인류 역사에 비하면 눈 깜짝 할 사이라고 할 수 있지만, 에이즈가 임상적 증상으로 처음 보고된 시점과 그 병에 대한 효과적인 약품이 개발된 시점 사이 기간인 1세대와 비교하면 다섯 배나 긴 시간이다.

따라서 흥분해서는 안 된다. 현재 규모의 인구에서는 1만 년 전에 비하면 유익한 돌연변이 유전자가 무작위로 생길 확률이 7000배 높고, 확산 속도 또한 이론상으로는 1만 년 전과 비교할 때 불과 두 배의 시간이면 전 인구에 퍼질 수 있는 것이 사실이다. 그러나 모든 인간이 그 돌연변이 유전자를 가질 것이라고 가정하는 것은 현실적이지 않다. 수가 너무 많고 지역적으로 너무 널리 퍼져 있어서 모든 인간의 혈통이 섞일 수가 없기 때문이다. 요점은 새로운 돌연변이 유전자나 기존의 유익한 유전자가 급속히 확산되어 비만, 고혈압, 우울증, 과도한 혈액 응고의 빈도를 낮춰 주리라 기대해서는 안 된다는 것이다.

중립적 돌연변이는 양날의 칼이다

이와 더불어 애초에 생길 때는 중립적 돌연변이 유전자들이 축적되는 것은 양날의 칼과 같다는 사실을 깨달아야 한다.[43] 그중 일부가 우연히 미래에 엄청난 혜택을 가져올 수도 있지만, 어떤 것들은 뜻하지 않게 불리한 특징이 될 수도 있기 때문이다. 시간이 흐르면서 불리한 돌연변이 유전자도 나름대로 정착을 하게 된다.

테이-색스병[44]을 예로 들어 보자. 1500년 전에 처음 생긴 이 유전자 돌연변이는 한쪽 부모에게서만 물려받으면 아무 문제가 없지만 양쪽 부모 모두에게서 받으면 100퍼센트 치명적인 결과를 낳는다. 돌연변이 유전자를 하나만 가진 사람들은 아무 문제 없이 살기 때문에 유전자 자체는 절대 없어지지 않는다. 이 유전자 두 개를 가진 사람들은 절대 자녀를 가질 수 없는데도 불구하고 말이다.

거기에 더해 불리한 돌연변이 유전자가 계속 새로 생기고 있다. 계산해 보면, 1만 명당 1명 정도에게서 발견되는 이런 식의 돌연변이는 결국 균형점에 도달해, 이 돌연변이 유전자를 두 개 가진 사람은 모두 죽는다 하더라도 한 개 가진 사람의 수가 인구의 2퍼센트 선에 머무는 것으로 안정될 것이라는 결론이 나온다.[45] 흥미롭게도 현대 인류의 약 30퍼센트는 최소한 그런 돌연변이 유전자를 하나씩은 가지고 있다고 과학자들은 추산한다.[46] 즉 자신은 하나만 가지고 있어서 괜찮지만 같은 유전자를 지닌 배우자를 만나 두 개를 물려준 자녀에게는 치명적인 돌연변이 유전자를 말이다.

환경은 우리를 더 빨리 변화시킬 수 있을까

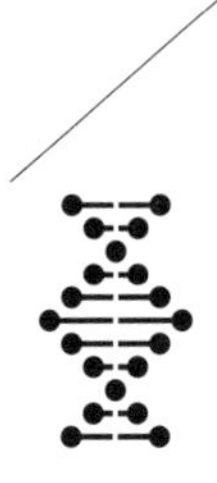

인체의 환경 적응은 약일까 독일까

우리가 어떤 몸을 타고나는지는 유전자에 의해 결정되지만, 우리 몸은 성장하고 발달하는 과정에서 환경에 적응하기도 한다. 예를 들어 아이들이 자라면서 눈을 어떻게 사용하느냐에 따라 눈 근육이 강화되고, 그 근육은 안구의 모양에 영향을 준다. 산업 국가에서는 상당한 비율의 어린이가 근시를 가지고 있다. 선사 시대에는 먼 곳을 잘 보고 여러 위험을 피해야 했기에 구석기 시대 조상들에게 근시안은 크게 불리한 특징이었을 것이다.

근시는 유전적인 요인도 있는 듯하다.[47] 하지만 요즘은 거의 모든 경우 아이들이 밝은 자연 채광 아래서 실외 활동을 하기보다 자연광보다 어두운 인공 조명 아래서 실내 생활을 더 많이 하기 때문인 것으로 분석된다. 실내에서 그리고 가까운 곳을 보는 쪽으로 눈 근육 운동을 많이 한 결과 사춘기 청소년 중 조금이라도 근시를 가진 비율은 많게는 80퍼센트나 되고, 그 비율은 교육을 많이 받은 사람일수록 더 높아진다.[48] 날마다 40분 정도만 추가로 야외에서 시간을 보내도록 하면 어린이 근시를 25퍼센트 줄일 수 있다.

물론 우리가 근시안 때문에 죽거나 미래 인류의 생존에 영향을 주지는 않을 것이다. 심한 근시를 가진 사람이 제 구실을 못 하거나 배우자를 찾고 자녀를 낳는 데 문제가 있다고 진지하게 생각하는 사람은 없을 것이다. 특히 시력 교정용 안경이나 렌즈를 착용하면 더욱 그렇다. 그렇지만 근시안은 개인이 성장하면서 현재 환경에 몸이 어떻게 적응하는지를 보여 주는 좋은 예다.

이런 식의 적응이 미래에 도움이 될까? 아니면 우리의 체력을 약화시키고, 심지어 자손을 성공적으로 퍼뜨리는 것에까지 악영향을 미칠까? 확실히 알기는 힘든 일이다. 우리 근육이 무슨 이유에서든 덜 효율적이 되어 움직이는 데 더 많은 열량이 필요해지면 비만율이 낮아질 수도 있다. 그러나 활동량이 줄어들면서 갈수록 근육량이 감소하면—훨씬 더 가능성이 큰 시나리오다—작아진 근육량 때문에 남아도는 열량이 더 많아지는 반면 열량을 태울 능력은 줄어드니 점점 더 뚱뚱해질 가능성도 크다. 따라서 환경에 대한 적응 과정이 현재 우리의 행동—과거의 생존 형질이 이제는 역효과를 내도록 하는 행동을 포함하여—을 강화하는 경향이 있다면, 이 적응 과정은 우리를 덜 건강하게, 더 이상 건강해지지 못하게 만들 것이다.

라마르크의 유전 이론: 우리는 환경의 산물이다

우리가 처한 환경에 적응하면서 하는 경험이 우리를 어떻게 변화시킬지를 고려하는 것은 그렇다 치더라도, 부모 세대가 한 경험은 어떨까? 부모가 살면서 터득한 지혜를 자녀에게 가르치듯, 우리 몸이 한 경험 또한 어떤 식으로든 다음 세대에 넘겨주는 것이 가능할까? 우리가 살면서 경험한 것이 어떻게든 우리 자녀의 유전자에 반영이 될까?

그레고어 멘델이 완두콩 실험으로 우리가 유전학 지식에 눈뜨도록 만들기 전, 그리고 찰스 다윈이 자연 선택 이론을 설명하기 전, 프랑스의 장-바티스트 라마르크[49]는 우리가 여러 가지 형질을 부모에게서 물려받는다는 견해를 제시했다. 그러나 그가 주장한 유전 개념은 멘델이나 다윈의 유전 개념과 많이 달랐다. 그는 우리가 환경의 산물이라고 생각했다. 우리가 어떤 기관을 자주 사용하면 그것을 강화하고 확장시키며, 자주 사용하지 않으면 사라진다고 생각한 것이다. 이 믿음은 현대에 근시안을 가진 사람이 증가하는 현상을 설명하는 데 유용하지만, 라마르크는 여기에 더해 아주 대담한 선언을 했다. 그는 이러한 사용/미사용으로 인해 한 세대가 겪은 변화가 다음 세대로 유전된다고 믿었다.

라마르크가 든 가장 유명한 예는 기린이다. 그는 높은 가지에 달린 이파리를 먹기 위해 기린의 목이 세대가 흐르면서 점차 길어졌다고 추측했다. 키가 작은 나무에 잎에 충분히 달려 있었다면 기린의 목은 지금처럼 길어지지 않았을 것이라고 믿었다. 이와 더불어 이렇게 경험으로 얻은 형질을 자식 세대가 물려받아 부모만큼 목이 긴 기린이 태어날 것이라고 주장했다.

라마르크의 이론을 이어받아 거의 재난에 가까울 정도로 극단적으로 몰고 간 사람이 바로 소련 농학자 트로핌 리센코[50]다. V. I. 레닌 소련농학학술원 원장까지 지낸 리센코는 밀의 씨를 극도로 낮은 기온에 노출시키면 더 강해지며 그렇게 해서 얻은 적응력은 다음 세대로 이어진다고 주장했다. 추위에 강한 밀을 얻겠다는 희망을 품고 리센코의 학설을 전적으로 받아들인 스탈린은 기존의 유전학 연구를 버리고 소련의 유전학자들을 배척했다. 물론 그 결과는 재앙이었다. 농업에 쏟아부은 엄청난 투자가 실패로 끝났고 소련은 곡물 수출국이 아니라 수입국이 되었다. 식물 유전학 연구 덕분에 병충해에 강한 작물의 생산량이 미국과 서유럽에서 크게 증가하면서 라마르크류의 이론은 신뢰를 잃었다.

후성유전학적 꼬리표: 라마르크는 틀리지 않았다

우리는 원래 가지고 태어난 유전자—본성nature—와 자궁에 있을 때부터 해 온 모든 경험—양육nuture(환경, 후천적 학습)—이 한데 섞여 이루어진 산물이다. 리센코가 터무니없을 정도로 극단까지 몰고 갔던 라마르크 이론의 오류는, 한 사람이 양육으로 얻은 경험의 대부분 또는 전부가 다음 세대로 전달될 수 있다고 생각한 데 있다.

그러나 이제는 라마르크가 전적으로 틀리지는 않았다는 것이 밝혀졌다. 최근 들어 과학자들은 우리 유전자가 환경의 영향을 받아 DNA에 다른 꼬리표가 붙고 '후성유전학적' 변화를 가져와서 같은 유전자라도 다른 식으로 발현될 수 있다는 사실을 발견했다.[51] 우리의 유전자가 '본성'이라면 이 꼬리표는 '양육'이다.

어머니 배 속에서 태아로 자리 잡을 때부터 죽는 시점까지 우리의 DNA는 경험에 따라 꼬리표가 붙었다 떨어졌다 한다. 이 과정은 우리가 어떻게 자라고 발달하고 병에 걸리는지를 이해하는 데 부분적으로나마 도움이 된다. 예를 들어 운동을 하면 골격근과 지방세포의 기능에 영향을 주는 후성유전학적 꼬리표epigenetic tag가 붙는다. 후성유전학적 꼬리표는 서로 다른 환경에서 자란 일란성 쌍생아들이 왜 함께 자란 쌍생아들처럼 유사한 행동을 하지 않는지에 대한 설명도 가능하게 한다.

본성과 양육은 다르지 않다: 태아 시기의 유전자 꼬리표 붙이기

유전자에 꼬리표가 붙는 이유를 이해하기 위해 정자와 난자 단계로 돌아가 보자. 정자와 난자에는 태어나는 아기의 염색체와 DNA가 각각 50퍼센트씩 들어 있다. 태아는 세포 하나에서 출발한다. 그 세포에 든 염색체와 DNA의 절반은 어머니의 난자에서, 다른 절반은 아버지의 정자에서 온 것이다. 이 하나의 세포는 '분화 전능성totipotent' 줄기세포다. 새로 태어나는 아기 몸을 이루는 모든 세포를 만들어 내는 능력을 지닌 세포 말이다. 태아가 자라면서 유전자는 약 100조 개에 달하는 우리 몸의 모든 세포들에 복제된다. 처음 생긴 이 하나의 세포는 후에 생기는 모든 세포들이 아기의 몸이 완전히 성숙된 몸으로 자랄 때까지, 또는 적어도 다음 세대를 생산해 낼 수 있을 때까지 각자의 역할을 다할 수 있도록 하는 임무도 띠고 있다.

사람의 DNA는 어떻게 머리에서는 뇌세포를, 팔에서는 근육 세포를, 뼈에서는 골세포를, 그리고 그 뼈 안의 골수에서는 적혈구 세포를 만들어 낼 줄 아는 것일까? 우리의 세포는 각각 2만 1000개에 달하는 단백질 암호화 유전자로부터 2만 1000개의 단백질을 계속 만들어 낼 수 있으나 실제로는 일이 그렇게 진행되지 않는다. 모든 유전자가 작동할 만반의 준비를 갖추고 있기는 하지만 각 세포에서는 그중 10~20퍼센트의 유전자만 활성화되는데 바로 어떤 유전자가 활성화되느냐에 따라 그 세포가 어떤 세포가 되는지가 결정된다.

예를 들어 뇌세포에서는 근육 세포를 만드는 데 필요한 단백질을 대량 생산하는 유전자가 임시적으로 또는 영구적으로 휴가에 들어가 있을 수 있다. 그리고 태아의 장기가 발달하는 과정에서 장기를 이루는 세포들은 DNA에 매겨진 후성유전학적 꼬리표의 지시에 따라 심장 세포가 되기도 하고 골세포나 간세포 또는 다른 형태의 세포가 되기도 한다. 현대의 줄기세포 연구 덕분에 우리는 세포들이 국지적인 신호를 받아 특정 세포로 발달한다는 것을 알게 되었지만 아직도 모르는 부분이 많이 남아 있다. 이 과정이 성공적으로 진행되려면 최초의 분화 전능성 세포는 후성유전학적 꼬리표가 전혀 없어야 하지만, 이후 단계에서 분열하는 태아 세포들은 분화 과정을 거치면서 꼬리표가 붙여져 특정 세포와 기관을 이루는 각기 다른 세포로 자라나야 한다.

태아 시기의 이 유전자 꼬리표 붙이기 과정은 본성과 양육이 크게 다르지 않음을 보여 준다. 본성은 최초의 세포에 들어 있던 유전자고, 환경(양육)은 세포의 분화 과정에서 유전자에 꼬리표를 붙이고 수정하는 역할을 한다. 태아가 발달하는 동안 변화하는 국지적 환경에 반응해 후성유전학적 꼬리표가 붙는다면, 우리가 사는 동안 축적한 후성유전학적 꼬리표를 태아에게 물려줌으로써 인류의 게놈 지도를 더 빠르게 변화시킬 수도 있을 가능성에 대해 생각하지 않을 수 없다.

평생 동안 축적한 경험은 유전될까

과거에 과학자들은 사람이 평생을 사는 동안 축적한 후성유전학적 꼬리표는, 남성의 몸에서 정자가 만들어질 때(성인으로 사는 동안 내내 만들어진다) 그리고 여성의 몸에서 난자가 만들어질 때(대부분 태아 시절 만들어지지만 이제는 가임기에도 일부 만들어진다는 것이 밝혀졌다), 모두 지워진다고 믿었다. 논리적으로도 정자와 난자가 각각의 세포에 어떤 기관을 만드는 세포로 자라라고 지시하는 후성유전학적 꼬리표를 보유하고 있을 수는 없지 않은가. 그런 꼬리표를 갖고 있으면 난자와 정자가 만나 만들어진 최초의 세포는 분화 전능성을 띨 수가 없다.

하지만 이제 정자와 난자가 만들어질 때 후성유전학적 꼬리표가 모두 지워지는 것은 아니라는 사실이 밝혀졌다. 장기의 발달에 영향을 주지 않는 꼬리표는 태아에게 전달이 된다. 이 꼬리표는 거의 모든 경우 정자와 난자가 만나 분화 전능성 세포를 형성한 지 2주일 정도 지나면 없어진다. 그렇지만 아주 극소량의 끈질긴 꼬리표만 남아 있더라도 적어도 한 세대 안에 수백 개, 심지어 수천 개의 꼬리표를 물려받는다는 의미가 된다.[52]

이렇게 가끔 끈질긴 후성유전학적 꼬리표가 남기 때문에 아이를 임신하기 전 부모 중 한쪽 또는 양쪽 모두가 한 경험이 아이의 행동에 반영되어 나타나기도 한다. 예를 들어 아버지가 비만이면 정자의 꼬리표에 영향을 줄 수 있다.[53] 동물 실험 결과 그런 꼬리표가 그 아버지에게서 태어난 자식의 설탕 대사 작용에 영향을 끼치기도 한다는 것이 밝혀졌다.

후성유전학적 꼬리표를 물려받는다는 증거는 식물의 경우 8세대까지, 초파리·지렁이·쥐의 경우 최소한 2세대까지 발견되었다.[54] 그러나 인간의 경우 후성유전학적 꼬리표가 다음 세대로 전달되는지 여부는 아직 명확하지 않다. 하지만 역학 데이터에 따르면 비만과 당뇨병 성향은 영양 상태가 좋지 않은 할아버지에게서 손자로, 할머니에게서 손녀로 이어지는 경향이 있다고 밝혀졌다.[55] 이는 성별과 관련된 후성유전학적 꼬리표 전달 효과가 있을지 모른다는 암시는 되지만 증거는 아니다.

후성유전학적 꼬리표가 현대병을 해결해 줄 수 있을까

후성유전학적 꼬리표를 물려받는 것이 현대 환경에 더 빨리 적응하고 우리 유전자가 가진 과잉 보호 문제를 해결하는 데 도움이 될까? 어쩌면 그럴지도 모르지만 현재로서는 기껏해야 추측에 불과하다. 예컨대 퀘벡에서 진행된 상세한 연구[56]에서는 17세기와 18세기에 도시와 시골에서 잉태되고 태어난 사람들의 사망 기록을 조사한 후, 그들이 태어난 환경에서 그대로 계속 살았는지 아니면 시골에서 도시로 또는 도시에서 시골로 옮겨 살았는지 조사했다. 약 3분의 1의 어린이가 15세 전에 사망하던 시대에 후성유전학적 꼬리표가 생존에 중요한 혜택을 주었다면, 태어난 환경과 비슷한 곳—그것이 도시든 시골이든—에서 평생을 산 사람들이 태어난 곳과 반대의 환경으로 옮겨 가 산 사람들보다 부모에게서 뭔가 그 환경에 적응하는 데 더 유익한 유전자를 물려받았으리라 예상할 수도 있다. 그러나 아직까지 과학자들은 그런 이점이 있다는 증거를 찾아내지 못하고 있다.

우리가 또 잊지 말아야 할 사실은 후성유전학적 꼬리표가 혜택을 줄 수도 있지만 불리할 수도 있다는 것이다. 후성유전학적 변화를 불러일으키는 환경 노출은 자궁 안에서부터 시작되는데, 이 자궁 안의 환경도 태아에 부정적인 영향을 끼칠 수 있음은 이미 알려진 사실이다. 예를 들어 임신 첫 3개월 동안 임산부가 영양 부족을 겪으면 그 아이가 성인이 되어 비만이 될 확률이 더 높아진다는 것은 널리 받아들여지는 학설이며, 임신 기간 중 임산부가 담배를 피우면 태어난 아이가 비만이 될 확률이 30퍼센트나 높아진다.[57] 이런 현상에 대한 가장 가능성 높은 설명은 2장에서 이야기한 '절약 표현형' 유전자일 것이다. 그러나 역시 2장에서 살펴봤듯이, 아마 또 다른 후성유전학적 수정 과정을 통해, 어머니의 체중 증가 역시 아동의 비만 가능성을 높인다.

게다가 우리가 살면서 축적하는 후성유전학적 변화의 많은 부분이 해로운 환경에서 받는 손상이다. 이런 후성유전학적 꼬리표는 암 발병의 주요 원인 중 하나로 꼽히고 있다.[58]

이렇게 현재 존재하는 조상들로부터 물려받은 후성유전학적 꼬리표는, 앞에서 설명했던 '처음에는 중립적인 돌연변이 유전자'처럼 양날의 칼이 될 수 있다. 장점을 가진 변화에 도움이 되는 후성유전학적 꼬리표를 물려받을 가능성도 있지만, 불리한 변화를 일으킬 후성유전학적 꼬리표를 물려받을 가능성도 있기 때문이다.

자연 선택은 이제 세상의 변화를 따라잡지 못한다

시간이 지나면 유전자 자체의 변화뿐 아니라 후성유전학적 변화 또한 자연 선택이 되면서 인류라는 생물 종에 큰 영향을 끼칠 수 있다. 그러나 산업 혁명 이후 우리의 생활 방식에 일어난 변화와 맞먹는 속도로, 혜택이 크고 범위가 넓은 변화가 인류에게 즉각 도래하리라 기대해서는 안 된다.

자연 선택은 훌륭한 체제다. 수천 년에 걸쳐 우리가 환경에 적응하는 데 도움을 주었고, 아마 그 속도는 점점 가속이 붙어 갈 것이다. 그러나 아무리 가속화하더라도—그리고 유전자뿐 아니라 후성유전학적 꼬리표까지 나서서 이 과정을 진행하더라도—자연 선택의 속도가 지금까지 변해 오고 또 앞으로 변해 갈 세상의 속도를 따라잡기는 불가능하다. 그러니 필요 이상의 음식과 소금을 섭취하고, 과도하게 불안과 우울을 느끼고, 혈액이 너무 잘 응고하는 이 타고난 형질을 막거나 되돌리는 일을 우리 몸이 자연스럽게 해내리라고 믿고 맡겨 둘 수가 없다. 대신에 우리는 우리의 '행동'을 변화시킬 방법—정신력으로 육체의 한계를 극복하는 법—을 찾아야 할 것이며, 동시에 '과학'과 '의학'의 도움을 구해야 할 것이다.

7장

우리 행동 바꾸기

우리 의지가
행동을 바꿀 수 있을까

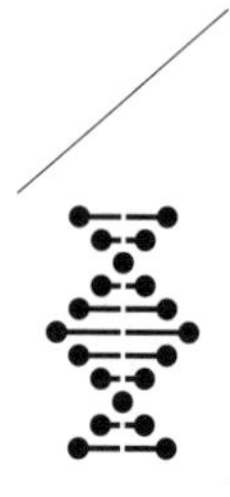

오프라 윈프리의 문제는 우리 모두의 문제다

1988년 오프라 윈프리는 계속 늘어 가는 체중과 그로 인한 건강에 대한 부작용을 염려해 체중 감량 작전에 들어갔다. 그리고 212파운드(약 95킬로그램)에서 145파운드(약 65킬로그램)로 67파운드(약 30킬로그램)를 줄이는 데 성공해 의욕과 의지를 증명해 보였다. 줄었던 체중이 금방 다시 불어나자 1990년대에 그녀는 다시 한 번 85파운드(약 38킬로그램)를 감량—235파운드(약 106킬로그램)에서 150파운드(약 68킬로그램)—하는 데 성공했다. 2005년에는 그 후 다시 늘어난 체중 때문에 4개월간 거의 굶다시피 해서 160파운드(약 72.5킬로그램)로 줄였다. 그러나 2008년에는 또다시 40파운드(약 18킬로그램)가 쪄 있었고, 그 뒤로 그녀의 체중은 요요처럼 오르

내리기를 계속 반복하고 있다.[1]

오프라 윈프리는 많은 면에서 유일무이한 존재지만, 그녀의 체중 문제는 너무나 흔한 현상이다. 과체중인 사람 중 90퍼센트는 감량을 해도 거의 그만큼 또는 그 이상으로 다시 찌고 만다. 건강한 체중을 유지하기 위한 오프라의 투쟁은 우리의 습관을 바꾸는 것이 얼마나 힘든지를 상징적으로 보여 준다. 그런 습관과 행동 반응이 생존에 너무나 중요해 모든 인간의 유전자에 아로새겨진 형질이건, 돌연변이를 통해(2장에서 언급한 모험심이 더 강한 돌연변이 유전자처럼) 우리 중 일부만 가지고 있는 형질이건 상관없이, 우리는 모두 오프라 윈프리와 비슷한 어려움을 경험한다.

의지력이 우리를 구해 줄까

지금까지 거론한 네 가지 생존 형질—필요 이상으로 음식을 먹는 것, 혈압을 유지하기 위해 소금을 간절히 원하는 것, 불안해지거나 우울해질 위험을 각오하고 사는 것, 혈액 응고가 너무나 잘 되는 것—은 우리가 조상들로부터 물려받은 유전자에 뿌리 깊이 새겨져 있다. 그리고 1장에서 5장에 걸쳐 설명했듯이, 일부 사람들은 이런 형질을 더 강하게 만드는 특정 돌연변이 유전자를 가지고 있다. 오늘날 우리 모두가 20만 년 동안 생존이 걸린 무수한 싸움에서 조상들이 살아남을 수 있게 해 준 보호 유전자를 다량 보유하게 된 것은 이런 연유에서다.

이 유전자들은 과거만큼 우리에게 그것들이 필요한지 여부에 상관없이 우리의 행동과 기본적인 신체 기능에 강력한 영향력을 계속 행사하고 있다. 우리의 DNA는 우리와 우리 자손들이 새로운 도전을 맞이하며 살아가는 동안 끊임없이 돌연변이를 거칠 것이다. 하지만 DNA가 놀라운 문명의 진보 속도에 발맞춰 따라갈 만큼 빠르게 변화하기란 불가능하다.

따라서 우리는 다른 종류의 질문을 던져야 한다. 우리는 의지력으로 우리 행동을 변화시켜 유전적 성향을 상쇄할 수 있을까? 정신력에 의존하는 접근법은 조상들에게서 물려받은 생존 형질과 현재 상황에 맞는 조건 사이의 차이를 극복하는 합리적인 방법일까? 아니면 우리 역시 태어난 곳으로 돌아가 알을 낳고 죽는 연어들처럼 프로그래밍되어 있어서 행동을 바꾸려는 시도는 모두 무의미한 것일까?

우리도 가끔은 변화에 성공할 수 있다

"지옥으로 가는 길은 선의로 포장되어 있다." "쥐가 세우든 사람이 세우든 아무리 정교하게 세운 계획도 때로 실패하기 마련이다." 수많은 경구가 오랫동안 길들여진 행동을 바꾸는 것이 얼마나 어려운지 강조한다. 간단히 말해, 나쁜 행동을 바꾸기가 쉬웠다면 아무도 그런 행동을 여태껏 하고 있지 않을 것이다.

실제로 누구나 바꾸고 싶은 습관들이 있다. 매년 50퍼센트 이상의 사람들이 새해 결심을 하나 이상 하곤 한다. 체중 줄이기와 더 많이 운동하기는 가장 흔한 새해 결심 중 하나다.[2] 우리가 바꾸고 싶어 하는 행동들 가운데 많은 수가 글자 그대로 DNA에 새겨진 것들이다. 하지만 동시에 우리 습관 중 어느 것도 돌에 새겨진 것처럼 바꾸지 못할 것은 없다. 오프라 윈프리가 체중 감량에 엄청난 어려움을 겪긴 했지만 가끔은 성공했다는 사실 자체가 우리에게 희망을 준다. 가끔은 우리도 변화할 수 있고, 변화에 성공한다.

좋은 계획은 행동을 변화시키는 전제 조건이다. 그리고 인간은 더 나은 계획[3]을 세우는 법을 배울 수 있다는 사실이 통계적으로 증명되어 있다. '실행 의도'[4]라고 부르는 것이 목표와 동반되면 성공할 확률이 훨씬 높아진다. 실행 의도는 행동의 변화를 촉발할 수 있는 계획을 구체적으로 세우고, 중간에 다른 길로 새지 않도록 자신을 보호하고, 효과가 없는 전략을 포기하고 새로운 전략을 채용하는 한편, 에너지와 열의를 아껴서 길게 가도록 만드는 역할을 한다. 또 변화 과정을 단계별로 점검할 수 있는 방법이 포함되어 있으면 변화를 꾀하는 좋은 의도는 현실화될 확률이 더 높아진다.

그러나 실제로 계획을 실행에 옮기기 위해서는 '실행 통제'[5]라 부르는 것 또한 필요하다. 예상치 못한 문제가 생겼을 때 해결할 방법을 찾고, 목표를 이루는 데 필요한 특정 임무에 초점을 맞추고, 목표 수행을 방해할 수 있는 반사적/반동적 행동을 억제하는 법을 배우는 능력을 말한다. 좋은 계획을 세우는 것뿐 아니라 유연성과 융통성을 갖추어야 한다는 뜻이다. 거기에 더해 돈이 걸려 있거나, 좋아하는 뭔가와 조합하거나(예를 들어 좋아하는 텔레비전 프로그램을 시청하면서 운동하기), 비슷한 변화를 꾀하는 사람들이 모인 단체에 가입하면 성과가 더 좋아지는 경향이 있다.[6]

목표 성취에서 '완벽하게 하려는 것'은 '잘하려는 것'의 적일 수 있다. 통계에 따르면 완벽주의는 역효과를 낳을 수 있다.[7] 완벽주의자들은 완벽하게 목표를 달성할 수 없다는 생각이 들면 아예 포기해 버리기도 하는 반면, 보통 사람들은 계획이나 전략을 바꾸는 융통성을 부려서 가능한 한 가장 목표에 가깝게 도달하려는 노력을 기울이기도 하기 때문이다.

왜 우리는 실패를 밥 먹듯이 할까

불행히도 실패로 끝나는 계획이 대부분이다. 최고의 실행 의도와 실행 통제 능력을 가졌다 하더라도 우리는 진정으로 행동을 변화시키는 쪽보다 이전의 행동을 강화하는 데 훨씬 능하다. 그리고 아무리 계획이 좋고 훌륭한 실행 의도와 실행 통제 능력을 가졌다 하더라도 습관이 강할수록 그것을 깨기는 더 어렵다.[8]

우리는 왜 실패를 밥 먹듯이 하는 걸까? 첫째, 많은 사람들이 시작조차 하지 않는다. 그리고 목표를 세운 시점과 목표를 향해 달려가기 시작하는 시점 사이가 길면 길수록 목표 지점에 도달할 확률은 낮아진다. 어떤 사람들은 처음에는 진전을 보이다가도 익숙한 상황과 오랜 친구들이 이전의 나쁜 행동들을 편안해 보이도록 하면 옆길로 새 버리는 경우도 있다. 습관적 행동은 상황에 의해 촉발되는 경우가 많다—예를 들어 다른 사람들이 과식하는 것을 보면 우리도 과식할 확률이 높다. 그래서 특정한 행동을 촉발하는 상황이나 습관적·무의식적 반응을 변화시키지 않는 한, 변화하겠다는 의도를 가지더라도 실제로 행동이 변화하지 않는 경우가 흔하다.[9]

또 다른 문제는 만족감이 나중에 온다는 사실이다. 대부분의 행동 변화는 바로 기분이 좋아지거나, 바로 더 나은 외모를 갖거나, 친구들에게 즉시 더 환영받는 효과로 이어지지 않는다. 어떤 상황에서는 "운동을 더 열심히 할 거야" "새로 다이어트를 시작했어"라고 자신의 목표를 여러 사람에게 선언함으로써 행동 변화 자체에서 얻는 것만큼의 긍정적인 강화를 다른 사람들로부터 미리 받을 수도 있다. 특히 몇 달이 지난 다음에야 다른 사람들이 그 변화를 알아차릴 수 있는 체중 감량과 같은 경우가 더 그렇다. 이런 식으로 성취감을 일찍 맛보고 나면 어려운 투쟁을 계속할 결의가 약해질 수도 있다.

우리는 또 비현실적인 기대감을 가지는 경우가 많다. 많은 사람들이 어떤 목표를 성취하는 데 필요한 시간과 노력을 과소평가하는 경향이 있다. 이전에 어떤 목표를 성취하려 할 때도 예상보다 훨씬 어렵고 시간이 많이 걸렸음을 알면서도 우리는 또다시 과소평가를 하곤 한다. 마크 트웨인의 말을 빌리자면, 습관은 습관이기 때문에, 창문 밖으로 휙 던져 버릴 수 있는 것이 아니라 살살 구슬려서 한 번에 한 계단씩 차근차근 내려가야 하는 것이다.[10]

마지막으로, 아무리 단단한 실행 의도를 지녔다 하더라도 우리는 어쩌다 한 번씩 유혹에 넘어가 하고 싶은 대로 해도 된다고 생각하는 경향이 있다. 어쩌면 이런 행동이 나중에 상쇄하면 될 단 한 번의 예외라고 생각하거나, 그렇게 탈선하는 것이 거부할 수 없는 유혹이고 아주 잠시만 기회가 주어지는 것이라고 생각할 수도 있다.[11] 이런 식의 탐닉을 정당화하는 우리의 의식적·무의식적 능력이 얼마나 뛰어난지를 보여 주는 실험이 있다. 초콜릿 맛 시식을 하기 직전에 겉으로는 전혀 관계없어 보이는 설문지에서 개인적인 탐닉을 정당화하는 것에 관한 질문을 받은 사람들은 초콜릿을 더 먹었다.[12]

변화하겠다는 강력한 희망에도 불구하고, 새로운 목표보다 과거의 행동이 미래의 행동에 네 배나 강한 영향을 끼친다.[13] 이런 이유에서 우리는 자연과 환경의 영향으로 형성된 과거의 행동, 즉 유전자와 그때까지 살면서 얻은 경험이 합쳐져 굳어진 행동 방식으로 다시 돌아가곤 하는 것이다. 현실의 이런 행동 패턴 때문에 체중 감량, 소금 섭취량 감소, 운동량 증가, 불안과 우울증 해소 등에서 우리의 능력은 문제에 봉착한다.

다이어트로 먹는 본능 이기기

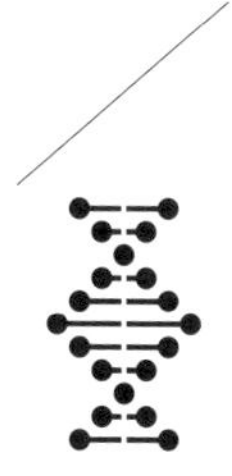

다이어트는 우리의 자연스러운 본능이 아니다

이 책은 다이어트 지침서가 아니다. 따라서 의학계와 대중 매체에서 쏟아져 나오는 엄청난 양의 다이어트 관련 자료를 들먹이지는 않겠다. 나와 있는 다이어트 방법의 엄청난 가짓수만 봐도 현대식 체중 감량법이 얼마나 실망스러운 성공률을 기록하고 있는지 알 수 있다. 풍선처럼 불어나는 비만 인구 자체가 과체중과 비만을 예방하고 치료하는 현재의 행태론적 접근법이 얼마나 비참할 정도로 실패하고 있는지를 보여 주는 증거다.

2장에서 나는 하루 10칼로리만 더 섭취해도 3년을 계속하면 1파운드(약 0.45킬로그램)의 체중이 늘 수 있다고 강조했다. 그 부분을 읽으면서 이 논리를 뒤집으면 1파운드를 빼기도 그만큼 쉽다고 생각한 독자들이 있었을지 모르겠다. 그러나 현실을 직시해 보자. 체중 감량을 원하는 사람이 3년에 1파운드를 뺐다고 좋아하지는 않을 것이다. 활동량이 많지 않은 체중 220파운드(약 100킬로그램)의 사람이 6개월 만에 45파운드(약 20킬로그램)를 빼려면 하루 3000칼로리 정도 섭취하던 열량을 1800칼로리로 줄여야 한다. 같은 양의 체중을 1년에 걸쳐 빼려면 2500칼로리로 줄여야 한다.[14]

문제는 다이어트를 하는 것 또는 열량 섭취를 어떤 형태로든 제한하는 것은 자연스러운 상태가 아니라는 사실이다. 우리는 먹는 본능을 타고났다. 우리 몸은 적어도 포만감이 들 때까지, 어떤 경우에는 불편할 정도로 포만감을 느낄 때까지 계속 먹고, 시간이 조금 흘러서 더 먹을 수 있는 몸 상태가 되면 바로 다시 먹도록 프로그래밍되어 있다. 단 한 가지 예외는 한 종류의 음식만 손에 넣을 수 있는 상태에서는 포만감이 들지 않더라도 싫증이 나서 더 먹는 것을 포기하는 경우다. 물론 이것도 굶주림의 위험이 없어야 할 수 있는 행동이다.

여러 다이어트 방법 간의 효과 차이는 미미하다

체중이 줄어드는 것을 방지하기 위해 조금이라도 그럴 기미가 있으면 개입하는 온갖 호르몬들 덕분에 다이어트는 실행이 힘들고, 유지는 더 힘들다. 상담과 다이어트를 포함한 대부분의 체중 감소 시도를 조사한 결과, 이런 노력을 1년 동안 기울인 후 평균 10파운드(약 4.5킬로그램) 이상 감량한 사람이 거의 없다는 것을 알 수 있었다. 그리고 다양한 다이어트 방법 간에도 별로 큰 차이가 없었다. 어쩌면 이 사실이야말로 시중에 수많은 다이어트 방법이 유행했다가 사라지기를 거듭하는 이유일지도 모른다.

소화하기 쉬운 식품(열량 밀도가 높은 가공 식품 등)에 비해 소화하기 힘든 식품(견과류 등)의 열량 흡수 효율이 다소 떨어지기는 한다. 하지만 체중이 얼마나 나가는가 하는 것은 어떤 음식을 섭취하느냐가 아니라 얼마나 많은 열량을 섭취하느냐에 달려 있다.[15]

저지방 다이어트는 저탄수화물·고지방 다이어트(앳킨스 다이어트나 구석기 다이어트)에 비해 지방을 더 많이 감소시키는 효과가 있다. 그러나 전통적인 저지방 다이어트에 비해 구석기 다이어트가 실제 체중 감소에 약간 더 효과적이라는 일부 연구 결과가 나와 있다(절대 모든 연구에서 이런 결과가 나온 것은 아니다). 아마 체중 감소를 방지하려는 호르몬에 다른 영향을 주기 때문이거나(2장에서 논의했던 것처럼), 실행에 옮기기가 더 쉬워서일 것이다. 그러나 그 차이가 그다지 인상적일 정도는 아니다. 평균적으로 볼 때 저탄수화물 다이어트는 다른 다이어트보다 최대 2파운드(약 0.9킬로그램) 정도 더 많은 감량 효과를 보였지만, 일단 감량이 된 후 그 상태를 유지하는 데 더 효과적인지는 확실치 않았다.[16]

체중 조절에서 가장 중요한 것은 따르는 다이어트 방식에 충분한 만족감을 느껴 계속 지킬 수 있어야 한다는 점이다. 현실적으로 특정 다이어트 방식이 다른 것보다 일관되게 더 낫다고 인정받지 못하는 것도 바로 이런 이유에서다.

종일 자주 먹는 습관의 문제

섭취 열량으로 모든 것이 결정된다는 원칙의 유일한 예외는 쥐에게 간식을 주는 실험[17]에서 나온 결과다. 주도면밀하게 진행된 이 실험에서 고지방 먹이를 하루 종일 원할 때 먹을 수 있도록 한 쥐들은 동일한 먹이에 하루 8시간만 접근할 수 있는 쥐들보다 먹이를 더 먹지 않았다. 두 집단의 유일한 차이는 하루 종일 먹을 수 있도록 한 쥐들은 열량 섭취를 24시간에 걸쳐 더 균일하게 분산할 수 있었다는 것이다.

자주 간식을 먹는 습관과 동일한 먹이 섭취 패턴을 유지한 이 쥐들은 체중이 늘어났고, 20주가 지난 후에는 하루 8시간만 먹이를 먹을 수 있는 쥐들에 비해 거의 3분의 1이나 더 무거워졌다. 이런 차이를 보이는 것이 장에서 음식을 흡수하는 방법이 달라서인지, 자주 음식을 먹는 것이 신진 대사율을 바꿔서인지는 아직 밝혀진 바가 없다. 그렇지만 온종일 뭔가를 자주 먹는 습관—수렵·채집 생활을 하던 조상들에게는 식량이 부족할 때 체중을 유지하는 데 도움이 되었을 습관—이 현대 사회에 팽배한 비만 현상의 부분적인 이유인지도 모른다.

더 나은 식습관의 잠재적 혜택

또 다른 더 복잡한 질문은 각종 다이어트가 건강에 전반적으로 미치는 영향에 관한 것이다. 체중 자체가 유일한 문제점은 아니다. 어떤 다이어트는 체중 감량에는 그다지 도움이 안 될지 모르지만 건강에는 더 도움이 될 수 있다. 예컨대 올리브 오일, 견과류, 신선한 과일, 채소, 생선, 콩류, 붉은 살코기보다 흰 살코기, 포도주로 식단을 짜는(청량음료, 제과·제빵 상품, 트랜스 지방, 가공 식품은 멀리하는) 지중해식 다이어트는 체중 감량보다는 당뇨병 발병 위험을 줄이고, 당뇨병 환자의 혈당 유지에 도움이 되며, 심장 마비와 뇌졸중을 예방하는 한편, 우리 염색체의 텔로미어 길이가 줄어드는 속도를 늦춰 노화를 지연시키는 효과가 있다.[18] 이에 비해 신진 대사 건강, 당뇨병과 심혈관 질환 예방이라는 측면에서 저지방 다이어트나 저탄수화물 다이어트가 효과적이라는 주장에 관해서는 상충하는 증거가 많고 확실한 결론이 전혀 나와 있지 않은 실정이다.[19]

그러나 문제도 많고 작심삼일로 끝나는 일이 많지만, 더 나은 식생활의 잠재적 혜택을 무시해도 된다고 주장하고 싶은 생각은 추호도 없다. 포화 지방 섭취는 과학자들이 구석기 시대 조상들이 섭취했다고 추정하는 6퍼센트 선에 맞춰 10퍼센트 이하로 유지하는 것이 좋다. 그렇지만 전체 지방 섭취량은 또 다른 문제다. 대부분의 생선과 야생 사냥감에 들어 있는 불포화 지방은 더 많이 섭취한다해서 콜레스테롤 수치가 눈에 띄게 늘어나지 않기 때문이다. 신장 질환이 있는 경우를 제외하면, 단백질 섭취는 총열량의 30퍼센트까지 높아져도 해롭지 않다. 현재 우리가 섭취하는 열량의 50퍼센트 가까이는 탄수화물에서 공급받는다. 이것이 우리에게 실제로 필요한 열량의 50퍼센트라면 문제가 되지 않지만, 과다 섭취하는 총열량의 50퍼센트라면 큰 문제를 일으킬 수 있다. 그리고 탄수화물이라 하더라도 지중해식 식단에서처럼 과일과 채소에서 얻는 것이라면 고열량 가공 곡물과 설탕에서 얻는 것보다 더 낫다는 증거가 상당히 나와 있다. 그러나 이런 점을 제외하고 어떤 탄수화물은 다른 탄수화물보다 더 낫다[20]는 대중적인 믿음은 과학적으로 증명된 바가 없다.

아주 집중적이거나 본능을 최대한 충족시키는 방법은 효과가 있을까

다이어트를 시도할 때, 다양한 행동 요법적 접근법—개인 단위나 집단 단위로, 그리고 직접 대면이나 전화 또는 인터넷 등을 통한—을 이용하면 동기 부여가 충분한 사람들은 어느 정도 효과를 볼 수 있다. 그런데 어떤 체중 감량법이든 변화된 행동 패턴을 지속적으로 유지하는 것이 가장 어려운 부분이다. 심지어 의사의 감독 아래 개인의 선호도를 고려해 식단을 짜는 대단히 집중적인 라이프 스타일 상담 프로그램[21]에서조차 6개월에서 2년 사이에 평균 7파운드(약 3킬로그램)에서 10파운드(약 4.5킬로그램) 정도의 감량에 그치고 마는 것으로 조사되었다.

액상 다이어트 셰이크, 식사 대용 다이어트 바, 미리 포장되어 나오는 식사 대용품 등과 같은 식사 대용 다이어트는 우리의 자연스러운 본능을 가능한 한 많이 충족시키도록 고안되어 있다. 뉴트리시스템, 제니 크레이그, 웨이트 워처스와 같은 다이어트 회사의 프로그램을 단기적으로 조사한 결과, 프로그램 등록자 중 동기 부여가 잘 되어 있는 비교적 소수의 사람들은 효과를 거둔 것으로 드러나서, 6개월이 지난 시점에 평균 15~25파운드(약 7~11킬로그램)까지 감량에 성공했다.[22] 이처럼 상업적인 체중 감량 프로그램에서 정말로 두드러진 효과를 거둔 사람들도 있다. 그러나 비용과 요구되는 헌신의 정도가 높아서 대부분의 사람들이 이런 프로그램을 계속 유지하기가 어렵다. 따라서 장기적 결과는 다른 체중 감량법과 그다지 다르지 않다.

다시 오프라 윈프리와 요요 다이어트로

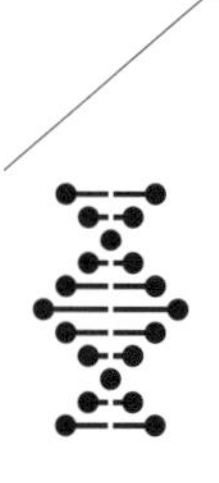

태프트 대통령의 요요 다이어트 일지

오프라 윈프리는 다이어트에 실패한 첫 번째 사람도, 마지막 사람도 아니다. '요요 다이어트'라는 용어는 1986년 공공 정책 전문가 켈리 브라우넬과 그의 동료들이 만들어 낸 것으로, 많은 사람들이 살을 뺐다가 거의 즉시 예전 체중으로 돌아가고 마는 현상을 잘 표현해 준다.

가장 유명하고 가장 상세한 기록을 남긴 요요 다이어트 경험자 중 한 사람은, 2장에서 다뤘던 비만인 미국 대통령들 가운데 마지막 인물인 윌리엄 하워드 태프트다. 대통령으로 선출되기 전인 1905년에 태프트는 314파운드(약 142킬로그램)였다. 체중 감량의 필요를 절박하게 느낀 그는 런던의 의사이자 당시 세계 최고의 비만 전문가였던 너새니얼 요크-데이비스에게 도움을 구했다.

태프트의 상세한 개인 일기를 보면 그는 약 5개월 사이에 무려 60파운드(약 27킬로그램)를 감량하는 데 성공했다. 그러나 성공은 오래 가지 않았다. 1909년 대통령으로 취임할 때 그는 354파운드(약 160킬로그램)였다. 감량하기 전보다 40파운드(약 18킬로그램)가 더 나갔고, 가장 날씬했을 때에 비하면 100파운드(약 45킬로그램)나 더 나가는 몸무게였다. 그 후 태프트의 몸무게에 대해서는 상세한 기록이 없는데, 대통령으로 재직한 4년 사이에 체중을 감량했다는 증거는 없다. 퇴임한 뒤 그가 70파운드(약 32킬로그램) 가까이 살을 빼자 미국 신문들은 그 사실을 크게 다뤘다. 이후로 그의 체중은 오르락내리락하기를 거듭했고, 1930년 숨을 거둘 때 체중은 그 전에 혼수 상태로 몇 주를 보냈음에도 불구하고 280파운드(약 127킬로그램)였다.[23]

요요 다이어트는 이후의 체중 감량을 더 힘들게 만든다

오프라와 태프트의 고투는 일반적인 현상을 상징적으로 보여 주는 예에 불과하다. 한 조사에 따르면 북유럽 여성 중 50퍼센트가, 자기 실제 체중이 어떠하든 상관없이, 그 조사에 응하기 전 2년 동안 체중 감량을 새해 목표로 삼았다고 대답했다. 비만인 여성들 중 감량에 성공했다고 응답한 사람은 9퍼센트에 불과했고, 75퍼센트가 반복적으로 실패했다고 인정했다. 흥미롭게도 정상 체중의 여성이 체중 감량에 성공한 비율은 비만 여성의 두 배였는데, 가장 절실하게 체중 감량을 해야 하는 사람들이 가장 낮은 성공률을 보인다는 것을 알 수 있다.[24]

유감스럽지만 체중 감량에 성공한 사람들 중 3분의 1이 1년 사이에 감량한 체중의 50퍼센트 이상을 도로 회복하고 만다. 요요 다이어트는 장래에 감량하는 것을 더 어렵게 만들 공산이 큰데, 이는 아마 체중을 잃지 않도록 스스로를 보호하는 데 몸이 더 능숙해지기 때문일 것으로 추측된다.[25]

우리는 왜 살빼기에 실패할까

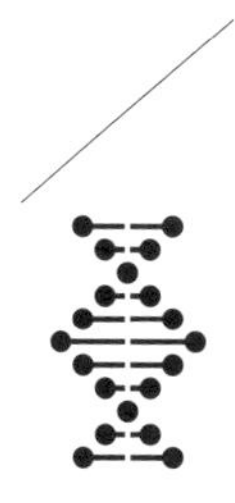

첫째, 자기 자신과 남들 속이기

유전자가 우리 체중에 영향을 미치는 것은 의심할 여지가 없지만, 개인의 체중 차이는 환경과 습관에 더 많이 좌우된다. 대부분의 다이어트가 실패하는 이유는 익숙한 환경과 오래된 습관으로 되돌아가려는 힘이 너무 강하기 때문이다. 오늘날 비만은 행동 패턴을 바꾸는 장기적 접근법이 필요한 만성 질환이다.[26]

체중 감량에 실패하는 원인 중 하나는 우리가 스스로를 속이기 때문이다. 실제로 얼마나 먹는지, 체중이 얼마나 나가는지에 대해 주로 자기 자신에게, 심지어 남에게까지 일상적으로 거짓말을 하는 사람이 허다하다. 미국에서 40년에 걸쳐 전국적으로 실시된 운동량과 열량 섭취량을 묻는 자가 보고 설문 조사 응답지를 과학적으로 상세히 분석해 보니 여성의 3분의 2, 남성의 약 60퍼센트가 '생리학적으로 불가능한' 답변을 했다. 하루 열량 섭취량을 남성들은 거의 300칼로리, 여성들은 350칼로리나 줄여 말했다. 비만인 사람들의 답변은 더 신뢰성이 떨어져서 비만 남성은 일일 섭취 열량을 700칼로리 이상, 비만 여성은 850칼로리 이상 줄여 말했다. 대통령 퇴임 후 대법원장이 된 윌리엄 하워드 태프트마저 요크-데이비스 박사에게 자신의 진짜 체중이 얼마인지 거짓말을 했다.[27]

둘째, 한 번에 먹는 많은 음식량

체중 감량 프로그램을 계속 실천하기 어려운 또 다른 이유는 우리 조상들은 접해 보지 못한 많은—때로는 너무 많은—선택의 기회가 현대 사회에 존재하기 때문이다. 구석기 시대에는 적절했던 본능적인 선택이 현대를 사는 우리 몸에는 문제를 일으킨다. 가장 대표적인 예가 한 끼에 먹는 음식의 양이다. 조상들은 이 문제에서 선택이 어렵지 않았다. 최대한 많은 양을 확보하고, 다른 사람이 빼앗아 먹기 전에 모두 먹어치우는 것이 제일 현명했다. 지금도 우리는 같은 본능을 가지고 있다.

이 본능을 잘 이해하는 사람들이 미국의 극장 매점 주인들일 것이다. 그곳에서 파는 음료와 팝콘의 크기는 대형에서 특대형까지 있다. 그러나 우리는 불평하지 않는다. 예를 들어 한 실험[28]에서 필라델피아 교외의 극장 방문객 중 무작위로 선택된 사람들에게 무료 팝콘을 제공하면서 일부에게는 중간 크기를, 또 다른 일부에게는 그 두 배의 대형 팝콘을 줬다. 무작위로 더 큰 용기의 팝콘을 받은 사람들은 중간 용기의 팝콘을 받은 사람들보다 훨씬 많이 먹었다. 팝콘이 막 만들어져 맛이 좋을 때는 45퍼센트나 더 많이, 심지어 오래되어 정말 맛없는 팝콘을 받았을 때조차 약 3분의 1 더 많이 먹었다.

또 다른 연구[29]에서는 음식을 담은 용기의 크기를 두 배로 늘렸다. 그러자 스파게티의 경우 20퍼센트를 더 먹고, 과자류는 50퍼센트를 더 먹는다는 통계가 나왔다. 영양학 전문가들마저 이런 현상을 피하지 못했다. 아이스크림 파티에 영양학 전문가들을 초대해 그들의 행동을 관찰한 아주 흥미로운 연구 결과가 있다. 무작위로 더 큰 그릇을 받은 사람들은 아이스크림을 30퍼센트나 더 담았고, 무작위로 더 큰 서빙 스푼을 받은 사람들은 15퍼센트를 더 담았으며, 두 가지가 모두 주어진 사람들은 거의 60퍼센트나 아이스크림을 더 담았다!

1회 먹는 양을 조절하는 것은 굉장히 중요한데, 현대인에게는 그것이 문제가 될 수 있다. 통상적으로 1인분 양이 엄청나게 많아지고 음식 담는 용기가 더 커졌을 뿐 아니라, 과자와 아이스크림을 덜어서 먹지 않고 포장 용기에서 바로 떠먹으면 더 많이 먹는 경향이 있기 때문이다.

셋째, 무심결에 먹는 습관

음식이 얼마나 가까이 있는지, 얼마나 잘 보이는지도 중요하다. 한 실험[30]에서 사탕을 '투명 용기/불투명 용기'에 담아 비서들이 일하는 '책상 위/2미터쯤 떨어진 곳'에 두어 각각의 경우를 비교했다. 사탕이 투명 용기에 담겨 있으면 하루 평균 두 개를 더 먹었고, 담긴 용기가 자신이 일하는 책상 위에 있는 경우에도 하루 평균 두 개를 더 먹었다. 그리고 사탕이 잘 보이는 투명 용기에 담겨 자신이 일하는 책상 위에 놓여 있으면 하루 평균 네 개를 더 먹었다. 흥미롭게도 사탕이 2미터 떨어진 곳에 놓여 있었던 비서들은 하나도 빠짐없이 자신이 실제보다 더 많이 먹었다고 생각했고, 책상 위에 놓여 있었던 사람들은 모두 실제보다 더 적게 먹었다고 생각했다. 이러한 착각이 특히 더 흥미로운 것은 이전에도 언급했지만 섭취한 열량의 총량은 동일하더라도 간식을 줄이는 것이 체중 증가를 피하는 길일 수 있기 때문이다.

'그릇을 깨끗이 비워야 한다'는 생각을 우리가 무의식적으로 하기 때문에 수프를 먹는 동안 눈에 띄지 않게 계속 다시 채워 주면 그러지 않은 사람에 비해 거의 75퍼센트 더 많이 먹는다는 실험 결과도 나와 있다.[31] 우리는 또 특히 조명이 어둡고 부드러운 음악이 흐르는 식당에서 다른 사람들과 함께 먹을 때 음식을 더 많이 먹는 경향이 있다.[32] 이와 더불어 먹을 때가 되었다는 생각이 들거나, 음식이 보이거나 냄새를 맡을 수 있을 때, 또는 여러 가지 음식 중 선택할 수 있을 때 더 먹는다.

음식 섭취 행동에 환경이 끼치는 영향(접시 모양, 포장 용량, 조명, 음식이 차려진 형태, 색, 편의성)에 따라 음식을 더 먹게 되는 것은, 그로 인해 정상 섭취량에 대한 우리의 개념이 재설정되거나, 실제로 얼마나 먹는지 정확히 인식하기가 더 어려워지기 때문이다. 이렇게 사회적으로 영향받는 것을 영양학자 브라이언 완싱크는 '무심결에 먹는 습관'[33]이라고 이름 붙였다. 이는 교육이나 통계 수치만 가지고는 바꾸는 것이 극도로 어렵거나 거의 불가능한, 우리가 가진 무의식적 경향이다.

식품 산업계의 목표는 더 많은 식품을 판매하는 것이다. 따라서 우리가 설탕과 소금, 지방이 많이 함유된 고열량 음식을 좋아한다는 사실을 식품 산업계에서 알아차린 것은 놀라운 일이 아니다. 우리의 위는 우리가 섭취한 열량보다 음식의 부피에 따라 포만감을 느끼므로 부피당 더 많은 열량이 든 음식을 먹으면 당연히 더 많은 열량을 섭취하게 된다.[34] 식품 산업계가 내놓는 고열량, 큰 포장 용기, 용기가 클수록 할인율이 커지는 상품은 우리의 정상 체중 유지를 위협하는 3대 요소다. 우리에게 진정으로 필요한 것은 더 작은 공기와 접시, 더 적은 1회분 양, 더 작은 과자 포장, 더 작은 숟가락, 더 작은 아이스크림 통, 더 적은 뷔페 방문 횟수, 그리고 시간 잠금장치가 달린 음식 보관함이다.[35]

넷째, 사회적 규범과 모방

그러나 그런 모든 조건이 충족된다 하더라도 우리는 또 주변 사람들의 압력에 약하고, 사회적 규범을 이해하고 따르기 위해 다른 사람들의 행동을 모방하는 경향이 있다. 아는 사람 중에서 비만인 사람이 아무도 없다면 자기만 예외가 되고 싶어 하지는 않을 것이다. 그런데 이 심리는 다른 방향으로도 적용한다. 예를 들어 친구 중 한 사람이 비만이 되면 자신도 비만이 될 확률이 50퍼센트 이상 증가한다.

아주 흥미로운 한 실험[36]에서는 무작위로 선택된 여성들에게 모델들이 날씬해 보이는 것이 사실은 거짓말이라는 메시지를 전달했다. 그 여성들에게 슈퍼모델들의 사진을 보여 주면서 '인공적' '겉치레' '허위' '사기' '가짜'라는 단어들과 연상 작용을 일으키도록 유도했다. 이런 연상 작용을 거친 여성들은 모델 같은 날씬함이 이상적이라고 생각하는 경향이 현저히 떨어지고, 체중과 상관없이 자신의 몸에 대한 만족도가 다른 여성들에 비해 상당히 높아진 것으로 조사되었다.

이에 반해 블레어 리버[37]의 경우를 생각해 보자. 리버는 6피트 8인치(약 2미터 3센티미터)가 넘는 키에 체중이 575파운드(약 260킬로그램)나 되는 거구로, 엄청난 크기의 햄버거와 돼지기름에 튀겨낸 감자튀김으로 유명한 '하트 어택 그릴Heart Attack Grill' 레스토랑의 대변인이었다. 리버는 이 식당의 열렬한 옹호자였지만 결국

29세에 세상을 떠나고 말았다. 그러나 그의 죽음에도 아랑곳없이 사람들은 이 식당에서 거의 1만 칼로리를 자랑하는 '쿼드러플 바이패스 버거'를 계속 주문해 먹으며, 식당 측에서도 체중이 350파운드(약 159킬로그램) 이상이면 무료로 식사를 제공하는 정책을 바꾸지 않고 있다. 체중 감량을 하고 싶지 않거나 할 수 없는 사람들에게 하트 어택 그릴은 극도 비만을 정상적인 것으로 받아들이고, 심지어 미화하기까지 하는 당당한 반문화의 상징이 되고 있다.

비만인 사람들이 체중 감량을 하지 못하는 자신의 상태에 대해 비관하지 않고, 자신의 비만을 받아들이고 심지어 즐기기까지 한다면 팽배한 비만 문제를 성공적으로 해결할 희망이 별로 없다. 과체중과 비만이 더 보편화되면서 그런 상태에 대한 사회적 오명이 사라지고, 그에 따라 우리 유전자와 싸워서 이기겠다는 동기 부여도 점점 희미해진다.

그러나 사회적 규범과 기준은 적절한 프로그램을 사용해 바꿀 수도 있다. 무작위 추출 방식을 사용한 한 연구[38]에서는, 자녀를 데리고 가난한 동네의 공공 임대 주택에서 사는 여성들에게 이사 상담을 해 주고 더 나은 동네로 이사할 때 쓸 수 있는 주택 바우처 housing voucher를 제공했다. 이 기회를 이용해 임대료를 지원받아 이사한 가족들은 심각한 비만과 비만 관련 당뇨병을 앓을 확률이, 특히 아동들에게서 줄어들었다. 이는 부분적으로 새로 이사한 동네의 체중에 대한 기준이 더 낮았기 때문인 것으로 추측된다.

가끔 있는 대성공 사례와 좋은 소식

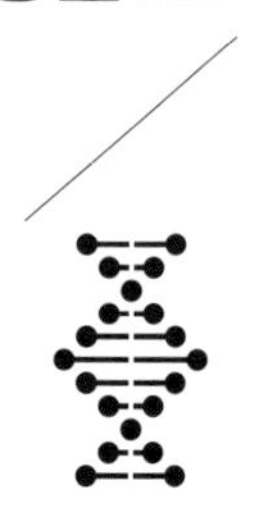

"오스카상 수상보다 체중 감량 성공이 더 자랑스럽다"

간혹 대단한 의욕을 가진 사람들이 일반적인 통계와 우리가 물려받은 유전자를 거스르는 위업을 이루어 내기도 한다. 캘리포니아주 클로비스에 사는 브리나 본드는 아홉 살 때 체중이 186파운드(약 84킬로그램)나 되었다. 그녀의 부모는 당연히 딸의 비만이 신진대사 이상으로 인한 것이라 생각했다. 그러나 모든 검사 결과가 음성으로 밝혀지자 브리나와 그녀의 부모는 다이어트와 운동을 시작했다. 날마다 4마일(약 6킬로미터)을 걷고 러닝머신에서 75분을 뛰는 운동 프로그램이었다. 1년이 지나지 않아 브리나는 거의 66파운드(약 30킬로그램)를 감량하는 데 성공했다.[39]

또 다른 잘 알려진 성공담은 영화 〈드림걸스Dreamgirls〉에서 여성

삼인조 그룹의 비만인 멤버 역으로 아카데미상을 수상한 허드슨의 사례다. 키가 5피트 9인치(약 174센티미터)인 제니퍼 허드슨은 아들을 출산한 후 220파운드(약 100킬로그램)에서 80파운드(약 36킬로그램)를 빼 140파운드(약 64킬로그램)가 되었다. 체질량 지수도 비만인 32.5에서 정상인 20.5가 되었고 옷 치수는 16에서 6이 되었다. 이 눈부신 성공의 비밀은 비밀이 아니었다.

허드슨은 운동량을 늘렸고, 웨이트 워처스에 가입해 일일 1600~1800칼로리의 식사량을 지켰다. 그리고 그 후로도 혼자서 4년간 그 식사법을 꾸준히 유지했다. 그러나 그녀는 "오스카상을 받은 것보다 체중 감량에 성공한 것이 더 자랑스럽다"라고 말할 정도로 어려운 일이었다고 증언한다.[40]

그냥 열심히 노력하고 그 노력을 충분히 오래 지속하면 모든 것이 괜찮아질 것이라는 긍정적인 사고방식도 존재할 수 있다.[41] 1884년에서 1912년에 걸쳐 28년 동안 연달아 6명의 비만인 대통령이 미국을 대표했지만, 그 후로 1세기가 넘게 흐르는 동안 더 이상 비만인 대통령은 안 나오지 않았는가? 1970년대 중반 이후 미국 내 일인당 붉은 살코기 소비량은 계속 감소 추세를 보여 왔다. 그 결과 전반적인 열량 섭취와 체중은 증가했지만, 콜레스테롤 수치를 낮추는 약과는 별도로 평균 혈중 콜레스테롤 수치 또한 감소했다.[42]

최근 미국에서 유치원생과 초등학생의 비만율이 약간 줄어들었다[43]는 소식을 접한 독자들이 많을 텐데, 아마 열량 섭취량이 5퍼센트 정도 줄어든 때문일 것이다. 그러나 더 종합적인 분석을 해 보면 유일한 희소식은 비만율이 증가하지 않고 같은 수준을 유지하게 되었다는 사실뿐임을 알 수 있다. 전국적으로 볼 때 아동 비만이 지난 5~10년 사이에 줄어들었다는 근거는 없으며, 비만율도 1999년보다 여전히 더 높다.

체중 감량의 새로운 가능성

과체중이거나 비만인 사람이 각자 자신이 지키기 쉬운 다이어트법을 찾아 성공적으로 실천할 수 있다면 얼마나 좋을까? 이 장의 첫 부분에서 살펴봤듯이, 하루 종일 먹이를 먹은 쥐들보다 하루 8시간만 먹이에 접근 가능했던 쥐들이 살이 덜 쪘다는 연구 결과에서 한 가지 가능한 해결책을 찾을 수 있을지 모른다. 그보다 더 인상적인 사실은, 이전에 24시간 먹이에 접근 가능했던 쥐들을 하루 8시간만 먹이를 먹을 수 있게 하자 똑같은 양의 열량을 섭취했음에도 체중이 줄어들었다는 연구 결과다.[44] 이 놀라운 결과는 초파리 실험에서도 동일하게 나타났지만 인간을 대상으로는 아직 확인되지 않은 상태다. 그럼에도 섭취 열량의 양보다 시간을 조절함으로써 체중을 줄일 수 있다는 가능성은 미래에 더 혁신적이고 성공적인 체중 감량 다이어트로 이어질 수도 있을 것이다.

또 다른 가능성은 더 효과적인 다이어트 알림 메시지와 피드백을 제공하는 것이다. 이제 혈액 검사를 통해 개인이 섭취한 당의 양을 추적하는 것이 가능하다.[45] 언젠가는 몸에 좋지 않은 음식을 너무 많이 먹으면 경보를 울리고 모종의 벌을 주기까지 하며, 건강한 식습관을 유지하면 상을 주는 장치를 몸에 삽입하는 것이 가능해질지도 모른다.

이런저런 추측을 해 볼 수는 있지만 여전히 전 세계적으로 비만이 늘어 가고 있으며 지난 30년 사이에 비만이 감소한 나라는 단 한 곳도 없었다는 것이 불행한 현실이다.[46] 미국에서 1980년부터 2012년 기간에 당뇨병 발병률은 두 배로 늘었고, 이제 겨우 모든 성인의 8퍼센트 정도 선을 유지하는 정도가 되었다.[47] 이는 거의 모든 주에서 비만율이 급격히 감소하거나 증가하지 않고 안정되는 현상과 궤를 같이한다. 개인들이 식습관을 개선하는 노력을 포기할 수는 없지만, 이제 전 세계적으로 만연한 비만 문제를 해결하는 과제를 개인의 노력에만 의존할 수는 없는 지경이 되었다.

운동으로
과잉 보호 본능 상쇄하기

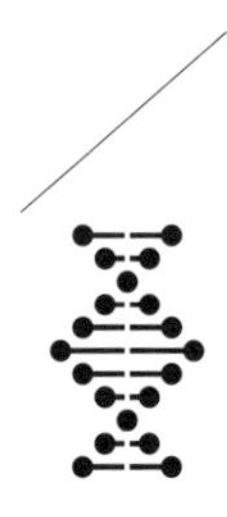

효과적인 육체 활동의 종류와 시간

잘 알려진 대로 육체 활동은 그것이 가져다주는 주된 생리적 효과에 따라 분류할 수 있다. 걷기, 달리기, 수영과 같은 유산소 운동(또는 심장 강화 운동), 아령이나 역기로 하는 근력 강화 운동(또는 등장 운동), 유연성 운동(또는 스트레칭), 그리고 균형 운동(예를 들어 태극권)이 그것이다.

성인은 1주일에 적어도 150분 이상 중간 강도 또는 75분 이상 격렬한 강도(두 가지를 섞을 수 있다)의 육체 활동을 해야 한다. 여기서 격렬한 강도 운동 시간은 중간 강도 운동 시간의 두 배로 친다. 중간 강도 활동의 예는 시속 3마일(약 시속 5킬로미터) 이상으로 활발하게 걷기, 정원 돌보기, 수중 에어로빅, 복식 테니스 경기, 시속

10마일(약 시속 16킬로미터) 이하로 자전거 타기, 볼룸 댄스 등이 있다. 격렬한 활동의 예는 빠른 속도로 걷기, 뛰기, 자전거 타기, 수영, 단식 테니스 경기, 격렬한 정원일, 오르막길 등산, 또는 무거운 배낭 지고 걷기 등이 있다.

유산소 운동이 좋은 이유

모든 종류의 운동은 체중 감량에 도움이 되지만 가장 큰 효과를 내는 것은 유산소 운동이다.[48] 2시간 동안 7마일(약 11킬로미터) 남짓을 활발하게 걸으면 500~600칼로리를 소비할 수 있고, 1시간에 걸쳐 6마일(약 10킬로미터) 남짓 조깅을 하면 500~700칼로리를 소비할 수 있다. 계단 오르기 운동 기구인 스테어마스터에서 1시간 운동을 해도 비슷한 효과를 거둘 수 있다.[49]

2장에서 언급했듯 운동 부족은 비만이 되는 '허용' 인자다. 충분한 육체 활동을 하면 상당한 과식을 하지 않는 이상 매년 계속해서 체중이 증가하지는 않을 것이다. 그러나 안타깝게도 열심히 운동을 해서 태운 500~700칼로리의 열량은 중간 크기의 탄산 음료 한 잔을 곁들인 빅맥 햄버거 하나, 모카 프라푸치노 한 잔을 곁들인 스타벅스 잡곡 베이글 한 개, 던킨 도넛 두 개, 또는 스니커즈 초콜릿 바 두 개를 먹으면 바로 상쇄되어 버린다. 이런 유혹들이 쉽게 손닿는 곳에 있다는 사실 자체가 현대인이 그토록 적정 체중을 유지하기 어려운 이유 중 하나다.

모든 합리적인 체중 감량 프로그램에는 유산소 운동량을 늘리는 계획이 포함되어야 하지만 운동만 해서는 체중 감량 효과를 별로 볼 수가 없다. 그러나 감량한 체중을 유지하는 데는 운동이 특히 효과적이다. 체중 감량 목표를 이루기까지 지속했던 열량 제한의 정도를 계속 유지하기 어려워하는 사람들이 대부분이기 때문이다. 물론 운동을 핑계로 사용하지 않도록 우리 모두 조심해야 한다. 오늘 3마일(약 5킬로미터)을 뛰었다 하더라도 토핑을 듬뿍 얹은 아이스크림을 자신에게 상으로 줘도 된다는 말은 아니다.

이와 더불어 규칙적으로 유산소 운동을 하면 당뇨병, 심장병, 뇌졸중 발병과 혈관에 혈전이 생기는 위험이 줄어든다. 이미 심장 질환을 가지고 있거나 뇌졸중을 경험한 사람도 육체 활동량을 늘리면 증상이 호전되는데 그 효과가 혈액 희석제에 맞먹는다.[50] 운동은 또 지방과 근육 세포를 관장하는 유전자의 메틸화를 변화시켜 후성유전학적으로 체질이 개선되기도 한다. 예를 들어 지방을 저장하는 일 말고는 거의 다른 일을 하지 않는 백색 지방 세포가 에너지를 소비하고 열량을 태우는 갈색 지방 세포로 변화하도록 자극해 체지방과 체중이 줄어들 수 있다.[51]

현대인의 육체 활동량 추이

불행하게도 미국인의 평균 육체 활동 수준은 지난 60년 동안 계속 내리막길을 걷고 있다. 미국인의 약 40퍼센트가 늘 앉아 있는 정적인 생활을 하고 30퍼센트는 일일 권장 활동량을 채우지 못한다. 큰 이유는 직장에서 규칙적으로 몸을 힘껏 써야 하는 경우가 줄어들고 있기 때문이다. 또 어디를 가야 할 때 우리는 걷기보다는 운전을 하거나 대중 교통을 이용하는 경향이 커졌다. 예컨대 미국 어린이 중 걷거나 자전거로 통학하는 비율은 15퍼센트가 채 되지 않아서 40년 전의 40퍼센트 이상에서 크게 감소했다.[52]

여가 시간에 하는 육체 활동량은 이보다 덜 명확한데 이는 우리가 얼마나 먹는지, 얼마나 체중이 나가는지에 대해 거짓말을 하는 것만큼 얼마나 운동을 하는지에 대해서도 거짓말을 많이 하기 때문이다. 예를 들어 미국 성인의 60퍼센트가 자신이 미국인 일일 육체 활동 권장량을 채우고 있다고 응답하지만, 검증된 가속도계로 활동량을 측정해 보면 그렇게 대답한 사람들 중 적어도 25퍼센트, 많게는 80퍼센트가 권장량을 채우지 못하는 것으로 드러난다.[53] 이와는 별도 현상으로, 미국에서는 상대적으로 돈이 많고 교육을 잘 받은 사람들—갈수록 늘어나는 피트니스 센터에 가입할 여유가 있는 사람들—이 상대적으로 돈이 없고 교육 수준이 낮은 사람들—이전 세대에서는 직장에서 몸을 많이 썼던 사람들—보다 더 많은 운동을 하고 있다.

그리고 현대 사회의 여러 흐름이 그러하듯, 전 세계 대다수 나라가 미국의 이런 추세를 따르고 있다. 적어도 세계 인구의 30퍼센트는 운동을 충분히 하지 않으며 그 비율은 선진국에서 가장 높게 나타난다. 세계 당뇨병과 심장 질환 위험의 6~10퍼센트는 부족한 육체 활동이 원인이라는 분석이 나와 있고, 조기 사망의 9퍼센트도 같은 이유라고 집계되고 있다. 미국에서는 이 수치가 더 높아 모든 사망 원인의 11퍼센트에 달한다.[54]

러너스 하이: 운동은 뇌를 행복하게 한다

체중을 줄이는 것도 어렵지만 육체 활동량을 늘리는 것도 결코 쉽지가 않다. 그 이유는 부분적으로 우리가 운동에 흥미를 느끼는 정도 역시 유전자에 새겨져 있기 때문이다. 예를 들어 밤에 쳇바퀴를 돌리는 습성이 있는 실험용 설치류는 품종 개량을 통해 운동을 좋아하도록 만들 수도, 싫어하도록 만들 수도 있다. 당연히 운동을 좋아하고 많이 하는 쥐들은 평균적이거나 게으른 쥐들보다 더 날씬하고 효율적으로 지방 연소를 하며 더 건강하다.

이런 차이는 주로 과도하게 활동적인 쥐들[55]의 뇌에서 도파민을 처리하는 방법에서 기인하는 듯하다. 뇌에서 쾌락을 느끼고 중독적인 행위에 반응하는 데 도파민이 아주 중요한 역할을 한다는 사실은 이미 알려져 있는데,[56] 과잉 활동적인 쥐들은 조깅이나 마라톤을 하는 사람들이 경험하는 이른바 '러너스 하이runner's high' 즉 격렬한 운동 후에 오는 황홀감을 추구하고 운동을 통해 그것을 얻는 것처럼 보인다. 운동을 하면 우리 뇌는 기분이 좋아지고, 심지어 우울증을 감소시키는 데도 도움이 된다.[57] 운동할 때 근육에서 나오는 효소가 우울증을 유발하는 화학 물질을 변화시켜 혈액에서 뇌로 이전되지 못하도록 막기 때문이다. 쥐들과 마찬가지로 사람들 중에서도 남보다 운동을 해야 할 필요를 더 느끼거나 만족감을 더 많이 느끼는 사람들이 있는 듯하다. 그 이유를 짐작하게 해 주는 한 가지 단서가 있는데, 과잉 활동적 쥐들에게서 행동의 추동력이 되는 생화학적 변화가 인간에게서 주의력 결핍 과잉 행동 장애의 원인이 되는 변화와 비슷하다[58]는 데이터가 바로 그것이다.

우리는 되도록이면 운동하지 않도록 프로그래밍되어 있다

권장 운동의 내용과 양은 개인에 맞춰 제시되어야 한다.[59] 단순한 방법으로는 걸어서 출근하기, 승강기보다 계단 이용하기, 하루 20~30분 시간을 내서 활발히 걷기, 또는 그에 상응하는 육체 활동하기 등이 있다. 그러나 더 조직적인 접근법을 사용할 때 효과가 더 크다는 연구 결과가 간혹 나오고 있다. 즉 왜 운동을 하고 싶은지, 운동에서 얻고자 하는 긍정적인 결과가 무엇인지, 운동을 하는 데 어떤 어려움이 있는지, 그리고 운동 계획을 정확히 어떻게 실천할지를 상세하게 열거해 보는 것이 도움이 된다.

하지만 유감스럽게도 육체 활동을 향상시키려는 실제 노력은 실망스러울 정도로 효과를 거두지 못하고 있다. 어린이의 육체 활동을 증가시키려고 시도한 30개 프로그램을 검토한 결과 이 모든 노력이 하루에 걷기 또는 뛰기를 4분 늘리는 효과를 내는 데 그쳤다.

비슷한 맥락으로 성인의 육체 활동을 늘리기 위한 어떤 노력도 크게 유용하거나 효과를 내지 못했다. 성인에게 운동을 장려하기 위해 공동체 전체를 상대로 공격적인 캠페인을 벌여도 이전보다 하루에 35칼로리를 더 소비하게 만드는 효과를 거두는 데 그친다. 개인 운동 코치의 도움을 받아도 하루에 80칼로리를 더 태울 뿐이다.

의사의 개입과 운동 처방을 포함한 집중 프로그램마저 거의 움직이지 않는 성인 12명 중 1명만 일일 육체 활동 권장량에 도달하도록 만들었다.[60] 아무리 노력한다 해도 우리 대부분은 필요한 만큼 운동을 하지도 않고 하고 싶어 하지도 않는다. 자동차와 승강기와 에스컬레이터가 널려 있는 오늘날, 사회 전체가 너무 많이 먹고 혈액을 너무 잘 응고시키는 과잉 보호 경향을 상쇄하는 목적을 이루기 위해서는 모든 사람의 육체 활동량을 늘리는 전략에만 의존하는 것으로는 부족하다. 8장에서 살펴보겠지만, 우리는 유전자의 자연스러운 프로그램에 따라 육체 활동을 되도록이면 하지 않으려는 성향을 상쇄하기 위한 또 다른 방법을 찾아야 할 것이다.

소금 섭취 줄이기

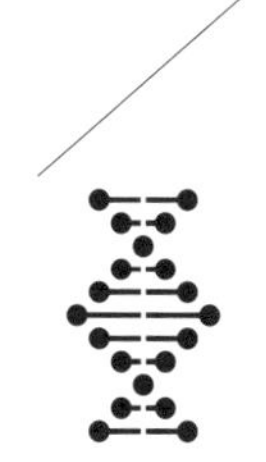

소금 섭취를 줄이는 것이 정말로 효과가 있을까

고혈압 진단을 받은 많은 사람들이 흔히 약을 먹지 않고 '자연스러운' 방법으로 증상을 완화시키고 싶어 하는 것은 당연한 일이다. 소금 섭취를 어느 정도 줄이면—특히 체중을 줄이고 카페인이 든 음료를 피하고 운동량을 늘리는 방법과 함께 하면—수축기 혈압을 10, 확장기 혈압을 5 정도 낮추는 효과를 볼 수 있다. 그러나 앞에서 이미 강조했듯이 이 정도의 효과조차 장기적으로 유지될 만큼 충분히 체중을 줄이거나 충분히 운동량을 늘릴 수 있는 사람은 극소수에 불과하다.

그렇다면 더 극적으로 소금 섭취를 줄이면 어떨까? 3장에서 논의했지만 고혈압을 완전히 또는 거의 완전히 없애려면 일일 나트륨 섭취량을 0.6그램으로 줄일 필요가 있다. 이는 현재 나와 있는 가장 엄격한 가이드라인(미국심장협회는 일일 나트륨 섭취량으로 1.5그램을 권장한다)의 절반도 되지 않는 양이고, 미국 성인 평균 일일 나트륨 섭취량 3.6그램과는 그야말로 하늘과 땅만큼의 큰 차이다. 어차피 일단 고혈압이 생기고 나면 소금 섭취량을 극적으로 줄인들 진정으로 효과가 있는지 여부도 확실치 않다.

우리 몸은 하루에 나트륨이 1.5~2그램 이상 필요하지 않지만, 21세기의 일일 나트륨 권장량은 한편으로는 탈수 또는 준탈수 상태(그리고 그에 따른 일련의 호르몬 활동)를 방지하고, 다른 한편으로는 치료 불가능한 만성 고혈압이 생길 위험을 방지하기 위한 균형점을 제시하고 있다. 소금 과다 섭취로 고혈압이 생기는 사람들을 보호하기 위한 상당히 효과적인 약들이 널리 통용되면서, 그런 치료약이 없었던 때보다 적정 일일 소금 섭취량이 높아진 것은 어쩌면 당연한 일일 것이다. 나이 든 미국인을 상대로 한 최근 연구에 따르면, 하루에 2.3그램 이상 나트륨을 섭취해도 사망 위험이 약간 올라가는 데 그치는 것으로 밝혀졌다.[61] 또 다른 최근 연구에서는 하루에 3~6그램의 나트륨을 섭취하는 사람들이 전반적으로 가장 높은 생존율을 기록한 것으로 나타났다.[62] 두 연구 모두 2.3그램 이상 섭취하면 안 된다[63]는 이전의 과학적 정보와 상충한다.

그러나 소금 섭취량이 늘면 그에 상응해 혈압도 오른다는 사실은 모든 연구의 공통적인 결론이다. 따라서 만일 하루 나트륨 섭취량을 3~6그램으로 유지하는 것이 탈수와 탈수 관련 문제를 방지하는 최고 적정선이라면, 많은 사람들이 고혈압에 걸릴 것이다. 이렇게 높은 소금 섭취량이 건강을 위협하지 않도록 하기 위해서는 혈압을 효과적으로 모니터링하고 관리하는 것이 전제 조건이 되어야 한다. 요컨대 우리 중 일부는 소금을 더 먹어도 주로 고혈압과 같은 별다른 부작용을 경험하지 않을 수 있지만, 나머지 사람들 즉 미국인의 경우 30퍼센트는 소금 섭취량을 줄이고 고혈압약을 먹지 않는 편이 더 나을 것이다. 이 논리는 체중과 관련해 2장에서 했던 말과 많이 다르지 않다. 약간 더 조심하는 것이 미래의 심각한 병에 걸릴 수 있는 위험에 대한 완충제가 될 수 있다. 이렇게 해서 당뇨병에 걸리거나 혈압을 제대로 관리하지 못하거나 콜레스테롤 수치가 너무 높거나 하지 않는 편이 더 좋다.

소금을 덜 먹기 위해 노력해야 하는 이유

보통 정도의 노력으로 달성 가능한 생활 습관의 변화로 혈압을 많이 낮추지 못한다면 "굳이 노력할 필요가 있을까?" 하는 질문이 나오지 않을 수 없다. 노력해야 할 몇 가지 이유는 다음과 같다.

첫째, 우리 중 절반이 미국 성인 평균 일일 나트륨 섭취량 3.6그램 이상을 먹고 있고, 90퍼센트는 권장량인 2.3그램이 훨씬 넘는 양을 먹고 있다.[64] 둘째, 생활 습관의 변화로 혈압을 5~10 낮출 수 있으면 장기적으로는 충분치 않을지 모르지만 당분간은 고혈압약

복용을 미룰 수 있다. 셋째, 건강한 생활 습관을 가진 사람은 고혈압약을 먹더라도 용량과 빈도수를 낮게 시작할 수 있다. 넷째, 정상 혈압을 가진 사람은 건강한 생활 패턴을 유지함으로써 계속 혈압을 정상 범위 안에 잡아 둘 수 있다. 다섯째, 3장에서 논의한 것처럼 평생 소금이 적게 든 식생활을 유지하면 나이가 들면서 동맥이 뻣뻣해져 고혈압이 되고, 이에 따른 악순환으로 인해 결국 소금 섭취량을 뒤늦게 줄여도 몸이 반응하지 않는 상태를 예방할 수 있다. 다시 말해 우리 동맥이 수십 년에 걸쳐 높은 소금 섭취량에 적응하지 않았다면 이상적인 성인 소금 섭취량은 지금보다 더 낮았을 것이라는 이야기다.

마지막으로, 소금을 상대적으로 적게 섭취해도 개인의 혈압에 큰 차이를 가져오지 않을지 모르지만, 3억 명에 달하는 미국인 전체가 이런 변화를 겪는다면 그 차이는 상당할 것이다. 모든 미국인이 하루 평균 1.2그램만 나트륨을 덜 섭취해도 매년 미국에서 발생하는 뇌졸중 5만 건, 심장 마비 7만 5000건을 줄일 수 있다.[65] 이 혜택을 더 큰 그림 안에서 살펴보면 미국인 전체의 흡연량을 절반으로 줄이는 효과와 버금간다.

영국과 핀란드의 성공 사례

건강한 수준으로 소금 섭취량을 줄이는 것은 가능한 일일까? 물론 그렇다! 소금이 당기는 것은 타고난 체질이지만, 변화가 가능하다. 8~12주 정도 저염 식사를 한 사람들은 짠 음식을 싫어하게 되며 소금을 적게 먹어도 만족감을 느끼는 것으로 조사되었다. 유감스럽게도 다시 짠 음식에 노출되면 소금을 더 먹고 싶어 하는 입맛이 재빨리 되돌아오고 만다.

소금 섭취량을 줄이는 목표는 식품 공급, 특히 가공 식품과 식당 음식 등에 영향을 주는 전국적인 프로그램을 통해 달성할 수도 있다. 영국 정부는 기업들이 자발적으로 슈퍼마켓에서 파는 가공 식품의 소금 함량을 20~30퍼센트 줄이도록 장려하는 데 성공했고, 앞으로 이 감소치는 더 커질 예정이다. 일일 나트륨 섭취량이 미국보다 조금 더 높은 4.6그램이었던 핀란드에서는 가공 식품에 들어가는 소금을 줄이고, 포장지에 소금 함량을 명시하고, 대중을 상대로 과도한 소금 섭취의 부작용에 대한 캠페인을 벌이는 등 여러 정책을 통해 소금 소비량을 25퍼센트 줄이는 성과를 거두었다. 이 두 나라에서는 이미 이에 상응하는 심장 마비와 뇌졸중의 감소가 관찰되고 있다.[66] 정치적 의지만 있다면 미국에서도 이 같은 일을 해내지 못할 이유는 없다.

불안과 우울증 대처법

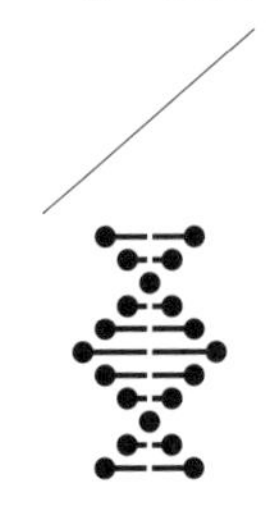

행복의 조건

인류가 명맥을 이어 온 것은 제일 행복하게 산 사람들 덕분이 아니라, 자녀를 낳고 그 자녀가 또 자녀를 낳을 때까지 살아남은 사람들 덕분이다. 따라서 자연 선택으로 만들어진 세상은 행복한 사람들로 가득할 것이라고 추정할 이유가 없다. 일란성 쌍생아와 이란성 쌍생아를 대상으로 한 연구 결과 행복의 40~50퍼센트가 유전적으로 결정되지만,[67] 또 다른 40퍼센트는 우리가 제어할 수 있는 의도적인 활동과 연관되어 있다고 밝혀졌다.[68]

행복은 자율성, 자기 역량에 대한 자신감, 타인과의 유대감과 관련이 있는 웰빙과 흔히 동일시된다. 사람들은 더 건강하고, 교육 정도가 더 높고, 기혼이고, 더 높은 사회적 지위를 누리고, 좋아하는 직업을 가지고 있고, 즐기는 여가 활동에 참여하고, 더 종교적이고, 더 많은 친구를 가지고 있을수록 일반적으로 더 행복하다. 단순하게 말하자면 우리는 자신이 원하는 일을 하고, 그것을 잘한다고 생각하고, 그런 평가를 받고, 그 사실을 다른 사람들이 중요하게 생각해 줄 때 더 행복하거나, 적어도 덜 불행하다.[69]

남성과 여성의 행복도는 별 차이가 없으며 연령에 따라서도 많이 달라지지 않는다. 돈 역시 도움이 된다—행복은 부유할수록 커지는 경향이 있다. 그러나 수입이 높아짐에 따라 행복의 증가량은 점점 작아진다. 행복은 절대적 수입보다는 우리가 속한 사회적 비교 집단 사이에서 느끼는 상대적 수입 수준과 연관성이 더 높다. 절대적 부의 양보다 주변 사람에게 뒤지지 않는 것이 더 중요하다는 의미다.[70] 당연히 행복한 사람들은 유전자와 환경을 고려하더라도 더 오래 사는 경향이 있다.[71] 물론 항상 행복한 사람은 아무도 없으며, 우리 모두 때로 역경을 맞이한다. 그중 일부는 다시 일어서지만, 또 다른 일부는 불안과 슬픔을 점점 더 많이 느끼다가 자살하기까지 한다.

인지 행동 치료: 불안과 우울 완화에 가장 뛰어난 접근법

스트레스를 줄이고 심각한 불안과 우울한 생각에 대처하는 데 가장 성공적이고 널리 사용되는 접근법은 인지 행동 치료[72]다. 이는 부적응적인 사고 또는 거기에 우리가 반응하는 방식을 변화시키면 우리의 기분과 행동을 변화시킬 수 있다는 믿음에 기초한 접근법이다. 인지 행동 치료는 시각화 연습, 자기 동기 부여, 기분 전환 기법, 긴장 완화 기술, 명상, 또는 부정적인 생각 줄이기와 긍정적인 피드백 늘리기 그리고 목표 정하기로 문제에 대처하는 법 등을 배움으로써 실천에 옮길 수 있다.

우울증을 가진 사람들에게 인지 행동 치료는 30퍼센트가량 증상을 완화하고 50퍼센트가량 재발을 방지하는 효과가 있다. 불안 장애를 가진 사람들은 이 치료법을 통해 공황 증상과 대인 기피증, 그리고 일반적인 불안감을 줄일 수 있는데 효과가 우울증 환자들에게서보다 더 크게 나타난다. 외상 후 스트레스 장애의 경우 우울증이나 불안보다 효과가 덜하지만 개인 또는 집단 인지 행동 치료를 받도록 권장한다. 인지 행동 치료에 어떤 사람이 더 잘 반응하는지 예측하기 위해 뇌 영상법 등을 동원한 연구가 현재 진행 중이다.

심리 치료가 가진 문제들

미국에서 자살하는 사람들 대부분은 자살하기 몇 달 전 또는 1년 이내에 병원을 방문한 기록이 있다.[73] 위험 요인이 잘 알려져 있고 측정 가능하고 상당히 정확한 심장 질환과는 달리 심각한 우울증은 예측이 어려우며, 우울증 환자 중 어떤 사람이 자살할지 예측하기는 그보다 더 어렵다. 예를 들어 보스턴의 매사추세츠종합병원 응급 정신과에서조차 어떤 환자가 결국 자살을 감행할지 예측하는 데서 일반적 확률을 넘어서지 못하고 있다. 최근 들어 미군은 '군인이 직면하는 위험과 회복 탄력성에 관한 연구'[74]를 진행했다. 자살 위험을 예측하고 그런 사태를 방지하도록 개입하는 방법을 개발하기 위해 군인 수천 명이 참여한 종합 프로젝트였다. 2013년에 현역 군인의 자살 건수가 10년 만에 처음으로 하락했다. 하지만 이런 감소 추세는 자살 위험이 있는 사람을 조기에 감지해 치료하는 방법이 좋아져서가 아니라 이라크와 아프가니스탄 전쟁이 마무리 단계에 들어간 것과 관계가 있다는 추측이 더 유력하다.

심리적 치료법의 한 가지 문제는 1차 진료를 하는 의사들이 불안, 우울증, 외상 후 스트레스 장애를 정확히 진단하는 경우가 절반에 지나지 않아서 현대식 치료가 지연되거나 잘못된 방향으로 진행되는 경우가 많다는 점이다.[75] 또 다른 큰 문제는 치료가 필요한 사람들이 지속적으로 치료를 받지 않는다는 점이다. 심리 치료 상담을 계속 받도록 장려하기 위해 고안된 방법들이 그다지 효과가 없어서 그런 방법을 채용하더라도 고작해야 상담에 참여하는 건수를 20퍼센트 정도 늘리는 데 그치고 있다.[76]

인지 행동 치료는 개인 상담이든 서로 지지해 주는 분위기의 집단 상담 형태로든 우울증 치료에 확실한 효과가 있고, 불안 치료에는 그보다 더 큰 효과를 거둘 수 있다. 그러나 영국에서 최근에 실시된 대규모 실험에 따르면 인지 행동 치료가 전반적인 사회적 기능이나 삶의 질을 향상시키지는 않았다고 한다. 따라서 이 치료법이 현대 사회의 심리적 장애와 자살 같은 문제를 대부분 해결할 수 있으리라 기대하는 것은 무리다.[77] 좋든 싫든, 약물이 어떤 해결책에서나 중요한 부분을 차지할 수밖에 없다(이 문제는 8장에서 더 자세히 다룰 예정이다).

빅 브라더가
우리를 구할 수 있을까

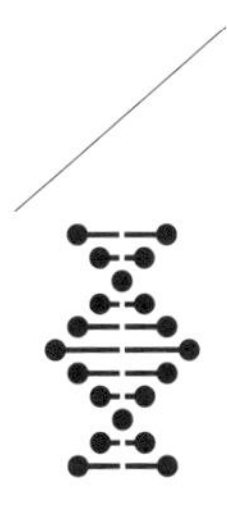

개인의 노력과 정보 제공만으로는 의미 있는 변화가 불가능하다

좋은 건강은 가정에서부터 시작된다. 그러나 우리 모두는 자신이 무엇을 먹고, 얼마나 운동을 하고, 스스로를 어떻게 보는가 하는 것의 배경이 되는 더 큰 환경의 일부다. 예컨대 현재 미국에서 만연한 아동 비만의 가장 큰 책임은 부모에게 있지만, 식음료 산업과 정부도 일부 책임이 있다고 느끼는 사람들이 많다.[78] 예상대로 정치 성향에서 진보적인 사람들은 보수적인 사람들보다 산업계와 정부의 책임이 더 크다고 믿는 경향이 있다.

현대인의 과도한 열량과 소금 섭취는 문제의 규모가 너무도 큰데다 자기 관리 프로그램과 자발적 생활 패턴 개선 노력이 별다른 성공을 거두지 못해 왔다는 점을 고려하면 모종의 공공 건강 프로그램이 필요하지 않은가 하는 생각을 하게 만든다. 정부, 국제 기구, 민간 영역의 역할은 무엇일까? 정보 제공만으로는 의미 있는 규모의 행동 변화를 유도하는 데 충분치 않다는 사실이 밝혀진 마당에 합리적이면서도 자유로운 사회가 고려해야 할 대책은 어떤 것이 있을까?

식품 포장지뿐 아니라 음식점까지 판매 식품의 열량을 표기하도록 한 정책도 많은 사람이 기대한 만큼 성과를 내지 못했다.[79] 대체로 사람들은 표기된 정보를 보면서도 구입하는 식품의 종류를 변화시키지 않았고, 심지어 자녀를 위한 식품 구입에도 그런 정보가 영향을 주지 못했다. 식품 내용 표시 정책이 시행되기 전과 후에 뉴욕시의 스타벅스에서 판매된 100만 개 이상의 제품을 분석한 결과 주문 한 건당 열량 표시 후 줄어든 열량은 평균 15칼로리에 지나지 않았다![80] 이렇게 실망스러운 결과를 보면 열량에 관한 정보 제공에 노력을 집중하는 것이 이론상으로는 정보에 근거해 소비자에게 선택에 필요한 데이터를 준다는 의미에서 유용하지만, 실제 비만율 변화에서는 눈에 띄는 효과를 내지는 못했음을 알 수 있다.

가격 인상이나 세금이 해법일까

한 가지 희망—지금 단계에서는 희망에 불과하다—은 식품 산업계와 외식 업체가 설탕, 지방, 열량, 소금을 덜 쓰면서도 만족감을 줘서 고객을 잃지 않고 더 건강한 음식을 제공하는 방법을 개발해 내는 것이다. 예를 들어 버거킹은 맥도날드에서 판매되는 비슷한 양의 감자튀김보다 지방이 40퍼센트 적고 열량도 30퍼센트나 낮은 감자튀김을 판매한 적이 있었다. 그러나 1년이 채 지나지 않아 버거킹은 미국과 캐나다 지점의 약 3분의 2에서 더 건강한 이 감자튀김의 판매를 중단했다. 실망스러운 매출고가 원인이었다.[81] 이런 이유에서 3대 청량음료 업체(코카콜라, 펩시, 닥터 페퍼 스네이플)가 2025년까지 설탕이 든 음료를 통해 미국인이 섭취하는 열량을 20퍼센트 줄이기로 합의한 것은 고무적인 일이다.[82]

또 다른 접근법은 가격의 변화에 반응하는 우리의 심리를 이용하는 것이다.[83] 가격이 25퍼센트 이상 인상되면 해당 음료나 간식의 구입이 상당히 감소하고, 과일과 채소 가격이 이와 비슷한 폭으로 인하되면 구입이 증가한다. 실제로 최근 몇 십 년 사이에 열량 섭취가 증가한 것은 부분적으로 인플레이션을 감안할 때 열량이 높은 간식과 가공 식품의 가격이 떨어진 때문이기도 하다.

가격 인상의 한 형태인 세금은 흡연량, 특히 저소득층의 흡연량을 줄이는 데 기여했다. 이와 비슷하게 휘발유에 부과되는 세금은 휘발유 사용을 줄여서 휘발유 가격이 갤런당 1센트 올라갈 때마다 소비가 0.2퍼센트 줄어든다.[84] 설탕이 든 음료, 도넛, 머핀과 햄버거 등의 소비를 줄이는 데도 같은 원리를 적용해 세금을 부과하고, 건강에 더 좋은 대체 식품의 구매를 장려하기 위한 보조금을 지불할 수 있을 것이다. 예를 들어 필자의 컬럼비아대학교 동료인 클레어 왕 교수는 설탕으로 단맛을 낸 음료에 1온스당 1페니의 세금을 부과하면 1년에 의료비를 20억 달러 절약하는 동시에 10억 달러의 세수입을 올릴 수 있다고 주장한다. 그러나 이 법안은 통과되지 않고 있으며, 일부 공중 보건 전문가들마저 이런 접근법의 장점에 대해 이견을 제시하고 있다.[85]

법은 문제를 해결할 수 있을까

알코올 소비를 완전히 근절하기 위한 미국의 금주법이 실패한 것은 유명한 일이지만, 다른 방면에서 사람들의 행동 패턴을 변화시키려는 목적으로 채용한 법안과 규제는 크고 작은 효과를 내고 있다. 예컨대 직장과 공공 장소에서 흡연을 금지하면서 미국 내 흡연율은 지난 20년 사이에 30퍼센트 감소했고, 비흡연자 사이에서도 간접 흡연으로 인한 심장 마비 위험이 줄어들었다.[86] 자동차 안전 벨트 착용을 의무화한 법안도 사망 또는 중상 위험을 50퍼센트가량 줄여 1년에 1만 3000명의 목숨을 구할 수 있게 되었다. 오토바이 헬멧 착용법은 완벽하게 지켜지지 않고는 있지만 1년에 1000명 이상이 사고로 목숨을 잃는 일을 면하게 하는 효과를 거두었다.[87]

법으로 음식과 소금 섭취 습관, 심지어 운동 습관마저 바꾸는 것이 가능할까? 뉴욕시 보건국은 2006년 뉴욕시의 모든 식당에서 대부분의 트랜스 지방 사용을 금지했다.[88] 2015년 미국식품의약국은 식품을 통해 섭취하는 트랜스 지방의 주공급원인 부분 경화유가 전반적으로 안전하지 않다고 선언하고, 3년 이내에 가공 식품에서 완전히 배제되어야 한다고 발표했다. 연방 정부가 모종의 정책을 취할 것이라는 위협만 가해도 식품의 제조 성분과 소비에 큰 변화가 생기기도 한다.[89] 예를 들어 미국식품의약국이 금지령을 내리기 전 10년 동안 식품 가공 업체들은 이미 트랜스 지방을 85퍼센트 정도 감소시켰다.

최근 들어 다수의 식품 가공 업체들이 뉴욕 시장 마이클 블룸버그가 주도해 가공 식품 내 소금 함량을 25퍼센트 줄이는 것을 목표로 하는 이른바 '미국 소금 섭취 감량 계획'에 참여하고 있다. 미국식품의약국은 가공 식품 함유 소금량을 규제하는 데 행정적 권한 사용까지 고려했다. 하지만 미국식품의약국 자체에서 이전에 소금을 '전반적으로 안전한' 물질이라고 정의했던 사실 때문에 이 계획은 순조롭게 진행되지 못하고 있다. 그 결과 미국식품의약국은 '저염'과 '소금 함량 감소'를 정의하는 기준을 마련했지만 식품 내 소금 함량 감소를 강제하기 위한 권한을 행사한 적은 없다.[90] 따라서 최근 미국 내에 유통되는 가공 식품과 외식 업체의 음식에서 소금 함량이 실제로 줄지 않은 것[91]은 새삼스러운 일이 아니다.

미국과 중국의 차이

설탕으로 단맛을 낸 대용량 음료의 판매를 뉴욕시 내에서 금지하려는 시도[92] 역시 실패로 끝났다. 이보다 더 놀라운 사실은 미국에서 가장 높은 비만율을 보이는 미시시피주에서 설탕으로 단맛을 낸 대용량 음료의 금지법 제정을 금하는 법을 통과시켰다는 것이다. 이는 판매되는 음료나 음식의 최대량을 제한하기만 해도 열량 섭취를 상당히 줄일 수 있다는 계산이 나왔는데도 내려진 조처다.

뉴욕시 보건국처럼 설탕으로 단맛을 낸 음료에 세금을 부과하거나 대용량 음료 판매를 금지하려는 시도에 찬성하는 세력과 반대하는 세력 간 의견 차이는 개인의 자유를 제한하는 문제에서 우리가 아직 의견 통일을 보지 못했음을 잘 보여 준다. 기본 인권을 소중하게 생각하는 자유지상주의libertarianism 성향을 가진 사람들은 빅 브라더를 통한 구원에 반대하면서 그런 일이 현실화되는 것을 막을 것이다.

반면 중국의 농촌 지역처럼 미국보다 소금 섭취량이 3분의 1 정도 더 많고 고혈압을 가진 사람 또한 더 많은 곳을 고려해 보자. 중국은 소금 섭취량을 최대한 빠른 시일 내에 미국 수준으로 낮추겠다는 선명한 국가 목표를 세웠다.[93] 1가구 1자녀 정책을 효과적으로 실행에 옮길 수 있는 나라니 이 목표도 공격적으로 성취할 가능성이 높다.

슬픈 진실

좋은 의도가 좋은 결과로 이어질 수 없는 유감스러운 현실

우리는 누구나 여러 가지 장애를 극복하고 더 건강한 생활 습관을 가지려는 시도가 성공할 수 있기를 바란다. 그렇게 해서 과거 우리가 살아남는 데 필요했던 형질들의 부작용인 비만, 당뇨병, 고혈압, 불안과 우울증 그리고 과도한 혈액 응고를 피하고 싶어 한다. 우리는 체중을 감량하고 운동량을 늘리고 소금 섭취를 줄일 수 있으며, 시각화와 명상을 통해 살을 빼고 혈압을 낮추고 스트레스를 완화하고 심장 마비와 뇌졸중 위험을 낮출 수 있다. 그러자면 건강한 삶을 위해 과학적으로 증명된 실질적인 조언에 따라야 할 것이다.

그러나 현실에서는 이런 좋은 생각과 의도를 제대로 실현할 수 있는 사람이 거의 없다는 것이 슬픈 진실이다. 우리 중 약 35퍼센트는 비만, 또 다른 3분의 1은 과체중이다. 그중 많은 수가 체중 감량 시도를 반복하고 줄인 체중을 유지하려고 애쓰는 데도 불구하고 말이다. 아무리 최선을 다한들 조상들을 아사의 위험에서 보호하기 위해 그랬던 것처럼, 신진 대사율을 낮추고 더 많이 음식을 섭취하도록 자극하는 일련의 호르몬이 작업에 착수해 우리의 노력을 좌절시키곤 한다.

우리 중 3분의 1은 고혈압을 가지고 있지만 만성적으로 소금이 부족했던 구석기 시대 수준으로 소금 섭취량을 줄이는 생활 습관의 변화를 꾀하지 않고서는 이 비율이 눈에 띄게 바뀔 가능성은 없다. 소금이 부족했던 구석기 시대에 소금을 원하도록 만들어진 우리 몸이 이제는 장기적 생존을 위협하는 수준에 이르기까지 소금을 원하게 만드는 것이다. 불안, 우울증 그리고 자살은 태초부터 인간을 괴롭혀 온 문제고 가까운 장래에 사라질 전망도 없다. 그리고 고도로 민감한 혈액 응고 체계는 여전히 산모들에게는 극도로 중요한 기능이기는 하지만 현대 산업 사회에서 살고 있는 대부분의 비활동적인 사람들에게는 해가 되고 있다.

행동을 바꾸려는 노력만으로는 역부족이다

우리가 받아들여야 하는 현실은 이 형질들 모두가 각각 우리 조상들이 살아남는 데 도움이 된 것들로 우리 유전자에 깊이 새겨져 있다는 사실이다. '정신력으로 극복'하는 것은 완전히 가망 없는 일은 아니다. 우리의 행동이 산란기 연어가 태어난 곳으로 돌아가듯 변화의 여지 없이 프로그래밍된 것은 아니기 때문이다. 어떤 사람들은 유전자에 새겨진 성향을 극복하고 '올바른 선택'을 하며, 또 어떤 사람들은 자신의 행동을 변화시켜 목적에 가까이 다가서기도 한다. 그러나 그렇게 하지 못하는 사람들 또한 많다. 그런 사람들이 약해서가 아니라 타고난 유전 형질이 환경으로 더욱 강화되어 그것을 거스르기에 역부족인 탓이다. 그리고 미국뿐 아니라 전 세계적으로 후자에 속하는 사람들이 너무 많다는 사실을 감안하면 행동을 변화시키려는 노력만으로는 문제의 해결책으로 충분치 않음을 알 수 있다.

부디 오해 없기를 바란다. 우리 모두는 개선을 위해 노력해야 한다. 그러나 그렇게 하지 못했을 때 죄책감과 가책에 초점을 맞추는 것은 의미가 없다. 그러는 대신 우리는 뇌를 써서 우리의 체질을 바꿀 수 있고 또 바꿔야 하는 새로운 시대를 향해 나아가야 한다. 결국 산업 사회와 정보화 사회를 만들어 낸 것도 우리의 뇌가 아닌가.

8장

우리 체질 변화시키기

현대 과학이라는 선택지

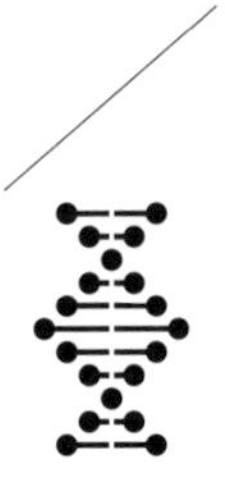

빌 클린턴의 경험이 말해 주는 인류의 미래

빌 클린턴은 식습관이 나쁘기로 악명 높았다. 그러다 2004년 심장 마비를 겪고 4중 관상 동맥 우회 수술을 받아야 했다. 이 경험을 엄중한 경고로 받아들인 그는 식습관을 개선하고 체중을 감량하고 운동을 더 많이 하기 시작했다. 이렇게 생활 습관을 바꾸는 것이 필요한 일이지만 충분치는 않다는 것을 안 그는 콜레스테롤 수치를 낮추기 위한 약도 복용했다. 그러나 그것만으로도 충분치 않았다. 좋은 생활 습관을 실천했음에도 6년 후 그는 다시 관상 동백 두 군데가 막히지 않도록 철망 모양의 관인 스텐트를 삽입하는 수술을 받아야만 했다. 현재 클린턴은 모든 동물성 음식을 먹지 않는 비건 식사를 주로 하면서—가끔은 생선과 달걀을 먹는다—30파운드(약

14킬로그램)를 감량했다.

몸을 보호하는 유전자를 타고난 사람도 있고, 좋은 습관을 쉽게 가질 수 있는 성향을 타고난 사람도 있고, 자신의 행동을 변화시킬 수 있는 남다른 역량을 가지고 태어난 사람도 있다. 그러나 이런 것들만으로는 인류 전체의 건강한 삶을 확보하기 힘들다는 사실이 이미 증명되었다. 우리가 너무 뚱뚱해지고, 너무 혈압이 높아지고, 너무 불안하고 우울해지고, 너무 쉽게 피가 응고해 버리지 않을 정도로 유전자가 빨리 변화하지 않는 한 인류의 미래는 걱정스럽다. 그리고 그런 문제를 해결하기 위해 습관과 생활 태도를 바꾸려는 우리의 시도가 오프라 윈프리가 직면했던 것처럼 어렵거나 빌 클린턴이 경험했던 것처럼 충분치 않으면 인류의 미래는 더욱더 걱정스러워진다.

체질 변화에 계속 실패할 것인가, 현대 의학의 도움을 받을 것인가

그렇다면 우리는 어떤 선택을 할 수 있을까? 의약품이나 수술을 동원한 치료를 제안하는 것이 정치적으로 옳지 않을지는 모르지만, 어쩌면 우리는 두 가지 중 하나를 선택해야 할 수도 있다. 인류가 환경을 변화시킨 속도를 따라오지 못하는 생물학적 체질을 바꾸는 데 실패해 건강을 잃거나, 아니면 현대 과학과 의학을 받아들여 우리 몸이 새로운 환경에 적응하도록 돕거나 하는 두 가지 선택지 말이다.

자, 이것 하나는 명확히 해 두고 넘어가자. 나는 우생학이나 슈퍼히어로 또는 로봇 같은 것을 이야기하는 것이 아니다. 현대 과학의 성과를 응용해 유전적으로 가장 운이 좋고 가장 의지력이 강한 사람까지 혜택을 볼 수 있는 방법을 찾자고 제안하는 것이다. 결국 완벽한 생물학적 체질과 이상적인 생활 습관을 가진 사람은 극도로 드물 것이고, 그런 완벽한 사람이라 할지라도 우리가 가진 네 가지 과잉 보호 형질로 인해 고통받는 사랑하는 사람을 가지고 있을 것이다.

현대인이 할 수 있는 일, 약과 수술

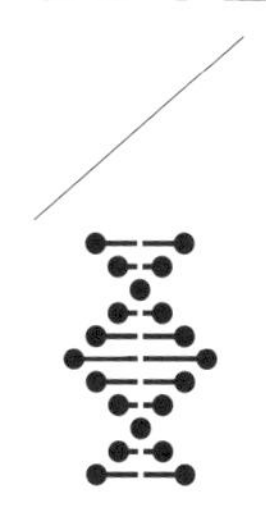

처방 약과 대체 의학 치료 사이에서

비록 완벽과는 거리가 멀긴 하지만, 현대 의약품과 수술 요법 모두 만연한 현대병을 예방하고 치료하는 데 흔히 놀라운 효과를 발휘한다. 한 보고서에 따르면 미국 성인의 절반과 65세 이상 중 90퍼센트가 한 달 사이에 처방전이 필요한 약품을 최소 한 가지는 복용하고, 미국 전체 인구의 30퍼센트가 두 가지 이상 복용한다.[1] 미국인의 90퍼센트는 65세가 되기 전에 처방전이 필요한 약품을 복용한다. 그리고 그중 가장 많이 처방되는 약들—60세 이상에서는 콜레스테롤 수치를 낮추는 스타틴 계열 약과 혈압을 낮추는 약, 20~59세는 항우울제—은 모두 과거 우리 조상들이 생존을 위해 갖춘 유전 형질을 상쇄하기 위한 것이다.

쓸데없이 약을 먹고 싶어 하는 사람은 당연히 아무도 없다. 모든 문화에서 인간은 늘 병을 고치고 건강을 개선하기 위한 자연스러운 방법을 찾아 왔다. 미국에서만도 그 효능에 대해 과학계 전체가 합의를 보지 못한 대체 의학 치료를 현재 한 가지 이상 받고 있다고 응답한 사람이 40퍼센트나 된다.[2] 여기에는 비타민과 무기질 보충제에서부터 증명되지 않은 약초와 식물, 마사지, 운동, 기 치료에 이르기까지 다양한 형태가 있다.

물론 과학계는 비전통적 접근법을 진지하게 연구하는 데 느리고 합의를 도출해내는 데도 더디다. 그리고 솔직히 과학계가 틀린 결론에 도달하는 경우도 있다. 이런 이유에서 효과적일 가능성이 있는 대체 치료법을 평가하는 것은 중요하다. 참여자 중 절반을 무작위로 선택한 다음 플라세보placebo(속임약)를 복용시키거나 가짜 치료를 실시해 진짜 치료와 비교하는 방법으로 타당성을 입증하면 좋을 것이다.

미국식품의약국의 옳은 판단과 발 빠른 대처

이런 대체 치료법의 반대쪽 극단에는 미국식품의약국이 승인한 의약품과 의료 기구가 있다. 독립적인 전문가들로 이루어진 패널의 조언을 받아 내려지는 미국식품의약국의 결정이 언제나 완벽하다고 확신할 수는 없지만, 이 기관의 승인을 받기 위해서는 해당 치료법의 효과와 안전성을 상세하게 입증해야 한다.

지금까지 미국식품의약국은 옳은 판단을 한 적이 많다. 전 세계적으로 사용 빈도가 늘어나던 임산부의 입덧 치료제 탈리도마이드에 대해 안전성을 문제 삼아 승인을 거부한 것이 한 예다. 그 결정은 탈리도마이드가 특히 독일에서 기형 출산의 원인이라는 의혹이 제기되면서 정당한 것으로 입증되었다. 미국식품의약국은 또 살구씨 추출물로 만들어진 항암제 레트릴도 금지했다. 상세한 연구 결과 레트릴이 암을 치료하는 데 효과가 없을뿐더러 극도로 독성이 강한 청산가리 성분이 들어 있다는 사실이 밝혀졌다!

영화 〈댈러스 바이어스 클럽Dallas Buyers Club〉에서 매슈 머코너헤이는 에이즈에 감염된 후 1980년 말 아직 승인되지 않은 약품을 미국으로 밀반입해 오는 론 우드루프를 연기해 아카데미 남우주연상을 수상했다. 그러나 미국식품의약국도 나름대로 현재 나와 있는 치료법이 불충분한 상황에서 더 빨리 반응해야 한다는 필요에 주목하고, 에이즈를 비롯한 여러 질병 치료약을 더 빨리 환자들이 사용할 수 있도록 하는 방법을 개발했다. 우리가 모든 정보를 고려한 후 동의하면, 엄격하게 통제된 연구 환경에서 미국식품의약국의 승인을 받기 위한 평가를 거치는 중인 약을 처방받을 수 있다.

검증되지 않은 대체 치료법에 희생된 스티브 잡스

비만, 고혈압, 불안과 우울증, 그리고 과도한 혈액 응고를 방지하거나 고치는 치료법 중 널리 사용되고 효과적이지만 아직 승인을 받지 못한 것들이 있을 수도 있다. 그러나 나는 승인받지 않은 치료법의 잠재력에 대한 호기심 때문에 미국식품의약국로부터 효과와 안전성을 인정받은 치료법을 간과하면 안 된다고 호소하고 싶다. 생 커피 콩, 가르시니아 캄보지아 추출물, 은행잎 추출물, 또는 심지어 전통적인 비타민 보충제 등에서 기적을 바라면 안 된다.

스티브 잡스는 널리 받아들여지는 의학계의 의견을 무시하고 입증되지 않은 대체 치료법을 고집하다가 희생된 불운아였다.[3] 화학요법과 수술을 9개월이나 지연한 것이 완치할 가능성이 있었던 췌장암으로 목숨을 잃은 원인이었을 수도 있다.

과잉 보호 유전 형질에 맞서 싸우는 우리의 투쟁이 지금 어디까지 왔는지를 이해하기 위해 현재 사용되고 널리 받아들여지는 약품과 수술 치료법, 그리고 이 요법들의 가능성과 한계를 살펴보자. 그런 다음 앞으로 도래할 가능성이 있는 몇 가지 유력한 치료법도 고려해 보도록 하자.

과체중과
비만 치료법

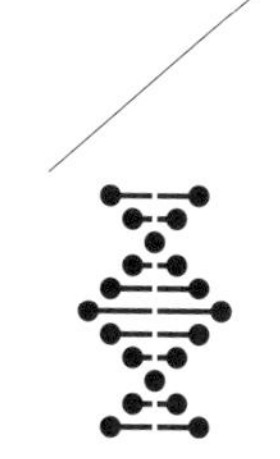

질병으로 규정된 비만과 미흡한 치료 약

2013년 미국의사협회AMA는 공식적으로 비만을 질병이라고 규정했다.[4] 일부 비판가들은 분명 나쁜 습관에서 비롯된 문제일 뿐인데 병으로 만들려 한다고 비난했지만, 협회의 논리는 비교적 단순했다. 너무 많이 먹고 너무 운동을 적게 하는 잘못된 생활 습관을 선택한 데서 나온 결과라고 비만을 질병이라 하지 않는 것은, 폐암이 흡연이라는 생활 습관을 잘못 선택한 결과여서 질병이 아니라고 하는 것과 같다고 했다. 또한 과식이 우리가 타고난 생존 형질의 부산물임을 인정함으로써 자책과 낙인찍기를 줄이고, 비만이 상담과 투약, 심지어 수술까지 동원해야 하는 심각한 의학적 문제임을 널리 인식시킬 수 있기를 희망했다. 미국의사협회와 의견이 다른 때가 많은 나도 이 점에서는 완전히 동의하지 않을 수가 없다.

다이어트가 실패로 끝나는 경우가 너무 흔하다는 사실을 고려할 때, 살짝 입맛이 없게 만들고 장에서 열량을 흡수하는 능력을 줄이고 어떻게든 열량을 더 빨리 태울 수 있도록 도와주는 약이 있다면 얼마나 좋을까? 진정으로 안전하고 효과적인 다이어트 약을 개발하는 것은 의학계의 성배나 마찬가지다. 슬프게도 현재 나와 있는 다이어트 약 중 이 목표에 근접한 것은 하나도 없다. 과학자들은 입맛을 관장하는 분자와 호르몬 20여 가지 중 많은 수를 억제하는 방법을 개발하는 데 성공했지만 억제되지 않은 다른 호르몬과 분자가 더 분투해 결국 효과를 상쇄하고 만다. 과잉 보호 성향을 가진 우리 몸은, 우리가 충분히 먹게끔 서로를 강화하는 많은 신호를 보냄으로써, 그 기능이 중복적으로 작용하게 만들어져 있기 때문이다.

따라서 각 약품의 효과가 기대에 부응하지 못하는 것은 어쩌면 당연한 일인지도 모른다. 이보다 더 나쁜 소식은 체중 감량 약품들이 잠재적으로 위험한 부작용을 낼 수 있다는 사실이다. 바로 이런 이유에서 처방전 없이 살 수 있는 약을 비롯한 다이어트 약을 복용할 생각이 있는 사람은 누구나 의사와 상의해야 한다. 그리고 같은 이유에서 의사들은 체질량 지수 30 이상인 심각한 비만 환자 또는 체질량 지수 27 이상이면서 비만 관련 합병증을 가진 사람이 아니면 이런 약을 처방하지 않는다.[5]

다섯 가지 비만 치료제의 효과와 부작용

이 책을 쓰고 있는 현시점까지 미국에서 장기 비만 치료제로 미국식품의약국의 승인을 받은 약은 5종—경구용 약품 4종, 주사약 1종—뿐이다.[6] 미국에서 처방전 없이 살 수 있는 오를리스타트(상품명 제니칼)는 장에서 지방이 흡수되는 양을 감소시키는 효과가 있지만 설사와 기름기 많은 대변을 보게 되는 단점이 장점을 능가하는 경향이 있다. 오를리스타트를 복용한 사람들은 체중의 5~8퍼센트까지 빠지는 경우도 있지만 평균 감소량은 3퍼센트 정도다. 큐시미아라는 상품명으로 판매되는 또 다른 약품에는 만복감을 주는 성질이 있는 토피라메이트와 식욕 억제제인 펜터민이 들어 있다. 큐시미아를 복용한 사람들은 평균 자기 체중의 9퍼센트를 잃는다.[7] 세 번째는 로카세린이라는 화학 물질을 함유한 약품으로 벨빅이라는 상품명으로 판매되는데 뇌에 있는 입맛을 제어하는 세로토닌 수용체를 활성화시켜 평균 체중의 3퍼센트를 감량하는 효과를 낸다. 불운하게도 큐시미아와 벨빅 모두 심장 판막 손상에서부터 정신병 증상에까지 이르는 다양한 부작용이 있다.

콘트라브라는 상품명으로 판매되는 네 번째 약은 위의 세 약품과 다른 접근법을 채용했다. 이 약은 뇌에서 도파민을 사용하는 법을 변화시키는 부프로피온(이 성분은 우울증 치료에도 효과적이다)과 알코올 및 마약성 진통제인 오피오이드에 대한 욕구를 줄이는 데 오랫동안 사용되어 온 날트렉손을 복합적으로 사용하고 있다. 콘트

라브는 체중을 평균 4.5퍼센트 줄이는 효과가 있는데 가장 심각한 부작용은 구토증이다.[8]

다섯 번째는 삭센다라는 상품명으로 판매되는 리라글루타이드라는 약으로 만복감을 느끼게 해서 8퍼센트 정도의 체중 감량 효과를 낸다. 이 약은 인슐린처럼 피하 주사로 투여된다. 리라글루타이드는 비만 환자 또는 과체중이면서 당뇨병, 고혈압, 높은 콜레스테롤 수치를 가진 사람들에게만 처방이 된다. 부작용으로는 각종 소화기 장애와 저혈당 위험 등이 있으며 장기적 안전성은 아직 평가 단계에 있다.[9]

콘트라브가 거둔 얼마간의 성공은 과식이 배고픈 느낌보다 뇌 기능과 관련이 있다는 견해를 뒷받침해 준다고 할 수도 있다. 도파민은 우리 뇌가 행복을 느끼게 하는 보상 체계의 주요 전달 물질인 듯하다. 7장에서 논의한 달릴 때 느끼는 행복감(러너스 하이)이든 먹을 때 느껴지는 만족감이든, 행복을 느끼는 데는 도파민의 역할이 크다. 동물들이 과식을 하는 이유는 정상적인 양을 먹어서는 충분한 양의 도파민 보상을 얻지 못하기 때문이라는 것이 이 시각의 기본 가정이다.[10]

이 부족한 보상감의 원인이 도파민 양이 부족하거나 뇌 속 도파민 수용체가 둔감해졌거나 하는 것이라면, 부프로피온과 같은 약을 사용해 도파민 수치를 높이거나 뇌의 도파민 수용체 반응을 자극하면 된다. 날트렉손이 분자 수준에서 정확히 어떻게 작용하는지는 아직 확실치 않다. 하지만 이 물질이 음식에 대한 욕구를 줄여 준다는 사실로 볼 때, 습관적으로 음식을 섭취한 결과 생긴 비만은 알코올이나 아편 같은 물질에 대한 중독과 그다지 다르지 않음을 알 수 있다.

한편 지방 세포에서 만들어지는 물질로, 우리 몸을 인슐린에 민감하게 반응하도록 해서 당뇨병 위험을 줄여 주는 아디포넥틴도 관심 대상이다.[11] 과학자들은 아디포넥틴의 효과를 모방하는 것으로 보이는 작은 분자를 이미 개발해 놓은 상태여서 기대를 걸어 볼 만하다.

뇌의 특정 부분을 자극하거나 미각 세포를 속이는 방법

뇌에서 언제 그만 먹어야 할지 신호를 보내는 것이니, 어쩌면 그런 신호를 더 증폭시키면 먹기를 그만두는 시점을 더 당길 수 있을지 모른다. 뇌의 특정 부분이 우리에게 더 이상 음식을 먹고 싶지 않다는 생각이 들게 만드는 일을 관장하는 듯하다. 배가 부르다거나, 음식의 맛이 없다거나, 그 음식이 나쁜 기억을 되살린다거나, 또는 심지어 지금 몸이 아파서 음식을 못 먹을 상황이라거나 하는 신호를 보내는 일 모두 뇌의 특정 부분이 담당한다. 과학자들은 이미 쥐를 대상으로 뇌의 이 부분을 자극하는 방법을 찾아냈고, 그 결과 실험용 쥐들이 먹는 먹이양이 줄어들었다. 그러나 이 접근법을 안전하게 인간에게 적용시키기에는 아직 너무 이르다.[12]

미각 세포에 관한 연구 또한 미래에 응용할 수 있는 흥미로운 가능성을 제공한다. 단맛을 느끼는 미각 세포를 인공 감미료인 사카린, 사이클라메이트, 또는 아스파탐으로 속일 수 있듯이 이론상으로는 다른 방법으로도 미각 세포를 속일 수 있다. 미각 연구 분야의 세계적 권위자인 필자의 동료 찰스 주커와 그의 연구팀이 상정했듯, 단맛을 느끼는 세포를 조작해 단 음식 대신 빛으로 같은 자극을 느끼도록 했다고 상상해 보자. 단것을 먹고 싶은 욕구는 혀에 손전등을 비추는 것만으로 해소가 될 것이다.[13] 인공 감미료까지 갈 필요도 없다! 공상 과학 소설처럼 들리겠지만 미래에 어떤 일이 가능해질지 엿볼 수 있는 대목이다.

환경적 오비소겐인 중앙 난방과 베이지색 지방 세포의 관계

어떤 사람들은 현대 사회에서 오비소겐obesogen[14]이라 통칭하는 물질들 또는 자극에 대한 노출이 너무 많아진 것도 비만이 이렇게 만연한 원인 중 하나이므로 오비소겐을 피해야 한다고 주장한다. 일부 물질은 체중이 늘도록 유도한다는 사실을 우리는 알고 있다. 그리고 다양한 독성 화학 물질이 그와 같은 결과를 가져오는 주범으로 지목되어 왔다. 그러나 개인 또는 인구 전체의 비만을 열량이 없는 식품 첨가물, 플라스틱, 살충제 같은 오비소겐의 탓으로 돌리기에는 아직 이르고, 특히 그런 것들을 없애면 비만을 해결할 수 있다고 생각하는 것은 명백히 시기상조다.

그렇지만 환경적 오비소겐일 가능성이 있는 것 중 하나가 중앙 난방이다.[15] 어떻게 그럴 수 있느냐고? 인체의 모든 지방은 대개 기본적으로 백색 지방 세포 안에 들어 있다. 백색 지방 세포에는 대체로 콜레스테롤과 중성 지방으로 된 반액체 상태의 지방이 저장되어 있다. 우리는 보통 약 350억 개의 지방 세포를 가지고 있으며 그 무게를 모두 합치면 30파운드(약 13.6킬로그램) 정도 된다.[16] 체중이 늘고 더 많은 열량이 지방으로 저장되는 과정에서 각 지방 세포는 네 배까지 커지는데, 저장해야 할 지방이 그보다 더 많아지면 추가로 지방 세포가 만들어진다. 심한 비만인 사람의 경우 정상 체중인 사람보다 지방 세포가 네 배나 많아질 수도 있다.

이에 반해 갈색 지방 세포[17]는 신진 대사가 훨씬 활발하다. 갈색 지방은 열을 발생하기 때문에 겨울잠을 자는 포유류와 인간 신생아에게 중요하다. 성인 몸속에 든 백색 지방 세포를 갈색 지방 세포로 전환시킬 수 있으면 단순히 지방을 저장하기만 하는 대신 열량을 소모해 체중을 줄이는 데 도움이 된다. 그런데 연구 결과 성인이 된 후에도 대사로 활성화된 갈색 지방 세포 일부—백색 지방 세포가 십 몇 킬로그램이라면 갈색 지방 세포는 몇 십 밀리그램 정도—가 남아 있다는 사실이 밝혀졌고, 특히 마른 체형인 사람에게서 더 많이 발견되었다.

그러나 마르지 않은 사람이라도 겉으로는 백색 지방 세포인 듯하지만 베이지색 지방 세포[18]라고 부르는 것을 일부 가지고 있다.

최근에 실시된 실험[19]에서 추운 온도에 노출시키거나 특정 방법으로 면역 체계를 자극하면 그 베이지색 지방 세포가 에너지를 생산하는 갈색 지방 세포로 변환될 수 있음을 알게 되었기 때문이다. 예를 들어 철저하게 통제된 실험에서 밤에 화씨 66도(섭씨 19도)의 방에서 잔 젊은 남성들은 화씨 75도(섭씨 24도)의 방에서 잔 사람들보다 갈색 지방 세포를 약간 더 가지게 된 것으로 나타났다. 비록 더 낮은 온도에서 4주 동안 잔 후에도 눈에 띌 정도의 체중 감소는 보이지 않았지만 혈당치를 낮추는 인슐린에 대한 반응은 더 좋아졌다. 또 다른 연구에서는 화씨 64.4도(섭씨 18도)로 유지되는 콜드 수트를 3시간 동안 입고 있거나, 화씨 63도(섭씨 17도)의 방에 2시간 동안 앉아 있으면 열량을 250~300칼로리 추가로 더 소모한다는 결과가 나왔다.

구석기 시대 조상들—2장에서 살펴본 것처럼 베링해협을 건너간 조상을 둔 멕시코인과 중남미 사람들에게 비만이 되기 쉬운 유전자를 물려준 네안데르탈인을 포함해서—은 위 실험에 적용한 온도보다 더 추운 기온, 특히 밤에 뚝 떨어지는 기온에 적응해야만 했다. 따라서 우리가 오늘날 겪는 비만 문제는 부분적으로 이제는 우리 중 거의 아무도 접하지 않는 환경에서 살아남기 위한 형질 때문이다. 6장에서 언급했던 시베리아 원주민과 같은 상황이 아니라면 이제 우리는 추위를 견디기 위해 옛 조상들만큼 몸에서 열을 발생시키지 않아도 되는 환경에서 살고 있다. 그러나 비만을 예방하거나 대처하는 방법이 집 내부 온도를 낮추거나 동굴 또는 야외에서 자는 것이라고 단정 짓기는 아직 이르다.

미래에는 지방 세포를 다른 방법으로 조작하는 것이 가능해질지도 모른다. 예를 들어 운동을 하면 근육 세포가 자극받아 백색 지방 세포가 열량을 소모하는 베이지색 또는 갈색 지방 세포처럼 행동하도록 하는 신호를 보낸다.[20] 정상적인 FTO 유전자도 이와 같은 일을 하는데,[21] 이 유전자에 돌연변이가 생기면 (2장에서 살펴봤듯이) 체중 증가가 일어난다. 베타-아미노아이소낙산[22]이라는 화학 물질을 쥐가 마시는 물에 섞으면 백색 지방 세포를 자극해 갈색 지방 세포로 변화시켜서 체중이 빠지고 혈당 수치가 좋아진다. 펙사라민이라는 또 다른 화학 물질은 장을 속여 우리가 먹고 있다고 착각하도록 만드는 일종의 상상의 음식과 같은 역할을 한다.[23] 이 물질로 인해 분비되는 호르몬은 백색 지방 세포가 갈색 지방 세포로 변화하는 과정을 촉진시켜 쥐의 체중이 빠진다.

마이크로바이옴: 장 속 박테리아 조작 기술

또 한 가지 유망한 연구 분야는 마이크로바이옴microbiome[24](미생물군 유전체. 미생물 집단의 유전 정보 전체)에 관한 것이다. 우리 몸속에 들어 있는 100조 개 이상의 박테리아, 특히 장 속 박테리아를 연구하는 분야다. 사료에 항생제를 섞으면 가축들의 체중이 더 빨리 증가한다는 사실은 알려진 지 오래다.

어릴 때 소량의 페니실린을 투여받은 쥐들은 그렇지 않은 쥐들과 다른 종류의 장내 박테리아를 가지고 자라난다. 페니실린을 먹고 자란 쥐들의 장에 사는 박테리아는 신진 대사에 영향을 끼쳐 체중 증가를 초래한다(이 박테리아를 무균 상태의 쥐들에게 옮겨도 체중 증가를 일으킨다).[25] 두 살 미만의 유아들에게 광범위한 항생제를 반복 투여해도 장내 마이크로바이옴을 상당 부분 변화시키는데, 이런 상태는 아동기 초기 비만과 관련성을 보인다. 무균 상태 쥐들의 장에 두 가지 서로 다른 종류의 박테리아—한쪽은 비만인 쥐들에게서 채취한 박테리아, 다른 한쪽은 날씬한 쥐들에게서 채취한 박테리아—를 투입하면 비만인 쥐들로부터 박테리아를 받은 쥐들이 그렇지 않은 쥐들보다 더 뚱뚱해진다.[26]

한 가지 가능한 설명은 일부 박테리아가 배고픔, 그리고 영양분의 흡수 및 대사에 관여하는 호르몬들의 분비와 작용에 영향을 준다는 것이다. 예를 들어 유전적으로 비만이 될 성향을 타고난 쥐들에게 식이 지방을 변형시켜 식욕 억제 물질을 발현하게 만드는 박테리아를 장에 주사하면 살이 덜 찐다.[27]

사카린, 수크랄로스, 아스파탐 같은 인공 감미료에 대한 연구 분야에서도 흥미로운 보고가 나오고 있다. 이와 같은 설탕 대용품을 먹은 쥐들은 예상만큼 체중이 줄지는 않았는데, 인공 감미료가 체내의 설탕 대사 과정을 변화시킨 것이 한 가지 이유라고 추측한다. 이런 비정상적인 신진 대사를 보이는 쥐들은 항생제를 투여하면

치료가 되며, 그런 대사를 지닌 쥐나 사람의 장내 박테리아를 이식받은 쥐들은 같은 증상을 보인다.[28]

인간에 관한 흥미로운 데이터 중 일부는 일란성 쌍생아들에 관한 연구에서 나타나고 있다. 한 연구에 따르면 비만인 쌍생아들보다 마른 체형의 쌍생아들에게서 크리스텐세넬라시아에[29]라는 특정 박테리아가 더 많이 발견되었다. 양쪽 쌍생아들의 대변에서 채취한 물질을 무균 상태의 쥐들에게 이식했을 때, 쥐들의 체중 증가 추이는 대변 주인의 체중 증가 추이를 그대로 따랐다. 그러나 크리스텐세넬라시아에를 투입하면 비만인 쌍생아들의 대변에서 채취한 물질을 이식받은 쥐라도 예상된 체중 증가를 보이지 않았다.[30] 이미 쥐를 대상으로 일부 성공을 거둔 이 분야의 연구는 계속 진행 중이며, 현재 인간의 장내 박테리아 종류를 조절할 가능성, 즉 특정 박테리아를 장내에 투입하거나 항생제로 해로운 박테리아를 죽이는 방법을 비만 치료, 더 나아가 비만 예방에 응용할 가능성을 타진하고 있다.

하지만 인간 장내 마이크로바이옴 조작 기술은 아직까지 확실한 결론에 도달하지 못한 실험 단계에 머물고 있다. 현재까지 성공한 사례는 광범위한 항생제 치료를 받은 후 장내 정상 박테리아가 거의 죽고 클로스트리디움 디피실 균이 과도하게 늘어나 심한 설사 증세를 보이는 사람들을 치료한 것뿐이다.[31] 박테리아의 종류는 각자의 식생활과 체중에 따라 다양하지만 장내 박테리아의 종류가 비만의 원인인지 결과인지조차 아직 확실히 밝혀지지 않고 있다. 예컨대 우리가 섭취하는 음식에 든 지방이 박테리아의 종류에 결정적인 영향을 미친다는 데이터가 나와 있다. 현재로서는 장내 박테리아, 우리가 먹는 음식, 날마다 장벽에서 떨어져 나오는 수백만 개의 세포들 사이에서 벌어지는 복잡한 상호 작용에 관해 알아 가야 할 것이 대단히 많다.

비만 대사 수술 치료법

현재 병적 비만과 비만 관련 당뇨병에 가장 좋은 치료법은 '비만 대사 수술'[32]이라는 사실은 주목할 만하다. 이 수술에는 세 가지 형태가 있다. 밴드로 묶어 위 크기를 줄이는 방법, 위 일부를 절제하는 방법, 위 상단부를 조금만 남기고 나머지 위와 분리한 뒤 소장 하단부와 연결함으로써 위 대부분과 소장 상단부를 건너뛰는 방법이 그것이다. 밴드 삽입 수술—많은 양의 음식을 먹어 위가 늘어나는 것을 방지하기 위해 위 상단부를 벨트로 꽉 조여 맨 상태를 상상하면 된다—과 위 절제 수술은 배가 더 빨리 부르게 만드는 방법으로 효과를 낸다. 위 우회 수술은 우리가 섭취한 음식에서 더 적은 양의 열량을 흡수하도록 만든다. 밴드 삽입술과 위 우회술을 동시에 받는 사람도 있다.

위 크기를 최대한 줄이면(밴드 삽입이 아니라 절제) 당연히 평균 체중이 적게는 5~10퍼센트, 많게는 20퍼센트까지 감소한다. 이는 위 우회술로 얻을 수 있는 25퍼센트 체중 감소에 근접하면서도 더 복잡한 수술을 피하는 동시에 중요 영양소 흡수를 희생하는 부작용을 동반하지 않는 장점을 지닌다. 비만 대사 수술이 성공을 거두면 당뇨병에도 효과가 있다. 이 방면에서 가장 효과적인 방법은 아마 위 우회술일 것이다. 우회를 함으로써 장의 당 대사와 장내 박테리아를 변화시키는 효과 또한 거두기 때문이다.

아마 체중 감량 수술을 받은 최연소자는 체중이 72파운드(약 32.6킬로그램)였던 두 살짜리 소년이었을 것이다. 수술을 받은 후 이 아이의 체질량 지수는 41에서 24로 24개월 만에 41퍼센트 감소했다.[33] 폴 메이슨이라는 남성도 극적인 반응을 기록했다. 위 우회 수술을 받은 후 6피트 4인치(약 192센티미터)의 키에 980파운드(약 444.5킬로그램)였던 그는 체중의 3분의 2를 감량해 336파운드(약 152.4킬로그램), 체질량 지수 41로 줄이는 데 성공했다.[34] 이 정도면 아직 비만이긴 하지만 예전처럼 표에도 나오지 않는 병적인 비만 수준은 아니다. 뉴저지 주지사 크리스 크리스티는 비만 대사 수술을 받은 후 85파운드(약 38.5킬로그램)를 감량했다고 한다.[35]

그러나 비만 대사 수술은 그 나름의 부작용이 따르는 큰 수술이므로 아주 심각한 비만 또는 병적 비만을 가진 소수의 사람에게만 권하고 있다. 게다가 수술을 받은 후에도 '조금씩 자주 먹거나' 간식을 많이 먹는 등의 방법으로 한 번에 많은 양의 식사를 하지 않고도 열량 섭취를 그대로 유지하는 사람들이 꽤 많다.

만복감을 주는 시술과 유전자 비활성화 치료법

만복감을 주는 효과를 거둘 가능성이 있는 중재 시술들도 있다. 풍선을 삽입해 위 안에서 부풀리는 시술, 캡슐을 경구 투입해 위에서 부풀리는 시술, 복부의 미주 신경에 연결된 전기 장치를 이식한 다음 전기 자극을 주면 신경이 억제되어 배가 덜 고픈 것처럼 느끼도록 하는 시술, 복벽에 삽입한 튜브로 식사 중 먹은 음식의 일부를 흡입해 빼내는 흡입술 등이 그것이다. 이런 접근법들의 결과는 좋게 말해 들쭉날쭉한 정도다. 이 책을 집필하고 있는 현재까지 미국에서는 그중 두 가지—풍선 삽입술과 전기 자극법—만 과도한 비만인 동시에 적어도 한 가지 이상 비만 관련 부작용을 겪고 있고, 다른 방법으로는 체중 감량에 실패한 경험이 있는 환자에게 사용하는 것이 허용된다.[36]

식이 요법, 약물, 수술만으로 비만을 예방하거나 치료할 수 없다 하더라도 혈압과 LDL 콜레스테롤 수치의 상승 같은 비만 관련 부작용을 효과적으로 관리하면 비만에 따른 과도한 위험은 제거할 수 있다. 그러나 안타깝게도 현재로서는 비만과 관련된 당뇨병 위험을 줄이는 약은 나와 있지 않다. 그렇지만 가능성이 전혀 없는 것은 아니다.

SLC30A8[37]이라고 알려진 유전자는 인슐린을 만드는 췌장 세포의 기능에 영향을 끼치는 단백질 암호를 보유하고 있는데, 여기에 아주 드물지만 돌연변이가 생기면 이 유전자를 비활성화해 2형 당뇨병의 위험을 60~80퍼센트 낮춘다. 1만 명당 1명 정도에게 생기는 이 돌연변이는 이 효과 외에 달리 알려진 부작용이 없다. 언젠가 이 유전자를 비활성화하는 치료법을 개발할 수 있을지 모른다. 그렇게 되면 비만에 따르는 대표적인 세 가지 부작용인 고혈압, 높은 LDL 콜레스테롤 수치, 당뇨병을 모두 제어할 수 있다.

운동 촉진제

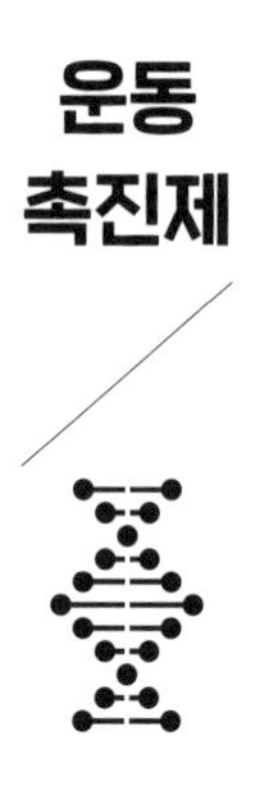

현재는 부족하지만 미래에는 가능할 방법들

7장에서 논의했던 과잉 활동적 쥐들과 달리 인간의 경우에는 그런 유전자를 가지고 태어났다고 해서 운동을 더 많이 할 가능성은 아주 적다. 그리고 달리는 것을 싫어하는 쥐에게 달리는 것을 좋아하는 쥐의 뇌에서 나타나는 화학 작용을 모방하게 하는 주사를 놓아도 게으른 쥐는 더 달리지 않는다.[38]

어쩌면 미래에는 주의력 결핍 과잉 행동 장애를 비롯한 다른 부작용을 초래하지 않으면서 더 많은 사람들이 운동할 때 생기는 황홀감을 추구하도록 자극할 수 있는 약이 개발될지도 모른다. 그 결과로 운동량이 늘어나면 과하게 많이 먹고 혈액이 과하게 응고되는 타고난 성향을 상쇄하는 데 도움이 될 것이다. 많이 움직이지 않는 우리의 생활 태도를 감안할 때 추구해 볼 만한 가치가 있는 목표지만, 배고픔을 억제하는 약물 치료법을 포함해 현재 나와 있는 의학적 촉진제들은 아직 이 목표를 안전하게 성취하기에는 역부족이다.

운동을 더 하도록 만드는 것은 불가능하지만 움직이지 않으면서도 운동으로 얻을 수 있는 장점의 일부는 흉내 낼 수 있을지 모른다. 예를 들어 운동을 하면 우울증을 촉발하는 화학물질에 변화가 오는데 운동하지 않는 쥐에게 인공적으로 자극을 주면 이 메커니즘을 흉내 낼 수 있다.[39] 현재로서는 운동을 통해서만 얻을 수 있는 여러 가지 화학 물질과 혜택을 언젠가는 소파에 누워만 있는 사람들도 얻을 수 있을 날이 올지 모르겠다.

고혈압 치료법

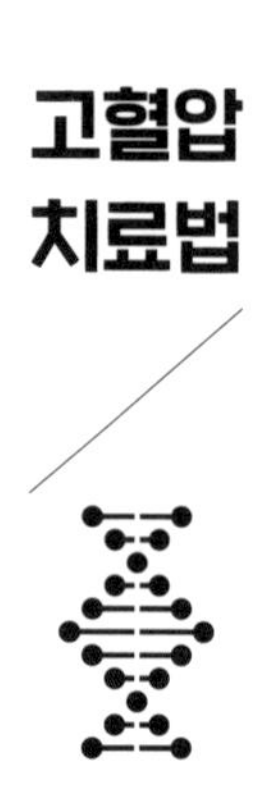

효과적인 고혈압 치료제들

식이 요법과 운동만으로는 혈압을 낮추는 데 큰 효과를 보지 못하므로 고혈압 치료는 주로 약으로 해결해야 한다. 1950년대에 시중에 나왔던 레세르핀은 당시 효과가 있고 전반적으로 안전하다는 평가를 받은 최초의 고혈압약으로, 아드레날린과 관련 물질들이 분비되는 것을 차단하는 효능을 가졌다. 두 번째로 나온 약은 동맥을 직접 확장해 혈압을 낮추는 히드랄라진이었다. 불행하게도 두 약 모두 몸에 심각한 손상을 주는 부작용이 생기는 경우가 많아 현재는 거의 사용되지 않는다.

요즘 고혈압 치료에 사용되는 약들은 3장에서 살펴봤듯이 우리가 탈수 상태에 빠지는 것을 방지하기 위해 분비되는 호르몬들을 표적으로 삼는다. 이뇨제는 신장을 속여 물뿐 아니라 소금까지 제거하도록 만드는 방법으로 혈압을 낮춘다. 베타 차단제는 신장에서 소금과 물이 나가지 못하도록 하는 연쇄 반응을 일으키는 첫 단계에 사용되는 주요 호르몬인 레닌의 분비를 차단한다. 앤지오텐신 전환 효소 억제제는 그다음 단계를 차단하고, 앤지오텐신 수용체 차단제는 그 이후 단계를 차단한다. 칼슘 통로 차단제는 소금과 물의 대사에는 영향을 주지 않고 동맥의 근육층을 수축시키는 분자 경로에 직접 개입해 혈압을 낮춘다.[40] 이 모든 약들이 저혈압을 유발할 가능성이 있다는 사실은 예측 가능한 부작용이다.

현재 나와 있는 약들 덕분에 대부분의 사람들은 성공적으로 혈압을 조절할 수 있게 되었다. 그러나 유감스럽게도 단일 약품이나 너무 뻔한 약품들의 조합만으로는 성공적인 결과를 100퍼센트 기대할 수 없다.

바로 이런 이유에서 요즘 의료 전문가들은 보통 서로 다른 몇 가지 약들을 낮은 용량으로 조합한 처방을 내린다. 말하자면 강력한 한 방으로 단번에 문제를 해결하기보다 소금과 물 대사 체계의 여러 단계에 개입해 미세 조정을 하려는 의도다. 이런 식으로 각 약품을 소량 사용하면 혈압을 낮출 확률을 높이면서도 각 환자에게서 고혈압을 일으키는 특정 화학적 원인이나 다른 원인에 상관없이 거기에 따르는 각종 부작용을 피할 수 있다.

혈관 성형술과 카테터 삽입 치료법

동맥 근육이 두꺼워져 신장으로 가는 동맥이 좁아지는 바람에 발생한 고혈압의 경우 동맥을 확장시켜 더 많은 혈액이 흐를 수 있도록 하는 혈관 성형술을 권장한다.[41] 더 많은 혈액이 흐른다는 것을 감지하면 신장은 더 이상 몸에 탈수 현상이 일어난다고 생각하지 않으며, 따라서 불필요한 소금과 물을 보유하도록 하는 호르몬의 분비를 줄인다. 그러나 혈관이 좁아진 현상이 지방 축적물 때문인 경우(보통 죽상 동맥 경화증이 많이 진행된 환자)에는 혈관 성형술로는 혈압이 내려가지 않는데 그 이유는 아직 완전히 밝혀지지 않고 있다. 이런 사례는 약물 치료가 더 효과적이다.

약으로 조절되지 않고, 혈관 성형술도 도움이 되지 않고, 드물게 생기는 종양도 원인이 아닌 평범치 않은 고혈압에 대해서는 다양한 치료법과 기구가 제안되어 왔다. 가장 많은 지지를 받는 치료법으로는 카테터를 사타구니의 대퇴부 동맥으로 삽입해 신장에 혈액을 공급하는 신장 동맥까지 보내는 방법이다. 그런 다음 고주파를 이용해 신장의 신경들을 선택적으로 제거하고 마비시켜 혈압을 높이지 못하도록 한다. 그러나 이 치료법에 대한 대규모 무작위 시험 결과 꾸준한 혜택이 있다는 결론을 내리지는 못했다.[42]

미래의 개인 맞춤형 치료법

궁극적인 목표는 각 개인의 고혈압 원인을 찾아내 그와 관련된 특정 호르몬의 합성에 개입하거나 호르몬의 작용을 무력화시키는 것이다. 의학이 발달함에 따라 소금과 물의 대사에 영향을 주는 특정 유전자를 고혈압의 원인으로 식별하는 데 성공한 사례가 점점 더 많이 보고되고 있으므로, 이에 따라 개인에 맞는 치료법이 개발될 것이다. 미래에는 여러 가지 고혈압약을 두루 섞어 사용하기보다 각자에게 맞는 정확한 약을 정확한 양만큼 처방받아 더 큰 효과를 보면서 동시에 감수해야 할 위험은 줄일 수 있게 될 것이다.[43]

고혈압은 치료가 가능해졌기 때문에 제어되지 않은 고혈압이나 악성 고혈압으로 목숨을 잃을 이유가 없어졌다. 고혈압으로 인한 여러 나쁜 증상은 보통 최소 10년에 걸쳐 갈수록 심해지면서 진행되므로 병원을 찾을 때마다 정기적으로 혈압을 재고, 진단이 내려진 후 곧바로 적절한 의학적 조처를 취하면 심각한 부작용은 막을 수 있다.

불안과 우울증 치료법

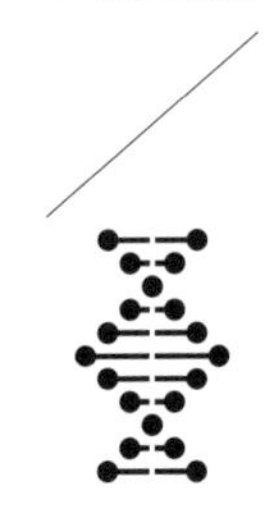

항우울제의 기능과 효과

불안과 우울증을 포함한 정신 질환을 겪는 사람들은 그 사람 자체에 문제가 있는 것처럼 치부해 버리는 바람직하지 못한 경향이 있었다. 하지만 이제 우리는 그런 상태의 원인이 화학적 불균형 때문임을 안다. 그리고 인지 행동 치료 또한 시도해 볼 만한 가치는 있지만 항상 성공을 거두지는 못하므로, 약물이 가장 널리 사용되는 치료법이다.

우울증과 불안 장애에 사용되는 다양한 약의 정확한 작용 방식은 아직 완전히 이해되지 않은 상태다. 우울증을 치료하는 대부분의 약들은 뇌의 세로토닌이나 노르에피네프린(아드레날린의 친척, 부신 수질 호르몬) 수치를 높이도록 만들어져 있다. 선택적 세로토닌 재흡수 억제제와 세로토닌-노르에피네프린 재흡수 억제제는 이 물질들이 뇌에서 분해되는 것을 막는 방식—뇌에서 분해되는 것만 방지하는 것을 목표로 고안되었다—으로 작동해, 나머지 신체 부위에서 여러 가지 부작용을 일으키는 일 없이 그것들이 더 활성화된 형태를 유지하도록 만들어져 있다. 다른 항우울제들은 대부분 그보다 덜 선택적이어서(그런 약들은 세로토닌과 노르에피네프린뿐 아니라 도파민과 아드레날린에까지 영향을 미친다) 일부 환자의 경우 혜택의 범위가 더 넓어질 수도 있지만 다른 신체 기관에까지 영향을 끼쳐 더 많은 부작용을 초래할 가능성이 높다.[44]

이 약들은 얼마나 효과적일까? 우울증에 걸린 사람 중 약 3분의 1은 약을 먹지 않거나 플라세보만 먹고도 증세가 호전된다. 일부 환자의 경우 치료 효과를 거두려면 다양한 약의 복용을 시도해 봐야 하지만, 보통은 선택적 세로토닌 재흡수 억제제나 세로토닌-노르에피네프린 재흡수 억제제를 사용할 경우 3분의 2가 효과를 보여 약에 대한 반응률이 두 배로 증가한다.[45] 아쉽게도 이 약들은 첫 주에는 거의 효과를 보이지 않고, 완전히 효과를 발휘하려면 6주 이상을 복용해야 한다. 그래서 일상 생활을 영위하기 힘든 장애에 가까운 중증 우울증은 전기 경련 요법(뇌에 전기 충격을 가해 발작을 일으켜 뇌 속 호르몬 수치 또는 화학 반응을 변화시키는 치료법)을 사용해 치료해야 하는 수가 간혹 있다.[46] 심한 우울증을 겪는 사람들 중 항우울제를 복용해 효과를 본 경우, 계속해서 약을 복용하면 재발

위험이 40퍼센트에서 20퍼센트로 절반가량 줄어든다.[47]

불안과 외상 후 스트레스 장애 치료제

불안에 가장 널리 처방되는 약은 벤조디아제핀(상품명 리브리움, 바리움)으로, 안정감 유발 효과를 지닌 뇌의 신경 전달 물질인 감마-아미노낙산의 활동을 증가시키는 작용을 한다. 사회 공포증을 가진 사람들에게는 베타 차단제인 프로프라놀롤이 특히 효과적인데, 연설이나 공연 같은 불안감을 유발하는 특정 상황을 앞두고 있을 때 마음을 안정시키는 효과를 발휘한다. 선택적 세로토닌 재흡수 억제제나 세로토닌-노르에피네프린 재흡수 억제제와는 관계가 없으나 뇌의 세로토닌 수치를 증가시키는 효과를 내는 부스피론도 대안이 될 수 있다. 항우울제들은 불안 장애를 가진 사람들에게도 도움이 될 수 있다. 아마 불안과 우울증이 비슷한 또는 중복되는 화학 물질의 불균형으로 초래되기 때문일 것이다.[48]

외상 후 스트레스 장애에 가장 많이 사용되는 약은 선택적 세로토닌 재흡수 억제제인 플루옥세틴(상품명 프로작)과 세르트랄린(상품명 졸로프트) 그리고 세로토닌-노르에피네프린 재흡수 억제제인 벤라팍신이다. 이 약들은 우울한 증상을 완화할 뿐 아니라 환자가 타인에게 폭력을 행사할 위험도 줄일 수 있다.[49]

심각한 정신적 외상을 초래하는 일을 경험한 후 첫 한 달 동안에는 예방을 위한 약을 먹는 것은 권하지 않는다. 이는 그런 경험을 한 사람 중 외상 후 스트레스 장애를 보이는 사람이 10~20퍼센트에 지나지 않기 때문이기도 하며, 또 외상 후 겪는 감정들은 특별한 상황에 대한 우리의 정상적인 반응이라는 점을 강조하기 위함이기도 하다. 일단 약을 쓰기 시작하고 나면 보통 12~24개월 동안 꾸준한 복용이 필요하다. 뇌의 특정 부분에서 칼슘이 유출되는 현상과 외상 후 스트레스 장애가 연관성이 있다는 연구가 나오면서 이 증상에 대한 새로운 약품이 개발될 가능성이 보인다.

인지 행동 치료와 약을 함께 사용하면 더 좋다

인지 행동 치료에 비해 약이 확실히 더 효과적인 것은 분명하지만 이 두 가지 치료법은 상호 보완적으로 사용될 수 있고, 때로 상승 작용을 일으키기도 한다. 이런 상승 효과의 원리는 실험용 쥐를 상대로 한 흥미로운 실험을 살펴보면 잘 이해할 수 있다. 소거extinction 행동 훈련[50]에서는 실험 동물에게 특정한 소리와 같은 중립적 자극과 유해 자극을 연결시켜 전달하는 방식으로 공포, 불안, 심지어 외상 후 스트레스 장애까지 유발하는 자극에 반복적으로 노출시킨다. 그런 다음 유해 자극 없이 중립적 자극만 반복해 동물이 더 이상 그 자극을 두려워하지 않도록 만든다.

다 자라지 않은 쥐들을 대상으로 이 실험을 하면 쥐의 뇌가 아직 완전히 굳어지지 않은 상태라 소거 훈련만으로 성공적인 결과를 얻을 수 있다. 그러나 다 자란 쥐들의 경우 학습된 행동이 너무 굳어져, 뇌를 다시 프로그래밍하려면 소거 훈련(유용하기는 하지만)과 항우울제를 함께 써야 한다. 요컨대 항우울제는 다 자란 뇌를 행동 변화에 더 민감하고 더 잘 영향받게 만들어 어린 뇌와 비슷하게 만드는 효과가 있다.

미래에는 표준화되고 확고하게 입증된 검사 수단을 사용하는 동시에, 전문가와 더 자주 상의하는 방법을 통해 모든 의사와 의료 전문가가 더 빨리 더 정확하게 불안과 우울증 진단을 내릴 수 있을 가능성이 크다. 그러나 불행히도 지금 나와 있는 항불안제와 항우울제는 몇 십 년 전에 사용되던 것에서 크게 발전하지 않았다.

몇 가지 유망한 대안 치료법들

좋은 소식은 최근에 나온 몇몇 대안이 상당히 유망해 보인다는 사실이다. 예를 들어 지금까지는 마취제로만 사용되던 정맥 주사제 케타민[51]은, 특히 심한 우울과 자살 충동을 느끼는 환자에게 강력하고 효과 빠른 항우울제로 사용이 가능하다. 현재 흔히 사용되는 약물들과 달리 케타민은 글루탐산염을 결합시키는 수용체를 차단하는 역할을 해서 뇌의 글루탐산염 수치를 높인다. 글루탐산염은 뇌를 흥분시키는 물질로, 항우울제의 새로운 표적으로 부상하고 있다. 또한 소규모 실험들에서 케타민 정맥 주사를 맞은 만성 외상 후 스트레스 장애 환자들은 거부 반응이나 부작용 없이 증상이 신속하게 감소하는 효과를 보였다. 현재 코를 통해 약물을 투여하는 방법이 개발되고 있는 중이다. 그러나 너무 낮은 글루탐산염 수치는 심각한 정신병과 연관될 수 있으며, 반대로 너무 많으면 뇌 신경 세포를 죽일 수도 있다. 따라서 유망한 치료약이기는 하지만 케타민은 매우 신중히 처방되어야 할 필요가 있다.

벤조디아제핀의 부작용인 졸음을 유발할 가능성이 낮은 새로운 약들이 감마-아미노낙산에 대한 뇌의 반응을 조절하기 위해 개발되어 실험 단계에 들어가 있다.[52] 이 약들이 불안을 치료하는 데 벤조디아제핀보다 우월할지, 또는 부적절할 정도로 과도한 대담함을 유발하지 않는 오늘날의 우울증 치료법 중 또 하나로 추가될지 여부는 아직 확실치 않다.

우울증과 관련이 있다고 생각되는 뇌 영역을 전극을 사용해 자극하는 치료법인 뇌 심부 자극술[53]은, 약이 잘 듣지 않는 환자들에게서 간혹 놀라운 반응을 이끌어냈다는 보고들이 나와 학계가 적잖이 흥분했다. 그러나 더 최근에 진행된 시험 결과들은 그다지 고무적이지 않아서 이 접근법은 여전히 실험 상태에 그치고 있다.

이보다 더 초현대적인 방법은 외상 후 스트레스 장애를 지속시키는 나쁜 기억들을 화학적으로 제거할 수 있는 가능성이다. 광유전학 기술을 이용해 쥐의 새로운 기억들을 만드는 일에 관여하는 뇌 세포들에 빛 활성화 유전자 표지light-activated gene label를 하는 것이 가능해졌다.[54] 이렇게 표지를 한 세포들은 레이저 빔에 노출시켜 활성화시킬 수가 있다. 반복해서 충격을 받은 어떤 장소를 두려워하도록 조건화된 수컷 쥐들은 더 이상 그곳에 두려움을 느끼지 않도록 프로그래밍될 수 있다. 어떻게? 이 수컷 쥐들을 또 다른 장소에서 암컷 쥐들에게 접근할 수 있도록 해 주면 이 즐거운 경험으로 좋은 기억이 만들어진다. 그런 다음 수컷 쥐들을 다시 공포심을 유발하는 장소에 데려다 놓고 이 좋은 기억들이 활성화되도록 레이저 빔에 노출시키면 그 장소를 즐거운 곳으로 인식한다![55]

그러나 현재는 위와 같은 광유전학 기술을 활용해 빛 활성화 유전자를 뇌세포들에 삽입하려면 바이러스를 사용해야 할 뿐 아니라, 그 세포들을 활성화시키기 위해 광케이블을 두개골로 삽입해[56] 그 세포들에 최대한 가까이 접근시켜야 한다—그리고 우리는 아직 인간에게 이 기술을 적용할 준비가 되어 있지 않다. 그렇지만 미래에는 이 접근법을 활용해 광범위한 뇌 기능 문제를 해결할 가능성이 있다.

유감스럽게도 우리는 여전히 우울증, 불안, 외상 후 스트레스 장애의 해부학적·세포학적·생화학적·유전학적 원인은 물론 후성유전학적 원인도 제대로 이해하지 못하고 있다. 이 수수께끼의 일부라도 밝힐 수 있는 기본적인 연구가 이루어지기 전까지는, 흔히 심신을 쇠약하게 만드는 이 질병들을 예방하거나 치료하는 데서 뚜렷한 성과를 거두기 힘들 것이다.

혈전 치료제

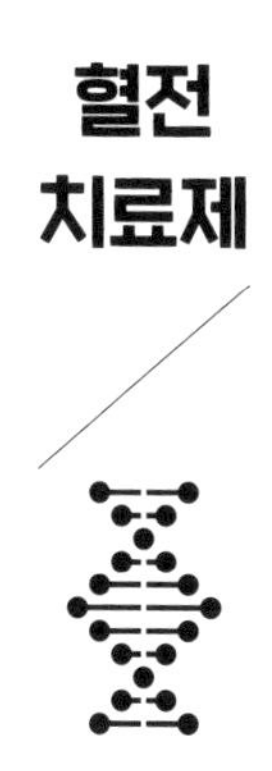

아스피린이 항혈소판제 효과를 발휘하는 이유

비정상적 혈액 응고 증세가 있거나 그럴 위험이 높은 사람들에게 약은, 필수적이지는 않지만 중요하다. 거의 모든 심장 마비가 관상 동맥에 생긴 혈전으로 촉발되므로 심장 마비를 겪고 살아난 사람들은 보통 혈액 희석제라고 부르는 항응고제를 처방받는 경우가 많다. 관상 동맥 혈전의 경우, 혈액을 뭉쳐서 덩어리를 만드는 혈소판의 기능에 개입하는 약이 그다음 단계에서 더 큰 혈전을 만드는 단백질들의 연쇄 반응에 개입하는 약보다 더 효과적이다. 이런 이유에서 장기적 예방 치료는 효과적인 항혈소판제인 아스피린이나 처방전이 필요한 새로 나온 항혈소판제들(클로피도그렐, 프라수그렐)을 중심으로 이루어진다.

통증 완화에 아스피린이 효과적이라는 사실은 기원전 400년경 그리스에서 처음으로 알려졌다. 살리실산이 들어 있는 버드나무 껍질이 진통 효과를 낸다는 것을 발견한 것이다. 1763년 영국 성직자 에드워드 스톤은 같은 종류의 버드나무 껍질을 석 달 동안 말려서 분쇄한 가루가 해열 작용을 한다는 것을 입증했다. 1899년, 당시 프리드리히 바이어 사로 불리던 오늘날 바이어(바이엘) 주식회사의 펠릭스 호프만은 최초로 안전하게 아스피린(아세틸살리실산)을 합성하는 데 성공했다. 아스피린은 몸속에서 빠르게 신진 대사 작용을 거쳐 활성 살리실산을 형성한다.[57] 1948년 아세틸살리실산에 항혈소판제 효능이 있을 가능성이 처음으로 개진되었고, 1968년 이 가정이 확실히 입증되었다. 1970년대에 얻어진 역학 증거들을 근거로 아스피린을 복용한 사람은 심장 마비와 뇌졸중을 겪을 위험이 낮아진다는 주장이 힘을 얻었으며, 얼마 지나지 않아 대규모 무작위 시험을 통해 이 사실이 증명되었다.[58]

흥미롭게도 다른 비스테로이드 소염제들(애드빌, 나프로신, 모트린, 셀레브렉스, 볼타렌, 펠덴 등의 상품명을 가진 약들)은 진통과 해열 효과는 있지만 아스피린과 같은 항혈소판제 효과는 없을 뿐 아니라 심장 마비 위험을 약간 올리기까지 한다. 이보다 더 놀라운 점은 아스피린이 항혈소판제 효과를 내는 것은 아세틸 분자 때문인데 이 분자는 진통과 해열에 필요가 없다는 사실이다. 이 현상은 다양한 진통 연고제에 들어 있는 다른 형태의 살리실산염이 혈소판의 기능에 아무런 영향도 주지 않는 이유를 설명해 준다. 살리실산염은 실제로 아세틸살리실산의 항혈소판제 효과를 저해할 수 있다. 날마다 소아용 아스피린 같은 저용량 아스피린을 복용하면 고용량 아스피린을 먹는 것만큼이나 혈소판의 기능을 방해해 심장 마비와 뇌졸중의 위험을 낮추는 데 효과가 있다.

심장 마비를 경험하고 살아남은 사람이나 심지어 협심증 환자도 항혈소판제를 복용하면 심장 마비 재발 위험을 25퍼센트까지 줄일 수 있다. 관상 동맥에 스텐트를 하나 이상 삽입한 빌 클린턴과 같은 환자들은 아스피린에다 또 한 가지 항혈소판제를 추가해 더 강력한 혈소판 기능 억제 처방을 최소 1년간 지속해야 한다. 약물 방출 스텐트를 삽입한 환자들에게는 보통 이보다 더 길게 두 가지 항혈소판제를 계속 처방한다.[59]

아스피린은 뇌로 혈액을 공급하는 경동맥이 좁아진 환자가 뇌졸중을 겪거나 재발할 위험을 줄이는 데도 효과적이다. 심장 마비를 겪고 살아남은 환자들의 경우 이 정도로 완전히 안전하다고 할 수는 없지만 위험을 25퍼센트 정도 줄일 수 있다.

혈액 희석제들의 기능과 부작용

심장 박동이 불규칙한 질환인 부정맥 중 가장 흔한 유형인 심방세동心房細動(심방잔떨림)[60]을 가진 환자들은 심방이 무질서하게 매우 빠르고 미세하게 뛰면서 제대로 수축하지 못해 정상 심방보다 피를 뿜어 보내는 능률이 떨어진다. 그러면 심방에 피가 고이거나 작은 소용돌이가 만들어지면서 혈전이 생길 수 있다. 그렇게 만들어진 혈전이 떨어져 나와 뇌로 향하면 뇌졸중을 일으킨다. 좌심방(폐정맥에서 들어온 피를 좌심실로 보내 온몸으로 뿜어 보내게 한다)의 혈전은 단순한 정체로 생긴다. 따라서 혈소판의 응고 기능보다는 혈액 응고 단백질의 연쇄 화학 반응cascade 기능과 연관성이 더 높으므로, 예방을 위해서는 항혈소판제보다는 단백질 연쇄 화학 반응에 개입하는 약을 기초로 한 처방이 필요하다.

이런 종류의 혈전에 가장 널리 사용되어 온 처방은 혈액 희석제 와파린[61](상품명 쿠마딘)으로, 혈액 응고 단백질의 연쇄 화학 반응 중 특정 단계를 억제하는 역할을 한다. 와파린의 용량과 혈액 응고 억제 효과는 매우 정밀하게 조절해야 한다. 과도한 용량을 사용하면 단백질의 연쇄 화학 반응을 완전히 막아 버리는 결과를 낳을 수 있고, 그럴 경우 혈관 벽의 기본 구조가 망가져 환자는 자연 출혈을 일으킬 수 있다. 이 문제는 와파린이 대단히 강력한 쥐약으로 사용된다는 점만 봐도 잘 알 수 있다. 이 약을 먹은 쥐들은 뇌에서 자연 출혈을 일으켜 사망한다. 다행히 혈액 응고 인자의 합성에 필수적인 비타민 K의 활동을 방해하는 와파린의 특수한 효과는 비타민 K를 투입하면 몇 시간 만에 되돌릴 수 있다.

새로 나온 약들, 예를 들어 다비가트란(상품명 프라닥사), 리바록사반(상품명 자렐토), 아픽사반(상품명 엘리퀴스) 등은 혈액 응고 연쇄 화학 반응에 관여하는 다른 단백질을 억제하는데, 자연 출혈을 일으킬 확률이 낮아서 와파린보다 일반적으로 더 안전하고, 심방세동 증상을 가진 환자들의 혈전 형성과 이동을 예방하는 데 더 효과적이다. 그러나 이 약들의 사용을 제한하는 한 가지 문제가 있다. 소수의 환자들이 이 약들을 복용한 후 출혈하는 부작용을 경험하는데, 이 항응고 효과를 상쇄할 해독제 중 미국식품의약국의 허가를 받은 약이 없다는 점이다.[62]

정맥에서 혈전이 생기는 사람들에게는 와파린이 여전히 표준 치료법으로 사용되고 있다.[63] 그러나 새로 나온 혈액 응고 단백질의 연쇄 화학 반응 억제제들도 효과적인 대안이 될 수 있다는 데이터가 많이 나오고 있다. 이 경우에는 아스피린이 그다지 효과가 없는데, 그것은 좌심방의 혈전은 대부분 혈소판의 활동을 촉발시키는 부상이 아니라 정체된 혈액 또는 자연 응고로 생기기 때문이다.

미국에서 관상 동맥 관련 질환, 뇌졸중, 심방세동 등을 가진 사람들을 모두 합치면 약 2000만 명에 이른다.[64] 따라서 미국 성인 인구의 10퍼센트 정도가 인류를 보존하는 데 일조했던 자연적인 혈액 응고 체계를 수정하는 혈액 희석제로 확실한 혜택을 볼 것이다. 혈액 응고를 줄이는 약들의 가장 큰 문제는 출혈 가능성을 높인다는 점이다. 그런 위험 대비 혜택의 비율은 매우 긍정적인 경우(심장 마비로 인해 관상 동맥 스텐트를 삽입한 사람들)부터 매우 부정적인 경우(대규모 수술을 받기 직전의 환자)까지 다양하다. 현재 진행 중인 연구를 통해 과도하고 불필요한 혈전이 생기는 것을 억제하면서도 심각한 출혈 위험을 일으키지 않는 약을 개발해 낼 수 있다면, 미래에 이 비율은 항응고제의 복용이 유리한 쪽으로 더 많이 기울게 될 것이다.[65]

왜 모든 사람에게 아스피린 복용을 권장하지는 않는 걸까

항응고제의 도움이 필요한 사람들 비율이 이토록 높다는 사실은 또 한 가지 의문을 갖게 한다. 만일 심장 질환과 뇌졸중이 가장 대표적인 사망 원인이고 아스피린과 같은 항혈소판제가 그런 위험을 줄일 수 있다면 더 많은 사람들이 이 약을 복용해야 하지 않을까? 물론 수술 직전에는 피해야 하겠지만 말이다. 적어도 지금으로서는 그에 대한 대답은 '아니요'다.

관상 동맥성 심장 질환이나 뇌졸중의 가능성이 있다는 증거가 없는 사람들이 소량의 아스피린을 매일 복용하는 것이 유용한지를 평가하는 면밀한 과학적 연구가 이루어졌다. 그 결과 아스피린은 심장 마비 위험을 줄이기는 하지만 출혈, 특히 장내 출혈이라는 부작용이 이 장점을 상쇄하고도 남는 경우가 많다는 결론이 나왔다. 심장 마비 위험은 매우 높고 출혈 위험은 낮은 사람들에게는 아스피린 복용을 권장한다. 그렇지 않은 건강한 중년 남성이라면 소량의 아스피린을 날마다 복용하는 것은 몇 가지 대규모 연구에도 불구하고 그 혜택과 부작용을 고려할 때 어느 쪽이 더 좋다고 단정 지을 정도의 증거가 나오지 않은 상태다. 심장 마비 위험이 낮은 사람들이나 출혈 위험이 큰 중년 이상의 사람들에게는 일반적으로 매일 아스피린을 복용하는 것을 권장하지 않는다.[66]

이런 출혈의 위험으로 볼 때, 아스피린 같은 약들은 출혈-응고 사이의 균형 문제가 진정한 시험대에 오르는 분만과 같은 상황에는 특히 해롭다는 생각이 들 것이다. 실제로 임산부들에게는 일반적으로 아스피린을 권하지 않는다. 그러나 임신중독증 중 하나로 심각한 고혈압을 보이는 전자간증前子癎症의 위험이 높은 임산부들에게는 임신 14주가 지난 후부터 의료진의 주도면밀한 관리 아래 소아용 아스피린을 처방하기도 한다.[67] 구석기 시대와 비교하면 그야말로 상전벽해가 아닐 수 없다.

콜레스테롤 수치를 낮추어 혈전을 방지하는 스타틴

관상 동맥 질환의 경우 죽상 경화성 지방 플라크의 파열이 혈전 형성을 촉발한다. 그러므로 죽상 동맥 경화증을 일으키는 지방성 축적물이 형성되는 것을 줄일 수 있으면 플라크의 파열과 그에 따른 혈전 형성의 위험을 줄일 수 있다. 5장에서 살펴봤듯이 지방성 플라크를 줄이는 가장 좋은 방법은 나쁜 콜레스테롤인 LDL 콜레스테롤의 혈중 수치를 낮추는 것이다. 운동과 조심스러운 식이 요법을 병행하면 LDL 콜레스테롤을 평균 10~20퍼센트 낮출 수 있지만, 25퍼센트 이상 낮추기 위해서는 주로 스타틴(5장 참조) 같은 약을 복용하도록 권장한다. 관상 동맥 질환 또는 혈액을 뇌나 다리에 공급하는 동맥의 죽상 경화증을 이미 보이는 사람들에게 공격적인 스타틴 사용을 권장하는 것은 이런 이유에서다. 스타틴은 LDL 콜레스테롤 수치가 높은 사람들, 특히 고혈압, 당뇨, 흡연, 남성, 50세 이상 등 다른 위험 요인이 추가로 존재하는 사람들에게도 광범위하게 권장되고 있다.[68]

이러한 일반적인 권장 사항은 두 가지 의문을 품게 한다. 첫째, 이미 심장 질환을 가지고 있거나 그럴 위험이 높은 사람들이 공격적인 식이 요법을 하면—빌 클린턴처럼 비건 식사를 하면—스타틴 복용을 피할 수 있을까? 특히 운동량을 늘린다면? 또 다른 극단의 질문으로는 스타틴이 죽상 경화성 플라크가 형성될 위험을 줄이는데 그토록 효과적이라면 왜 모든 사람이 이 약을 복용하지 않는 것일까?

첫 번째 질문—고위험군에 속하는 사람이 스타틴 복용을 피할 수 있을까?—에 대한 답은 거의 모든 경우에 '아니요'다. 7장에서 살펴봤듯이 우리 중 대부분은 평생 비건 식사를 하는 것은 차치하고라도 체중을 감량하고 그 상태를 유지하는 식이 요법마저 지키기 힘들어 하지 않는가.

두 번째 질문—모든 사람이 스타틴을 복용해야 하지 않을까?—에 대한 답은 하기가 더 어렵다. 미국에서 스타틴은 평균적인 위험도를 가진 사람에게서도 최소 5~10년간 심각한 부작용 없이 심장 마비 위험을 줄인 것으로 나타났다. 근육통을 호소하는 사람들도 있지만 이런 증상은 플라세보를 복용한 사람들에 비해 그 빈도가 살짝 더 높을 뿐이다. 그러나 현재로서는 대부분의 전문가들이 미국 성인 모두에게 스타틴을 복용시키는 것은 시기상조라는 데 의견을 같이한다. 이유는 두 가지다. 첫째, 수십 년에 걸친 장기적 부작용이 아직 밝혀지지 않은 상태기 때문이다. 둘째, 스타틴을 복용하면 콜레스테롤 감소 현상이 신속하게 나타나므로, 저위험군에 속한 사람들이 수십 년간 스타틴을 복용하면서 아직 알려지지 않은 잠재적 부작용에 노출되느니 비교적 높은 위험군에 들어갔을 때 복용해 효과를 보는 편이 더 낫다는 판단 때문이다.

콜레스테롤 관련 유전자의 활동을 억제하는 약들

스타틴은 현재 나와 있는 콜레스테롤을 낮추는 경구용 약품 중 가장 효과적이기는 하지만 보통 투여량으로는 LDL 콜레스테롤 수치가 25퍼센트 정도밖에 감소하지 않고, 최대로 투여해도 그 감소량이 40퍼센트에 지나지 않는다. 이 정도 감소율로도 심장 마비 위험을 상당히 줄일 수 있지만 이미 더 나은 대안이 나오고 있다. NPC1L1이라는 유전자를 비활성화하는 돌연변이—650명 중 1명꼴로 나타나는 돌연변이다—는 식품에 포함된 콜레스테롤의 흡수를 줄이고, 그 결과 심장 마비 위험도 줄이는 역할을 한다. 에제티미브[69](상품명 제티아)는 이 유전자가 만들어 내는 단백질의 활동을 억제하는데 스타틴과 함께 사용하면(두 약품을 합친 약의 상품명은 비토린이다) 심장 마비 위험을 더 줄일 수 있다. 이 두 약이 LDL 콜레스테롤 수치를 50데시리터당밀리그램대로 낮출 수는 있지만, 심장 마비에 대해 걱정하지 않아도 될 정도로 낮출 수 있으면 정말 좋을 것이다.

그런 가능성이 가까운 장래에 현실화될지도 모른다. 1999년 헬런 홉스, 조너선 코언, 로널드 빅터는 댈러스 주민 3500명(그중 약 절반은 아프리카계 미국인이었다)을 상대로 심장 마비 위험 요소와 결과에 대한 인구 기반 연구인 '댈러스 심장 연구'를 시작했다. 그들은 LDL 콜레스테롤 수치가 특별히 높거나 낮은 사람들을 구분해 그때까지 주목받지 못했던 유전자—PCSK9—가 이 양극단의 증상들과 관련 있다는 것을 증명했다. 돌연변이로 인해 PCSK9 유전자 둘 중 하나가 비활성화된 사람들(참가자 중 아프리카계의 2퍼센트, 백인계의 3퍼센트)은 LDL 콜레스테롤 수치가 아프리카계는 40퍼센트, 백인계는 15퍼센트 더 낮았고, 이에 따라 심장 마비 위험도 각각 88퍼센트, 47퍼센트 낮았다. 그러던 중 연구팀은 PCSK9 유전자 두 개가 모두 비활성화된 아프리카계 여성 한 사람의 LDL 콜레스테롤 수치가 14밖에 되지 않아 구석기 시대보다 더 낮은 수준임을 발견했다! 이 돌연변이 유전자로 인한 부작용은 없는지 자세히 연구했지만 아직까지는 이 건강하고 활동적인 두 아이의 엄마에게서 어떤 비정상적인 부분도 발견하지 못했다.

물론 PCKS9의 활동을 막는 약은 이미 개발되었다.[70] 초기 시험 단계에서 매달 피하 주사로 이 유전자의 활동을 억제하는 항체를 투입한 결과 LDL 콜레스테롤의 수치가 60퍼센트가량 감소했고, 이런 항체 치료를 스타틴이나 에제티미브 같은 경구 투여제와 함께 사용하면 수치가 25까지 내려가 그 댈러스 여성의 평상시 수치에 근접했다. 이 신약은 지금으로서는 안전해 보이지만 장기적 부작용이 없는지 확인하기까지는 시간이 걸릴 것이다.

특정 유전자를 비활성화하는 특이한 돌연변이가 현대인에게 유용할 수 있음을 보여 주는 또 한 가지 사례는 APOC3(아포 지질 단백질 C3)다.[71] 이 단백질은 중성 지방의 형성, 특히 음식 섭취 후 형성에 참여한다. LDL 콜레스테롤 수치와 비교할 때 혈중 중성 지방 수치는 죽상 경화성 플라크를 형성해 심장 마비와 뇌졸중을 일으키는 데 큰 역할을 하지 않는 것으로 알려져 있고, 일부 연구에서는 심지어 전혀 영향을 끼치지 않는다고 주장한다. 그러나 5장에서 살펴봤듯이 중성 지방을 운반하는 단백질에는 콜레스테롤 또한 실려 있다. 그리고 이 단백질은 중성 지방 운송을 끝내고 나면 대부분 저밀도 지질 단백질, 즉 LDL로 전환된다. 그런데 APOC3를 줄이면 흡수된 중성 지방이 더 신속하고 효율적인 신진 대사를 거치고(APOC3는 간의 중성 지방 물질 소화, 흡수 기능을 방해한다—옮긴이), 이에 따라 그것을 운반하는 콜레스테롤이 잔뜩 함유된 단백질 역시 더 빨리 처리된다.

150명 중 1명은 APOC3 유전자 쌍 중 한쪽을 비활성화하는 여러 종류의 돌연변이 중 하나 이상을 가지고 있는 것으로 조사되었다. 그런 사람들은 지질 수준이 약 45퍼센트 정도 낮고 심장 마비의 위험도 그만큼 더 낮다. APOC3 유전자 쌍 모두에 돌연변이를 가진 쥐들은 다른 부작용 없이 콜레스테롤 수치가 그보다 더 낮았지만, 인간의 경우 유전자 두 개를 모두 비활성화하는 것이 안전한지 그리고 더 효과적인지는 아직까지 밝혀진 바가 없다.

이 독특한 돌연변이들은, 조상들이 필요한 영양분을 얻는 데는 도움이 되었지만 현대인에게는 더 이상 필요 없는 널리 퍼진 유전자를 비활성화하는 미래의 치료법이 가진 잠재적 효과를 보여 주는 또 하나의 좋은 사례다. APOC3를 줄이는 약은 이미 개발 단계에 들어가 있다.

심장 마비와 뇌졸중 치료법의 눈부신 발전

콜레스테롤 수치를 낮추거나 혈액 응고를 억제하는 용도로 현재 나와 있거나 미래에 개발될 약들이 심장 마비와 뇌졸중을 완전히 없애리라 보장하기에는 아직 시기상조다. 그럼에도 지금 사용되는 약품들만으로 벌써 심장 마비와 뇌졸중의 위험을 상당히 낮추는 데 성공하고 있으며, 새로운 치료법이 개발되면 지금보다 더 많은 혜택을 가져오리라는 것은 의심의 여지가 없다. 그리고 약물 치료가 부적합한 경우, 관상 동맥 질환은 빌 클린턴의 경우처럼 스텐트 삽입과 우회 수술로 치료가 가능하다.

심장 마비와 뇌졸중을 치료하고 예방하는 데 얼마나 많은 발전이 있었는지는 최근의 미국 대통령들을 살펴보면 알 수 있다. 1945년 프랭클린 루스벨트는 고혈압에 대한 치료를 받지 않았고 결국 그로 인한 뇌졸중을 겪고 63세에 세상을 떴다. 1955년 드와이트 아이젠하워는 65세 나이에 심장 마비를 겪고 당시 표준 입원 기간이던 7주 동안 입원 치료를 해야만 했다. 같은 해, 당시 46세에 불과했던 린든 존슨 상원의원은 거의 목숨을 잃을 뻔한 심장 마비를 경험했다.

테이프를 빨리 감아 2013년으로 시점을 옮겨 보자. 2013년 조지 W. 부시는 운동 부하 심장 기능 검사에서 양성 반응이 나왔다는 이유로 심장 관상 동맥에 스텐트를 한 개 삽입했다. 우리가 이제는 이런 일을 얼마나 당연한 것으로 받아들이게 되었는지를 잘 보여 주는 사례가 있다. 2012년 대통령 선거에서 65세의 공화당 대통령 후보 밋 롬니가 날마다 저용량 아스피린과 저용량 스타틴을 복용하고 있다고 고백했지만[72] 눈 하나 깜짝한 사람이 없었다.

최첨단 기술들

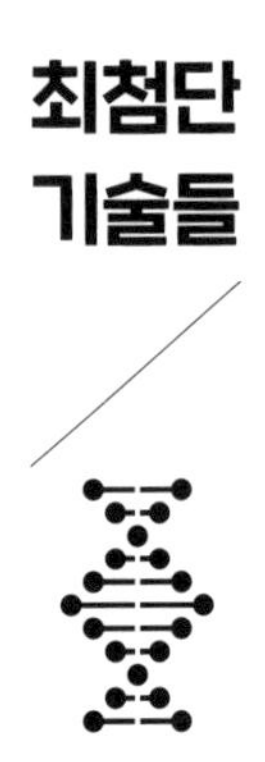

유전자 치료법, DNA와 RNA 수정·수선, 후성유전학적 유전자 조작

자연 선택 과정보다 더 빨리 우리 유전자를 변화시킬 수 있는 잠재력을 가진 방법 중 하나가 유전자 치료법이다. 유전자 치료법에서는 중요한데 없어서 문제를 일으키는 특정 단백질의 암호를 가진 DNA를 '벡터vector(매개체)'라고 부르는 것에 부착시킨다. 벡터는 그 유전자를 우리 몸속 DNA로 운반하고, 그렇게 목표 지점에 도달한 DNA는 운이 좋으면 우리 게놈에 융합해 부재하거나 기능을 제대로 못 하는 단백질을 생산하기 시작할 것이다. 유전자 치료법은 유전자 한 개의 부재 또는 오작동으로 초래된 다양한 선천적 질병을 치료하는 데 실험적으로 사용되어 왔다.

그러나 가끔 개인적으로 성공적인 치료가 이루어지는 경우도 있지만 현재 승인받은 유전자 치료법—그것도 유럽에서만—은 단 한 가지밖에 없다. 바로 지방의 대사에 필요한 지질 단백질 지질 분해 효소 유전자에 생기는 희귀한 돌연변이를 치료하는 방법이다. 가장 흔히 사용되는 벡터는 바로 질병의 매개체인 바이러스다. 바이러스는 감염 과정에서 자신의 DNA를 우리의 DNA에 이전시킨다. 그러나 우리 몸의 자연 방어 체계가 이런 감염에 저항하고 그것을 제거하려는 노력을 하기 때문에 장기적 유전자 이식이 어렵다. 그럼에도 간헐적으로 성공을 거두는 경우가 있어서 이 장애를 극복하는 날이 오기를 초조한 마음으로 기다리게 된다.

돌연변이를 치료할 가능성을 가진 두 번째 방법은 우리의 DNA를 직접 수정하거나 수선하는 것이다. 심지어 불리한 돌연변이를 가진 DNA가 만들어 낸 RNA도 수정·수선을 할 수 있다.[73] 예를 들어 쥐에게서 근육 무력증과 조기 사망을 부르는 유전병인 근디스트로피를 초래하는 유전자를 최초의 분화 전능성 배아 세포에서 편집, 수정하는 시도는 이미 성공했다. 이론상 이 기술은 PCSK9처럼 더 이상 필요하지 않거나 원하지 않는 유전자를 편집하는 데 사용할 수도 있다. 그러나 인간의 유전자를 이렇게 편집하는 것은 정확성을 장담할 수 없고 뜻하지 않는 손상을 입힐 위험도 있다는 염려가 여전히 존재한다. 바로 이런 우려 때문에 과학자들은 이 기술에 대한 면밀한 감독과 규제를 요구해 왔다.

세 번째 방법은 유전자를 후성유전학적으로 변화시켜 그 유전자

기능의 변화를 꾀하는 길이다.[74] 우리 몸속의 2만 1000개에 달하는 단백질 암호화 유전자는 25만 개가 넘는 조절기의 영향을 받는다. 그런데 이 조절기들 중 일부는 단백질 암호화 유전자와 동일한 염색체 내, 그것도 아주 가까운 거리에 자리하고 있다. 이 조절기들에 의해 형성된 RNA들을 선택적으로 확장하거나 비활성화하면 체질을 더 나은 쪽으로 변화시키는 것이 가능하다.

예를 들어 음식에 대한 아기의 입맛이 태아 때의 경험에서도 영향받는다는 것은 이미 알려진 사실이다. 한 실험[75]에 따르면, 임신 후반에 마늘 캡슐을 복용한 엄마에게서 태어난 아기들은 마늘 맛이 많이 나는 우유를 좋아하는 데 반해 다른 아기들은 그 맛을 무척 싫어했다. 비슷한 입맛 차이를 바닐라, 알코올, 박하 등으로도 유도할 수 있다. 이런 입맛이 평생 갈지, 금방 사라질지는 아직 모르지만 초기 경험을 바탕으로 한 유전자의 후성유전학적 변화 가능성을 암시하는 사례다. 질병을 초래하는 돌연변이 RNA를 약물을 사용해 그 활동을 제어할 수 있을지 여부에 대한 인간 대상 시험이 이미 진행 중이다.[76]

불리한 돌연변이 수정·수선에서 유익한 돌연변이 모방으로

지금까지의 유전자 치료법, DNA 또는 RNA 수정·수선, 그리고 후성유전학적 유전자 조작 치료법 등은 모두 매우 특수한 돌연변이로 인한 희귀 질병을 앓는 사람을 대상으로 아예 없거나 제 기능을 못해 문제가 되는 단일 유전자를 이식 또는 모방하는 방법[77]의 치료에 집중해 왔다. 이런 방법을 거의 모든 사람의 게놈, 에피게놈 epigenome(에피지놈, 후성유전체) 또는 복잡한 행동 패턴을 수정하는 데 적용해 만연한 비만, 당뇨병, 고혈압, 우울증, 불안, 심장 질환 등의 문제를 해결하는 것은 이보다 훨씬 더 어려운 도전이 될 것이다.

그러나 과학자들은 보기 드문 불리한 돌연변이를 고치려는 시도에 집중하던 데서 지평을 넓혀 널리 퍼지지 않은 유익한 돌연변이를 모방하는 접근법으로 옮겨가고 있다. 빠진 유전자를 이식하는 대신 더 이상 필요하지 않은 유전자를 비활성화할 수 있을지 모른다. LDL 콜레스테롤 수치 14를 기록한 댈러스 환자의 사례와 티머시 레이 브라운(1장에서 살펴봤던 에이즈 환자)의 사례 등이 과학자들이 추구하려는 새로운 목표다. 미래에는 거의 모든 사람들이 가지고 있는 유전자 쌍 중 하나(APOC3와 SLC30A8의 경우) 또는 둘 다(PCSK9, 그리고 역시 1장에서 살펴봤던 HIV가 우리 세포로 진입하는 것을 제어하는 CCR5의 경우)를 비활성화하는 데 초점을 맞출 수 있을지도 모른다. 다시 말해 우리에게 없는 새로운 유전자나 필요한 새 기능을 보태는 방법만큼이나, 모두가 가지고 있으나 더 이상 필요 없는 기능을 가진 유전자를 억제하는 방법도 건강을 향상시키는 데 큰 혜택을 가져올 수 있다는 의미다.

PCSK9을 억제하는 약들에 대해서는 조만간 미국식품의약국의 승인이 나올 예정이고, APOC3와 SLC30A8을 억제하는 약들은 이미 시험 단계에 들어가 있다. CCR5를 부분적으로 억제하는 마라비록은 이미 미국식품의약국의 승인을 받은 상태다. 이 약의 효과가 현재 HIV에 감염된 대부분의 환자들에게 처방하는 다른 항레트로바이러스제의 효과를 능가하지는 못한다. 하지만 환자의 T 세포를 채취해 실험실에서 정상적인 CCR5 유전자를 비활성화한 후 그 비활성화된 유전자를 가진 T 세포를 다시 환자에게 이식하면 혈중 HIV 농도가 많이 줄어들고, 심지어 완전히 제거될 가능성까지 있다는 초기 실험 결과가 나왔다. 이미 원숭이를 대상으로 실험 중인 또 한 가지 흥미진진한 가능성은 CCR5뿐 아니라 HIV의 다른 결합 부위까지 모두 억제하는 항체를 만들어 내도록 자극하는 방법이다. 이렇게 하면 감염되지 않은 사람이나 미감염 세포에 HIV가 확산되는 것을 완전히 방지할 수 있다.[78]

우리는 Cas9이라고 부르는 박테리아 단백질을 이용해 유전자를 활성화하거나 비활성화하고, 심지어 변화시키기까지 할 수 있을지 모른다. Cas9를 RNA에 연결시킨 다음 특정 DNA 염기 서열을 찾아내도록 해서 필요 없는 부분을 잘라내는 유전자 미세 수술을 할 수 있을지도 모른다는 이야기다.[79] 살아 있는 쥐와 실험관에 채취한 인간 세포를 대상으로 특정 유전자를 비활성화, 강화, 변화시키는 실험을 이미 거친 이 방법은 유전자 치료에서 새로운 접근법의 가능성을 제시하고 있다. 또 다른 접근법은 DNA가 RNA는 형성하게 두고, 다음 단계인 RNA가 단백질을 형성하는 과정을 변화시키는 방법이다.[80] 그런 기술이 완성되기 전까지는, 유전자를 비활성화하거나 DNA가 만들어 내는 RNA를 변화시키지는 못할지라도, 그것들이 만들어 내는 단백질의 활동을 억제하거나 신장시키는 약들은 사용할 수 있다.

미래의 전망

나만의 최적 치료법을 선택하고 태어나기 전부터 건강을 관리한다

현대 생물학과 의학의 발달에서 사람들을 가장 흥분시키는 것은 개개인에게 맞춘 건강 관리 시대가 도래했다는 점이다. 인간 게놈의 모든 배열 순서를 밝혀내고, 다양한 바이오마커biomarker(생체 표지자. 혈압, 맥박, 콜레스테롤, 호르몬, 단백질, DNA, RNA 등 질병의 존재와 정도를 측정할 수 있는 지표—옮긴이)를 측정하는 기술이 개발되고, 현대적 영상 기법을 자유자재로 사용하게 되면서 우리는 자신이 장래에 걸릴 수 있는 온갖 병의 발병 확률을 점점 더 자세히 알 수 있게 되었다.

이 정보를 이용하면 적절한 진단 검사와 최선의 치료법 선택, 그리고 병의 예후에 대한 정확한 예측이 가능해질 수 있다. 자신의 체질에는 평균적으로 무엇이 최선인지 찾아내기 위한 대규모 무작위 시험은 여전히 필요할 것이다. 그러나 이런 대규모 시험을 보완하기 위해, 나 자신과 특정 유전 형질을 공유하는 사람들에 대한 연구, 심지어 나라는 개인에게 무엇이 좋은지 나쁜지를 결정하는 데 초점을 맞춘 연구가 이루어질 전망이다.

이 모든 것이 어떻게 의학을 변화시킬지 상상해 보라. 현재 나와 있는 비만 치료제는 부족한 점이 매우 많아 모든 사람에게 효과적인 단 하나의 약을 찾는 것은 영원히 이룰 수 없는 꿈일지도 모른다. 또한 고혈압, 우울증, 불안 치료제들이 있기는 하지만 항상 보편적으로 훌륭한 치료 결과를 내는 한 가지 약은 아직 존재하지 않는다. 과도한 혈액 응고를 막는 효과적인 약은 존재하지만 위험 대 효과의 비율을 극대화하기 위해 각 개인에게 최고로 적절한 약의 종류와 용량을 예측할 수 있다면 좋을 것이다.

미래에는 약을 선택하고 용량을 처방할 때 다수를 대상으로 한 시험 결과의 평균을 참조하거나 여러 번의 시행착오를 거치지 않고, 해당 환자의 개인적 특성—예를 들어 유전자, 바이오마커, 그리고 영상 촬영 결과—을 토대로 판단하게 될 것이다. 그렇게 되면 잠재 위험은 최소화하고 혜택은 최대화할 수 있는 최적의 약을 최적의 용량으로 처방하고, 최적의 치료법을 선택할 수 있다. 여러 가지 암 치료에서 특정 환자에게 알맞은 최적의 약을 선택할 때 이미 사용되고 있는 이 방법이 미래에는 더 많은 질병에 활용되리라는 것은 의심할 여지가 없다.

새로 도래한 이 정밀 의학[81] 시대에는 우리가 건강 관리와 의학을 대하는 태도에도 극적인 변화가 일어나고 있다. 건강 보험이 처음으로 도입되었을 때는 이미 병에 걸린 사람들을 치료하는 데 드는 비용을 지불하는 것이 목적이었다. 이제는 건강 보험의 범위가 점점 확산되어 예방과 진단을 위한 다양한 검사를 포함하고 있다. 게놈 분석 능력 덕분에 건강 관리는 질병이 걸릴 위험이 높아지거나 증상을 나타내기 훨씬 전에, 그러니까 태어날 때부터, 아니 그 이전부터 시작될 것이다. 이미 질병을 앓은 사람의 재발이나 악화를 방지하는 '이차 예방', 또는 심지어 질병에 걸리거나 증상이 나타나기 전에 방지하는 '일차 예방'에 노력을 기울이는 대신, 이제 우리는 '원천 예방'에 초점을 맞추게 될 것이다. 원천 예방이란 질병에 걸리게 될 상당한 위험에 처하기 훨씬 전에 위험 요소 자체를 없애는 것을 말한다.

건강한 생활 습관과 정확한 현실 인식의 중요성

정밀 의학이 발달해 해로운 유전자를 억제하거나 필요한 유전자를 삽입하고, 유전자가 만들어 내는 단백질을 억제·조작하는 것이 가능해지면, 좋은 생활 태도를 갖는 것이 실질적으로 무의미해질까? 물론 아니다. 건강한 습관이 그렇지 않은 습관보다 바람직하다는 사실은 항상 변함이 없을 것이다.

첫째, 좋은 식생활은 소화 기관과 간에 유익하고, 비만은 당뇨병과 심장 질환 이외에도 관절염이나 간 질환 등 여러 가지 다른 부작용을 낳는다. 둘째, 운동은 근육량, 유연성, 지구력, 행복감을 증진하는 데 큰 기여를 하고 나이가 들면서는 기억력 증진에도 도움이 된다. 셋째, 약에 의존하는 것보다 자연스러운 방법으로 건강을 유지하는 것이 더 바람직하다는 사실은 변치 않는 진리다. 넷째, 완벽한 약을 처방받거나 유전학적 미세 수술로 우리 DNA를 최적화해 완전히 위험이 없는 건강한 생활을 할 수 있을 가능성은 매우 적다.

그러니 이 점 하나는 확실히 해 두자. 지금 나는 게으름과 폭식을 아무런 문제도 없다고 치부하고 장려하는 세상이 도래할 것이라고 예측하거나, 그런 세상이 되어야 한다고 주장하는 것이 절대 아니다. 그렇지만 우리가 앓게 되는 질환 중 많은 수가 개인의 폭식이나 게으름 또는 정신적 나약함이 아니라 타고난 유전 형질 때문이어서, 어느 정도는 조절이 가능하지만 완벽한 제어가 불가능하다는 점에 대한 이해가 점점 더 깊어지고 있다. 우리가 직면한 현실을 그런 시각에서 인식하고 나면, 아무리 좋은 의도를 가지고 있고 아무리 의지가 굳은 사람이라도 유전자의 한계를 완전히 극복할 수는 없다는 사실을 이해하게 된다. 사회적으로 우리는 다른 사람들에게 좀 더 관대한 잣대를 적용하고, 자신에 대해서도 좀 덜 비판적일 필요가 있다. 모든 사소한 단점까지 의학적으로 교정할 필요는 없지만, 우리가 가진 유전적·행동적 한계를 상쇄하거나 회복할 수 있는 의학적 치료법이 있는데 그것을 이용하지 못해 고통받는 사람이 있어서는 안 될 것이다.

아울러 나는 필요하지 않은 약을 처방받아 복용하는 그런 신세계를 옹호하는 것도 아니다. 그러나 미국인의 50퍼센트(65세 이상은 90퍼센트)가 한 달 사이에 처방 약을 복용한 적이 있다는 조사 결과를 상기해 보자. 목표는 우리 모두가 약에 취한 좀비처럼 사는 것이 아니라, 현재 나와 있거나 미래에 개발될 치료법을 신중하게 활용해 생물학적 한계를 극복하고 건강한 삶을 도모하는 것이다.

인류에게는 20만 년간 온갖 난관을 이겨낸 뛰어난 뇌가 있다

우리는 음식과 소금이 지나치게 풍부하고, 육체 활동은 점점 더 적게 필요하고, 불안과 우울증은 흔해지는 한편, 혈액 응고는 너무 많이 되는 경향이 있는 시대를 살아가고 있다. 현대인이 역사적으로 생존에 필요했던 유전 형질이 주는 부작용을 상쇄하고 극복하는 과정에서 의약품은 점점 더 중요한 역할을 하게 될 것이다. 우리는 좋은 식생활과 운동량 증가 같은 행동 패턴 향상뿐 아니라, 약품과 의학 시술을 이용해 시대의 변화 속도를 따라잡지 못하는 유전자의 변화를 상쇄하거나 유전자가 작동하는 법을 조절해 체질 자체를 바꾸는 방법을 통해 건강한 삶으로 가는 더 나은 길을 찾기 위해 노력할 필요가 있다.

인류가 가진 뛰어난 뇌를 십분 활용해 타고난 체질과 시대의 요구를 일치시켜야 하는 것이다. 결국 환경을 이토록 빠르게 변화시켜 이런 문제를 야기하게 된 것도 우리 뇌의 힘이 아닌가? 물론 쉬운 일은 아니다. 그러나 20만 년에 걸쳐 살아남은 인류가 성공적으로 헤쳐 온 모든 어려움을 생각해 보면, 충분히 승산이 있는 싸움이다.

감사의 말

이 책을 쓰면서 나는 엄격한 과학성을 잃지 않으면서도 일반인들이 쉽게 이해하고 즐겁게 읽을 수 있는 책을 만들기 위해 최선을 다했다. 과학성을 유지하는 면에서는 이 책에서 다룬 다양한 분야의 참고문헌을 확인, 또 확인하는 작업에 나서 준 수많은 전문가들과 유능한 매리블 림, 앤드루 배절러스의 도움을 많이 받았다. 그러나 혹시라도 불완전한 정보가 발견된다면 그것은 의도하지 않은 실수이며 모두 나의 책임이라는 사실을 밝혀 둔다. 사실 급속도로 변화해 오늘 알고 있는 지식이 내일 밝혀지는 지식으로 대체되곤 하는 진화생물학과 의학 분야의 본질을 감안하면 정보의 불완전성은 어느 정도 불가피한 일이기도 하다.

이해하기 쉽고 즐겁게 읽을 수 있는 책을 쓰려고 노력하는 과정에서 나는 버트 얼리크, 피터 번스타인, 에이미 번스타인에게 신세를 많이 졌다. 아이디어에 그쳤던 것을 앞뒤가 맞는 책으로 묶어내는 데 큰 도움을 준 그들에게 감사의 말을 전하고 싶다. 우리 자녀들과 그들의 배우자들—제프, 애비, 대니얼, 로빈, 토빈—은 모두 많은 도움이 된 아이디어를 생각해 냈을 뿐 아니라 내게 절실히 필요했던 용기를 북돋워 주었다. 내 담당 편집자 트레이시 베하르는 일반 대중을 위한 책을 쓰는 데서 내가 몰랐던 너무나 많은 것을 가르쳐 주었다.

진공 상태에서 일하는 저자는 아무도 없다. 내가 가진 아이디어들을 개선하고 다듬기 위해 찾아 본 자료들에서 나는 현대병에 대한 흥미롭고 유익한 논의를 많이 접했다. 가장 중요한 자료들은 참고문헌에 실었으며, 그중 일부는 본문에 인용하고 주를 달았다. 내가 많은 정보를 얻고 배울 수 있었던 950개가 넘는 인용이 이 책을 더 나은 책으로 만들어 주었기를 바란다.

무엇보다 나의 가장 좋은 친구인 아내 질에게 감사하고 싶다. 유전 상담사이자 신중한 독자인 그녀는 내가 이 책의 두 가지 목표를 이루는 데 없어서는 안 될 중요한 자문역이 되어 주었다. 아내와 나눈 이야기는 이 책에 영감을 불어 넣었고, 정확하고 건전한 비평을 담은 격려는 초점을 잃지 않도록 해 준 원동력이었다.

주

머리말

1. World health rankings. Health profile: United States. http://www.worldlifeexpectancy.com/country-health-profile/united-states. Accessed 7/29/14. • Hoyert DL, Xu J. *Natl Vital Stat Rep.* 2012;61:1. • Calle EE, et al. *N Engl J Med.* 2003;348:1625. • Deep vein thrombosis(DVT) / pulmonary embolism(PE)—blood clot forming in a vein. http://www.cdc.gov/ncbddd/dvt/data.html. Accessed 11/8/14. • Centers for Disease Control and Prevention(CDC). *Morb Mortal Wkly Rep.* 2005;54:628. • Jaslow R. Deaths from gastroenteritis double in U.S.: What's behind rising rates? http://www.cbsnews.com/news/deaths-from-gastroenteritis-double-in-us-whats-behind-rising-rates/. Accessed 11/8/14.
2. Naghavi M, et al. *Lancet.* 2015;385:117. • Life expectancy. Global Health Observatory. World Health Organization. http://www.who.int/gho/mortality_burden_disease/life_tables/situation_trends_text/en/. Accessed 8/14/14.

1장

1. Appelbaum FR. In: Goldman L, Schafer AI, eds. *Goldman-Cecil Medicine;* 2016(see bibliography).
2. Quinn TC. In: Goldman L, Schafer AI, eds. *Goldman-Cecil Medicine;* 2016(see bibliography).
3. Faria NR, et al. *Science.* 2014;346:56.
4. Stewart JR, Stringer CB. *Science.* 2012;335:1317.
5. Stewart JR, Stringer CB. *Science.* 2012;335:1317. • Stringer C. *Lone Survivors;* 2012(see bibliography). • Meyer M, et al. *Science.* 2012;338:222. • Lalueza-Fox C, Gilbert MT. *Curr Biol.* 2011;21:R1002. • Wilford JN. New fossils indicate early branching of human family tree. *New York Times.* http://nyti.ms/PFqdLj. Accessed 8/8/12. • Balter M. *Science.*

2014;345:129. • Gibbons A. *Science.* 2012;337:1028. • *Science.* 2011;334:1629. • Gibbons A. *Science.* 2012;337:635.

6. Stringer C. *Lone Survivors*; 2012(see bibliography). • Meyer M, et al. *Science.* 2012;338:222. • Gibbons A. *Science.* 2014;343:1417. • Sankararaman S, et al. *PLoS Genet.* 2012;8:e1002947. • Palca J. Hey good lookin': Early humans dug Neanderthals. *All Things Considered.* http://www.npr.org/templates/story/story.php?storyId=126553081. Accessed 11/8/14. • Green RE, et al. *Science.* 2010;328:710. • Lachance J, et al. *Cell.* 2012;150:457. • Gibbons A. *Science.* 2014;343:471. • Sankararaman S, et al. *Nature.* 2014;507:354. • Pennisi E. *Science.* 2013;340:799.
7. Stringer C. *Lone Survivors;* 2012(see bibliography). • Meyer M, et al. *Science.* 2012;338:222. • Lalueza-Fox C, Gilbert MT. *Curr Biol.* 2011;21:R1002. • Pennisi E. *Science.* 2013;340:799. • Huerta-Sanchez E, et al. *Nature.* 2014;512:194. • Briggs AW, et al. *Science.* 2009;325:318. • Frankham R. Annu *Rev Genet.* 1995;29:305. • Palstra FP, Ruzzante DE. *Mol Ecol.* 2008;17:3428. • Waples RS. *Mol Ecol.* 2002;11:1029. • Finlayson C. *The Humans Who Went Extinct;* 2009(see bibliography). • Mellars P, French JC. *Science.* 2011;333:623. • Higham T, et al. *Nature.* 2014;512:306.
8. Korf BR. In: Goldman L, Schafer AI, eds. *Goldman-Cecil Medicine;* 2016(see bibliography). • *Science.* 2012;338:1528. • Pennisi E. *Science.* 2012;337:1159.
9. Korf BR. In: Goldman L, Schafer AI, eds. *Goldman-Cecil Medicine;* 2016(see bibliography). • Abecasis GR, et al. *Nature.* 2010;467:1061. • Roach JC, et al. *Science.* 2010;328:636.
10. Relethford J. *Human Population Genetics;* 2012(see bibliography). • Singham M. Evolution-14: How a single mutation spreads everywhere. http://blog.case.edu/singham/ 2007/07/25/evolution14_how a single_mutation_spreads_everywhere. Accessed 9/14/13.
11. Elder CJ, Bishop NJ. *Lancet.* 2014;383:1665. • Schmid A, Walther B. *Adv Nutr.* 2013;4:453. • Garg M, et al. *Aliment Pharmacol Ther.* 2012;36:324. • Mason JB. In: Goldman L, Schafer AI, eds. *Goldman-Cecil Medicine;* 2016(see bibliography).
12. Holick MF. *Am J Clin Nutr.* 1995;61:638S. • Hess A, Unger L. *JAMA.* 1921;77:39.
13. Afzal S, et al. *BMJ.* 2014;349:g6330. • Ginde AA, et al. *Arch Intern Med.* 2009;169:626.
14. Holick MF. *Am J Clin Nutr.* 1995;61:638S. • Beleza S, et al. *Mol Biol Evol.* 2013;30:24. • Norton HL, et al. *Mol Biol Evol.* 2007;24:710. • Lamason RL, et al. *Science.* 2005;310:1782. •

Hider JL, et al. *BMC Evol Biol.* 2013;13:150.

15. Holick MF. *Am J Clin Nutr.* 1995;61:638S.

16. Thomson ML. *J Physiol.* 1951;112:31. • Thomson ML. *J Physiol.* 1951;112:22. • Costin GE, Hearing VJ. *FASEB J.* 2007;21:976.

17. Osborne DL, Hames R. *Am J Phys Anthropol.* 2014;153:1.

18. Jablonski NG, Chaplin G. *Proc Natl Acad Sci U S A.* 2010;107:8962. • Fukuwatari T, et al. *Biosci Biotechnol Biochem.* 2009;73:322. • Moan J, et al. *FASEB J.* 2012;26:971. • Jablonski NG, Chaplin G. *J Hum Evol.* 2000;39:57.

19. Relethford J. *Human Population Genetics;* 2012(see bibliography). • Jablonski NG, Chaplin G. *Proc Natl Acad Sci U S A.* 2010;107:8962. • Relethford JH. *Am J Phys Anthropol.* 1997;104:449.

20. Reich D, et al. *Nature.* 2009;461:489.

21. Andersen S, et al. *Br J Nutr.* 2013;110:50. • Allen J. Ultraviolet radiation: how it affects life on Earth. The Earth Observatory. NASA's Earth Observing System, Project *Science* Office. NASA, 2001. http://earthobservatory.nasa.gov/Features/UVB/printall.php. Accessed 11/24/14.

22. Relethford J. *Human Population Genetics;* 2012(see bibliography). • Lalueza-Fox C, et al. *Science.* 2007;318:1453.

23. Gerbault P, et al. *Philos Trans R Soc Lond B Biol Sci.* 2011;366:863.

24. Tishkoff SA, et al. *Nat Genet.* 2007;39:31.

25. Tishkoff SA, et al. *Nat Genet.* 2007;39:31. • Wiley AS. In: Trevathan W, et al, eds. *Evolutionary Medicine and Health*; 2008(see bibliography). • Cooper MO, Spillman WJ. Human food from an acre of staple farm products. Farmer's Bulletin 877. Washington, DC: United States Department of Agriculture; 1917. • Cochran G, Harpending H. *The 10,000 Year Explosion: How Civilization Accelerated Human Evolution.* New York: Basic Books; 2009. • Fix AG. *Migration and Colonization in Human Microevolution.* Cambridge, UK: Cambridge University Press; 1999. • Curry A. *Nature.* 2013;500:20.

26. Peeples L. Did lactose tolerance first evolve in central, rather than northern Europe? http://www.scientificamerican.com/article/lactose-toleraence. Accessed 4/2/13. • Itan Y, et al. *PLoS Comput Biol.* 2009;5:e1000491. • Check E. *Nature.* 2006;444:994. • Mattar R, et al. *Clin Exp Gastroenterol.* 2012;5:113. • Dunne J, et al. *Nature.* 2012;486:390. • Peng MS, et al. J *Hum Genet.* 2012;57:394. • Xu L, et al. *Scand J Gastroenterol.* 2010;45:168.

27. Gerbault P, et al. *Philos Trans R Soc Lond B Biol Sci.* 2011;366:863.

28. Vuorisalo T, et al. *Perspect Biol Med.* 2012;55:163. • Gallego Romero I, et al. *Mol Biol Evol.* 2012;29:249.

29. Blankson JN, Siliciano RF. In: Goldman L, Schafer AI, eds. *Goldman-Cecil Medicine;* 2016(see bibliography).

30. What is the HIV+ long-term non-progressor study? National Institute of Allergy and Infectious Diseases. http://www.niaid.nih.gov/volunteer/hivlongterm/pages/default.aspx. Accessed 4/4/13. • Cohen J. *Science.* 2013;339:1134.

31. Huang Y, et al. *Nat Med.* 1996;2:1240. • Elahi S, et al. *Nat Med.* 2011;17:989. • Tremblay C, et al. *Can J Infect Dis Med Microbiol.* 2013;24:202. • McGowan JP, Shah S. Understanding HIV tropism. Physicians' Research Network, 2010. http://www.prn.org/index.php/management/article/hiv_tropism_1002. Accessed 11/17/14. • Galvani AP, Novembre J. *Microbes and infection / Institut Pasteur.* 2005;7:302. • Martinson JJ, et al. *Nat Genet.* 1997;16:100. • Ionnidis JP, et al. *Ann Intern Med.* 2001;135:782.

32. Appelbaum FR. In: Goldman L, Schafer AI, eds. *Goldman-Cecil Medicine;* 2016(see bibliography). • Hutter G, et al. *N Engl J Med.* 2009;360:692. • Pollack A, McNeil DG Jr. In medical first, a baby with H.I.V. is deemed cured. *New York Times.* http://nyti.ms/186ERfp. Accessed 3/3/13. • Cohen J. *Science* 2013;339:1134. • Toddler "functionally cured" of HIV infection, NIH-supported investigators report. National Institute of Allergy and Infectious Diseases. http://www.niaid.nih.gov/news/newsreleases/2013/Pages/toddlerfunctionallycured.aspx. Accessed 8/12/14. • McNeil DG Jr. Marrow transplants fail to cure two H.I.V. patients. *New York Times.* http://nyti.ms/1gM4EsS. Accessed 8/12/14.

33. Tremblay C, et al. *Can J Infect Dis Med Microbiol.* 2013;24:202. • Wasmuth JC, et al. *Expert Opin Drug Saf.* 2012;11:161. • Clapham PR, McKnight A. *Br Med Bull.* 2001;58:43.

34. Faure E, Royer-Carenzi M. Infect Genet Evol. 2008;8:864.

35. Galvani AP, Slatkin M. *Proc Natl Acad Sci U S A.* 2003;100:15276. • Amsellem V, et al. *Circulation.* 2014;130:880.

36. Anthony SJ, et al. *MBio.* 2013;4. • Bausch DG. In: Goldman L, Schafer AI, eds. *Goldman-Cecil Medicine;* 2016(see bibliography).

37. Lim JK, et al. *J Infect Dis.* 2010;201:178.

38. Hirst KK. Animal domestication table of dates and places. http://archaeology.about.com/od/dterms/a/domestication.htm. Accessed 8/12/14. • Buchanan C. *Mixed Blessing: The Motor in Britain.* London: L. Hill; 1958.

39. Bloom DE. *Science.* 2011;333:562. • Wang H, et al. *Lancet.* 2014;384:957. • Naghavi M, et al. *Lancet.* 2015;385:117. • Riley JC. *Popul Dev Rev.* 2005;31:537. • The World Factbook. Country comparison: life expectancy at birth. Central Intelligence Agency. https://www.cia.gov/library/publications/the-world-factbook/rankorder/2102rank.html. Accessed 8/12/14. • Roberts L. *Science.* 2011;333:540.

2장

1. Hrdlicka A. Physiological and medical observations among the Indians of southwestern United States and northern Mexico. Washington, DC: Government Printing Office; 1908. • Joslin EP. *JAMA.* 1940;115:2033. • Parks JH, Waskow E. *Ariz Med.* 1961;18:99. • Bennett PH. *Nutr Rev.* 1999;57:S51. • Bennett PH, et al. *Lancet.* 1971;2:125.

2. Global Burden of Disease Study 2013 Collaborators. *Lancet.* 2015;386:743.

3. Johnstone AM, et al. *Am J Clin Nutr.* 2005;82:941. • Mifflin MD, et al. *Am J Clin Nutr.* 1990;51:241. • Frankenfield DC. *Clin Nutr.* 2013;32:976. • Clugston G, et al. *Eur J Clin Nutr.* 1996;50 Suppl 1:S193. • Leonard WR. In: Stearns SC, Koella JC, eds. *Evolution in Health and Disease;* 2008(see bibliography).

4. Leonard WR. In: Stearns SC, Koella JC, eds. *Evolution in Health and Disease;* 2008(see bibliography). • Balke B, Snow C. *Am J Phys Anthropol.* 1965;23:293. • Groom D. *Am Heart J.* 1971;81:304. • Hawkes K, et al. *Am Ethnol.* 1982;9:379. • Pontzer H, et al. *PLoS One.* 2012;7:e40503.

5. Ambrose SE. *Undaunted Courage: Meriwether Lewis, Thomas Jefferson, and the Opening of the American West.* New York: Simon and Schuster; 1996. • Lewis M, et al. *The Journals of the Lewis and Clark Expedition.* Lincoln: University of Nebraska Press; 1983.

6. Calories burned during exercise, activities, sports and work. NutriStrategy. http://www.nutristrategy.com/caloriesburned.htm. Accessed 3/11/13.

7. Eaton SB, Konner M. *N Engl J Med.* 1985;312:283. • Milton K. *Am J Clin Nutr.* 2000;71:665. •

Cordain L, et al. *Am J Clin Nutr.* 2000;71:682.

8. Dwyer PD, Minnegal M. *Hum Ecol.* 1991;19:187.
9. Draper HH. *Am Anthropol.* 1977;79:309.
10. Eaton SB, et al. *Am J Med.* 1988;84:739. • Cordain L, et al. *Eur J Clin Nutr.* 2002;56 Suppl 1:S42.
11. Ungar PS, Sponheimer M. *Science.* 2011;334:190.
12. Mason JB. In: Goldman L, Schafer AI, eds. *Goldman-Cecil Medicine;* 2016(see bibliography).
13. O'Dea K. *Philos Trans R Soc Lond B Biol Sci.* 1991;334:233.
14. McClellan WS, Du Bois EF. *J Biol Chem.* 1930;87:651.
15. Lieberman LS. In: Trevathan W, et al, eds. *Evolutionary Medicine and Health;* 2008(see bibliography).
16. Jensen MD. In: Goldman L, Schafer AI, eds. *Goldman-Cecil Medicine;* 2016(see bibliography).
17. Chaudhari N, Roper SD. *J Cell Biol.* 2010;190:285. • Stice E, et al. *Am J Clin Nutr.* 2013;98:1377.
18. Yarmolinsky DA, et al. *Cell.* 2009;139:234.
19. Oka Y, et al. *Nature.* 2013;494:472.
20. Feeney E, et al. *Proc Nutr Soc.* 2011;70:135.
21. Behrens M, et al. *Angew Chem Int ed Engl.* 2011;50:2220.
22. Chandrashekar J, et al. *Science.* 2009;326:443.
23. Kupferschmidt K. *Science.* 2013;340:808. • Rolls ET. *Int J Obes.* 2011;35:550.
24. Hofmann W, et al. *Psychol Bull.* 2010;136:390. • De Houwer J, et al. *Psychol Bull.* 2001;127:853. • King BM. *Am Psychol.* 2013;68:88.
25. Behrens M, et al. *Angew Chem Int ed Engl.* 2011;50:2220.
26. King BM. *Am Psychol.* 2013;68:88.
27. Kahn BE, Wansink B. *J Consum Res.* 2004;30:519.
28. O'Dea K. *Diabetes.* 1984;33:596. • Shintani TT, et al. *Hawaii Med J.* 2001;60:69.
29. Beresford D. *Ten Men Dead: The Story of the 1981 Irish Hunger Strike.* London: Grafton; 1987.
30. Stewart WK, Fleming LW. *Postgrad Med J.* 1973;49:203.
31. Diamond JM. *Guns, Germs, and Steel: The Fates of Human Societies.* New York: W. W. Norton & Company; 1997. • Zeder MA. *Proc Natl Acad Sci U S A.* 2008;105:11597. • Farb P,

Armelagos GJ. *Consuming Passions: The Anthropology of Eating.* Boston: Houghton Mifflin; 1980.

32. Farb P, Armelagos GJ. *Consuming Passions: The Anthropology of Eating.* Boston: Houghton Mifflin; 1980.
33. Hill KR, et al. *Science.* 2011;331:1286. • Hamilton MJ, et al. *Proc Biol Sci.* 2007;274:2195. • Dyble M, et al. *Science.* 2015;348:796.
34. Keneally T. *Three Famines: Starvation and Politics.* New York: PublicAffairs; 2011. • Miller I. *Med Hist.* 2012;56:444.
35. Olver L. Food timeline. http://www.foodtimeline.org/foodfaq7.html. Accessed 12/23/11.
36. Church TS, et al. *PLoS One.* 2011;6:e19657. • Ministry of Agriculture, Fisheries and Food, London(GB). National Food Survey Committee. *Household Food Consumption and Expenditure 1990: With a Study of Trends Over the Period 1940–1990.* London: Her Majesty's Stationery Office; 1991.
37. Lettre G. *Hum Genet.* 2011;129:465. • McQuillan R, et al. *PLoS Genet.* 2012;8:e1002655.
38. Hermanussen M. *Hormones(Athens).* 2003;2:175.
39. Lachance J, et al. *Cell.* 2012;150:457. • Migliano AB, et al. *Proc Natl Acad Sci U S A.* 2007;104:20216.
40. Formicola V, Giannecchini M. *J Hum Evol.* 1999;36:319.
41. Steckel RH. *Soc Sci Hist.* 2004;28:211.
42. Max A. Dutch reach new heights. *USA Today.* http://usatoday30.usatoday.com/news/offbeat/2006-09-16-dutch-tall_x.htm. Accessed 3/13/13.
43. Haslam D. *Obes Rev.* 2007;8 Suppl 1:31.
44. DeGregorio WA. *The Complete Book of U.S. Presidents.* 4th ed. New York: Barricade Books; 1993.
45. Langfield A. Bus drivers top obese workers list; doctors tip lighter. *USA Today.* http://usat.ly/12E6tSk. Accessed 5/21/13.
46. Ogden CL, et al. *NCHS Data Brief.* 2010;51:1. • Eknoyan G. *Adv Chronic Kidney Dis.* 2006;13:421. • Levine JA. *Diabetes.* 2011;60:2667.
47. Swinburn BA, et al. *Lancet.* 2011;378:804. • Hall KD, et al. *PLoS One.* 2009;4:e7940.
48. Malthus TR. *An Essay on the Principle of Population.* London: J. Johnson, in St. Paul's Church-yard; 1798. • Mayhew RJ. *Malthus: The Life and Legacies of an Untimely Prophet.* Cambridge, MA:

The Belknap Press/Harvard University Press; 2014.

49. About BMI for adults. Centers for Disease Control and Prevention, 2011. http://www.cdc.gov/healthyweight/assessing/bmi/adult_bmi/. Accessed 12/28/12.
50. Hill JO, et al. *Circulation.* 2012;126:126. • Hall KD, et al. *Lancet.* 2011;378:826. • Hall KD, et al. *Am J Clin Nutr.* 2012;95:989.
51. Bouchard C, et al. *N Engl J Med.* 1990;322:1477.
52. Sumithran P, et al. *N Engl J Med.* 2011;365:1597. • Hill JO, et al. *Circulation.* 2012;126:126.
53. Mayer J, et al. *Am J Clin Nutr.* 1956;4:169.
54. Hill JO, et al. *Circulation.* 2012;126:126. • Hill JO, Wyatt HR. *J Appl Physiol.* 2005;99:765.
55. Hall KD, et al. *Am J Clin Nutr.* 2012;95:989.
56. Adult obesity. Obesity rises among adults. Centers for Disease Control and Prevention, 2010. http://www.cdc.gov/vitalsigns/adultobesity/index.html. Accessed 2/2/15. • The cost of *diabetes.* American Diabetes Association, 2013. http://www.*diabetes.*org/advocacy/news-events/cost-of-*diabetes.*html. Accessed 2/2/15. • American Diabetes Association. *Diabetes Care.* 2013;36:1033.
57. Ahima RS, Lazar MA. *Science.* 2013;341:856. • Berrington de Gonzalez A, et al. *N Engl J Med.* 2010;363:2211. • Flegal KM, et al. *JAMA.* 2013;309:71. • Lavie CJ, et al. *J Am Coll Cardiol.* 2014;63:1345.
58. Masters RK, et al. *Am J Public Health.* 2013;103:1895.
59. Centers for Disease Control and Prevention. National diabetes fact sheet, 2011. http://www.cdc.gov/diabetes/pubs/pdf/ndfs_2011.pdf. Accessed 2/2/15. • Crandall J, Shamoon H. In: Goldman L, Schafer AI, eds. *Goldman-Cecil Medicine;* 2016(see bibliography). • Wild S, et al. *Diabetes Care.* 2004;27:1047. • Diabetes prevalence—country rankings 2010. http://www.allcountries.org/ranks/diabetes_prevalence_country_ranks.html. Accessed 5/3/13. • Honeycutt AA, et al. *Health Care Manag Sci.* 2003;6:155.
60. Narayan KM, et al. *JAMA.* 2003;290:1884. • Eeg-Olofsson K, et al. *Diabetologia.* 2009;52:65.
61. Hanson RL, et al. *Diabetes.* 2013;62:2984. • Williams RC, et al. *Diabetologia.* 2011;54:1684. • Ali O. *World J Diabetes.* 2013;4:114. • Parks BW, et al. *Cell Metab.* 2015;21:334. • Keramati AR, et al. *N Engl J Med.* 2014;370:1909.
62. DeMouy J. The Pima Indians: Pathfinders for health. National Institute of Diabetes and

Digestive and Kidney Diseases. http://*diabetes*.niddk.nih.gov/dm/pubs/pima/pathfind/pathfind.htm. Accessed 10/15/12.

63. Hesse FG. *J Am Med Assoc.* 1959;170:1789. • Reid JM, et al. *Am J Clin Nutr.* 1971;24:1281. • Valencia ME, et al. *Nutr Rev.* 1999;57:S55.
64. Hales CN, Barker DJ. *Br Med Bull.* 2001;60:5.
65. Neel JV. *Am J Hum Genet.* 1962;14:353.
66. Frayling TM, et al. *Science.* 2007;316:889. • Samaan Z, et al. *Mol Psychiatry.* 2013;18:1281.
67. Traurig M, et al. *Diabetes.* 2009;58:1682. • Ramachandrappa S, et al. *J Clin Invest.* 2013;123:3042. • Rong R, et al. *Diabetes.* 2009;58:478.
68. Asai M, et al. *Science.* 2013;341:275.
69. Estrada K, et al. *JAMA.* 2014;311:2305.
70. Williams AL, et al. *Nature.* 2014;506:97. • Mostafa N, et al. *J Comp Physiol B.* 1993;163:463. • Berg JM, et al. Triacylglycerols are highly concentrated energy stores. In: *Biochemistry.* 5th ed. New York: W. H. Freeman; 2002.
71. Allen JS, Cheer SM. *Curr Anthropol.* 1996;37:831.
72. Ost A, et al. *Cell.* 2014;159:1352. • Ozanne SE. *N Engl J Med.* 2015;372:973. • Jacobson P, et al. *Am J Epidemiol.* 2007;165:101. • Oken E, et al. *Am J Obstet Gynecol.* 2007;196:322 e1.
73. Asai M, et al. *Science.* 2013;341:275. • Leon-Mimila P, et al. *PLoS One.* 2013;8:e70640. • Gonzalez JR, et al. *Pediatr Obes.* 2014;9:272. • Russo P, et al. Nutr Metab Cardiovasc Dis. 2010;20:691. • Ramachandrappa S, Farooqi IS. *J Clin Invest.* 2011;121:2080.
74. Cordain L, et al. *Am J Clin Nutr.* 2005;81:341.
75. Rosenquist JN, et al. *Proc Natl Acad Sci U S A.* 2015;112:354.
76. National Research Council(US). Coordinating Committee on Evaluation of Food Consumption Surveys. Subcommittee on Criteria for Dietary Evaluation. *Nutrient Adequacy: Assessment Using Food Consumption Surveys.* Washington, DC: National Academy Press; 1986. • Centers for Disease Control and Prevention(CDC). *Morb Mortal Wkly Rep.* 2004;53:80. • Centers for Disease Control and Prevention. Intake of calories and selected nutrients for the United States population, 1999–2000. http://www.cdc.gov/nchs/data/nhanes/databriefs/calories.pdf. Accessed 5/21/13. • Swinburn B, et al. *Am J Clin Nutr.* 2009;90:1453. • Duffey KJ, Popkin BM. *PLoS Med.* 2011;8:e1001050.
77. Finucane MM, et al. *Lancet.* 2011;377:557.

78. Adult obesity—a global look at rising obesity rates. http://www.hsph.harvard.edu/obesity-prevention-source/obesity-trends/obesity-rates-worldwide/. Accessed 5/3/13. • Ng M, et al. *Lancet.* 2014;384:766. • Cresswell JA, et al. *Lancet.* 2012;380:1325. • Stevens GA, et al. *Popul Health Metr.* 2012;10:22.

79. Willcox BJ, et al. *The Okinawa Program: How the World's Longest-Lived People Achieve Everlasting Health—and How You Can Too.* New York: Three Rivers Press; 2002. • Onishi N. Japan, seeking trim waists, decides to measure millions. *New York Times.* http://nyti.ms/q4yBvt. Accessed 3/13/13.

80. Lim SS, et al. *Lancet.* 2012;380:2224.

3장

1. Bruenn HG. *Ann Intern Med.* 1970;72:579.

2. Manz F, et al. *Br J Nutr.* 2012;107:1673. • National Research Council. *Dietary Reference Intakes for Water, Potassium, Sodium, Chloride, and Sulfate.* Washington, DC: National Academies Press; 2005.

3. Lewis JL III. About body water. Merck Manual Consumer Version. 2010–2011. http://www.merckmanuals.com/home/hormonal_and_metabolic_disorders/water_balance/about_body_water.html. Accessed 2/23/15.

4. McDougall C. *Born to Run*; 2009(see bibliography). • Lieberman DE. *Exerc Sport Sci Rev.* 2012;40:63. • Liebenberg L. *The Art of Tracking: The Origin of Science.* Cape Town: D. Philip; 1990. • Carrier DR. *Curr Anthropol.* 1984;25:483.

5. Taylor CR, Rowntree VJ. Am *J Physiol.* 1973;224:848.

6. Normal rectal temperature ranges. The Merck Veterinary Manual, 2012. http://www.merckmanuals.com/vet/appendixes/reference_guides/normal_rectal_temperature_ranges.html. Accessed 2/23/15.

7. Kurdak SS, et al. *Scand J Med Sci Sports.* 2010;20 Suppl 3:133.

8. Properly sized room air conditioners. Energy Star. https://www.energystar.gov/index.cfm?c=roomac.pr_properly_sized. Accessed 6/12/15.

9. Steudel-Numbers KL, Tilkens MJ. *J Hum Evol.* 2004;47:95.

10. Oka U, et al. *Nature.* 2015;520:349.

11. Slotki I, Skorecki K. In: Goldman L, Schafer AI, eds. *Goldman-Cecil Medicine;* 2016(see bibliography).

12. Shephard RJ. *JAMA.* 1968;205:775.

13. McKinley MJ, Johnson AK. *News Physiol Sci.* 2004;19:1.

14. Warner GF, et al. *Circulation.* 1952;5:915.

15. Slotki I, Skorecki K. In: Goldman L, Schafer AI, eds. *Goldman-Cecil Medicine;* 2016(see bibliography) • Seifter JL. In: Goldman L, Schafer AI, eds. *Goldman-Cecil Medicine;* 2016(see bibliography). • Thakker, RV. In: Goldman L, Schafer AI, eds. *Goldman-Cecil Medicine;* 2016(see bibliography).

16. Mattes RD. *Am J Clin Nutr.* 1997;65:692S.

17. Wilkins L, Richter CP. *JAMA.* 1940;114:866.

18. Taylor NA, Machado-Moreira CA. *Extrem Physiol Med.* 2013;2:4. • Taylor NA. *Compr Physiol.* 2014;4:325. • Michell AR. *Nutr Res Rev.* 1989;2:149.

19. Powles J, et al. *BMJ Open.* 2013;3:e003733. • Mente A, et al. *N Engl J Med.* 2014;371:601. • Oliver WJ, et al. *Circulation.* 1975;52:146.

20. Al-Awqati Q, Barasch J. In: Goldman L, Schafer AI, eds. *Goldman-Cecil Medicine;* 2016(see bibliography).

21. Plutarch. Were the Athenians more famous in war or in wisdom? In: Babbitt FC, trans. *Moralia.* vol. 4. Loeb Classical Library 305. Cambridge, MA: Harvard University Press; 1936.

22. Yes you can! Team Hoyt. http://www.teamhoyt.com. Accessed 2/23/15. • Dick and Rick Hoyt run 32nd and last marathon. *Boston Globe.* http://www.bostonglobe.com/sports/2014/04/22/dick-and-rick-hoyt-run-marathon-their-last-duo/0802xdlCGKe5Z84VmCgMpI/story.html. Accessed 6/5/15.

23. History made as man beats horse. BBC News. 2004. http://news.bbc.co.uk/2/hi/uk_news/wales/mid_/3801177.stm. Accessed 2/23/15.

24. Tucker R, et al. *J Physiol.* 2006;574:905. • Maughan RJ, et al. *Eur J Appl Physiol.* 2012;112:2313.

25. Lopez RM, et al. *J Strength Cond Res.* 2011;25:2944. • Burdon CA, et al. *Int J Sport Nutr Exerc Metab.* 2010;20:166. • Nybo L. *Exp Physiol.* 2012;97:333. • Mundel T, Jones DA. *Eur J Appl Physiol.* 2010;109:59.

26. Noakes TD. *Ann Nutr Metab.* 2010;57 Suppl 2:9.

27. Crowther G. Gatorade vs. Powerade: Battle of the beverage. *Northwest Runner.* 2002.

28. Kenefick RW, et al. *Sports Med.* 2007;37:312. • Gonzalez-Alonso J, et al. *J Appl Physiol.* 1999;86:1032.

29. Shirreffs SM, Sawka MN. *J Sports Sci.* 2011;29 Suppl 1:S39.

30. O'Neal E, et al. *Int J Sport Nutr Exerc Metab.* 2012;22:353.

31. Sawka MN, O'Connor FG. In: Goldman L, Schafer AI, eds. *Goldman-Cecil Medicine;* 2016(see bibliography).

32. Yankelson L, et al. *J Am Coll Cardiol.* 2014;64:463.

33. Colt GH. Sibling rivalry: one long food fight. *New York Times.* http://nyti.ms/1BdPfup. Accessed 6/10/15.

34. Water in the Desert. American Museum of Natural History. http://www.amnh.org/exhibitions/past-exhibitions/petra/city-of-stone/water-in-the-desert. Accessed 6/10/15.

35. Kurlansky M. *Salt: A World History.* New York: Penguin Books; 2003.

36. Hoad TF, ed. *The Concise Oxford Dictionary of English Etymology.* Oxford: Oxford University Press; 2003.

37. MacGregor G, De Wardener HE. *Salt, Diet and Health: Neptune's Poisoned Chalice—The Origins of High Blood Pressure.* Cambridge and New York: Cambridge University Press; 1998. • Beard R. The salt wars. *New York Times.* http://nyti.ms/1athYkA. Accessed 8/7/14.

38. Eaton SB, Konner M. *N Engl J Med.* 1985;312:283. • Intersalt. *BMJ.* 1988;297:319. • Gurven M, et al. *Hypertension.* 2012;60:25.

39. Go AS, et al. *J Am Coll Cardiol.* 2014;63:1230. • James PA, et al. *JAMA.* 2014;311:507.

40. Kenney WL, et al. *Physiology of Sport and Exercise.* 5th ed. Champaign, IL: Human Kinetics; 2012.

41. Victor RG. In: Goldman L, Schafer AI, eds. *Goldman-Cecil Medicine;* 2016(see bibliography).

42. Moser M. *J Clin Hypertens(Greenwich).* 2006;8:15.

43. Hansson GK, Hamsten A. In: Goldman L, Schafer AI, eds. *Goldman-Cecil Medicine;* 2016(see bibliography).

44. Ehret GB, Caulfield MJ. *Eur Heart J.* 2013;34:951.

45. Dubose TD Jr., Santos RM. In: Goldman L, Schafer AI, eds. *Goldman-Cecil Medicine;* 2016(see bibliography).

46. High blood pressure facts. Centers for Disease Control and Prevention. http://www.cdc.gov/bloodpressure/facts.htm. Accessed 2/12/15.
47. Mente A, et al. *N Engl J Med.* 2014;371:601. • Cook NR, et al. *Circulation.* 2014;129:981. • Kotchen TA, et al. *N Engl J Med.* 2013;368:1229. • O'Donnell M, et al. *N Engl J Med.* 2014;371:612. • Mozaffarian D, et al. *N Engl J Med.* 2014;371:624.
48. O'Connor CM, Rogers J. In: Goldman L, Schafer AI, eds. *Goldman-Cecil Medicine;* 2016(see bibliography).
49. Messerli FH. *N Engl J Med.* 1995;332:1038.
50. Lerner BH. *Bull Hist Med.* 2007;81:386.
51. Go AS, et al. *Circulation.* 2013;127:e6.
52. Kung HC, Xu J. *NCHS Data Brief.* 2015;193:1.
53. Eckel RH, et al. *Circulation.* 2014;129:S76. • Powles J, et al. *BMJ Open.* 2013;3:e003733. • Mente A, et al. *N Engl J Med.* 2014;371:601. • World Health Organization. Guideline: Sodium intake for adults and children. http://www.who.int/nutrition/publications/guidelines/sodium_intake/en/. Accessed 8/28/14. • Winslow R. Low-salt diets may pose health risks, study finds. *Wall Street Journal.* http://on.wsj.com/14lau36. Accessed 8/14/14. • Strom BL, et al. *JAMA.* 2013;310:31.

4장

1. Barnes G. The last battle: Jason Pemberton, medically discharged from army for wounds and PTSD, killed himself and his wife. The Military Suicide Report. http://themilitarysuicidereport.wordpress.com/tag/staff-sgt-jason-pemberton/. Accessed 7/14/13. • Longa L. Murder-suicide brings to light PTSD struggles. Veterans for Common Sense. http://veteransforcommon sense.org/2012/02/07/murder-suicide-brings-to-light-ptsd-struggles/. Accessed 9/25/13. • Wilkins B. Jason Pemberton, highly-decorated Iraq War veteran with PTSD, kills wife Tiffany, himself in Daytona Beach, Florida. Moral Low Ground. http://morallowground.com/2012/02/06/jason-pemberton-highly-decorated-iraq-war-veteran-with-ptsd-kills-wife-tiffany-himself-in-daytona-beach-florida/. Accessed 7/14/13. • Mims B. Mom: Military

needs to stop soldier suicides. WRAL. http://www.wral.com/lifestyles/family/story/11423095/. Accessed 7/15/13. • Gye H. Purple Heart war hero kills himself and his wife after suffering from post-traumatic stress disorder. *Daily Mail.* http://www.dailymail.co.uk/news/article-2097286/Jason-Pemberton-Purple-Heart-war-hero-kills-wife-suffering-PTSD.html. Accessed 7/14/13.

2. Hill KR, et al. *Science.* 2011;331:1286. • Hamilton MJ, et al. *Proc Biol Sci.* 2007;274:2195. • Dyble M, et al. *Science.* 2015;348:796.
3. Murphy WA Jr., et al. *Radiology.* 2003;226:614. • Friend T. 'Iceman' was murdered, *science* sleuths say. *USA Today.* http://usatoday30.usatoday.com/news/health/2003-08-11-iceman-murder_x.htm. Accessed 8/14/13.
4. Chatters JC. *Am Antiq.* 2000;65:291.
5. Keeley LH. *War Before Civilization: The Myth of the Peaceful Savage.* New York: Oxford University Press; 1996.
6. Pinker S. *The Better Angels of Our Nature: Why Violence Has Declined.* New York: Viking; 2011.
7. Hill K, Hurtado AM. *Ache Life History: The Ecology and Demography of a Foraging People.* New York: Aldine de Gruyter; 1996. • Chagnon NA. *Science.* 1988;239:985. • Hill K, et al. *J Hum Evol.* 2007;52:443.
8. Global Study on Homicide: Trends, Contexts, Data. Vienna: United Nations Office on Drugs and Crime; 2011.
9. Buss DM, Duntley JD. In: Bloom RW, Dess NK, eds. *Evolutionary Psychology and Violence*; 2003(see bibliography). • Daly M, Wilson M. *Homicide.* New Brunswick, NJ: Transaction Books; 1988.
10. Buss DM, Duntley JD. In: Bloom RW, Dess NK, eds. *Evolutionary Psychology and Violence*; 2003(see bibliography). • Buss DM. *The Murderer Next Door: Why the Mind Is Designed to Kill.* New York: Penguin Press; 2005.
11. Buss DM, Duntley JD. In: Bloom RW, Dess NK, eds. *Evolutionary Psychology and Violence*; 2003(see bibliography). • Buss DM, Shackelford TK. *Clin Psychol Rev.* 1997;17:605. • Daly M, Wilson M. *Ethol Sociobiol.* 1989;10:99.
12. Buss DM, Duntley JD. In: Bloom RW, Dess NK, eds. *Evolutionary Psychology and Violence*; 2003(see bibliography). • Duntley JD, Buss DM. The plausibility of adaptations for *homicide.* In: Carruthers P, et al, eds. *The Structure of the Innate Mind.* New York: Oxford

University Press; 2005:291. • Daly M, Wilson M. *Am Anthropol.* 1982;84:372. • Von Rueden C, et al. *Proc Biol Sci.* 2011;278:2223.

13. Zerjal T, et al. *Am J Hum Genet.* 2003;72:717.
14. Stockl H, et al. *Lancet.* 2013;382:859. • Goetz AT, et al. *Aggress Violent Behav.* 2008;13:481.
15. Daly M, Wilson M. *The Truth About Cinderella: A Darwinian View of Parental Love.* New Haven, Conn.: Yale University Press; 1999. • Daly M, Wilson M. *Ethol Sociobiol.* 1985;6:197. • Daly M, Wilson M. The "Cinderella effect": Elevated mistreatment of stepchildren in comparison to those living with genetic parents. http://www.cep.ucsb.edu/buller/cinderella effect facts.pdf. Accessed 7/9/13.
16. Daly M, Wilson M. *Crime Justice.* 1997;22:51.
17. Roney JR, et al. *Proc Biol Sci.* 2010;277:57. • Trumble BC, et al. *Proc Biol Sci.* 2012;279:2907. • Ronay R, von Hippel W. *Soc Psychol Personal Sci.* 2010;1:57.
18. Pinker S. *The Better Angels of Our Nature: Why Violence Has Declined.* New York: Viking; 2011.
19. Farrelly D, Nettle D. *Journal of Evolutionary Psychology.* 2007;5:141.
20. Daly M, Wilson M. *Am Anthropol.* 1982;84:372. • Daly M, Wilson M. *Crime Justice.* 1997;22:51. • Wilbanks W. *Murder in Miami: An Analysis of Homicide Patterns and Trends in Dade County(Miami) Florida, 1917–1983.* Lanham, MD: University Press of America; 1984. • Daly M, Wilson M. *Science.* 1988;242:519.
21. Buss DM, Duntley JD. In: Bloom RW, Dess NK, eds. *Evolutionary Psychology and Violence*; 2003(see bibliography).
22. Goleman D. *Emotional Intelligence.* New York: Bantam Books; 1995.
23. Kandel ER. *J Neurosci.* 2009;29:12748.
24. Ramirez S, et al. *Science.* 2013;341:387.
25. Corkin S. *Permanent Present Tense: The Unforgettable Life of the Amnesic Patient, H.M.* New York: Basic Books; 2013.
26. Mineka S, Ohman A. *Biol Psychiatry.* 2002;52:927. • Ohman A, Mineka S. *Psychol Rev.* 2001;108:483.
27. Bracha HS. *CNS Spectr.* 2004;9:679. • Nesse R. What Darwinian medicine offers *psychiatry.* In: Trevathan W, et al, eds. *Evolutionary Medicine.* New York: Oxford University Press; 1999.
28. Johnson R. How to survive wild animal attacks. *Outdoor Life.* http://www.outdoorlife.com/photos/gallery/hunting/2010/02/how-survive-wild-animal-attacks. Accessed

7/8/13.

29. Nesse RM. Ann *N Y Acad Sci.* 2001;935:75. • Nesse RM. *Philos Trans R Soc Lond B Biol Sci.* 2004;359:1333.

30. Kaouane N, et al. *Science.* 2012;335:1510.

31. Liu X, et al. *Cell.* 2012;150:1055. • Shan J, et al. *J Clin Invest.* 2010;120:4388.

32. Blackburn EH, Epel ES. *Nature.* 2012;490:169.

33. American Psychiatric Association. *Diagnostic and Statistical Manual of Mental Disorders.* 5th ed; 2013(see bibliography). • Kahn JP. *Angst: Origins of Anxiety and Depression.* New York: Oxford University Press; 2013. • Nesse RM. *Hum Nat.* 1990;1:261. • Keedwell P. *How Sadness Survived*; 2008(see bibliography). • O'Donnell E. A better path to high performance. *Harvard Magazine*, 2014:11. http://harvardmagazine.com/2014/05/a-better-path-to-high-performance. Accessed 6/10/15.

34. Keedwell P. *How Sadness Survived*; 2008(see bibliography).

35. Kaplan HS, et al. *Philos Trans R Soc Lond B Biol Sci.* 2009;364:3289.

36. Challis C, et al. *J Neurosci.* 2013;33:13978.

37. American Psychiatric Association. *Diagnostic and Statistical Manual of Mental Disorders.* 5th ed; 2013(see bibliography). • Post-traumatic stress disorder(PTSD). National Institute of Mental Health, National Institutes of Health, US Department of Health and Human Services. http://www.nimh.nih.gov/health/topics/post-traumatic-stress-disorder-ptsd/index.shtml. Accessed 7/11/14. • Dincheva I, et al. *Nat Commun.* 2015;6:6395. • Friedman RA. The feel-good gene. *New York Times.* http://nyti.ms/1CJ4VuJ. Accessed 3/9/15. • Kuhn S, Gallinat J. *Biol Psychiatry.* 2013;73:70.

38. Shohat-Ophir G, et al. *Science.* 2012;335:1351.

39. Nestler EJ. *Nature.* 2012;490:171.

40. Miller G. *Science.* 2010;329:24. • Amaral PP, et al. *Brief Funct Genomics.* 2013;12:254. • Kubota T, et al. *Clin Epigenetics.* 2012;4:1.

41. Marks IM, Nesse RM. *Ethol Sociobiol.* 1994;15:247.

42. Dugatkin LA. *Behav Ecol.* 1992;3:124.

43. Ding Y-C, et al. *Proc Natl Acad Sci U S A.* 2002;99:309. • Munafo MR, et al. *Biol Psychiatry.* 2008;63:197. • Thomson CJ, et al. *Scand J Med Sci Sports.* 2013;23:e108. • Grady DL, et al. *J Neurosci.* 2013;33:286. • Wu J, et al. *Mol Neurobiol.* 2012;45:605. • Berry D, et al. *Dev*

Psychopathol. 2013;25:291. • Berry D, et al. Dev Psychobiol. 2014;56:373. • Beaver KM, et al. *Dev Psychol.* 2012;48:932. • Garcia JR, et al. *PLoS One.* 2010;5:e14162. • Matthews LJ, Butler PM. *Am J Phys Anthropol.* 2011;145:382.

44. Wilson M, Daly M. *BMJ.* 1997;314:1271.
45. Pinker S. *The Better Angels of Our Nature: Why Violence Has Declined.* New York: Viking; 2011. • Zerjal T, et al. *Am J Hum Genet.* 2003;72:717. • Kaplan HS, et al. *Philos Trans R Soc Lond B Biol Sci.* 2009;364:3289.
46. Whittle AW. *Neolithic Europe: A Survey.* Cambridge [Cambridgeshire] and New York: Cambridge University Press; 1985. • Burgess C, et al, eds. *Enclosures and Defences in the Neolithic of Western Europe.* Oxford: British Archaeological Reports; 1988.
47. Elias N, et al. *The Civilizing Process: Sociogenetic and Psychogenetic Investigations.* Revised ed. Oxford and Malden, MA: Blackwell Publishers; 2000.
48. Gibbons A. *Science.* 2014;346:405.
49. Liddle JR, et al. Evolutionary perspectives on violence, homicide, and war. In: Shackelford TK, Weekes-Shackelford VA, eds. *The Oxford Handbook of Evolutionary Perspectives on Violence, Homicide, and War.* Oxford: Oxford University Press; 2012. • Wiessner P, Pupu N. *Science.* 2012;337:1651. • Dentan RK. *The Semai: A Nonviolent People of Malaya.* New York: Holt, Rinehart; 1968.
50. Pinker S. *The Better Angels of Our Nature: Why Violence Has Declined.* New York: Viking; 2011.
51. Waller AL. *Feud: Hatfields, McCoys, and Social Change in Appalachia, 1860–1900.* Chapel Hill: University of North Carolina Press; 1988.
52 Daly M, Wilson M. *Homicide.* New Brunswick, NJ: Transaction Books; 1988.
53. Gurr TR. *Crime Justice.* 1981;3:295.
54. United States crime rates 1960–2013. The Disaster Center. http://www.disastercenter.com/crime/uscrime.htm. Accessed 6/24/13. • Murphy SL, et al. Deaths: Final data for 2010. National Vital Statistics Reports. National Center for Health Statistics. http://www.cdc .gov/nchs/data/nvsr/nvsr61/nvsr61_04.pdf. Accessed 6/24/13.
55. Hazards to outdoor workers. Centers for Disease Control and Prevention. http://www.cdc.gov/niosh/topics/outdoor/. Accessed 7/29/14.
56. Fatality analysis reporting system(FARS) data table. National Highway Traffic Safety Administration. http://www-fars.nhtsa.dot .gov/Main/index.aspx. Accessed 7/29/14.

57. Cooper A, Smith EL. US Department of Justice, Bureau of Justice Statistics. Homicide trends in the United States, 1980–2008. http://www.bjs.gov/content/pub/pdf/htus8008.pdf. Accessed 6/10/15.

58. Beneke T. *Proving Manhood: Reflections on Men and Sexism.* Berkeley: University of California Press; 1997.

59. US Census Bureau. Statistical abstract of the United States: 2012. Section 5: Law enforcement, courts, and prisons. 131st ed. Washington, DC; 2012:199.

60. Statistics—any anxiety disorder among adults. National Institute of Mental Health. http://www.nimh.nih.gov/health/statistics/prevalence/any-anxiety-disorder-among-adults.shtml. Accessed 6/9/15. • Kessler RC, et al. *Arch Gen Psychiatry.* 2005;62:593.

61. Keedwell P. *How Sadness Survived*; 2008(see bibliography). • Major depression among adults. National Institute of Mental Health. http://www.nimh.nih.gov/health/statistics/prevalence/major-depression-among-adults.shtml. Accessed 6/9/15. • Kessler RC, et al. *JAMA.* 2003;289:3095. • Kessler RC, et al. *Arch Gen Psychiatry.* 2005;62:593. • Mukherjee S. Post-Prozac nation. *New York Times Magazine*, April 22, 2012. http://nyti.ms/1AXPCvX. Accessed 6/9/14.

62. Nesse RM. *Arch Gen Psychiatry.* 2000;57:14.

63. Barnes G. The last battle: Jason Pemberton, medically discharged from army for wounds and PTSD, killed himself and his wife. The Military Suicide Report. http://themilitarysuicidereport.wordpress.com/tag/staff-sgt-jason-pemberton/. Accessed 7/14/13.

64. American Psychiatric Association. *Diagnostic and Statistical Manual of Mental Disorders.* 5th ed; 2013(see bibliography). • Morris DJ. *The Evil Hours: A Biography of Post-Traumatic Stress Disorder.* Boston and New York: Eamon Dolan Books/Houghton Mifflin Harcourt; 2015.

65. Smith TC, et al. *Public Health Rep.* 2009;124:90. • Phillips CJ, et al. *BMC Psychiatry.* 2010;10:52. • Dao J. More military dogs show signs of combat stress. *New York Times.* http://nyti.ms/tyxW0F. Accessed 12/1/11.

66. Kohrt BA, et al. Br J *Psychiatry.* 2012;201:268. • Kohrt BA, et al. *JAMA.* 2008;300:691.

67. Goodman B. Timeline: Charlie company and the massacre at My Lai. PBS *American Experience.* http://www.pbs.org/wgbh/americanexperience/features/timeline/mylai-massacre/1/. Accessed 2/25/14. • Staff Sgt. Bales sentenced to life in prison for

murdering 16 Afghan civilians. PBS *Newshour.* http://www.pbs.org/newshour/bb/military-july-dec13-bales_08-23/. Accessed 2/22/14.

68. Carey B. Combat stress among veterans is found to persist since Vietnam. *New York Times.* http://nyti.ms/1pFacKJ. Accessed 8/13/14.
69. Vijayakumar L. *Arch Suicide Res.* 2004;8:73.
70. Maiese A, et al. *Am J Forensic Med Pathol.* 2014;35:8.
71. Suicide: Data Sources. Centers for Disease Control and Prevention. http://www.cdc.gov/violenceprevention/suicide/datasources.html. Accessed 11/3/14. • Suicide claims more lives than war, murder, and natural disasters combined. American Foundation for Suicide Prevention. http://theovernight.donordrive.com/?fuseaction=cms.page&id=1034. Accessed 11/3/14. • Risk and protective factors for suicide and suicidal behaviour: a literature review. http://www.scotland.gov.uk/Publications/2008/11/28141444/5. Accessed 11/3/14. • Suicide. Mental Health America. http://www.mentalhealthamerica.net/suicide. Accessed 11/3/14.
72. Durkheim E. *Suicide: A Study in Sociology.* Glencoe, IL: Free Press; 1951. • Shneidman ES. *The Suicidal Mind.* New York: Oxford University Press; 1996.
73. Hill K, et al. *J Hum Evol.* 2007;52:443.
74. Thomas C. *Br Med J.* 1980;281:284.
75. Shneidman ES. *The Suicidal Mind.* New York: Oxford University Press; 1996.
76. Piersen WD. *J Negro Hist.* 1977;62:147. • Lester D. Suicide Life Thr*eat Behav.* 1997;27:50.
77. Thomas K, Gunnell D. *Int J Epidemiol.* 2010;39:1464. • Reeves A, et al. *Lancet.* 2012;380:1813.
78. Pridemore WA, Chamlin MB. *Addiction.* 2006;101:1719. • Perlman F, Bobak M. *Am J Public Health.* 2009;99:1818. • Pridemore WA. *Soc Forces.* 2006;85:413.
79. Age-standardized suicide rates(per 100,000). World Health Organization. http://apps.who.int/gho/data/view.main.MHSUICIDEv. Accessed 6/10/15.
80. Facts and figures. American Foundation for Suicide Prevention. http://www.afsp.org/understanding-suicide/facts-and-figures. Accessed 5/14/12.
81. The DAWN(Drug Abuse Warning Network) Report. Emergency department visits for drug-related suicide attempts among middle-aged adults aged 45 to 64. Substance Abuse and Mental Health Services Administration. http://www.samhsa.gov/data/2K14/

DAWN154/sr154-suicide-attempts-2014.htm. Accessed 8/13/14.

82. Murphy SL, et al. Deaths: Final data for 2010. National Vital Statistics Reports. National Center for Health Statistics. http://www.cdc.gov/nchs/data/nvsr/nvsr61/nvsr61_04.pdf. Accessed 6/24/13.
83. Rates of unsolved murder by state. The Audacious Epigone. http://anepigone.blogspot.com/2013/01/rates-of-unsolved-murder-by-state.html. Accessed 11/3/14.
84. Burns R. Suicides are surging among US troops. Associated Press. http://news.yahoo.com/ap-impact-suicides-surging-among-us-troops-204148055.html. Accessed 6/11/12. • Williams T. Suicides outpacing war deaths for troops. *New York Times.* http://nyti.ms/JSTRv3. Accessed 6/11/12. • Dao J, Lehren AW. Baffling rise in suicides plagues the U.S. military. *New York Times.* http://nyti.ms/YXizY6. Accessed 5/16/13.
85. Hargarten J, et al. Suicide rate for veterans far exceeds that of civilian population. Nearly one in five suicides nationally is a veteran, 49,000 took own lives between 2005 and 2011. Center for Public Integrity. http://www.publicintegrity.org/print/13292. Accessed 11/3/14. • Dao J. As suicides rise in U.S., veterans are less of total. *New York Times.* http://nyti.ms/WabGOd. Accessed 11/3/14.
86. Dao J, Lehren AW. Baffling rise in suicides plagues the U.S. military. *New York Times.* http://nyti.ms/YXizY6. Accessed 5/16/13.
87. LeardMann CA, et al. *JAMA.* 2013;310:496.

5장

1 O'Donnell R. My heart attack. 2012. http://rosie.com/my-heart-attack/. Accessed 10/19/12. • LeWine H. Rosie O'Donnell's heart attack a lesson for women. Harvard Health Publications. http://www.health.harvard.edu/blog/rosie-odonnells-heart-attack-a-lesson-for-women-201208225191. Accessed 10/19/12.
2. Wright T. *Circulation: William Harvey's Revolutionary Idea.* London: Chatto & Windus; 2012.
3. Murphy SL, et al. Deaths: Final data for 2010. National Vital Statistics Reports. National Center for Health Statistics. http://www.cdc.gov/nchs/data/nvsr/nvsr61/nvsr61_04.pdf. Accessed 6/24/13.

4. Pernter P, et al. *J Archaeol Sci.* 2007;34:1784. • Gostner P, Vigl EE. *J Achaeol Sci.* 2002;29:323. • Maixner F, et al. *Cell Mol Life Sci.* 2013;70:3709.
5. Sloan NL, et al. *BJOG.* 2010;117:788. • Smith JR, Brennan BG. Postpartum hemorrhage. Medscape. http://emedicine.medscape.com/article/275038-overview. Accessed 7/29/13.
6. Smith JR, Brennan BG. Postpartum hemorrhage. Medscape. http://emedicine.medscape.com/article/275038-overview. Accessed 7/29/13. • Maternal mortality ratio(deaths of women per 100,000 live births). http://hdr.undp.org/en/content/maternal-mortality-ratio-deaths-100000-live-births. Accessed 6/10/15. • Leading and underlying causes of maternal mortality. UNICEF. http://www.unicef.org/wcaro/overview_2642.html. Accessed 7/29/13. • Khan KS, et al. *Lancet.* 2006;367:1066.
7. Bunn HF. In: Goldman L, Schafer AI, eds. *Goldman-Cecil Medicine;* 2016(see bibliography). • Neligan P. How much oxygen is delivered to the tissues per minute? Critical Care Medicine Tutorials. http://www.ccmtutorials.com/rs/oxygen/page04.htm. Accessed 7/29/13.
8. Marks AR. In: Goldman L, Schafer AI, eds. *Goldman-Cecil Medicine;* 2016(see bibliography).
9. Eckert WG. *Introduction to Forensic Sciences.* 2nd ed. Boca Raton, FL: CRC Press; 1997.
10. Bunn HF. In: Goldman L, Schafer AI, eds. *Goldman-Cecil Medicine;* 2016(see bibliography).
11. Bunn HF. In: Goldman L, Schafer AI, eds. *Goldman-Cecil Medicine;* 2016(see bibliography). • Understanding continuous mixed venous oxygen saturation(SvO_2) monitoring with the Edwards Swan-Ganz Oximetry TD System. Edwards Life*science*s, 2002. http://ht.edwards.com/resourcegallery/products/swanganz/pdfs/svo2edbook.pdf.
12. Schafer AI. In: Goldman L, Schafer AI, eds. *Goldman-Cecil Medicine;* 2016(see bibliography).
13. Kadikoylu G, et al. *J Natl Med Assoc.* 2006;98:398.
14. Dashty M, et al. *Sci Rep.* 2012;2:787.
15. Wang Y, Zhao S. Vascular biology of the placenta: Placental blood *circulation.* Morgan & Claypool Life *Science*s, 2010. Retrieved from http://www.ncbi.nlm.nih.gov/books/NBK53254/. Accessed 10/20/13.
16. Ganz V, et al. *Circulation.* 1964;30:86.
17. Haider BA, et al. *BMJ.* 2013;346:f3443.

18. Abalos E, et al. *BJOG.* 2014;121 Suppl 1:14. • Abalos E, et al. *Eur J Obstet Gynecol Reprod Biol.* 2013;170:1. • Osungbade KO, Ige OK. *J Pregnancy.* 2011;2011:481095. • Kassebaum NJ, et al. *Lancet.* 2014;384:980.
19. Reducing the risk of thrombosis and embolism during pregnancy and the puerperium. 3rd ed. Royal College of Obstetricians and Gynaecologists. https://www.rcog.org.uk/globalassets/documents/guidelines/gtg-37a.pdf. Accessed 6/10/15. • Prisco D, et al. *Haematologica Reports.* 2005;1:1. • Hellgren M. *Semin Thromb Hemost.* 2003;29:125. • Simpson EL, et al. *BJOG.* 2001;108:56. • Ros HS, et al. *Am J Obstet Gynecol.* 2002;186:198. • Ray JG, Chan WS. *Obstet Gynecol Surv.* 1999;54:265.
20. Smith JR, Brennan BG. Postpartum hemorrhage. Medscape. http://emedicine.medscape.com/article/275038-overview. Accessed 7/29/13. • Maternal mortality ratio(deaths of women per 100,000 live births). http://hdr.undp.org/en/content/maternal-mortality-ratio-deaths-100000-live-births. Accessed 6/10/15. • Leading and underlying causes of maternal mortality. UNICEF. http://www.unicef.org/wcaro/overview_2642.html. Accessed 7/29/13. • Khan KS, et al. *Lancet.* 2006;367:1066.
21. Oberg AS, et al. *BMJ.* 2014;349:g4984.
22. van Mens TE, et al. *Thromb Haemost.* 2013;110:23. • Appleby RD, Olds RJ. *Pathology.* 1997;29:341. • Kjellberg U, et al. *Am J Obstet Gynecol.* 2010;203:469 e1.
23. Milman N, Pedersen P. *Clin Genet.* 2003;64:36. • Symonette CJ, Adams PC. *Can J Gastroenterol.* 2011;25:324. • Neghina AM, Anghel A. *Ann Epidemiol.* 2011;21:1. • Datz C, et al. *Clin Chem.* 1998;44:2429. • Raddatz D, et al. *Z Gastroenterol.* 2003;41:1069. • Bacon BR. In: Goldman L, Schafer AI, eds. *Goldman-Cecil Medicine;* 2016(see bibliography). • Steinberg KK, et al. *JAMA.* 2001;285:2216. • Phatak PD, et al. *Ann Intern Med.* 1998;129:954. • Allen KJ, et al. *N Engl J Med.* 2008;358:221. • Barton JC, Acton RT. *Genet Med.* 2001;3:294.
24. Khan FA, et al. Int *J Infect Dis.* 2007;11:482.
25. Estimates for 2000–2012. Cause-specific mortality. World Bank regions, GHE_DthWBR_2000_2012.xls. World Health Organization. http://www.who.int/healthinfo/global_burden_disease/estimates/en/index1.html. Accessed 8/4/14.
26. Pemberton SG. *The Bleeding Disease: Hemophilia and the Unintended Consequences of Medical Progress.* Baltimore: Johns Hopkins University Press; 2011.
27. Pemberton SG. *The Bleeding Disease: Hemophilia and the Unintended Consequences of Medical Progress.*

Baltimore: Johns Hopkins University Press; 2011. • Otto JC. *Medical Repository.* 1803;6:1.

28. Schwarz T, et al. *Arch Intern Med.* 2003;163:2759. • Scurr JH, et al. *Lancet.* 2001;357:1485.

29. Ginsberg J. In: Goldman L, Schafer AI, eds. *Goldman-Cecil Medicine;* 2016(see bibliography).

30. Weitz JI. In: Goldman L, Schafer AI, eds. *Goldman-Cecil Medicine;* 2016(see bibliography).

31. Eaton SB. *Lipids.* 1992;27:814.

32. Hansson GK, Hamsten A. In: Goldman L, Schafer AI, eds. *Goldman-Cecil Medicine;* 2016(see bibliography). • Scientific Report of the 2015 Dietary Guidelines Advisory Committee. Retrieved from http://www.health.gov/dietaryguidelines/2015-scientific-report/. Accessed 6/16/15.

33. Semenkovich CF. In: Goldman L, Schafer AI, eds. *Goldman-Cecil Medicine;* 2016(see bibliography). • Freeman MW, Junge C. *The Harvard Medical School Guide to Lowering Your Cholesterol.* New York: McGraw-Hill; 2005.

34. Sirtori CR. *Pharmacol Res.* 1990;22:555. • Cameron J, et al. *FEBS J.* 2008;275:4121.

35. Libby P. *N Engl J Med.* 2013;368:2004.

36. Barsoum N, Kleeman C. *Am J Nephrol.* 2002;22:284. • Millam D. *J Intraven Nurs.* 1996;19:5.

37. Myhre BA. *Transfusion.* 1990;30:358. • History of blood *transfusion.* American Red Cross. http://www.redcrossblood.org/print/learn-about-blood/history-blood-*transfusion.* Accessed 7/29/13. • Learoyd P. A short history of blood *transfusion.* National Blood Service. http://www.sld.cu/galerias/pdf/sitios/anestesiologia/history_of_*transfusion.*pdf. Accessed 7/29/13.

38. Millam D. *J Intraven Nurs.* 1996;19:5.

39. History of blood *transfusion.* American Red Cross. http://www.redcrossblood.org/print/learn-about-blood/history-blood-*transfusion.* Accessed 7/29/13.

40. Galanaud JP, et al. J *Thromb Haemost.* 2013;11:402. • Mannucci PM, Poller L. *Br J Haematol.* 2001;114:258. • Anning S. *Med Hist.* 1957;1:28.

41. Smith TP. *AJR Am J Roentgenol.* 2000;174:1489. • Laennec R. *De l'auscultation mediate ou traite du diagnostic des maladies des poumons et du coeur.* Paris: Brosson et Chaude; 1819.

42. Proudfit WL. *Br Heart J.* 1983;50:209.

43. King LS, Meehan MC. *Am J Pathol.* 1973;73:514.

44. Lie JT. *Am J Cardiol.* 1978;42:849.

45. Morris JN. *Lancet.* 1951;1:1.

46. White PD. *Heart Disease.* New York: Macmillan; 1944.

47. Nieto FJ. Historical reflections on the inflammatory aspects of atherosclerosis. In: Wick G, Grundtman C, eds. *Inflammation and Atherosclerosis.* Vienna and New York: Springer; 2012:1. • Thompson RC, et al. *Lancet.* 2013;381:1211. • Keller A, et al. *Nat Commun.* 2012;3:698.

48. Anderson JL. In: Goldman L, Schafer AI, eds. *Goldman-Cecil Medicine;* 2016(see bibliography).

49. Enos WF, et al. *JAMA.* 1953;152:1090.

50. Moog FP, Karenberg A. *J Med Biogr.* 2004;12:43.

51. Storey CE. Apoplexy: Changing concepts in the eighteenth century. In: Whitaker HA, et al, eds. *Brain, Mind and Medicine: Essays in Eighteenth-Century Neuroscience.* New York: Springer; 2007. • Wepfer JJ. Historiae apoplecticorum. In: Major RH, ed. *Classic Descriptions of Disease: With Biographical Sketches of the Authors.* 3rd ed. Springfield, IL: Charles C. Thomas; 1978. • Lidell JA. *A Treatise on Apoplexy, Cerebral Hemorrhage, Cerebral Embolism, Cerebral Gout, Cerebral Rheumatism, and Epidemic Cerebro-spinal Meningitis.* New York: Wm. Wood & Company; 1873.

52. Estimates for 2000–2012. Cause-specific mortality. World Bank regions, GHE_DthWBR_2000_2012.xls. World Health Organization. http://www.who.int/healthinfo/global_burden_disease/estimates/en/index1.html. Accessed 8/4/14.

53. Norton R, Kobusingye O. *N Engl J Med.* 2013;368:1723.

54. Beahrs OH. *J Am Coll Surg.* 1994;178:86. • Carson JL, et al. *JAMA.* 2013;309:83.

55. Harris AR, et al. *Homicide stud.* 2002;6:128.

56. Maternal mortality ratio(deaths of women per 100,000 live births). http://hdr.undp.org/en/content/maternal-mortality-ratio-deaths-100000-live-births. Accessed 6/10/15. • Anderson JM, Etches D. *Am Fam Physician.* 2007;75:875. • WHO recommendations for the prevention and treatment of postpartum haemorrhage. World Health Organization. http://apps.who.int/iris/bitstream/10665/75411/1/9789241548502_eng.pdf. Accessed 7/29/13. • Smith JR, Brennan BG. Postpartum hemorrhage treatment & management. Medscape. http://emedicine.medscape.com/article/275038-treatment. Accessed 7/29/13. • Callaghan WM, et al. *Am J Obstet Gynecol.* 2010;202:353 e1.

57. Smith JR, Brennan BG. Postpartum hemorrhage. Medscape. http://emedicine.

medscape.com/article/275038-overview. Accessed 7/29/13. • Callaghan WM, et al. *Am J Obstet Gynecol.* 2010;202:353 e1. • Balki M, et al. *J Obstet Gynaecol Can.* 2008;30:1002. • Reyal F, et al. *Eur J Obstet Gynecol Reprod Biol.* 2004;112:61.

58. Kassebaum NJ, et al. *Lancet.* 2014;384:980. • Pregnancy mortality surveillance system. Centers for Disease Control and Prevention. http://www.cdc.gov/reproductivehealth/maternalinfanthealth/pmss.html. Accessed 8/30/13.
59. Deep vein thrombosis(DVT)/Pulmonary embolism(PE)—Blood clot forming in a vein. Data & statistics. Centers for Disease Control and Prevention. http://www.cdc.gov/ncbddd/dvt/data.html. Accessed 8/30/13.
60. Eaton SB. *Lipids.* 1992;27:814. • Anderson JL. In: Goldman L, Schafer AI, eds. *Goldman-Cecil Medicine;* 2016(see bibliography). • O'Keefe JH Jr., Cordain L. *Mayo Clin Proc.* 2004;79:101. • O'Keefe JH Jr., et al. *J Am Coll Cardiol.* 2004;43:2142.
61. Schulman S, Hirsh J. In: Goldman L, Schafer AI, eds. *Goldman-Cecil Medicine;* 2016(see bibliography).
62. Hata J, Kiyohara Y. *Circ J.* 2013;77:1923. • Yates PO. *Lancet.* 1964;1:65. • Hilmarsson A, et al. *Stroke.* 2013;44:1714. • Arboix A, et al. *Cerebrovasc Dis.* 2008;26:509. • Goldstein LB. In: Goldman L, Schafer AI, eds. *Goldman-Cecil Medicine;* 2016(see bibliography).
63. Goldstein LB. In: Goldman L, Schafer AI, eds. *Goldman-Cecil Medicine;* 2016(see bibliography). • Mazighi M, et al. *Circulation.* 2013;127:1980. • Saver JL, et al. *JAMA.* 2013;309:2480.
64. Goldstein LB. In: Goldman L, Schafer AI, eds. *Goldman-Cecil Medicine;* 2016(see bibliography).
65. Berkhemer OA, et al. *N Engl J Med.* 2015;372:11. • Campbell BC, et al. *N Engl J Med.* 2015;372:1009. • Goyal M, et al. *N Engl J Med.* 2015;372:1019.
66. Carollo K. Man dies from blood clot after marathon gaming. *ABC News.* http://abcnews.go.com/Health/extreme-gamer-dies-pulmonary-embolism/story?id=14212015. Accessed 8/5/11.
67. Watson HG, Baglin TP. *Br J Haematol.* 2011;152:31. • Philbrick JT, et al. *J Gen Intern Med.* 2007;22:107. • Jacobson BF, et al. *S Afr Med J.* 2003;93:522.
68. Murphy SL, et al. Deaths: Final data for 2010. National Vital Statistics Reports. National Center for Health Statistics. http://www.cdc.gov/nchs/data/nvsr/nvsr61/nvsr61_04.pdf.

Accessed 8/30/13. • Deep vein thrombosis(DVT)/Pulmonary embolism(PE)—Blood clot forming in a vein. Data & statistics. Centers for Disease Control and Prevention. http://www.cdc.gov/ncbddd/dvt/data.html. Accessed 8/30/13.

69. Berg CJ, et al. *Obstet Gynecol.* 2011;117:1230.

70. Kassebaum NJ, et al. *Lancet.* 2014;384:980.

6장

1. Olshansky SJ, et al. *Health Aff(Millwood).* 2012;31:1803. • Naghavi M, et al. *Lancet.* 2015;385:117.

2. Dobson AP, Lyles AM. *Conserv Biol.* 1989;3:362.

3. Allal N, et al. *Proc Biol Sci.* 2004;271:465. • Strassmann BI, Gillespie B. *Proc Biol Sci.* 2002;269:553.

4. Trinkaus E. *J Archaeol Sci.* 1995;22:121. • Gurven M, Kaplan H. *Popul Dev Rev.* 2007;33:321. • Finch CE. *Proc Natl Acad Sci U S A.* 2010;107 Suppl 1:1718.

5. Gurven M, Kaplan H. *Popul Dev Rev.* 2007;33:321.

6. Walker R, et al. *J Hum Evol.* 2002;42:639. • Gurven M, et al. *J Hum Evol.* 2006;51:454.

7. Knodel J. *Popul Stud(Camb).* 1968;22:297.

8. Gurven M, Kaplan H. *Popul Dev Rev.* 2007;33:321. • Finch CE. *Proc Natl Acad Sci U S A.* 2010;107 Suppl 1:1718. • Life expectancy by age, 1850–2011. Infoplease. http://www.infoplease.com/ipa/A0005140.html. Accessed 6/12/15.

9. Easterlin RA. *J Econ Perspect.* 2000;14:7. • Mulbrandon C. Last 2,000 years of growth in world income and population(revised). Data source: Angus Maddison, University of Groningen. Visualizing Economics. http://visualizingeconomics.com/blog/2007/11/21/last-2000-of-growth-in-world-income-and-population-revised. Accessed 4/19/12.

10. Naghavi M, et al. *Lancet.* 2015;385:117. • Wang H, et al. *Lancet.* 2014;384:957.

11. Naghavi M, et al. *Lancet.* 2015;385:117. • Fuchs VR. *JAMA.* 2013;309:33.

12. Easterlin RA. *J Econ Perspect.* 2000;14:7. • Fogel RW. *Hist Methods.* 1993;26:5.

13. Murray CJ, et al. *Lancet.* 2012;380:2197. • Lozano R, et al. *Lancet.* 2012;380:2095. • Murray CJ, et al. *Lancet.* 2012;380:2063. • Ezzati M, Riboli E. *N Engl J Med.* 2013;369:954. •

Murray CJ, Lopez AD. *N Engl J Med.* 2013;369:448.

14. Deaths: Final data for 2012. National Vital Statistics Reports. National Center for Health Statistics. http://www.cdc.gov/nchs/data/nvsr/nvsr63/nvsr63_09.pdf. Accessed 2/24/15. • The DAWN(Drug Abuse Warning Network) Report. Emergency department visits for drug-related suicide attempts among middle-aged adults aged 45 to 64. Substance Abuse and Mental Health Services Administration. http://www.samhsa.gov/data/2K14/DAWN154/sr154-suicide-attempts-2014.htm. Accessed 8/13/14.
15. Wang H, et al. *Popul Health Metr.* 2013;11:8.
16. Lipska K. The global diabetes epidemic. *New York Times.* http://nyti.ms/1k07qeE. Accessed 1/25/15.
17. Mathers CD, Loncar D. *PLoS Med.* 2006;3:e442. • Calle EE, et al. *N Engl J Med.* 2003;348:1625.
18. Ackermann M, Pletcher SD. In: Stearns SC, Koella JC, eds. *Evolution in Health and Disease;* 2008(see bibliography).
19. Keedwell P. *How Sadness Survived*; 2008(see bibliography).
20. Jacobsen BK, et al. *J Womens Health(Larchmt).* 2013;22:460. • Frisco ML, Weden M. *J Marriage Fam.* 2013;75:920. • Jacobsen BK, et al. *Eur J Epidemiol.* 2012;27:923. • Bellver J, et al. *Fertil Steril.* 2013;100:1050. • Boots C, Stephenson MD. *Semin Reprod Med.* 2011;29:507. • Aune D, et al. *JAMA.* 2014;311:1536. • Cnattingius S, et al. *JAMA.* 2013;309:2362. • Reynolds RM, et al. *BMJ.* 2013;347:f4539.
21. Frisco ML, et al. *Soc Sci Med.* 2012;74:1703.
22. Jacobson P, et al. *Am J Epidemiol.* 2007;165:101.
23. Andrews CA. *Nature Education Knowledge.* 2010;3:5.
24. Martinez-Marignac VL, et al. *Hum Genet.* 2007;120:807.
25. Keinan A, Clark AG. *Science.* 2012;336:740. • Hawks J, et al. *Proc Natl Acad Sci U S A.* 2007;104:20753.
26. *Science.* 2013;339:496.
27. Otto SP, Whitlock MC. *Genetics.* 1997;146:723.
28. Molecular clocks. University of California Museum of Paleontology. http://evolution.berkeley.edu/evosite/evo101/IIE1cMolecularclocks.shtml. Accessed 3/27/13. • Brain M. How carbon-14 dating works. HowStuffWorks. http://science.howstuffworks.com/

environmental/earth/geology/carbon-14.htm. Accessed 3/27/13.

29. Molecular clocks. University of California Museum of Paleontology. http://evolution.berkeley.edu/evosite/evo101/IIE1cMolecular clocks.shtml. Accessed 3/27/13. • Cann RL, et al. *Nature.* 1987;325:31. • Cyran KA, Kimmel M. *Theor Popul Biol.* 2010;78:165. • Poznik GD, et al. *Science.* 2013;341:562.
30. Poznik GD, et al. *Science.* 2013;341:562. • Cruciani F, et al. *Am J Hum Genet.* 2011;88:814. • Mendez FL, et al. *Am J Hum Genet.* 2013;92:454. • Gibbons A. *Science.* 2012;338:189. • Francalacci P, et al. *Science.* 2013;341:565.
31. Making SNPs make sense. Genetic *Science* Learning Center, University of Utah. http://learn.genetics .utah.edu/content/pharma/snips/. Accessed 9/9/13. • Wang J, et al. *Nature.* 2008;456:60. • Wheeler DA, et al. *Nature.* 2008;452:872. • Ng PC, et al. *PLoS Genet.* 2008;4:e1000160. • Takahata N. *Genetics.* 2007;176:1.
32. Steinberg MH. In: Goldman L, Schafer AI, eds. *Goldman-Cecil Medicine;* 2016(see bibliography).
33. Belay ED, et al. *Emerg Infect Dis.* 2004;10:977.
34. Lindenbaum S. *Philos Trans R Soc Lond B Biol Sci.* 2008;363:3715. • Whitfield JT, et al. *Philos Trans R Soc Lond B Biol Sci.* 2008;363:3721.
35. Bosque PJ. In: Goldman L, Schafer AI, eds. *Goldman-Cecil Medicine;* 2016(see bibliography).
36. Bishop MT, et al. *BMC Med Genet.* 2009;10:146. • Mead S, et al. *Science.* 2003;300:640. • Mead S, et al. *Philos Trans R Soc Lond B Biol Sci.* 2008;363:3741. • Diack AB, et al. *Prion.* 2014;8:286. • Saba R, Booth SA. *Public Health Genomics.* 2013;16:17. • Mackay GA, et al. *Int J Mol Epidemiol Genet.* 2011;2:217.
37. Mead S, et al. *N Engl J Med.* 2009;361:2056.
38. Concepcion GP, et al. *Med Hypotheses.* 2005;64:919.
39. Rosenberg M. Current world population and world population growth since the year one. http://geography.about.com/od/obtainpopulationdata/a/worldpopulation.htm. Accessed 4/19/12. • Aubuchon V. World population growth history. Vaughn's summaries. http://www.vaughns-1-pagers.com/history/world-population-growth.htm. Accessed 4/19/12.
40. World population: historical estimates of world population. http://www.census.gov/

population/international/data/worldpop/table_history.php. United States Census Bureau. Accessed 8/5/13. • Biraben JN, Langaney A. *An essay concerning mankind's evolution.* Population, selected papers 4. Paris: National Institute for Population Studies; 1980.

41. The story of . . . smallpox—and other deadly Eurasian germs. PBS. http://www.pbs.org/gunsgermssteel/variables/smallpox.html. Accessed 8/13/12.
42. Relethford J. *Human Population Genetics;* 2012(see bibliography).
43. Casals F, Bertranpetit J. *Science.* 2012;337:39.
44. Karpati M, et al. *Neurogenetics.* 2004;5:35.
45. Relethford J. *Human Population Genetics;* 2012(see bibliography).
46. Gao Z, et al. *Genetics.* 2015;199:1243.
47. Tran-Viet KN, et al. *Am J Hum Genet.* 2013;92:820. • Jones LA, et al. *Invest Ophthalmol Vis Sci.* 2007;48:3524.
48. Guggenheim JA, et al. *Invest Ophthalmol Vis Sci.* 2012;53:2856. • Wu PC, et al. *Ophthalmic Epidemiol.* 2010;17:338. • Dirani M, et al. *Br J Ophthalmol.* 2009;93:997. • Rose KA, et al. Arch Ophthalmol. 2008;126:527. • He M, et al. *JAMA.* 2015;314:1142.
49. Lamarck JB. *Zoological Philosophy: An Exposition with Regard to the Natural History of Animals.* New York: Hafner Publishing Company; 1963.
50. Soyfer V. *Lysenko and the Tragedy of Soviet Science.* New Brunswick, NJ: Rutgers University Press; 1994.
51. Epigenetics and inheritance. Genetic *Science* Learning Center, University of Utah. http://learn.genetics.utah.edu/content/epigenetics/inheritance/. Accessed 8/14/12. • Barres R, et al. *Cell Metab.* 2012;15:405. • Ronn T, et al. *PLoS Genet.* 2013;9:e1003572.
52. The epigenome learns from its experiences. Genetic *Science* Learning Center, University of Utah. http://learn.genetics.utah.edu/content/epigenetics/epi_learns/. Accessed 8/14/12. • Geoghegan JL, Spencer HG. *Theor Popul Biol.* 2013;88C:9. • White YA, et al. *Nat Med.* 2012;18:413. • Grossniklaus U, et al. Nat *Rev Genet.* 2013;14:228. • Lim JP, Brunet A. *Trends Genet.* 2013;29:176. • Duffie R, Bourc'his D. *Curr Top Dev Biol.* 2013;104:293. • Stringer JM, et al. *Reproduction.* 2013;146:R37. • Hackett JA, et al. *Science.* 2013;339:448. • Guibert S, et al. *Genome Res.* 2012;22:633. • Lane M, et al. *Science.* 2014;345:756.
53. Soubry A, et al. *BMC Med.* 2013;11:29. • Ost A, et al. *Cell.* 2014;159:1352. • Ozanne SE. *N Engl J Med.* 2015;372:973.

54. Pennisi E. *Science.* 2013;341:1055. • Jablonka E. *Clin Pharmacol Ther*. 2012;92:683.
55. Rando OJ. *Cell.* 2012;151:702. • Maron DF. Diet during pregnancy linked to diabetes in grandchildren. *Scientific American.* http://www.scientificamerican.com/article/diet-during-pregnancy-linked-to-diabetes-in-grandchildren/. Accessed 8/19/14.
56. Willfuhr KP, Myrskyla M. *Am J Hum Biol.* 2013;25:318.
57. Ravelli GP, et al. *N Engl J Med.* 1976;295:349. • Moller SE, et al. *PLoS One.* 2014;9:e109184.
58. Guerrero-Bosagna C, et al. *PLoS One.* 2013;8:e59922. • Skinner MK, et al. *PLoS One.* 2013;8:e66318. • *N Engl J Med.* 2013;368:2059.

7장

1. Haupt A. Celebrity weight loss: tales of the scales. *US News & World Report.* http://t.usnews.com/s208. Accessed 3/12/14. • Rousseau C. Oprah Winfrey 'embarrassed' at weight gain. *The Independent.* http://ind.pn/1LDpqKD. Accessed 3/13/14. • Rosen M. Oprah overcomes. 1994. *People.* http://www.people.com/people/article/0,,20107260,00.html. Accessed 3/13/14. • Winfrey O. "How Did I Let This Happen Again?" Oprah.com. http://www.oprah.com/spirit/Oprahs-Battle-with-Weight-Gain-O-January-2009-Cover. Accessed 3/13/14. • Silverman S. Oprah Winfrey admits to tipping the scales at 200 lbs. *People.* http://www.people.com/people/article/0,,20245089,00.html. Accessed 3/13/14. • Duggan D. Oprah's battle with weight loss. 2010. Body+Soul. http://www.bodyandsoul.com.au/weight+loss/lose+weight/oprahs+battle+with+weight+loss,9787. Accessed 3/13/14.
2. Williams R. Why New Year's resolutions fail. *Psychology Today.* http://www.psychologytoday.com/blog/wired-success/201012/why-new-years-resolutions-fail. Accessed 3/13/14.
3. Allan JL, et al. *Ann Behav Med.* 2013;46:114.
4. Gollwitzer PM, Sheeran P. *Adv Exp Soc Psychol.* 2006;38:69.
5. Allan JL, et al. *Psychol Health.* 2011;26:635.
6. Milkman KL, Volpp KG. How to keep your resolutions. *New York Times.* http://nyti.ms/1khpl56. Accessed 1/6/14.

7. Powers TA, et al. *Pers Soc Psychol Bull.* 2005;31:902.

8. Webb TL, et al. *Br J Soc Psychol.* 2009;48:507.

9. Van't Riet J, et al. *Appetite.* 2011;57:585.

10. Kahneman D, Tversky A. Intuitive prediction: biases and corrective procedures. In: Makridakis S, Wheelwright SC, eds. *Forecasting: TIMS Studies in the Management Sciences.* Amsterdam, New York, and Oxford: North-Holland Publishing Company; 1979;12:313.

11. Kroese FM, et al. *Eat Behav.* 2013;14:522. • Taylor C, et al. *Br J Soc Psychol.* 2014;53:501.

12. Taylor C, et al. *Br J Soc Psychol.* 2014;53:501.

13. Gollwitzer PM, Sheeran P. *Adv Exp Soc Psychol.* 2006;38:69.

14. Hall KD, et al. *Lancet.* 2011;378:826.

15. Wadden TA, et al. *Circulation.* 2012;125:1157. • Walker TB, Parker MJ. *J Am Coll Nutr.* 2014;33:347. • Hollis JH, Mattes RD. *Curr Diab Rep.* 2005;5:374.

16. Bray GA, et al. *JAMA.* 2012;307:47. • Hall KD, et al. *Cell Metab.* 2015;22:427. • Bazzano LA, et al. *Ann Intern Med.* 2014;161:309. • Sacks FM, et al. *N Engl J Med.* 2009;360:859. • Wycherley TP, et al. *Am J Clin Nutr.* 2012;96:1281. • Larsen TM, et al. *N Engl J Med.* 2010;363:2102. • Bueno NB, et al. *Br J Nutr.* 2013;110:1178. • Riera-Crichton D, Tefft N. *Econ Hum Biol.* 2014;14:33. • Johnston BC, et al. *JAMA.* 2014;312:923. • LeCheminant JD, et al. *Nutr J.* 2007;6:36. • LeCheminant JD, et al. *Lipids Health Dis.* 2010;9:54. • Jensen MD, Ryan DH. *JAMA.* 2014;311:23.

17. Hatori M, et al. *Cell Metab.* 2012;15:848.

18. Esposito K, et al. *Diabetes Care.* 2014;37:1824. • Carter P, et al. *J Hum Nutr Diet.* 2014;27:280. • Ajala O, et al. *Am J Clin Nutr.* 2013;97:505. • Estruch R, et al. *N Engl J Med.* 2013;368:1279. • Chiva-Blanch G, et al. *Curr Atheroscler Rep.* 2014;16:446. • Dalen JE, Devries S. *Am J Med.* 2014;127:364. • Crous-Bou M, et al. *BMJ.* 2014;349:g6674.

19. Hu T, et al. *Am J Epidemiol.* 2012;176 Suppl 7:S44. • Mirza NM, et al. *Int J Pediatr Obes.* 2011;6:e523. • Mirza NM, et al. *Am J Clin Nutr.* 2013;97:276. • Schwingshackl L, Hoffmann G. *Nutr J.* 2013;12:48. • de Souza RJ, et al. *Am J Clin Nutr.* 2012;95:614. • Pereira MA, et al. *JAMA.* 2004;292:2482. • Makris AP, et al. *Obesity(Silver Spring).* 2011;19:2365. • Mann J, et al. *Lancet.* 2014;384:1479. • Lindstrom J, et al. *Diabetologia.* 2013;56:284.

20. Sacks FM, et al. *JAMA.* 2014;312:2531. • O'Connor A. Questioning the idea of good carbs, bad carbs. *New York Times.* http://nyti.ms/1uPw9Gq. Accessed 12/19/14.

21. Wadden TA, et al. *N Engl J Med.* 2011;365:1969. • Lin JS, et al. *Ann Intern Med.* 2014;161:568. • Wadden TA, et al. *JAMA.* 2014;312:1779.
22. Wadden TA, et al. *Circulation.* 2012;125:1157. • Gudzune KA, et al. *Ann Intern Med.* 2015;162:501.
23. Levine DI. *Ann Intern Med.* 2013;159:565.
24. Rossner SM, et al. *Obes Facts.* 2011;4:3. • Weiss EC, et al. *Am J Prev Med.* 2007;33:34.
25. Brownell KD, et al. *Physiol Behav.* 1986;38:459.
26. Casazza K, et al. *N Engl J Med.* 2013;368:446.
27. Archer E, et al. *PLoS One.* 2013;8:e76632.
28. Wansink B, Kim J. *J Nutr Educ Behav.* 2005;37:242.
29. Wansink B. *J Mark.* 1996;60:1. • Wansink B, Cheney MM. *JAMA.* 2005;293:1727. • Wansink B, et al. *Am J Prev Med.* 2006;31:240. • Fisher JO, Kral TV. *Physiol Behav.* 2008;94:39.
30. Wansink B, et al. *Int J Obes(Lond).* 2006;30:871.
31. Wansink B, et al. *Obes Res.* 2005;13:93.
32. Wansink B. *Annu Rev Nutr.* 2004;24:455.
33. Moss M. The extraordinary *science* of addictive junk food. *New York Times Magazine.* http://nyti.ms/1FUm99j. Accessed 2/20/13. • Wansink B. *Mindless Eating: Why We Eat More Than We Think.* New York: Bantam Books; 2006.
34. Moss M. *Salt, Sugar, Fat: How the Food Giants Hooked Us.* New York: Random House; 2013.
35. Chandon P, Wansink B. *Nutr Rev.* 2012;70:571. • Wansink B. *Physiol Behav.* 2010;100:454.
36. Christakis NA, Fowler JH. *N Engl J Med.* 2007;357:370. • Martijn C, et al. *Health Psychol.* 2013;32:433.
37. Johnson WB. 575-pound Heart Attack Grill spokesman dies at 29. *USA Today.* http://usatoday30.usatoday.com/news/nation/2011-03-04-restaurant-spokesman-dies_N.htm. Accessed 12/31/13.
38. Ludwig J, et al. *N Engl J Med.* 2011;365:1509.
39. Breanna Bond, 9, loses 66 pounds. *ABC News.* http://abcnews.go.com/blogs/health/2012/12/10/breanna-bond-9-loses-66-pounds/. Accessed 4/24/14.
40. How much does Jennifer Hudson weigh? HelloBeautiful.com. http://hellobeautiful.com/2012/07/29/jennifer-hudson-weight/. Accessed 8/20/15. • Jennifer Hudson: "I'm prouder of my weight loss than my Oscar!" *Huffington Post.* http://www.huffingtonpost.

com/2011/08/17/jenniferhudson-weight-loss_n_929188.html. Accessed 8/20/15.

41. Thaler RH, Sunstein CR. *Nudge: Improving Decisions About Health, Wealth, and Happiness.* New Haven, CT: Yale University Press; 2008.
42. Taubes G. Why the campaign to stop America's obesity crisis keeps failing. *Newsweek.* http://www.newsweek.com/why-campaign-stop-americas-obesity-crisis-keeps-failing-64977. Accessed 4/24/14.
43. Tavernise S. Poor children show a decline in obesity rate. *New York Times.* http://nyti.ms/17vAJhK. Accessed 8/6/13. • Tavernise S. Obesity in young is seen as falling in several cities. *New York Times.* http://nyti.ms/VvIZIz. Accessed 12/11/12. • Tavernise S. Children in U.S. are eating fewer calories, study finds. *New York Times.* http://nyti.ms/Yo1K1l. Accessed 2/21/13. • Ogden CL, et al. *JAMA.* 2014;311:806. • Skinner AC, Skelton JA. *JAMA Pediatr.* 2014;168:561.
44. Hatori M, et al. *Cell Metab.* 2012;15:848. • Chaix A, et al. *Cell Metab.* 2014;20:991. • Reynolds G. A 12-hour window for a healthy weight. *New York Times.* http://nyti.ms/1ylMetT. Accessed 1/20/15. • Gill S, et al. *Science.* 2015;347:1265.
45. Callier V. *Science.* 2015;348:488. • Hedrick VE, et al. *Public Health Nutr.* 2015:1.
46. Ng M, et al. *Lancet.* 2014;384:766.
47. Geiss LS, et al. *JAMA.* 2014;312:1218. • Report: US obesity rates increased in just six states in 2013. *AMA Morning Rounds.* American Medical Association; September 5, 2014.
48. Wadden TA, et al. *Circulation.* 2012;125:1157.
49. Rottensteiner M, et al. *Med Sci Sports Exerc.* 2015;47:509.
50. Naci H, Ioannidis JP. *BMJ.* 2013;347:f5577.
51. Ronn T, et al. *PLoS Genet.* 2013;9:e1003572. • Barres R, et al. *Cell Metab.* 2012;15:405.
52. Roux L, et al. *Am J Prev Med.* 2008;35:578. • Church TS, et al. *PLoS One.* 2011;6:e19657. • Stamatakis E, et al. *Prev Med.* 2007;45:416.
53. Buchner DM. In: Goldman L, Schafer AI, eds. *Goldman-Cecil Medicine;* 2016(see bibliography).
54. Lee I-M, et al. *Lancet.* 2012;380:219.
55. Roberts MD, et al. *Am J Physiol Regul Integr Comp Physiol.* 2013;304:R1024. • Roberts MD, et al. *J Physiol.* 2014;592:2119. • Kelly SA, et al. *Physiol Genomics.* 2014;46:593. • Kelly SA, et al. *Genetics.* 2012;191:643. • Meek TH, et al. *J Exp Biol.* 2009;212:2908.

56. Roberts MD, et al. *J Physiol.* 2014;592:2119. • Mathes WF, et al. *Behav Brain Res.* 2010;210:155. • Blum K, et al. J Psychoactive Drugs. 2012;44:134. • Wise RA. *Neurotox Res.* 2008;14:169. • Roberts MD, et al. *Physiol Behav.* 2012;105:661.
57. Cooney G, et al. *JAMA.* 2014;311:2432. • Agudelo LZ, et al. *Cell.* 2014;159:33.
58. Waters RP, et al. *Brain Res.* 2013;1508:9.
59. Stadler G, et al. *Am J Prev Med.* 2009;36:29.
60. Roux L, et al. *Am J Prev Med.* 2008;35:578. • Metcalf B, et al. *BMJ.* 2012;345:e5888. • Michie S, et al. *Health Psychol.* 2009;28:690. • Orrow G, et al. *BMJ.* 2012;344:e1389.
61. Kalogeropoulos AP, et al. *JAMA Intern Med.* 2015;175:410.
62. O'Donnell M, et al. *N Engl J Med.* 2014;371:612.
63. Strazzullo P, et al. *BMJ.* 2009;339:b4567. • Whelton PK, et al. *Circulation.* 2012;126:2880.
64. Sifferlin A. 90% of Americans eat too much salt. *Time.* http://time.com/3944545/sodium-heart/. Accessed 7/15/15.
65. Bibbins-Domingo K, et al. *N Engl J Med.* 2010;362:590.
66. He FJ, MacGregor GA. *J Hum Hypertens.* 2009;23:363. • Laatiken T, et al. *Eur J Clin Nutr.* 2006;60:965.
67. Stubbe JH, et al. *Psychol Med.* 2005;35:1581. • Nes RB, et al. *Twin Res Hum Genet.* 2010;13:312.
68. Lyubomirsky S. *The How of Happiness: A Scientific Approach to Getting the Life You Want.* New York: Penguin Press; 2008. • Reis HT, et al. *Pers Soc Psychol Bull.* 2000;26:419.
69. Kahneman D, et al. *Well-Being: The Foundations of Hedonic Psychology.* New York: Russell Sage Foundation; 1999.
70. Bartels M, Boomsma DI. *Behav Genet.* 2009;39:605. • Cooper C, et al. *Int J Geriatr Psychiatry.* 2011;26:608. • Boyce CJ, et al. *Psychol Sci.* 2010;21:471.
71. Sadler ME, et al. *Twin Res Hum Genet.* 2011;14:249.
72. Lynch D, et al. *Psychol Med.* 2010;40:9. • Deacon BJ, Abramowitz JS. *J Clin Psychol.* 2004;60:429. • McGrath CL, et al. *JAMA Psychiatry.* 2013;70:821.
73. Tingley K. The suicide detective. *New York Times Magazine.* http://nyti.ms/18fHdXl. Accessed 7/1/13.
74. Zoroya G. Suicides in the army decline sharply. *USA Today.* http://usat.ly/LifXOq. Accessed 2/3/15.
75. Mitchell AJ, et al. *Lancet.* 2009;374:609. • Fernandez A, et al. *Gen Hosp Psychiatry.* 2012;34:227.

76. Oldham M, et al. *J Consult Clin Psychol.* 2012;80:928.

77. Tyrer P, et al. *Lancet.* 2014;383:219.

78. Barry CL, et al. *N Engl J Med.* 2012;367:389.

79. Block JP, Roberto CA. *JAMA.* 2014;312:887. • Dumanovsky T, et al. *Am J Public Health.* 2010;100:2520. • Krieger JW, et al. *Am J Prev Med.* 2013;44:595. • Tandon PS, et al. *Am J Prev Med.* 2011;41:434. • Finkelstein EA, et al. *Am J Prev Med.* 2011;40:122. • Yamamoto JA, et al. *J Adolesc Health.* 2005;37:397. • Gerend MA. *J Adolesc Health.* 2009;44:84. • Namba A, et al. *Prev Chronic Dis.* 2013;10:E101.

80. Tyler A. Changing the food environment. *NYU Physician.* 2011:16.

81. Strom S. Burger King introducing a lower-fat french fry. *New York Times.* http://nyti.ms/18mbwZ9. Accessed 9/24/13. • Jargon J. Burger King drops lower-calorie fry 'Satisfries.' *Wall Street Journal.* http://on.wsj.com/1ziu6AO. Accessed 6/3/2015. • Patton L. Burger King stores discontinue Satisfries as sales fizzle. *Bloomberg Business.* http://www.bloomberg.com/news/articles/2014-08-13/burger-king-stores-discontinue-satisfries-as-sales-fizzle. Accessed 6/3/2015.

82. Strom S. Soda makers Coca-Cola, PepsiCo and Dr Pepper join in effort to cut Americans' drink calories. *New York Times.* http://nyti.ms/Y1UgZA. Accessed 9/29/14.

83. Chandon P, Wansink B. *Nutr Rev.* 2012;70:571.

84. Brown HS, Karson S. *Health Econ.* 2013;22:741. • Levy DT, et al. *Am J Prev Med.* 2012;43:S179. • Coady MH, et al. *Am J Public Health.* 2013;103:e54. • Bento AM, et al. *Am Econ Rev.* 2009;99:667.

85. Mozaffarian D, et al. *JAMA.* 2014;312:889. • Wang YC, et al. *Health Affairs.* 2012;31:199. • *N Engl J Med.* 2012;367:1464.

86. Levy DT, et al. *Am J Prev Med.* 2012;43:S179. • Meyers DG, et al. *J Am Coll Cardiol.* 2009;54:1249.

87. Deutermann WV. Calculating lives saved by motorcycle helmets. National Center for Statistics and Analysis(NCSA) of the National Highway Traffic Safety Administration(NHTSA). http://www-nrd.nhtsa.dot.gov/Pubs/809861.pdf. Accessed 6/10/15.

88. Angell SY, et al. *Ann Intern Med.* 2012;157:81. • Brownell KD, Pomeranz JL. *N Engl J Med.* 2014;370:1773. • Farley TA. *JAMA.* 2012;308:1093. • FDA takes step to remove artificial

trans fats from processed foods. US Food and Drug Administration. http://www.fda.gov/NewsEvents/Newsroom/PressAnnouncements/ucm451237.htm. Accessed 6/16/15.

89. Unnevehr LJ, Jagmanaite E. *Food Policy.* 2008;33:497.
90. Lowering salt in your diet. US Food and Drug Administration. http://www.fda.gov/forconsumers/consumerupdates/ucm181577.htm. Accessed 2/25/12.
91. Jacobson MF, et al. *JAMA Intern Med.* 2013;173:1285.
92. Zap C. "Anti-Bloomberg bill" passed in Mississippi. Yahoo news. http://news.yahoo.com/blogs/the-lookout/anti-bloomberg-bill-passed-mississippi-215548774-finance.html. Accessed 3/14/13. • Elbel B, et al. *N Engl J Med.* 2012;367:680. • Niederdeppe J, et al. *Am J Public Health.* 2013;103:e92.
93. Hvistendahl M. *Science.* 2014;345:1268.

8장

1. Gu Q, et al. *NCHS Data Brief.* 2010;42:1. • Health, United States, 2013: With special feature on prescription drugs. National Center for Health Statistics. http://www.cdc.gov/nchs/data/hus/hus13.pdf. Accessed 11/19/14.
2. Perlman A. In: Goldman L, Schafer AI, eds. *Goldman-Cecil Medicine;* 2016(see bibliography).
3. Walton AG. Steve Jobs' cancer treatment regrets. *Forbes.* http://onforb.es/rcmSaD. Accessed 7/23/14.
4. Fitzgerald K. Obesity is now a disease, American Medical Association decides. *Medical News Today.* http://www.medicalnewstoday.com/articles/262226.php. Accessed 7/7/14. • Hoyt CL, Burnette JL. Should obesity be a "disease"? *New York Times.* http://nyti.ms/1eelWeu. Accessed 7/7/14. • Pollack A. A.M.A. recognizes obesity as a disease. *New York Times.* http://nyti.ms/11ml6KK. Accessed 7/7/14.
5. Colman E. *Circulation.* 2012;125:2156. • Kushner RF. *Circulation.* 2012;126:2870.
6. Yanovski SZ, Yanovski JA. *JAMA.* 2014;311:74. • *JAMA.* 2014;312:955. • Phillip A. Meet the newest FDA-approved prescription weight-loss drug: Contrave. *Washington Post.*

http://wapo.st/1nNOzoL. Accessed 11/14/14. • Pollack A. New drug to treat obesity gains approval by F.D.A. *New York Times.* http://nyti.ms/1pR1p5c. Accessed 9/22/14. • FDA approves weight-management drug Saxenda. US Food and Drug Administration. http://www.fda.gov/NewsEvents/Newsroom/PressAnnouncements/ucm427913.htm. Accessed 1/30/15.

7. Yanovski SZ, Yanovski JA. *JAMA.* 2014;311:74.
8. Caixas A, et al. *Drug Des Devel Ther.* 2014;8:1419. • Verpeut JL, Bello NT. *Expert Opin Drug Saf.* 2014;13:831.
9. Saxenda Medication Guide. Novo Nordisk. http://www.novo-pi.com/saxenda_med.pdf. Accessed 7/14/15 • Pi-Sunyer X, et al. *N Engl J Med.* 2015;373:11.
10. Tellez LA, et al. *Science.* 2013;341:800.
11. Holland WL, Scherer PE. *Science.* 2013;342:1460.
12. Cai H, et al. *Nat Neurosci.* 2014;17:1240.
13. Yarmolinsky DA, et al. *Cell.* 2009;139:234.
14. Thayer KA, et al. *Environ Health Perspect.* 2012;120:779.
15. Reynolds G. Let's cool it in the bedroom. *New York Times.* http://nyti.ms/1zL2u7n. Accessed 11/19/14.
16. Hall KD, et al. *Am J Clin Nutr.* 2012;95:989. • Efrat M, et al. *J Pediatr Endocrinol Metab.* 2013;26:197.
17. Doheny K. The truth about fat. WebMD. http://www.webmd.com/diet/features/the-truth-about-fat. Accessed 8/21/14. • Rogers NH. *Ann Med.* 2014:1.
18. Grens K. Activating beige fat. *The Scientist.* http://www.the-scientist.com/?articles.view/articleNo/40147/title/Activating-Beige-Fat/. Accessed 7/7/14.
19. Lee P, et al. *Diabetes.* 2014;63:3686. • Moyer MW. Supercharging brown fat to battle obesity. *Scientific American.* http://www.scientificamerican.com/article/supercharging-brown-fat-to-battle-obesity/. Accessed 8/21/14.
20. Roberts LD, et al. *Cell Metab.* 2014;19:96. • Rao RR, et al. *Cell.* 2014;157:1279. • Irving BA, et al. Curr Obes Rep. 2014;3:235.
21. Claussnitzer M, et al. *N Engl J Med.* 2015. doi:10.1056/NEJMoa1502214.
22. Roberts LD, et al. *Cell Metab.* 2014;19:96.
23. Fang S, et al. *Nat Med.* 2015;21:159. • Fikes BJ. Diet drug fools the gut. *San Diego Union-*

Tribune. http://www.utsandiego.com/news/2015/jan/05/diet-drug-salk-imaginary-meal-ron-evans/. Accessed 1/6/15. • Qiu Y, et al. *Cell.* 2014;157:1292.

24. Turnbaugh PJ, et al. *Nature.* 2006;444:1027. • Tilg H, Kaser A. *J Clin Invest.* 2011;121:2126.
25. Cox LM, et al. *Cell.* 2014;158:705. • Jess T. *N Engl J Med.* 2014;371:2526. • Bailey LC, et al. *JAMA Pediatr.* 2014;168:1063.
26. Backhed F, et al. *Proc Natl Acad Sci U S A.* 2004;101:15718.
27. Furlow B. *Lancet Diabetes Endocrinol.* 2013;1 Suppl 1:s4. • Chen Z, et al. *J Clin Invest.* 2014;124:3391.
28. Suez J, et al. *Nature.* 2014;514:181. • Chang K. Artificial sweeteners may disrupt body's blood sugar controls. *New York Times.* http://nyti.ms/Xjn3bi. Accessed 9/22/14.
29. Pennisi E. *Science.* 2014;346:687.
30. Pennisi E. *Science.* 2014;346:687. • Nieuwdorp M, et al. *Gastroenterology.* 2014;146:1525.
31. Van Nood E, et al. *N Engl J Med.* 2013;368:407.
32. O'Brien PE, et al. *JAMA.* 2010;303:519. • Chakravarty PD, et al. *Surgeon.* 2012;10:172. • Courcoulas AP, et al. *JAMA Surg.* 2014;149:707. • Schauer PR, et al. *N Engl J Med.* 2014;370:2002. • Schauer PR, et al. *N Engl J Med.* 2012;366:1567. • Mingrone G, et al. *N Engl J Med.* 2012;366:1577. • Sjostrom L, et al. *JAMA.* 2014;311:2297. • Ikramuddin S, et al. *JAMA.* 2013;309:2240. • Saeidi N, et al. *Science.* 2013;341:406. • Arterburn DE, Courcoulas AP. *BMJ.* 2014;349:g3961. • Liou AP, et al. *Sci Transl Med.* 2013;5:178ra41.
33. Mohaidly MA, et al. *Int J Surg Case Rep.* 2013;4:1057.
34. Lyall S. One-third the man he used to be, and proud of it. *New York Times.* http://nyti.ms/VI5vnQ. Accessed 7/7/14.
35. Zernike K, Santora M. Weight led governor to surgery. *New York Times.* http://nyti.ms/12aozes. Accessed July 7/7/14. • Mucha P. Gov. Christie spells out weight loss. Philly.com. http://www.philly.com/philly/news/politics/Gov_Christie_spells_out_weight_loss_.html. Accessed 9/22/14.
36. Dixon JB, et al. *Circulation.* 2012;126:774. • Pollack A. Early results arrive on weight-loss pills that expand in the stomach. *New York Times.* http://nyti.ms/1lioVLd. Accessed 7/7/14. • Hand L. FDA panel mixed on implanted weight-loss device. Medscape. http://www.medscape.com/viewarticle/826946. Accessed 7/7/14. • Sullivan S, et al. *Gastroenterology.* 2013;145:1245. • Saint Louis C. F.D.A. approves surgical implant to treat obesity. *New*

York Times. http://nyti.ms/1zf77Iy. Accessed 1/15/15.

37. Flannick J, et al. *Nat Genet.* 2014;46:357.
38. Roberts MD, et al. *Physiol Behav.* 2012;105:661.
39. Reynolds G. How exercise may protect against depression. *New York Times.* http://nyti.ms/YK7r1K. Accessed 10/6/14. • Agudelo LZ, et al. *Cell.* 2014;159:33.
40. Victor RG. In: Goldman L, Schafer AI, eds. *Goldman-Cecil Medicine;* 2016(see bibliography). • Jaffe MG, et al. *JAMA.* 2013;310:699.
41. Cooper CJ, et al. *N Engl J Med.* 2014;370:13.
42. Bhatt DL, et al. *N Engl J Med.* 2014;370:1393.
43. Laurent S, et al. *Lancet.* 2012;380:591.
44. Krishnan V, Nestler EJ. Am J *Psychiatry.* 2010;167:1305.
45. Lyness JM. In: Goldman L, Schafer AI, eds. *Goldman-Cecil Medicine;* 2016(see bibliography). • Arroll B, et al. *Cochrane Database Syst Rev.* 2009:CD007954.
46. Lyness JM. In: Goldman L, Schafer AI, eds. *Goldman-Cecil Medicine;* 2016(see bibliography).
47. Borges S, et al. J Clin *Psychiatry.* 2014;75:205.
48. Lyness JM. In: Goldman L, Schafer AI, eds. *Goldman-Cecil Medicine;* 2016(see bibliography). • Anxiety disorders. Bethesda, MD: National Institute of Mental Health, National Institutes of Health, US Department of Health and Human Services. NIH publication 09 3879; 2009.
49. Fazel S, et al. *Lancet.* 2014;384:1206.
50. Karpova NN, et al. *Science.* 2011;334:1731.
51. Murrough JW, et al. Am J *Psychiatry.* 2013;170:1134. • Piroli GG, et al. *Exp Neurol.* 2013;241:184. • Feder A, et al. *JAMA Psychiatry.* 2014;71:681. • Lapidus KA, et al. *Biol Psychiatry.* 2014;76:970.
52. Mohler H. *Neuropharmacology.* 2012;62:42.
53. Morishita T, et al. *Neurotherapeutics.* 2014;11:475.
54. Deisseroth K. *Sci Am.* 2010;303:48.
55. Redondo RL, et al. *Nature.* 2014;513:426. • Williams R. Light-activated memory switch. *The Scientist.* http://www.the-scientist.com/?articles.view/articleNo/40889/title/Light-Activated-Memory-Switch/. Accessed 11/13/14.
56. Belluck P. Using light technique, scientists find dimmer switch for memories in mice.

New York Times. http://nyti.ms/1AUKrv1. Accessed 8/29/14.

57. Awtry EH, Loscalzo J. *Circulation.* 2000;101:1206. • Stone E. *Phil Trans.* 1763;53:195. • Roth GJ, Majerus PW. *J Clin Invest.* 1975;56:624. • Rosenkranz B, et al. *Br J Clin Pharmacol.* 1986;21:309.
58. Schulman S, Hirsh J. In: Goldman L, Schafer AI, eds. *Goldman-Cecil Medicine;* 2016(see bibliography).
59. Teirstein PS, Lytle BW. In: Goldman L, Schafer AI, eds. *Goldman-Cecil Medicine;* 2016(see bibliography).
60. Garan H. In: Goldman L, Schafer AI, eds. *Goldman-Cecil Medicine;* 2016(see bibliography).
61. Song Y, et al. *Curr Biol.* 2011;21:1296.
62. Schulman S, Hirsh J. In: Goldman L, Schafer AI, eds. *Goldman-Cecil Medicine;* 2016(see bibliography).
63. Ginsberg J. In: Goldman L, Schafer AI, eds. *Goldman-Cecil Medicine;* 2016(see bibliography).
64. What is atrial fibrillation(AFib or AF)? American Heart Association. http://www.heart.org/HEARTORG/Conditions/Arrhythmia/AboutArrhythmia/What-is-Atrial-Fibrillation-AFib-or-AF_UCM_423748_Article.jsp. Accessed 7/8/14. • Survivors. National Stroke Association. http://www.*stroke.*org/site/PageServer?pagename=surv. Accessed 7/8/14. • *Morb Mortal Wkly Rep.* 2011;60:1377.
65. Moeckel D, et al. *Sci Transl Med.* 2014;6:248ra105.
66. Halvorsen S, et al. *J Am Coll Cardiol.* 2014;64:319.
67. Henderson JT, et al. *Ann Intern Med.* 2014;160:695. • LeFevre ML. *Ann Intern Med.* 2014;161:819.
68. Stone NJ, et al. *Circulation.* 2014;129:S1.
69. *N Engl J Med.* 2014;371:2072. • Kolata G. Study finds alternative to anti-cholesterol drug. *New York Times.* http://nyti.ms/1xeAZCg. Accessed 11/18/14. • Cannon CP, et al. *N Engl J Med.* 2015;372:2387.
70. Raal FJ, et al. *Lancet.* 2015;385:331. • Sabatine MS, et al. *N Engl J Med.* 2015;372:1500. • Robinson JG, et al. *N Engl J Med.* 2015;372:1489.
71. Jong MC, et al. *J Lipid Res.* 2001;42:1578. • Baroukh NN, et al. Lawrence Berkeley National Laboratory; 2003. Retrieved from: http://www.escholarship.org/uc/

item/4cp3d5zc. Accessed 7/7/14. • Crosby J, et al. *N Engl J Med.* 2014;371:22. • Jorgensen AB, et al. *N Engl J Med.* 2014;371:32.

72. Pittman D. Romney takes daily statin, aspirin. MedPage Today. http://www.medpagetoday.com/Washington-Watch/ElectionCoverage/34908. Accessed 7/7/14.
73. Reenan R. *N Engl J Med.* 2014;370:172. • Rosenberg SM, Queitsch C. *Science.* 2014;343:1088. • Naryshkin NA, et al. *Science.* 2014;345:688. • Long C, et al. *Science.* 2014;345:1184. • Ding Q, et al. *Circ Res.* 2014;115:488. • Liang P, et al. *Protein Cell.* 2015;6:363. • Kolata G. Chinese scientists edit genes of human embryos, raising concerns. *New York Times.* http://nyti.ms/1PqeCS4. Accessed 4/24/15. • Baltimore D, et al. *Science.* 2015;348:36. • Wade N. Scientists seek ban on method of editing the human genome. *New York Times.* http://nyti.ms/19DfnrB. Accessed 3/20/15.
74. Libri V, et al. *Lancet.* 2014;384:504. • Pennisi E. *Science.* 2015;348:618. • Hoffman Y, Pilpel Y. *Science.* 2015;348:41. • Popp MW, Maquat LE. *Science.* 2015;347:1316.
75. Underwood E. *Science.* 2014;345:750.
76. Haussecker D, Kay MA. *Science.* 2015;347:1069.
77. Kolata G. In a new approach to fighting disease, helpful genetic mutations are sought. *New York Times.* http://nyti.ms/1y02HEY. Accessed 1/5/15. • Kaiser J. *Science.* 2014;344:687.
78. Tebas P, et al. *N Engl J Med.* 2014;370:901. • Gardner MR, et al. *Nature.* 2015;519:87.
79. Wei C, et al. *J Genet Genomics.* 2013;40:281. • Wang T, et al. *Science.* 2014;343:80. • Ran FA, et al. *Nat Protoc.* 2013;8:2281. • *Science.* 2013;342:1434.
80. Patel DJ. *Science.* 2014;346:542.
81. Kandel ER. The new *science* of mind. *New York Times.* http://nyti.ms/15FfnE9. Accessed 8/25/14. • Aftimos PG, et al. *Discov Med.* 2014;17:81. • Kolata G. Finding clues in genes of "exceptional responders." *New York Times.* http://nyti.ms/1sh1Dc5. Accessed 10/9/14. • Doroshow J. In: Goldman L, Schafer AI, eds. *Goldman-Cecil Medicine;* 2016(see bibliography). • Fact sheet: President Obama's precision medicine initiative. The White House. Office of the Press Secretary. http://wh.gov/iTBz3. Accessed 2/24/15.

참고문헌

American Psychiatric Association. *Diagnostic and Statistical Manual of Mental Disorders:* 5th ed. Washington, DC: American Psychiatric Association; 2013.

Barrett D. *Supernormal Stimuli: How Primal Urges Overran Their Evolutionary Purpose.* 1st ed. New York: W. W. Norton & Company; 2010.

Bloom RW, Dess NK, eds. *Evolutionary Psychology and Violence: A Primer for Policymakers and Public Policy Advocates.* Westport, CT: Praeger; 2003. See chapter:

Buss DM, Duntley JD. Homicide: An evolutionary psychological perspective and implications for public policy.

Boaz NT. *Evolving Health: The Origins of Illness and How the Modern World Is Making Us Sick.* New York: Wiley; 2002.

Brune M. *Textbook of Evolutionary Psychiatry: The Origins of Psychopathology.* Oxford and New York: Oxford University Press; 2008.

Finlayson C. *The Humans Who Went Extinct: Why Neanderthals Died Out and We Survived.* Oxford and New York: Oxford University Press; 2009.

Gluckman PD, Beedle A, Hanson MA. *Principles of Evolutionary Medicine.* Oxford and New York: Oxford University Press; 2009.

Gluckman PD, Hanson MA. *Mismatch: Why Our World No Longer Fits Our Bodies.* Oxford and New York: Oxford University Press; 2006.

Goldman L, Schafer AI, eds. *Goldman-Cecil Medicine.* 25th ed. Philadelphia: Elsevier; 2016. See chapters:

Al-Awqati Q, Barasch J. Structure and function of the kidneys.

Anderson JL. ST segment elevation acute myocardial infarction and complications of myocardial infarction.

Appelbaum FR. The acute leukemias.

Bacon BR. Iron overload(hemochromatosis).

Bausch DG. Viral hemorrhagic fevers.

Blankson JN, Siliciano RF. Immunopathogenesis of human immunodeficiency virus infection.

Bosque PJ. Prion diseases.

Buchner DM. Physical activity.

Bunn HF. Approach to the anemias.

Crandall J, Shamoon H. *Diabetes.*

Doroshow J. Approach to the patient with cancer.

Dubose TD Jr., Santos RM. Vascular disorders of the kidney.

Garan H. Ventricular arrhythmias.

Ginsberg J. Peripheral venous disease.

Goldstein LB. Ischemic cerebrovascular disease.

Hansson GK, Hamsten A. Atherosclerosis, thrombosis, and vascular biology.

Jensen MD. Obesity.

Korf BR. Principles of genetics.

Lyness JM. Psychiatric disorders in medical practice.

Marks AR. Cardiac function and circulatory control.

Mason JB. Vitamins, trace minerals, and other micronutrients.

O'Connor CM, Rogers J. Heart failure: Pathophysiology and diagnosis.

Perlman A. Complementary and alternative medicine.

Quinn TC. Epidemiology and diagnosis of human immunodeficiency virus infection and acquired immunodeficiency syndrome.

Sawka MN, O'Connor FG. Disorders due to heat and cold.

Schafer AI. Approach to the patient with bleeding and thrombosis.

Schulman S, Hirsh J. Antithrombotic therapy.

Seifter JL. Potassium disorders.

Semenkovich CF. Disorders of lipid metabolism.

Slotki I, Skorecki K. Disorders of sodium and water homeostasis.

Steinberg MH. Sickle cell disease and other hemoglobinopathies.

Teirstein PS, Lytle BW. Interventional and surgical treatment of coronary artery disease.

Thakker, RV. The parathyroid glands, hypercalcemia, and hypocalcemia.

Victor RG. Arterial *hypertension.*

Weitz JI. Pulmonary embolism.

Grinde B. *Darwinian Happiness: Evolution as a Guide for Living and Understanding Human Behavior.* Princeton, NJ: Darwin Press; 2002.

Keedwell P. *How Sadness Survived: The Evolutionary Basis of Depression.* Oxford: Radcliffe Publishing; 2008.

Kurlansky M. *Salt: A World History.* London: Jonathan Cape; 2002.

McDougall C. *Born to Run: A Hidden Tribe, Superathletes, and the Greatest Race the World Has Never Seen.* 1st ed. New York: Alfred A. Knopf; 2009.

McGuire MT, Troisi A. *Darwinian Psychiatry.* New York: Oxford University Press; 1998.

Mielke JH, Konigsberg LW, Relethford J. *Human Biological Variation.* 2nd ed. New York: Oxford University Press; 2011.

Moalem S, Prince J. *Survival of the Sickest: A Medical Maverick Discovers Why We Need Disease.* 1st ed. New York: William Morrow; 2007.

Nesse RM, Williams GC. *Why We Get Sick: The New Science of Darwinian Medicine.* 1st ed. New York: Times Books; 1994.

Perlman RL. *Evolution and Medicine.* Oxford: Oxford University Press; 2013.

Pollan M. *The Omnivore's Dilemma: A Natural History of Four Meals.* New York: Penguin Press; 2006.

Relethford J. *Human Population Genetics.* Hoboken, NJ: Wiley-Blackwell; 2012.

Stearns SC, Koella JC, eds. *Evolution in Health and Disease.* 2nd ed. Oxford and New York: Oxford University Press; 2008. See chapters:

Ackermann M, Pletcher SD. Evolutionary biology as a foundation for studying aging and aging-related disease.

Leonard WR. Lifestyle, diet, and disease: Comparative perspectives on the determinants of chronic health risks.

Stringer C. *Lone Survivors: How We Came to Be the Only Humans on Earth.* 1st US ed. New York: Henry Holt; 2012.

Trevathan W, Smith EO, McKenna JJ, eds. *Evolutionary Medicine and Health: New Perspectives.* New York: Oxford University Press; 2008. See chapters:

Lieberman LS. Diabesity and Darwinian medicine: The evolution of an epidemic.

Wiley AS. Cow's milk consumption and health.

Wansink B. *Mindless Eating: Why We Eat More Than We Think.* New York: Bantam Books; 2006.

Zuk M. *Paleofantasy: What Evolution Really Tells Us about Sex, Diet, and How We Live.* New York: W. W. Norton & Company; 2013.